JN040324

トヨタの製造現場はなぜ最適なラインをつくれるのか

時代をリードするエンジニアの思考力

石井創久
ISHII TATSUHISA

幻冬舎 MC

トヨタの製造現場はなぜ最適なラインをつくれるのか

時代をリードするエンジニアの思考力

まえがき

長年、日本の製造業はグローバル競争においては製品開発技術と製造技術、生産ライン運営技術で生き抜いてきた。特にコスト競争の渦に巻き込まれ、生産主体は新興国へと進出し、国内では付加価値のある製品や部品を多品種少量生産で生き残りをしてきた。この多品種少量生産の運営手法は日本の特技であった。

本書は27年間のトヨタ自動車生産技術部門の学びを基に、その後14年間の電気、電子、重工業製品の生産コンサルタント経験を加え、これまで本としての出版があまりない生産技術の工程設計業務手法（特に最終組立の工程設計）をものづくりの日本に紹介する必要があるとのことから書籍にしたものである。機械設計や電子設計、ＩＴ技術の書籍が溢れている中で、生産ラインの工程設計の本は少なく、大学の講座においても教科として扱われていないが、工程設計はエンジニアリングの基本分野であると考えている。しかしながら、筆者が経験した電気、電子、重工業製品の企業にはトヨタ自動車で行われるような業務アプローチが少なく、現場においても考え方の継承がされていないようであった。工程設計は生産ラインの設計だけではなく、私たちの業務に共通した考え方として活用できるものである。筆者は自動車組立ラインの工程設計手法を体系化してきたことが現在のＩＴシステム開発における工程設計に役立っていると考えている。20年前ごろから始まったＩｏＴ化においては、各社内の目的議論の中に、ものづくりの生産性向上に関する評価指標の細分化が不足している場面に直面した。多くはまずやってみようということだけで進めているのではないだろうか。目的が体系的に説明できず、精神論や美辞麗句でごまかしているのではないだろうか。これらは企業内にものづくりの工程設計（品質とコストのバランス）における評価のための分類やトレードオフ時の判断基準などが洗練されていないことの表れだと考えられる。本質的に品質とコストは製造業の生命線である。ここには経営的な最適バランスが存在する。製品の品質は仕事の質そのものである。コストはエンジニアリング力そのものである。単なるアワーレートの差による利益を求めた海外生産ではなく、限りなく品質とコストを追求することが製造業の使命である。それはそこに働くエンジニアの任務である。その上、地産地消による現地嗜好製品化による製品の種類の多さは企業にとっては大きな損失となっているはずである。

多くの製造業の現場や仕事のやり方にも問題が多い。改善という言葉だけを認め、そもそもその工程をなぜそのような設計をしたのかという考え方における間違いを正していない。改めて製造業のエンジニアの仕事の役割や質を見直すべき時期であると感ずる。

それは、近年の製造業を振り返るに初歩的な品質不良、とんでもない品質偽造による社会問題など、設計、生産の運営技術やエンジニアリングの倫理観が低下しているのではないかと懸念されるからである。

特に部品を生産するユニット関係のエンジニアリングと内外製部品を最終組立する工程のエンジニアリングは大きな違いがある。前者は特定の技術と加工設備を中心としたものづくりである。それに比べて、最終組立工程のエンジニアリングは前工程、仕入先、生産管理、調達、品質管理などの統制調整的な仕事が必要である。最終製品となる組立がものづくりの全体統制を行う機能であることを認識する必要がある。よい部品でなければ、よい製品にできないのであるから当然である。しかしながら、組立と部品生産工程を同じエンジニアリングとしか捉えていないようにも思える。トヨタ生産方式の書物は多いが、その根底にあるエンジニアリングの心や考え方についての書物はない。

そこで、エンジニアの仕事の進め方としての開発プロセスと製品の生産プロセスの考え方や心を多く述べることで、経営者、生産関係の部課長のプロセス改革マネジメントに役立て仕事の質を向上いただけるように執筆したものである。トヨタ自動車の工程設計のコア・コンピタンスを、生産技術の役割と考え方を、業務プロセスと生産プロセスについての視点を整理したものである。属人的といわれている事柄を文書化したものでもある。さらに、仕事の質を確保しつつ、エンジニアの技術力向上と生産性向上のためのICT活用によるプロセス改革マネジメントを解説する稀な手引き書になるよう配慮した。日本は、これらのことをもっと企業を超えて共有すべきであり、そこに競争をするのは時代遅れだと思う。人口減少下で、世界に勝てる技術検討に重点指向するためにも、生産技術に関する情報のオープン化が必要と考えている。大学生の皆さんも是非一読され、ものづくり企業におけるエンジニアリングの基礎知識を得て社会に出られることを願いたい。

改善で終わることのないように大きく本質的思考に転換してみることで改めて、いかに生産性の低い業務スタイルに陥っていたかに気づくことが多い。この手引き書が読者の思考転換となり、日本の生産技術、製造技術、運営技術のますますの発展に微力ながら役に立てることができれば幸いです。

石井創久

トヨタウェイと問題解決

本書を読まれる前にトヨタウェイとその目標実現のための問題解決手法についてご理解をいただきたく思います。

(1) トヨタウェイとは

トヨタに働く人間として価値観共有と行動をどのように取るべきかについて示したもので「知恵と改善」と「人間性尊重」が柱になっています。現状に満足せず、より高い付加価値の追求や知恵を絞り続けること、あらゆる関係者を尊重すること、社員の成長を会社の成長と結びつけることを常に念頭において行動することが、すべてのトヨタで働く者に求められるとしています。

(2) 問題解決とは

トヨタの仕事の仕方の中心となるスキルです。入社すれば、この教育が何年も続きます。問題解決力がトヨタウェイの行動を支えているものです。その具体的な進め方は、

①問題の明確化
②問題の細分化

③達成目標の決定
④真因を考え抜く
⑤対策立案
⑥対策をやり抜く
⑦結果とプロセスを評価する
⑧成果の定着化

と進めます。

これらを進めることは実に大変なことですが、上司からの指導など、徹底的に思考訓練されることで、どの組織の人も同じような考え方や心構えを保有するように鍛えられています。決して形式的な問題解決プロセスではありません。どのような考えが不足しているかや、関係組織との協調や、そもそも問題の捉え方が正しいのかなどを多くの異なる組織のメンバーから容赦なく指摘されます。お客様第一主義、当事者意識、見える化、徹底的に考える、現場主義、あきらめない、スピード、タイミング、誠実さ、愚直さ、徹底したコミュニケーション、全員参加などを強く意識し、業務を行っています。業務は問題解決そのものであり、改善そのものだということです。本書は、このような風土環境下での生産技術業務を、トヨタウェイ、問題解決手法を通じて得られた視点と対策や成果の定着化のための標準化、ICT化をまとめたものであり、事前にご理解を深めていただけると読み進むことが容易になると思います。

トヨタの製造現場はなぜ最適なラインをつくれるのか

時代をリードするエンジニアの思考力

目次

第1部　製造エンジニアリングのあるべき姿

第3章　エンジニアリングの生産性向上……47

第4章　種類の抑制がもたらすもの……79

第2部 製品開発プロセス改革

第3章　同期化にはＩＣＴが必須である……160

第4部　品質エンジニアリング改革

第5部　製造エンジニアリングのICT

第2章　エンジニアリング知識の蓄積には何が必要か……………379

第3章　製品開発プロセスのICT化……………386

第1部

製造エンジニアリングのあるべき姿

第1章　生産技術の役割を問う

1　生産技術の役割は生産活動全体の効率化

一般的に、製造業における会社の組織は、大きく製品設計と生産技術と製造の3つに分かれる。その役割は次の通りである。

- ・製品設計は新製品の開発企画を行い、その製品を設計する。
- ・生産技術は製品設計部署が設計した製品を生産するのに必要な生産ラインや設備の計画と立ち上げを行う。
- ・製造は生産を計画通りに実施し、品質・量・コストを管理、目標を達成する。

【役割と考え方】

①生産技術の役割は会社の生産活動全体の効率に貢献すること

製品設計は、競争力のある製品を生み出すこと、製造は計画通りに生産を行うことが使命である。生産技術は中間に位置し、生産工程の設計のエンジニアリングを行う役割である。

②効率的な生産ができる製品設計構造を考え生産工程の設計を行うこと

製品を生産できるようにするための条件を整理し、あらゆる準備を滞りなく実施することである。どのように物を作るかを考え、製品設計通りの製品が生産できるようにすることが、その使命である。生産工程の定義と順番を決める工程設計が最も重要であり、生産設備設計や据付は、これらの生産技術業務の一部にすぎない。

③品質、コスト、生産性の基本的部分を決定していることを認識し、統制的調整を行うこと

どのような工程・加工法・設備・レイアウトにて、最適なものづくりを実現することができるかを考え、設計・調達・営業・生産計画・生産・品質管理・物流など組織間の調整を行うこと。その結果として、生産工程が設計でき設備の仕様が確定する。

【解説】

生産技術というと、どんな加工法やロボットなどを使うのかを決めることと考えているエンジニアが多いが、これらはその前に生産工程設計が完了した上で選択される業務である。また、製品開発の出図に合わせた生産工程設計を行うという考え方は今日のスピーディな競争には勝てないことも事実である。一般的には製品開発部署と製造部署の2つだけの組織が多いため、生産技術の役割についての定義がそれぞれの企業で異なっている。製品開発部署の作成した図面を実際のものが作れるように転換する役割が生産技術である。生産技術の組織のない企業では、これらの転換業務は製品開発部署が行っていることが多い。製造部署は、所与の部品を加工、組立する役割とされている。本書における生産技術は前記の転換業務を行う機能としてその守備範囲を規定して、記述している。それは品質の安定性から品質規格の決定に参加し、製造品質能力を知った上で製品設計に対して製品構造に注文をつける一方、設計の実現したい構造を成し遂げることのできる加工法などの技術開発を行うことである。コストについても工程設計の結果として原価目標達成に取り組むことになる。特に本書がテーマとする最終組立工程の工程設計においては、機械化が難しく、人手による作業が多い。これは、投資が経営的に難しい企業においては、共通なことであり、ものづくりは原則人手での生産性がコスト決定の基本となる。エンジニアはこの人手で行う組立工程であると思った瞬間から、人の器用さや記憶力や協調性を気づかないうちに前提条件として考えてしまっている。もし、これが可動範囲や可搬重量制限を保有するロボットであれば、必ずその制限を前提と

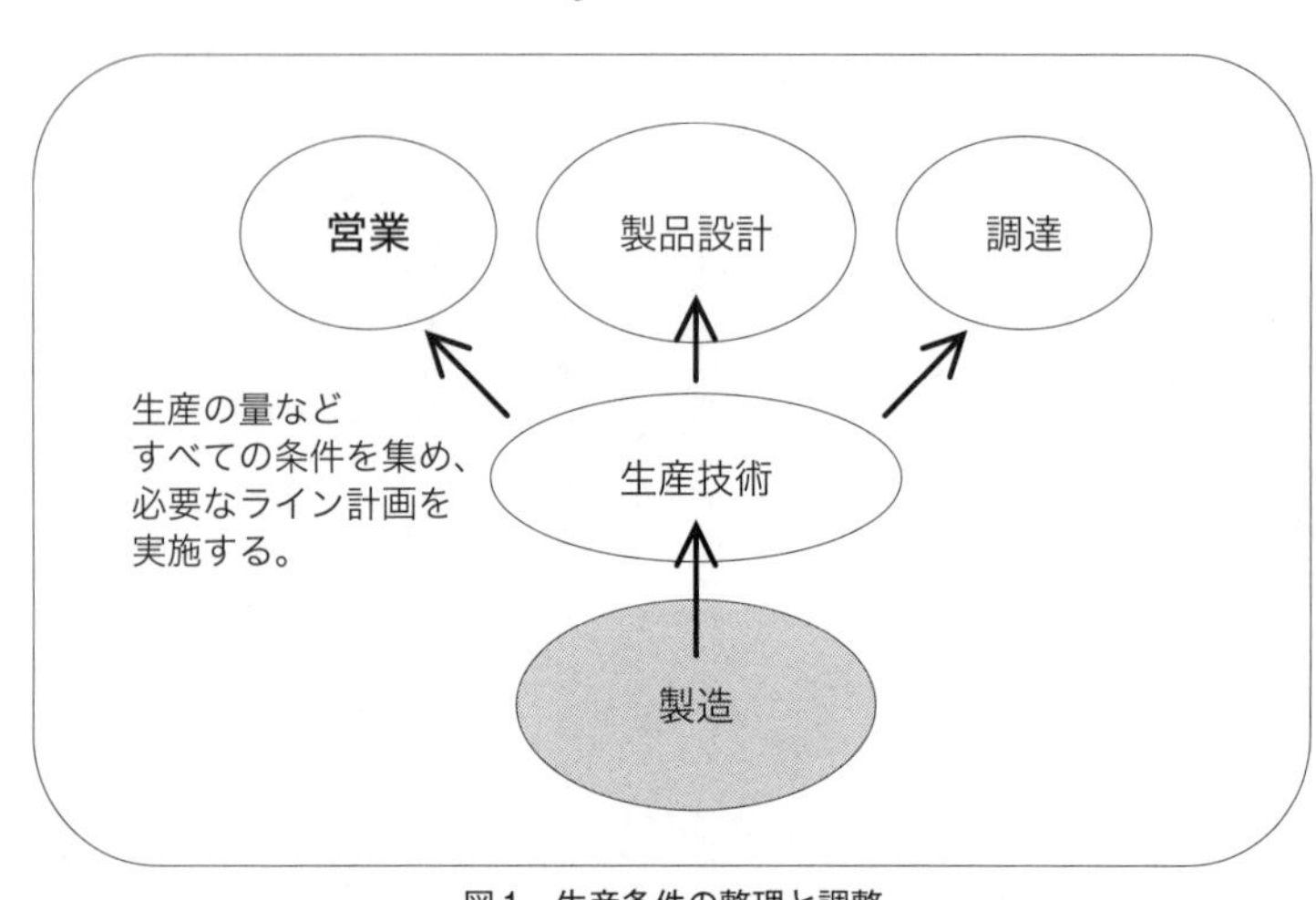

図１　生産条件の整理と調整

した工程設計を行うはずである。人手作業の工程は、その作業をロボット化するには、と考えることで製品の構造や生産工程の問題を明確化することができるので、この思考を習慣化するべきである。生産技術はものづくりのために基本的な条件の明確化と品質とコストに責任を持った、能動的積極的広範囲な業務を推進する役割である。

2　基本的な役割は社内業務改革と人材育成

生産技術は、製品開発過程において問題の認識がしやすい。調整業務に関与しやすく、その業務を通して幅広い調整力のある人材を育成しやすい。

幅広い範囲の部署、分野と仕事を行う。設計から製造までの広い知識が身につく製品開発から生産までの長期にわたる業務を行うことで品質、コスト、生産性に関与できる。

- 製品企画と生産ライン設備投資の調整。
- 製品の設計構造に関するものづくり生産性の確保。
- 仕入先の技術確認とセットメーカとしての役割の発揮。

【役割と考え方】

①生産設備投資が製品企画との整合を調整

製品仕様の計画から、必要とされる技術とその加工設備の見積もりを実施し、製品仕様面での調整と生産技術での調整を行い、目標とされる生産設備投資に納まるように製品開発仕様を製品企画段階にてキャッチし課題を対策する。

② 製品設計と生産工場間での調整

効率的な生産ができる要件を製品の設計構造と仕様に織り込み、既存ラインの生産上の問題解決や問題発生の未然防止を行う。

③ 社内と社外（サプライヤ）の調整

製品開発プロセスの中で品質、コストに対して設計から生産、サプライヤまで技術的なマネジメントを行い、生産側の製品企画目標を達成すること。

3　仕事の品質の良否は製品の品質と同じ

企業は人で組織化されている。その中で生み出される製品やサービスの良し悪しは、そのプロセスを

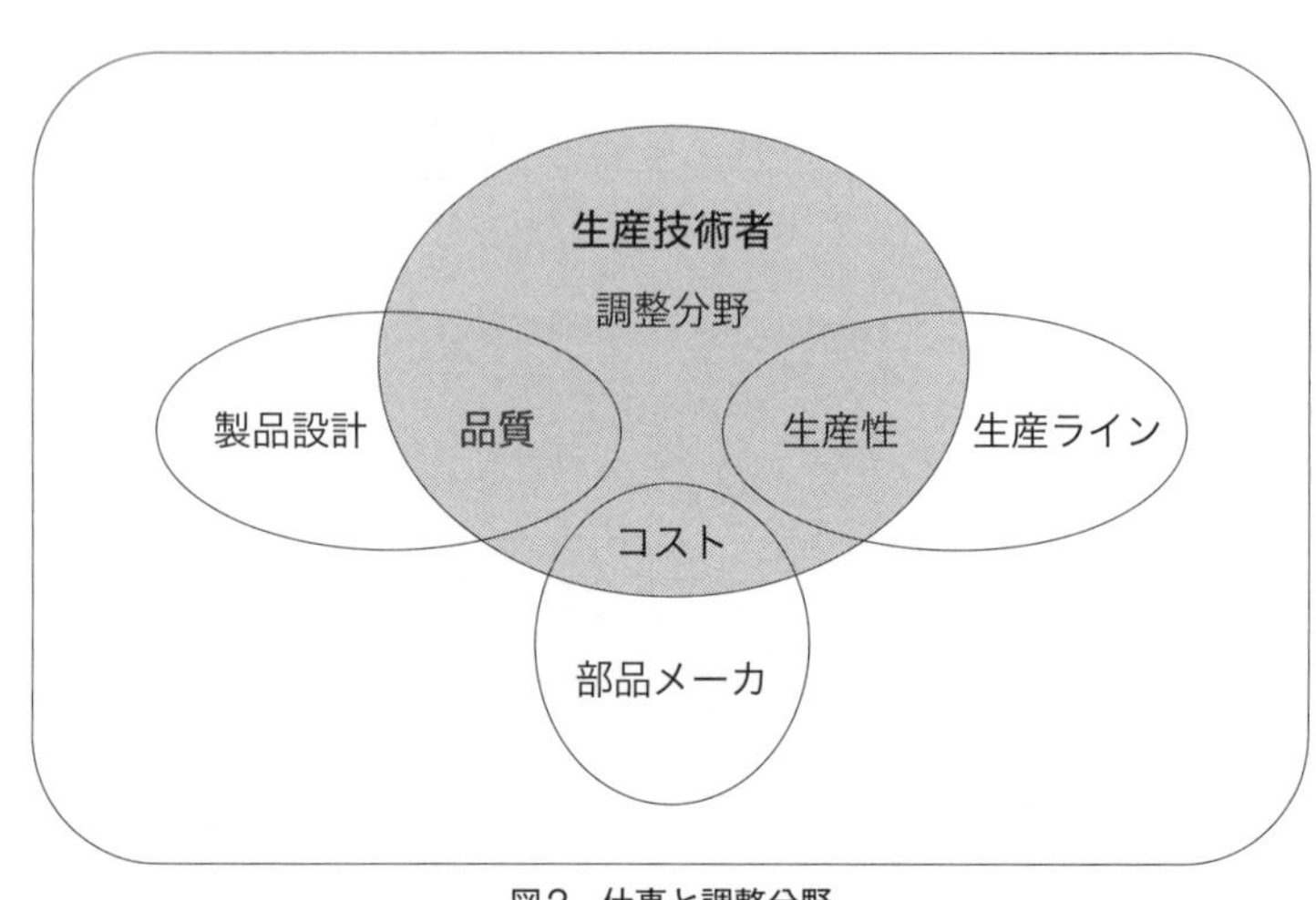

図2　仕事と調整分野

推進している仕事そのものの良否に依存している。人は能力や経験などが異なり、結果もバラつくもの。組織は人のマネジメント手法も異なる上に、管理者の能力や経験もまちまち。製品はどのような人や組織が仕事をしたかが反映されるものである。

・ものづくり企業における技術マネジメント。
・エンジニアリングの継続的な改善。
・チームワークはよい製品品質を生む。

【役割と考え方】

①製品開発課題の見える化

製品開発は多くの組織に関係している。それぞれの組織におけるインプットやアウトプットが明確になっているかが大切である。そして、これらの中における課題が誰にでも分かるようにすること。クローズした仕事の進め方は開発業務のスピードも遅く、手戻りができない判断となり工数も投資も損失となる。

②仕事のやり方の標準化

仕事の進め方や判断の方法、あるいは時間軸での仕事の進捗管理対象などが明確になっていること。人や組織が標準に基づいて仕事を推進していること。しかし、標準のルールを直すべきことが見つかった場合には即座に標準を見直す必要がある。

③問題を解決する風土に改革

開発プロセス、仕事のやり方などについて常に問題意識を持ち、顕在化した問題に対し、組織間での改善を日常的な業務の中で行う風土に社内を牽引すること。

【解説】

エンジニアリングの生産性向上や品質向上を継続的に行わないと競争力は低下する。そのためには、今日の仕事より明日の仕事を良くすることを常に考えて仕事を行う習慣が必要である。気づいたこと、思いついたことを少しずつ進めていくこと。仕事のやり方を大きく変化させることは組織内での反対意見が出されやすい。小さな改善は皆に賛同されやすい。この繰り返しが成功体験となり、組織が活性化する。

・気がつくと仕事が大きく変革していることになる。
・エンジニアの仕事はその手続き（プロセス）と判断（ロジック）である。

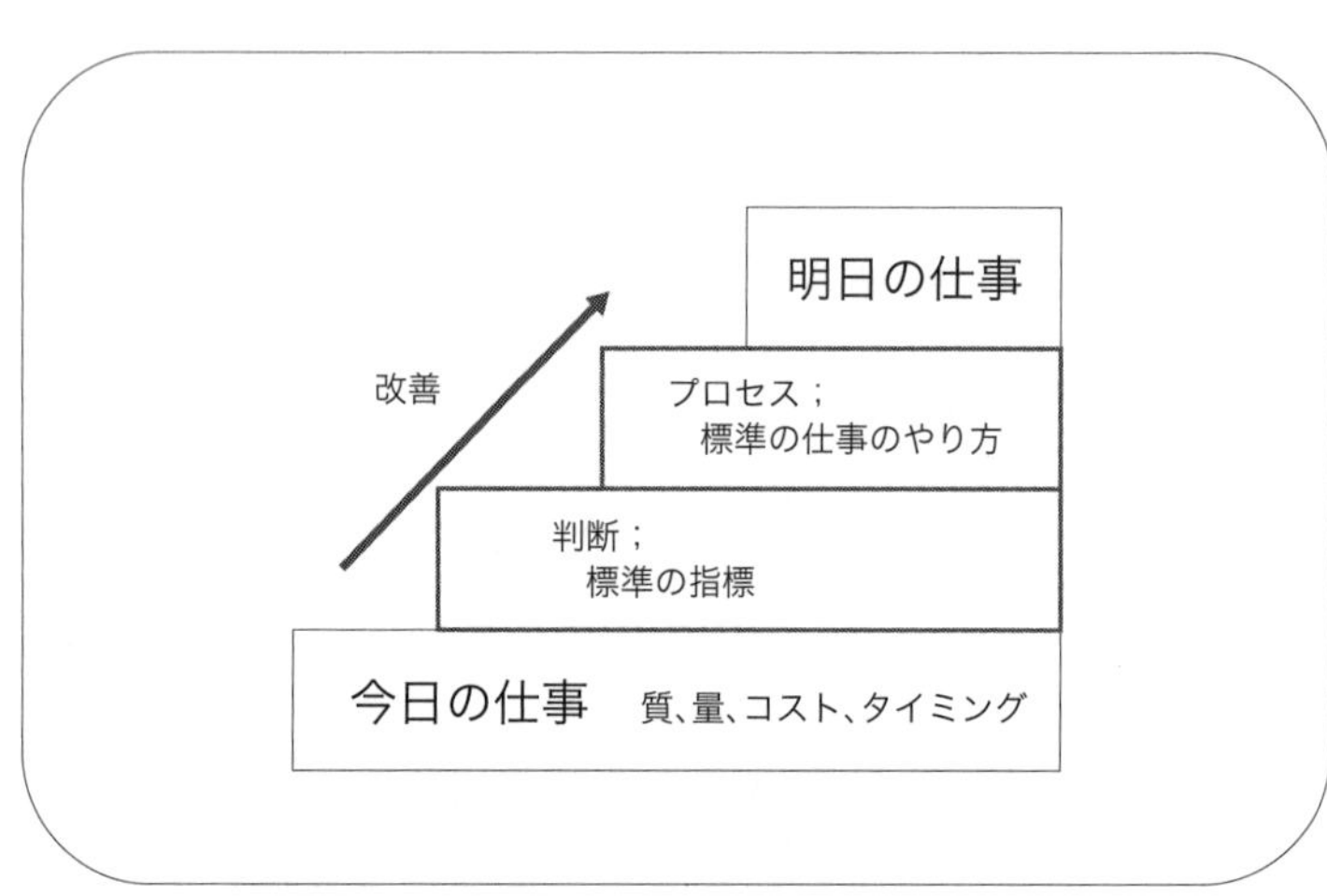

図3　継続的な仕事の改善

・このプロセスとロジックを標準化することが改善である。標準化されれば、新たな問題をまた見つけることができる。

4 組織間の仕事の隙間を埋める

生産技術は製品設計と製造ラインとの間にある。この2つの組織の三遊間のゴロを積極的に拾うのが生産技術である。仕事と組織には、細かいところに隙間がたくさんある。

・製品設計は図面を描く部署と割り切りがち。
・製造部は生産ラインが稼働してからが仕事と考えがち。
・この両者の間で、組織間の課題が見えやすい立場にあるのが生産技術。

【役割と考え方】

①設計変更を減らすコミュニケーションを高める

設計の問題であるが、その中には変更を未然防止できるものも多い。生産技術と設計のコミュニケーションが重要である。設計変更は生産技術の論理の未熟さや製造部の原理原則の弱さが要因となる生産側の不合理な要求でなされることも多い。製品設計はこのような生産側の論理性の不揃いなどに対する技術的な議論の不足による生産知識獲得不足により多くのやり直し工数が発生するものでもある。

②設計の日程遅れを設計の責任にしない

設計の出図が遅れると、後工程の設備調達などに影響が出る。出図が遅れた要因には設計だけの責任でないものも多い。設計の出図の遅れの兆しをどのような業務プロセスにおいてキャッチするかを考えた業務の推進計画を開発部門と生産技術部門とで合意することが必要である。要は遅れを隠さない、隠させない業務プロセスになっていることが重要である。

③製品開発のタイミングを捉えた生産要件の提示をする

出図後に製造ラインから製品設計通りの品質が出せないことによる変更要求が出ることもある。品質の確保に関するこのような変更要求は生産技術の仕事のやり方に問題がある。生産技術の製品開発段階における図面検討の不足である。生産段階で発生したこのような製品の設計構造変更はエンジニアリングの大問題である。なぜ、このような問題が発生し

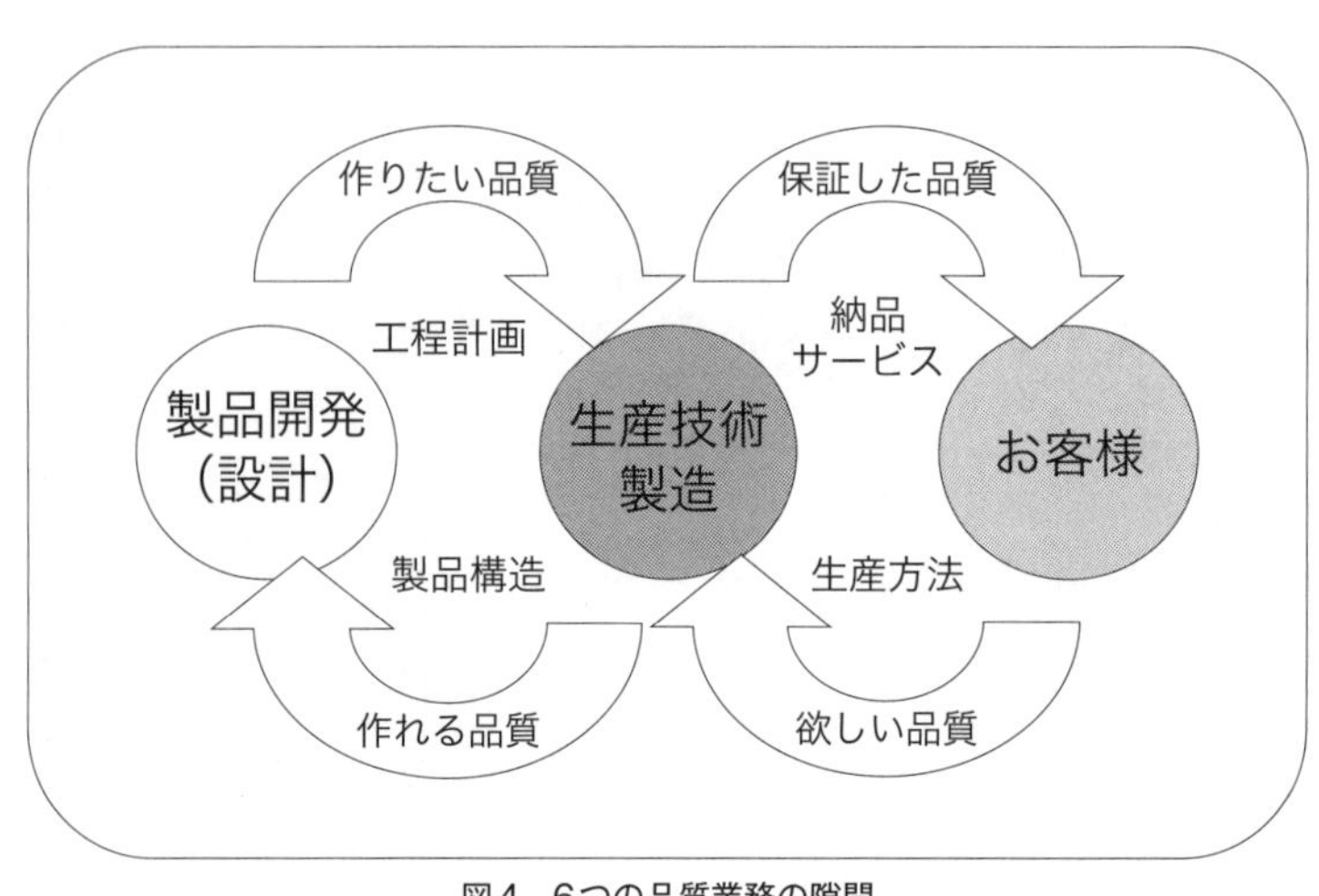

図4　6つの品質業務の隙間

たのかを仕事の進め方を反省し、二度と同じ問題が出ないような開発プロセスの工程設計をする必要がある。このような再発防止はその組織のマネージャー自身の仕事である。

【解説】

企業が作りたい品質とお客様が欲しい品質とは必ずしも一致しない。このようであればよいという企業側の思いと、このようなことではいけないというお客様の意識の差を埋めること。

他にも次のような6つの隙間（意識の差）がある。これらの差を調整する仕事に、生産技術は関与していかなければならない。以下のようなことを放置したのでは品質不良隠しが行われてしまうのである。

作りたい品質と作れる品質……設計と生産技術で埋める隙間
作りたい品質と保証した品質……生産技術と製造で埋める隙間
欲しい品質と保証した品質……生産技術と製造で埋める隙間
欲しい品質と作りたい品質……生産技術と設計で埋める隙間
作れる品質と保証した品質……生産技術と製造で埋める隙間
作れる品質と欲しい品質……設計と生産技術で埋める隙間

5　製品開発プロセスの無駄を取り除く

関係部署間での仕事のやり方には無駄が多くある。その無駄を知っているのは中間部署である生産技術である。製品開発リードタイムの短縮には部品メーカの役割が大きいが、開発から生産のリードタイムの短縮に伴い、部品メーカの日程の取り分が減っている。プロセスの無駄を見つけ、設計時間を確保することが必要である。たとえば、次のような問題がある。

・力ずくのリードタイム短縮ではなく、まずプロセスの無駄を排除すべし。
・力ずくのリードタイム短縮は余分な工数増を無視し継続性なし。

【役割と考え方】

①仕事の目的を明確化

定型的に行っている仕事の目的は何か？　それは何に役立っているかを再確認すること。

②余分な仕事を生み出さない

これは管理業務に多く見られる。とにかくデータだけ集めて数字を登録しているだけの仕事をしていることはないか？　その仕事は誰の役に立っているか？　そのデータを使っている人がいるのか？余分な人がいると余計な仕事を作り出すものである。

③仕事に重複や手戻りをなくす

複数の部署の仕事を1つの部署でやれないか？　決まったことが元に戻されて最初から検討をし直していないか？

【解説】

製品の企画から製品の生産開始までを開発期間と呼ぶ。

この開発期間は製品寿命の短命化とともに短縮競争となっている。

この競争下において、製品設計の情報は社外のサプライヤへは社内伝達より遅く伝えられる。

一方、製品の評価には、その必要時期にすべての構成部品が納入される必要がある。

結果的にサプライヤが設計情報を受け取り、部品を納入するまでの開発期間は短縮される。

ここで、このサプライヤへの初期情報伝達タイミングを早め（図５）製品設計と関係部品設計間での品質・コスト調整時間を確保することが必要である。

社内改革に社外を交ぜて進めると社外依存体質となり、本質的な社内改革はできない。全組織にて自部署の生産性向上のための努力と関係組織間での塩漬けとなっているような業務の棚卸を組織の長がリードする必要がある。

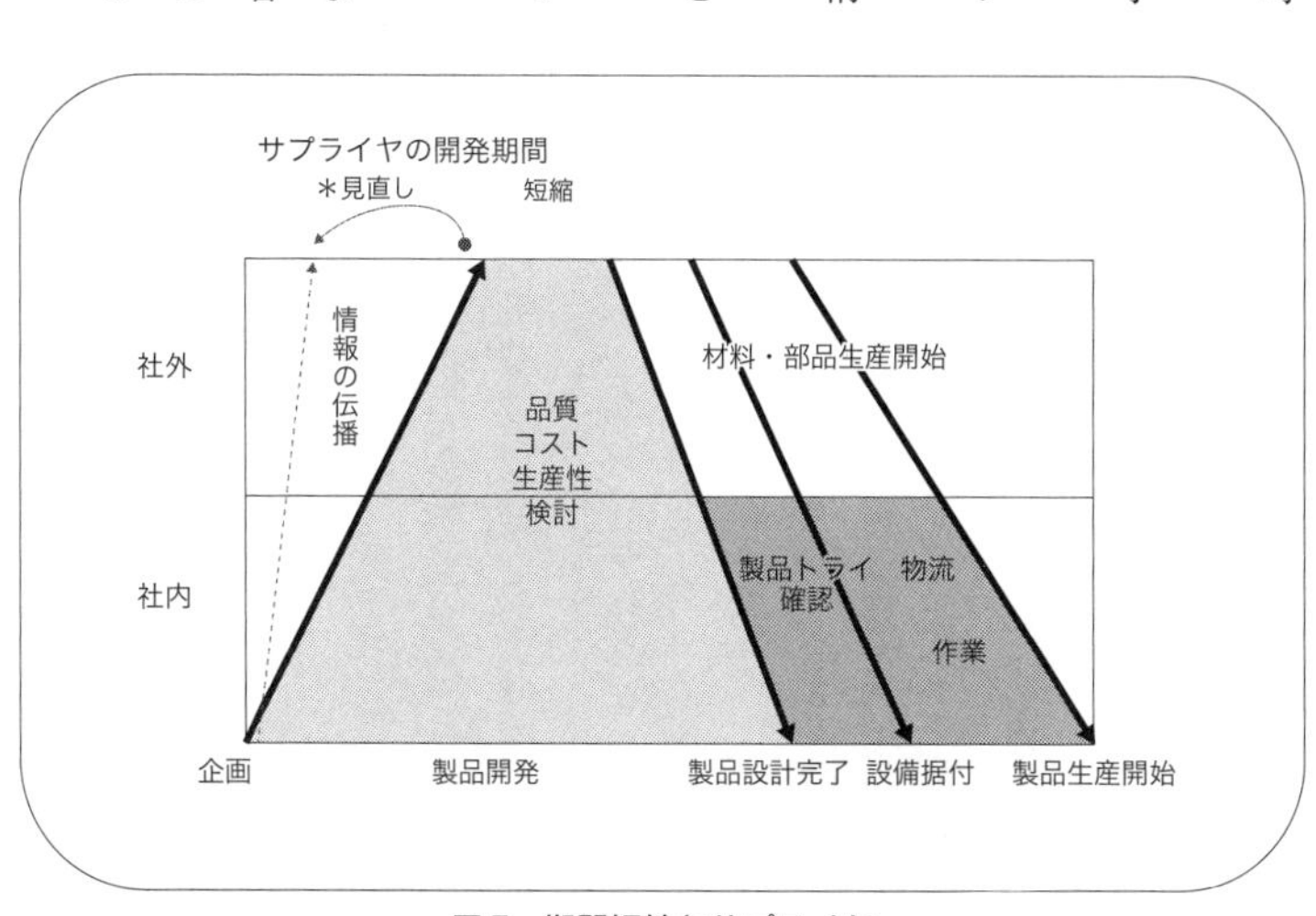

図５　期間短縮とサプライヤ

第2章　最終組立の役割

1　最終組立はエンジニアリングのリード役

最終組立工程（生産ライン）は製品開発においても、生産においてもエンジニアリングをリードしていく役割がある。単に部品を組立てるという役割ではなく会社全体の経営に直結する完成品に最終責任を持つ工程であり、そのエンジニアリングを行う役割である。

- 製品としての形になることで初めて物として売れる。最終組立はその製品としての物を完成させる役割がある。
- 最終組立には多くの部品が納入されるが、その部品1つひとつの品質が良くなければ製品にならない。
- 製品として構成部品の設計が正しく行われるようなエンジニアリングをすることが組立工程の生産準備業務である。

【役割と考え方】

①組立視点での製品設計構造全体をまとめる

構成部品をアッセンブリする仕事であるがために、構成部品の設計の良否を判断することが必要である。機能を保証するための部品関係について問題指摘と機能実現のための調整を行うこと。

②開発プロセスにおける日程管理を行う

設計面ではすべての構成部品の出図が行われているかを開発段階でフォローする。生産面では、前工程が計画通りに部品を納入できるかについてフォローすること。フォローした結果、問題があれば、その対策推進をリードすること。

③品質をまとめる

品質のよい部品が前工程から納入されなければ組立は不良の山となる。よい物が流れてくるための品質計画の業務を行い、品質の全体整合性を図ること。そのためには、前工程の工程能力を知り、その能力向上の実現性があるかそれとも、工程能力に納まる部品構造

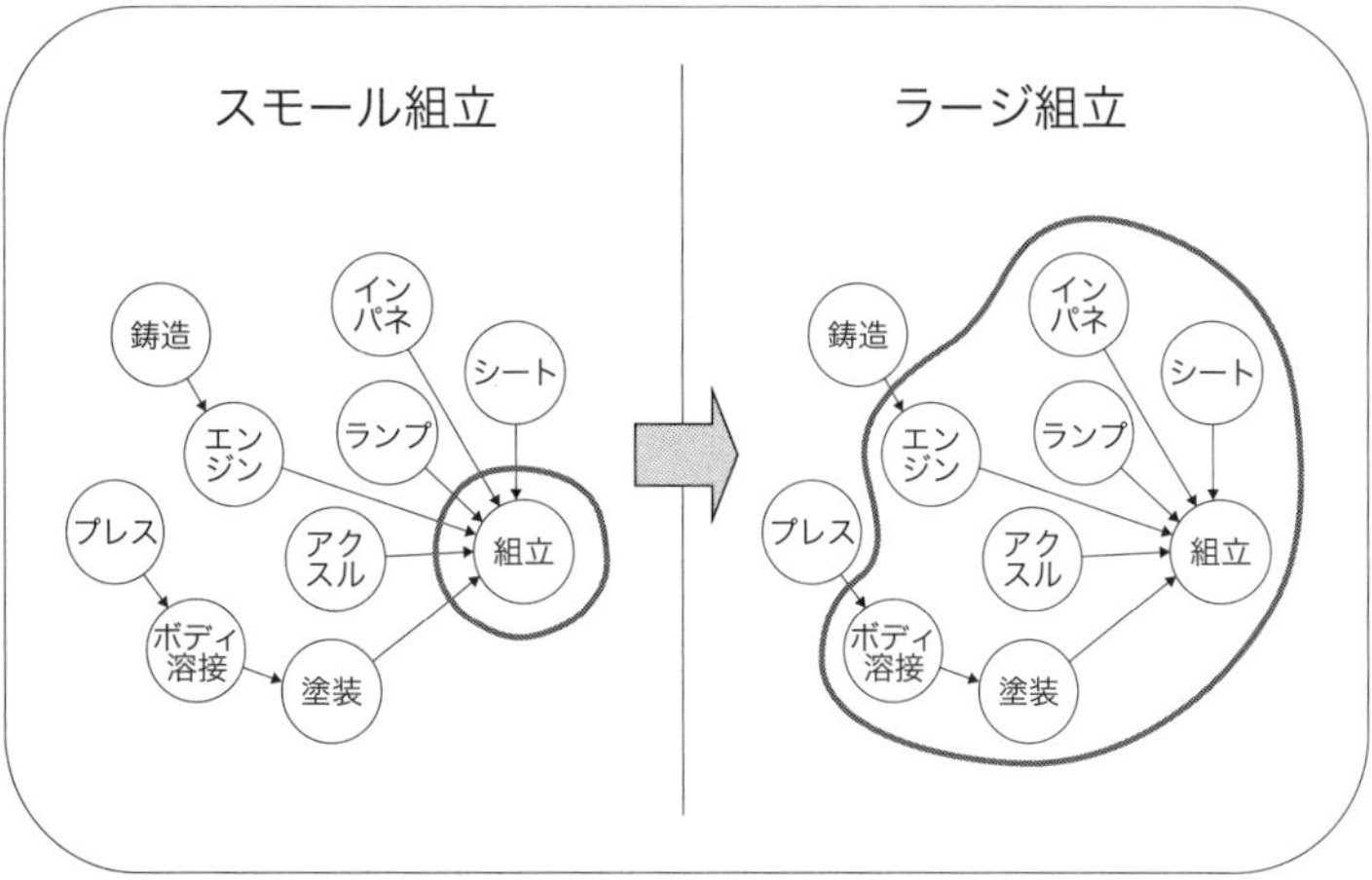

図6　ラージ組立の範囲

に設計を修正するかの判断をする必要がある。部品担当の生産技術や製造では、その後の製品に対する組立後の問題認識は難しく、部品図面に記載のあることだけが工程管理の指標になってしまうものである。品質は組織を越えた範囲での業務であり、これが不十分な場合には、ものづくりのいろいろな工程で不良が発生する。その不良のために必要のない部品を手配し、在庫を生む。このような品質不良対策に生産管理システムは機能していない。在庫という問題として単に加減算するだけでは、品質問題を対策するアクションと結びつかないのである。このように単に部品を組むという小さな（スモールな）役割の生産技術ではなく、組立の生産技術は仕入先、前工程までを含めた大きな（ラージな）組立という概念で業務を行う役割が必要なのである。

2　組立は将来の製品を考えて仕事をすべき

製品の電子化、小型化に伴い、生産ラインはより自由度を持つ設計をする必要がある。製品が将来どう変化していくかを意識して生産ライン設計やエンジニアリングを行うこと。

- ・ユーザ嗜好の変化。
- ・技術の進歩。
- ・生産ラインの今後の方向性。

【役割と考え方】

①ユーザ嗜好の変化に対する生産ライン対応

生産技術としては製品の仕様をどのように判断するかである。仕様のフルチョイス化は部品の種類増となり、生産ラインの部品スペースや置き方などで設備対応を行う必要が生じる。生産システムが煩雑化し製造部門にて管理の限界を超えた状態になる。しかし、企業としては商品を多く売りたいのであり、生産システムの煩雑化とトレードオフの関係になる。そこで、生産技術は組立の生産システムの自由度を上げ、どのような製品でも生産できるような汎用的なラインに持っていく必要がある。そのために具体的に何をすべきかを考えるのがエンジニアリングである。

②製品の構成部品が変化

・インテグレーションが進み、一体化する機能がメカニカルから電子化へ変化する。
・機械的な伝達系が電気的な信号系に変化する（ステアリングシャフトのワイヤー化など）。
・結合される双方の部品が機械的構造から電気電子的伝達へ変化する。

③小型化され標準化

・電子化により部品が小型化。
・機械的な部品もマイクロメカニクス化。
・小型化によりインテグレート化が進む。

これらの変化に対し、生産ラインの要件を先に提案し、製品設計にその要件を織り込むことと生産ラインの改造計画を一致させることが必要である。つまり、製品の開発シナリオと生産ラインの改造計画が一致していなければ無駄な投資や工数を費やすこととなる。

【解説】

①製品設計の内容はメカよりも電子化されたシステム設計に変化する。

②生産ラインは電子化されたモジュールを組み付けることに変化する。部品点数も減少し、最終組立工程は部品組み付けよりも機能的にシステムが正しく動作するかを検査することに品質検査がチェンジする。

③エンジニアリングは、システムにおいて信号的なロジック処理の知識を持つ人材が必要となる。

④仕事の面では、モジュール組み付けの単純な業務と製品機能実現のための工程設計とモジュール間での通信的な検査や機能保証を検査する高度な設備計画とに2分化される。航空機産業はこの点で、厳密な業務計画と評価システムを持ってエンジニアリングされている。今日求められていることは、このような厳密、緻密なエンジニアリングに、航空機以外も

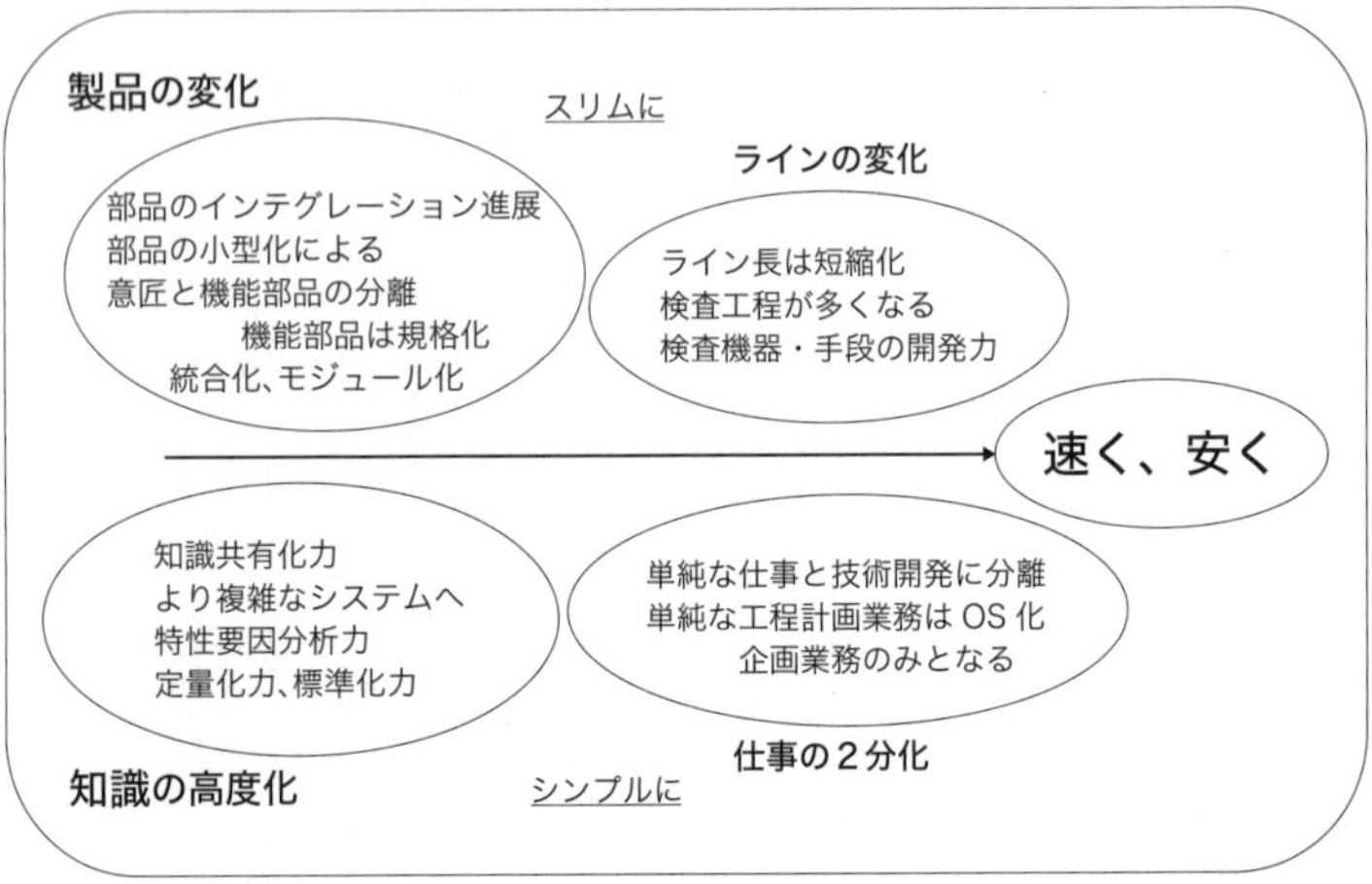

製品の変化

スリムに

ライン の変化

部品のインテグレーション進展
部品の小型化による
意匠と機能部品の分離
機能部品は規格化
統合化、モジュール化

ライン長は短縮化
検査工程が多くなる
検査機器・手段の開発力

速く、安く

知識共有化力
より複雑なシステムへ
特性要因分析力
定量化力、標準化力

単純な仕事と技術開発に分離
単純な工程計画業務はOS化
企画業務のみとなる

仕事の2分化

知識の高度化

シンプルに

図7　最終組立ラインの今後

変えていかなければならないということである。そうでなければ、後述のＩｏＴ、ＩＣＴなどの情報技術による生産性の高い業務推進に適合できず、人力、体力、がんばれだけでは、海外のエンジニアリングに遅れてしまうのは明らかである。すでに大きく遅れているのである。

3　組立はフレキシブル性が必要

組立ラインは最終製品を完成するラインである。したがって、製品の機能や変更の影響を受けやすいラインである。

・組立作業の自動化は投資が大きく、今後も人手に依存。
・生産量は変化するが、一度雇用した作業者数は自由に変えられない。
・人手に依存した工程であるがゆえに、作業管理に企業格差が出る。

【役割と考え方】

①生産ラインは捨てるつもりで設計する

市場ニーズの変化で商品が変更となると生産ラインも変更となる。部品の組み付け点数が増加しても、組立作業の工程を変更する必要がある。一般的な設備ならよいが、専用設備は極力減らすこと。専用とは製品名や型番に依存して変更しなくてはいけないものであり、これらをいかに少なくするかがポイントである。しかし、一般的な設備を市場から探しても、大きく、重い、価格の高いものしかない場合がある。自社の部品のサイズに合った小型のシンプルな設備でなければ、自社で設備開発する必要がある。このときに、部品の一般的な構造や将来の変化などを見極めて設備仕様を決定する必要がある。もし、この将来の見極めが困難な場合には、投資を下げた低コストなラインや設備仕様に割り切ることが大切である。部分的に画期的なロボットを導入しても、エンジニアの自己満足にしかならない。全体としての機械化計画の方針決定が経営的に大切である。人手として残ってしまう工程と機械化できる工程の層別と技術的な取捨選択を行うこと。

②生産量変動を考慮する

変化に強いフレキシブルな設備と生産ライン運営とする。生産量は市場の需要が変化することであるからいかんともしにくい問題である。売れる速度でものを作ることは理想であるが、自動車のような構成部品が多くなれば、仕入先のものづくりは売れる速度で作ることは難しい。仕入先は他社のものづくりも担当していることが多く、その売れ方の変化には差が出るはずである。仕入先から市場を眺めてみれば、生産ラインが汎用化できていても、全体の生産量が変化する。生産ラインが納入先に対して専用化していても、そのライン単位で生産量が変化する。人手作業の組立ラインでは、このような生産量の変化は、作業者の担当工程の変更や、作業者数の増減調整が必要で、生産量の変化に対しては労働雇用問題を含めたものとなる。近年のワークシェアリングの採用、また、終身雇用制の柔軟化など少しの自由度は高まりつつあるが、機械、自動化率が低い組立工程の生産量への柔軟性確保はたやすくない。さらに、人は急には作業が身につかないという問題を解決できなければ、この柔軟性は解決することができないのである。組立における生産量変動への対策には、新人であっても数時間後にはベテランと同じ品質とスピードで作業が可能となる工程の設計と製品の組立構造が洗練された標準化に到達していなければ困難なのである。生産量が激減した場合のロスミニマム化に対するエンジニアリングを研究すべきである。ものづくりはロスのミニマム化である。トヨタの改善はこのことを行っているのであり、組立の複雑化を最適化することは到底最初（計画段階）からできないのである。

③自由度が高いからこそ標準化が必要

多くの人が働く現場である。皆がルールを守って運営を行わないとよい品質にコントロールすることはできない。

人の判断はぶれやすい。工程の考え方、設備や部品の配置などのルールを作成し、共通の基準となるものさしを準備すること。科学的に標準を決めること。環境変化で標準が見直される必要があれば、即刻修正すること。過去の標準は過去の仕事のままであり、進歩しないことを認めた経営だといえる。

【解説】

自動車の組立ラインを例に掲げて説明を行う。

組立はロールで入ってくる鉄板をプレスし、それを溶接してボディの骨格を生産する。その後、塗装ラインを経て組立ラインに流れてくる。

プレスや溶接、塗装は自動車の新機能などによる影響は少なく、生産現場もその機能や仕様との関係性を説明する必要はない。サンルーフなどのときに大きな穴が骨格のボディにあると理解するくらいで十分である。市場の需要変動に対しても、生産量全体の増減の影響はあるものの、多くが自動化されたラインであることから、生産ダウンに対する変更は自動的である。

しかし、組立は年々電子化が進み、新機能も増えている。生産ラインでは新しい部品が既存の工程の間に入りこんでくるために、生産ラインの工程は製品とともに変化していく。

さらに生産量の変動についても、自動化されていないために、作業者の数を増減することが必要であり、そのたびに作業の配分と訓練を行い、管理者の運営管理の内容も変化する。

また、仕様の多様化により、その内訳台数も変化する。このことに対しても必要な作業者数の調整を行うことが必要である。

手作業工程であるゆえに自由度がありすぎ、作業者のスキルを加味した計画が大変難しいラインである。しかし、変化に対してのフレキブル性が必要である。

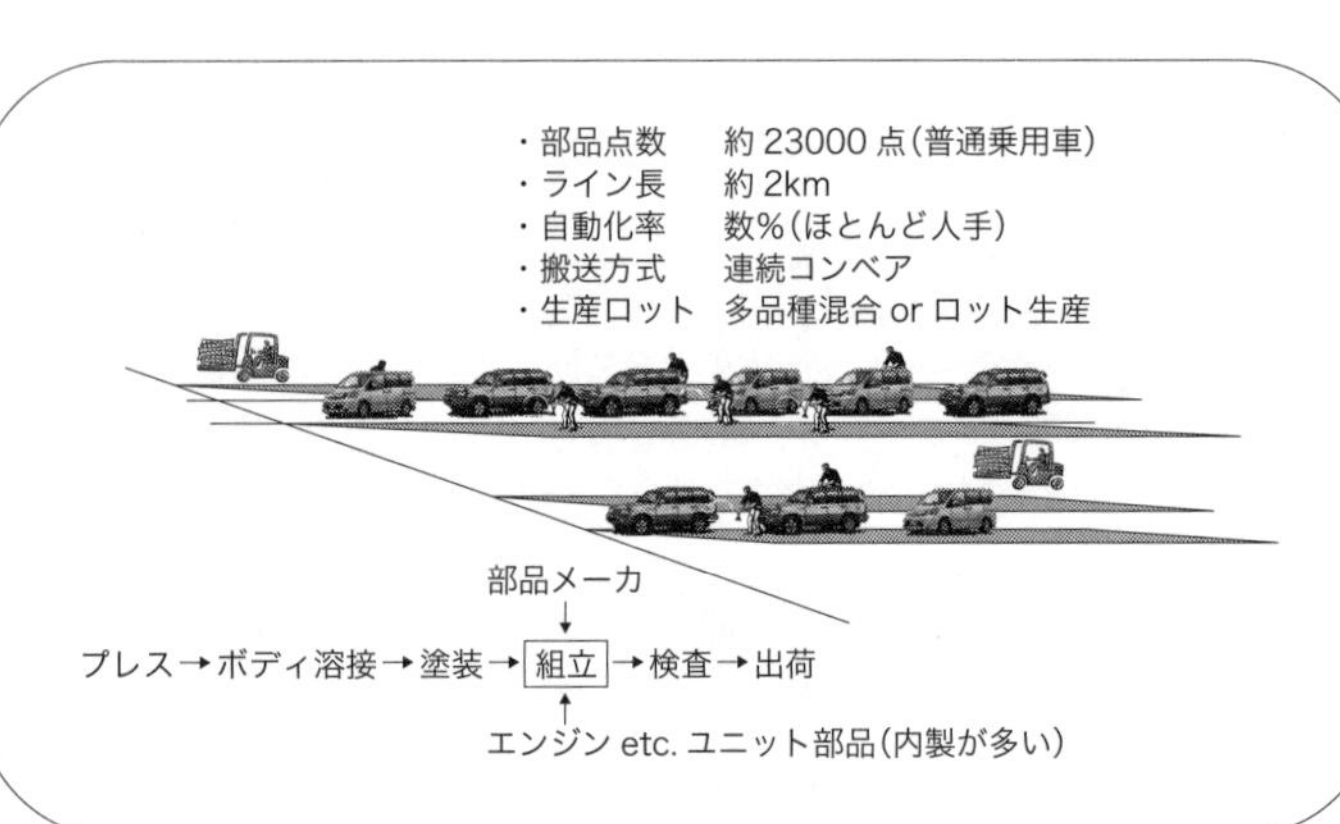

図8　自動車の組立ライン

第3章　エンジニアリングの生産性向上

1　現場の改善点は生産技術の計画不足

生産現場の改善とはエンジニアリング（計画力）の不備を是正し、修正するための活動である。現場の職制に任せたものづくりはものづくり運営としてはすでに欧米に遅れている。しかし、現場の運営に任せているエンジニアが多すぎる。組立工程は人をうまくマネジメントしなければならない。しかし、そのマネジメント方法は今日、科学的に行われるべき時代になっている。特に組立では、次のようなことを知った上で運営する必要がある。

・人の仕事にはミスがある。
・正しかったことは生産環境の変化により正しくなくなる。
・現場改善に依存しては、エンジニアの仕事のレベルが向上しない。

【役割と考え方】

①生産現場で行われている改善活動に参加する

エンジニアは改善を現場の仕事と思い込んでいる。改善活動に参加し、そこで取り組まれている現状とテーマの本質的な原因をつかむこと。人がミスをしない製品構造に変更することも大事である、また、ミスが発見できる組立工程の設計にする必要もある。ミスを個人の責任とするのではなく、ミスを起こした工程や仕組みを問題にすべきである。そうでなければ、製造技術は一向に古い体質のままで、論理性なき工程となる。このような古い風土を直すことも生産技術が果たすべき役割である。さもなければ、製品設計の構造そのものもばらばらとなり、会社全体のエンジニアリングが統制されないものとなるのである。

②本質的な原因の中からエンジニアリングの反省をする

発生した問題点の原因が現場にあると考えるのではなく、生産技術は自らの計画業務の中に原因はないか

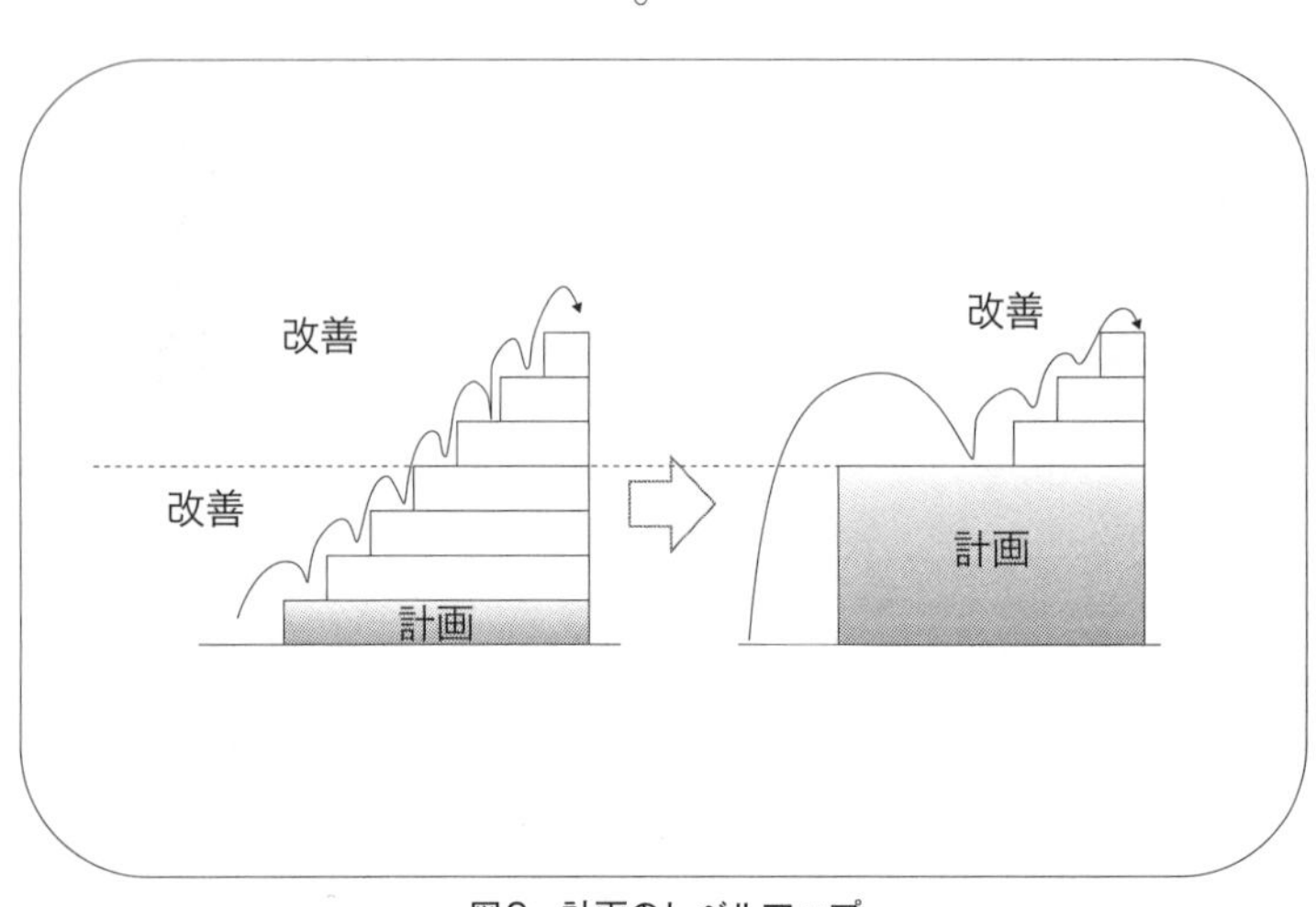

図9　計画のレベルアップ

を考えること。自分が成長したいならば、他人事のようなエンジニアにならないこと。

③エンジニアリングの課題を定義する

現場の問題点の真因は何かを考え、取り組むべき課題を組織内で共有する。

組織間を含めた全体最適を目指す。現場改善は個別最適である。計画業務（エンジニアリング）は企業内の全体最適としての解を見つけることである。最初の計画レベルが高ければ、改善による到達レベルも高くなる。最初の計画レベルが低ければ、何回も改善の繰り返しが必要で、その間に疲れ果ててしまうだろう。改善ごっこはこのような状態をいうのである。

④見つけた解はすぐに実行し、生産現場で確認する

計画業務の結果は生産現場にある。生産現場が良くなることがエンジニアリングの成果である。そして、よい品質の製品をお客様が喜んでくれることである。仕事は問題解決そのものであり、本当に問題が解決できる取り組みが関係者の中で活動できているかを考えることが重要である。これは他の組織の問題だからといって他人事のように振る舞わずに、その組織の長は、その問題解決を自身の責任として解決すべきである。

2　エンジニアリングの標準化は遅れている

仕事の順番などの手続きは標準化が進んでいる。しかし、技術的な検討を行うときの判断方法などは個人の経験に大きく依存している。しかし、管理者はこれを標準化する責任がある。それには下記の難しさがあるために個人能力依存から脱し切れていない。

- 技術は進歩するが個人の知識に差がある。
- 環境変化の中で、判断指標は変化するが先取りできない。
- 判断は個人の能力で行われ全体最適な決定ができない。

【役割と考え方】

①標準化推進組織を作る

標準化は骨の折れる仕事である。考え方を整理することが標準化である。そのためには多くの人を説得できる実例と分析が必要である。この仕事にはベテランも必要であるが、若手を活用すると知識が習得でき能力を向上できる。

②過去の事例を集める

また、考え方を解釈する訓練が積まれ、考え方を論理的に述べるように育成できる。

過去の事例は生産ラインの工程や設備である。また、製品図である。これらを集め、製品・生産ライン・工程・設備・品質の関連性をデータで解説すること。多くのケーススタディから基本的な考え方を構築する。

③判断指標を定め良否を決定し技術標準を制定する

全員が標準通りに仕事をすること。標準に意見があれば議論すればよい。1つのことでも皆で多面的な検討を加え合意形成することが大切。

④標準の改廃を行う

最も重要なことは常に仕事と同期してリアルタイムに見直しを行うことである。改廃を日々実施し生きた標準化組織を運営することである。

【解説】

エンジニアの仕事が同じように誰にでもできないのは、仕事の流し方だけを標準化しているからである。

・エンジニアの仕事は判断することである。
・判断する方法において標準化をする必要がある。
・判断の方法は指標を定めたりすることで可能となる。

この判断方法をオープンにし、より周知にさらすことが大切である。

エンジニアの仕事も生産現場の仕事と同じように改善活動を行う必要がある。

改善は全体最適な正しい判断をしているわけではない。多くの知見を持つ人の意見を取り入れずに場当たり的なことが多い。

エンジニアリングの領域には成長する改善思考を浸透させることが必要である。

3　エンジニアリングへのTPS活用

トヨタ生産方式は現場だけのものではない。科学的にエンジニアリングの仕事にも活用することができる。エンジニアリングに適用すべき基本的な項目として左記がある。

- 継続的改善を行う。
- 改善と管理、そのための見える化と標準化をする。
- 人間性尊重を常に考える。

価値のある仕事、そのための無駄の排除、ミスの防止を行い無駄な時間を費やさない。タイムイズマネー。そのためにはプロセス管理を行い、大きな失敗となる前に軌道修正するマネジメントが重要となる。そのマネジメントが機能しているかを外部組織がウォッチし目標実現のためのプロセス管理、仕組みの構築を行うこと。

【役割と考え方】

①結果の反省

製品と同じように、生産技術のアウトプットから反省を行う。成果の陰で、反省点を見ようとする習慣を持つことだ。技術者として正直な姿勢が必要で、反省のない組織には成長がない。真剣に失敗と向き合うことが重要である。

②課題の認識

反省点から、原因を追求し、課題を構築する。課題とは以前より対策したくともできなかったことをいうのであり、単なる問題とは異なる。技術的に過去から取り組んできているがいまだ解決に至っていないことが、少なからず企業内にはあるもので、そのようなところまで、技術的な課題を落とし込まなければならない。

③課題解決の試行

課題の解決策を実際の業務プロセスですぐに実行する。試行であり決定ではないので、周辺部署の理解も得やすい。課題を解決する際には、反対者が登場するものである。あるいは何も言わずに傍観する者もいるだろう。課題を解決するには強い意志が必要で、責任をもって取り組まなければならないし、そうでなければ周囲のメンバーはついてこない。課題の解決は組織の長が旗を立てて、自ら推進する姿勢で臨まないと停

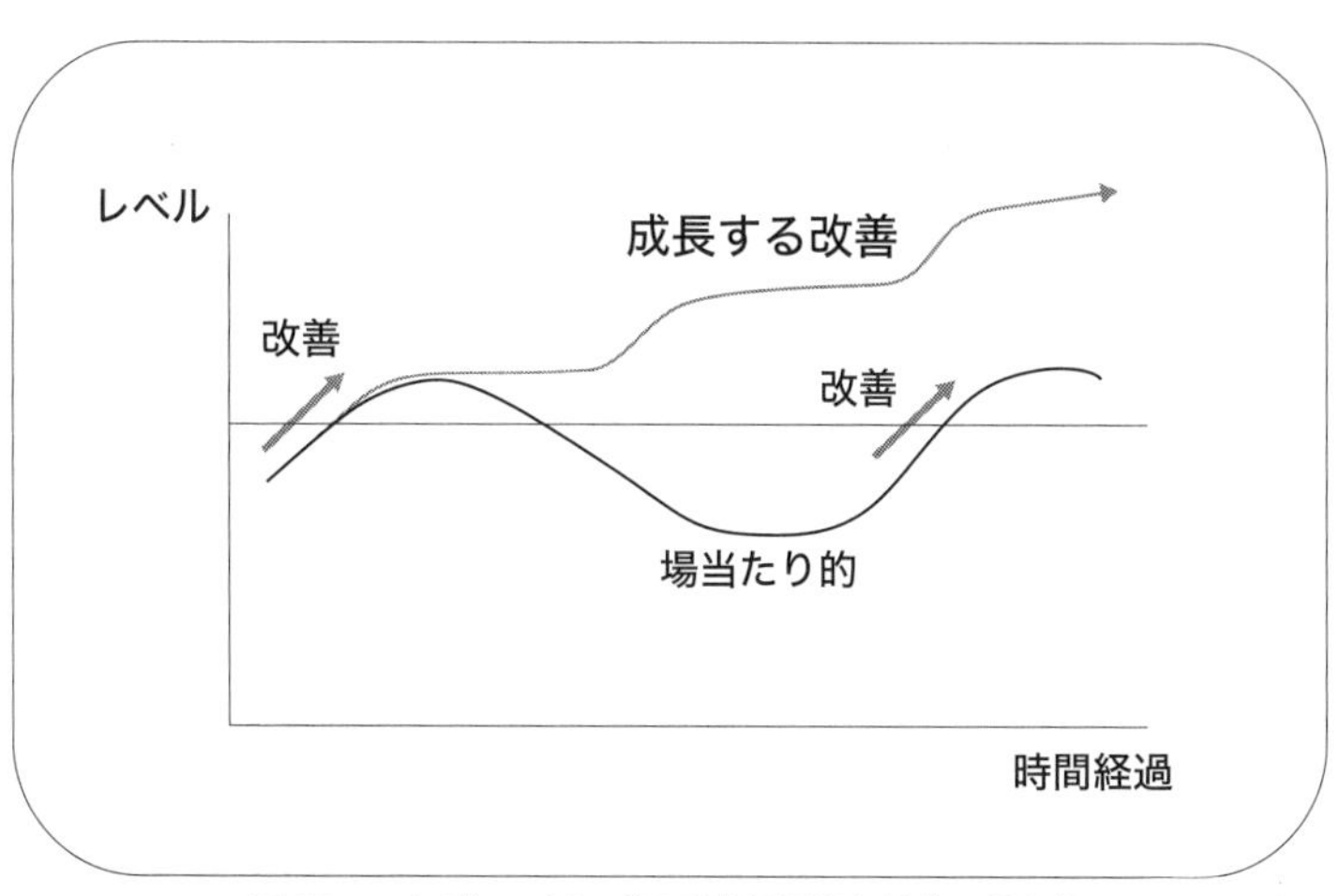

図10　エンジニアリングの改善は場当たり的で個人的

滞した組織では試行にも至らない。そのためには、常に他組織の問題解決にも参加し、エンジニアの倫理観の上で、どのような貢献ができるかを真剣に考えるような習慣に身をおいていなければ難しい。トヨタウェイそのものである。

④試行結果の報告を関連組織と共有する

問題点を関連組織で解決する方策を決定し、すぐに実行する。課題を解決する際には、自組織の気づかない問題に配慮する姿勢が必要である。試行がうまくできたときでも、なぜうまくできたのかを説明することが大切である。実はたまたま、よい条件が整っていただけであり、条件が揃わなかった場合にはどうなるのかという視点で振り返ることも重要である。関係組織がそのように共通した心構えで1つの問題解決に取り組む風土ができるまでは、長い時間をかけて企業の中での従業員のマインドを醸成しないといけない。継続は力なりである。

⑤実行結果の報告

実行結果を関連組織と共有する。問題点を関連組織で解決する方策を決定しマニュアル化する。確認できた問題点は、その後、業務サイクルを繰り返すごとに対策されていかねばならない。組織のチームワークにて推進する業務はメンバーの意識が全体の方向性を決めてしまう。1人のブレーキ発言は消極的な組織では大きなブレーキになる。問題点があるから、試行はやるべきではないとの意見は残念な結果にしかならない。問題点を認識した者こそが、その問題点を解決すべく行動すべきで、活性化した組織とはこのような心の機微に触れる集団である。

⑥実行プロセスの標準化と改善

全員に標準プロセスを展開し、改善を継続する。業務プロセスは文書化によるしかないが、情報技術を用いた方式になりつつある。情報技術を用いた方式の難点はシステムの改造をしないと業務プロセスを改善できなくなることであり、自動処理ができることと、人の手続きに依存すべきこと（固定的に決められないこと）との層別の上、構築すべきであり、社外のシステム会社に依頼すべきことではない。逆にいえば、固定的な業務にしかソフトウエアは適用できていないということであり、エンジニアリングの業務はソフトウエアによる代替は難しいものである。

【解説】

エンジニアリングの業務のソフトウエアによる代替は、一部分の判断処理の自動化に用いられることが第一歩である。それには、業務プロセスの時系列的な実施結果を蓄積する。そして有識者により、業務プロセスの課題と対策から標準とする基準を決める。その際、なぜ、それを基準としたかの判断指標を明確化し、皆に分かるように記述しておく。基準を全員に周知徹底させる。その際、各自の業務プロセスの時系列的な実施結果を蓄積する。

各自の業務プロセスに問題が発生した場合、標準とする基準を定めた標準化チームで業務プロセスを修正する。修正した基準はただちに全員に理由とともに周知徹底させる。この基準を実行し、修正を継続的に実施することで、この基準は確固たる基準に成長していく。

多くのバックデータとその根拠を明確にし、継続的な修正を加えられた基準は、個人の意見に左右されないものとなる。これが基準を決めたことによる成果である。

4　現場を標準化して、技術を標準化

製品開発のプロセスと生産現場の状況を調査し、分析することは、企業内における大きな業務改革の実行に役立つ。

・分かりにくい動きをしている現場の仕事はおかしい。
・分かりにくさはその計画に問題がある。つまり生産技術の仕事に問題がある。

マニュファクチャリング（製造）の標準化にはエンジニアリングの標準化が必要。そのためには種類をつかみ分類をすること。

【役割と考え方】

①生産現場の種類を整理する

製品の種類、部品の種類、資材の種類、生産ラインの種類、生産工程の種類、加工の種類、設備の種類、冶工具の種類などを調査する。種類を分類し、似ているものを見つける。アウトプットの種類はその仕事にも多くのエンジニアリング上の種類がある。

②各アウトプットに対しインプットの種類を整理する

資材の違いで作られる部品の種類。部品の違いで作られる製品の種類。資材の違いで使われる加工

機の種類。加工機の違いで設定された生産ラインや工程。生産ラインや工程の違いで用意された予備品。

③種類の発生で払うコストを計算する

種類が多ければ仕事は無駄が多く、定型化も自動化もできない。その問題の大きさを顕在化させる。

④コストを経営的に評価する

これまで隠れていた課題が経営的指標に登場する。経営指標の構成に結び付く細部の因子が見えてくるはずである。たった1つの製品だけを作っていると仮定すれば分かりやすい。企業の中は種類があるために工数は膨らんでいるのである。したがって、類似性を持つ仕事にする努力を行わなければ固定費も増大するばかりであるし、在庫も種類分だけ増加するのである。種類が増えた分だけ売り上げが本当に増加しているのかは、もっと重要な経営的な視点である。

⑤経営的に価値ある仕事の種類に削減する

無駄な種類発生の真因を見つけたら、大胆に捨て

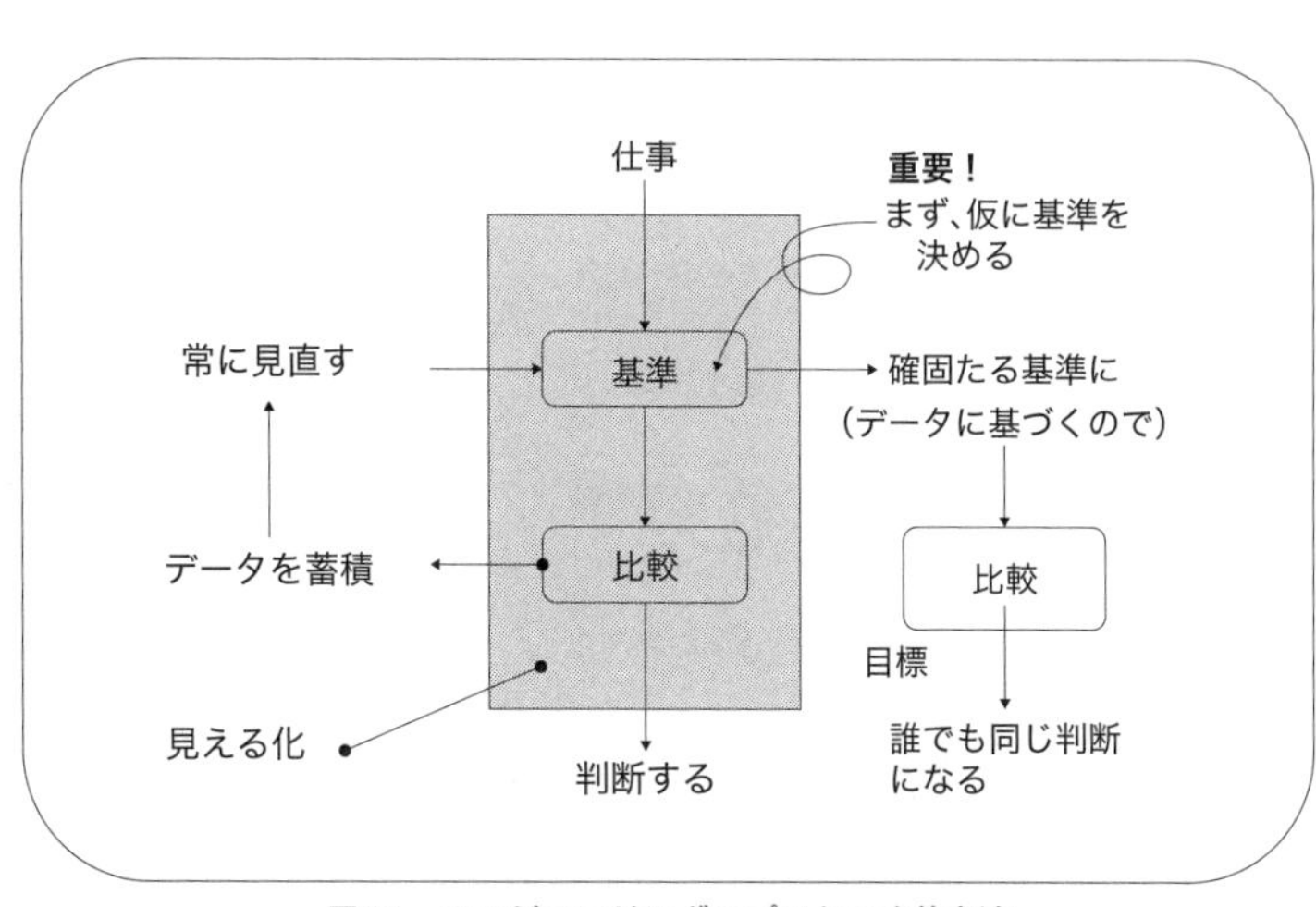

図11　エンジニアリングのプロセス改善方法

ること。その真因は組織に広がった末端に膨大な無駄を起こしている。

【解説】

業務改革には説得力のあるデータが必要。生産現場の現物により課題を顕在化させる。

課題を対策した新しい仕事のプロセスを標準化する。

エンジニアリングのマネジメント指標を修正。生産現場の問題の再発防止を図る。

マニュファクチャリングのマネジメント指標を修正。計画部署の指標に一致するように、生産現場の指標も定義をし、計画部署の結果を現場に分かりやすくさせる。

前記のサイクルを継続的に実施する。その中に、本質的な対策を実行しなければならない解決すべき根本問題が顕在化してくる。

本質的な課題が明確化し、改革に取り組む。多くの問題は、部品種類の多さに起因している。部品種類をコントロールしなければ、エンジニアの業務工数も、在庫も、製造コストも大きくなるだけである。種類増

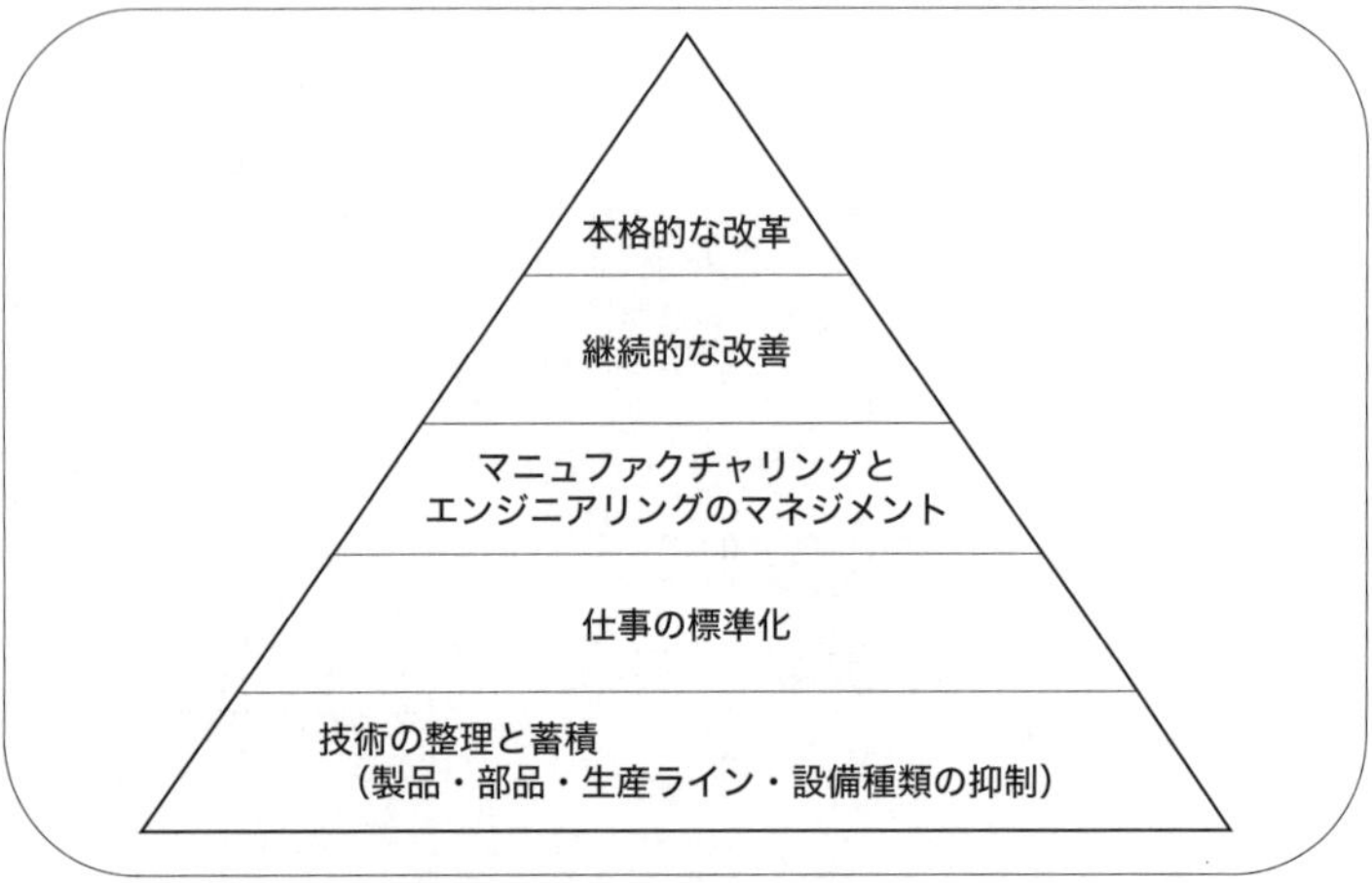

図12　生産現場の事実の整理から改革へのレベルアップ

によるコスト損失を種類増による売り上げ増と比較しなければならない。しかし、間接部門のコストは種類の増加を要素に計算できていないのが問題である。売れるか売れないかは、別な要因でも変化するし、間接部門は属人的な業務で種類が工数のパラメータになっていない。いえることは種類が少ないほど業務や生産効率は高いということである。

5　プロの工程計画者を育成する

生産ラインの工程設計を行うエンジニアを工程計画者と呼ぶ。しかし、この工程計画者は次のような能力のあるプロの業務改革者であるべきだ。

- ・工程計画者の設計力で生産ラインは効率化する。
- ・工程計画者の問題意識で製品開発プロセスは効率化する。
- ・工程計画者の企画力で製品と生産ラインは一体化する。

【役割と考え方】

①新人教育

生産ラインの設計知識と生産ラインの実績との関係を教える。生産ラインの問題を把握する見方を身につける。そのためには、上司が問題解決のテーマを与えて、関係組織と協力して解決策を決定・

実行する場を経験させることだ。そして、対策が正しいかを評価し、残された課題と反省をさせることが必要だ。このとき、新人を指導する先輩や上司の能力が新人の育成に大きな差が出ることに気を配らなければならない。

②中堅教育

生産ラインの課題解決の意識を身につける。課題解決を生産現場だけの視点ではなく、上流の生産準備業務の計画手法の問題として捉えるように育成する。これまでも手を打てなかった本質的な課題を構築する力を身につけることである。

③ベテラン教育

生産準備の業務プロセス課題を解決する意識を身につける。生産ライン、生産準備、製品設計の３つの視点で、より上流の計画業務との関連問題として捉えるように育成する。

④プロフェッショナル教育

製品の将来動向と生産形態を見比べながら、生産

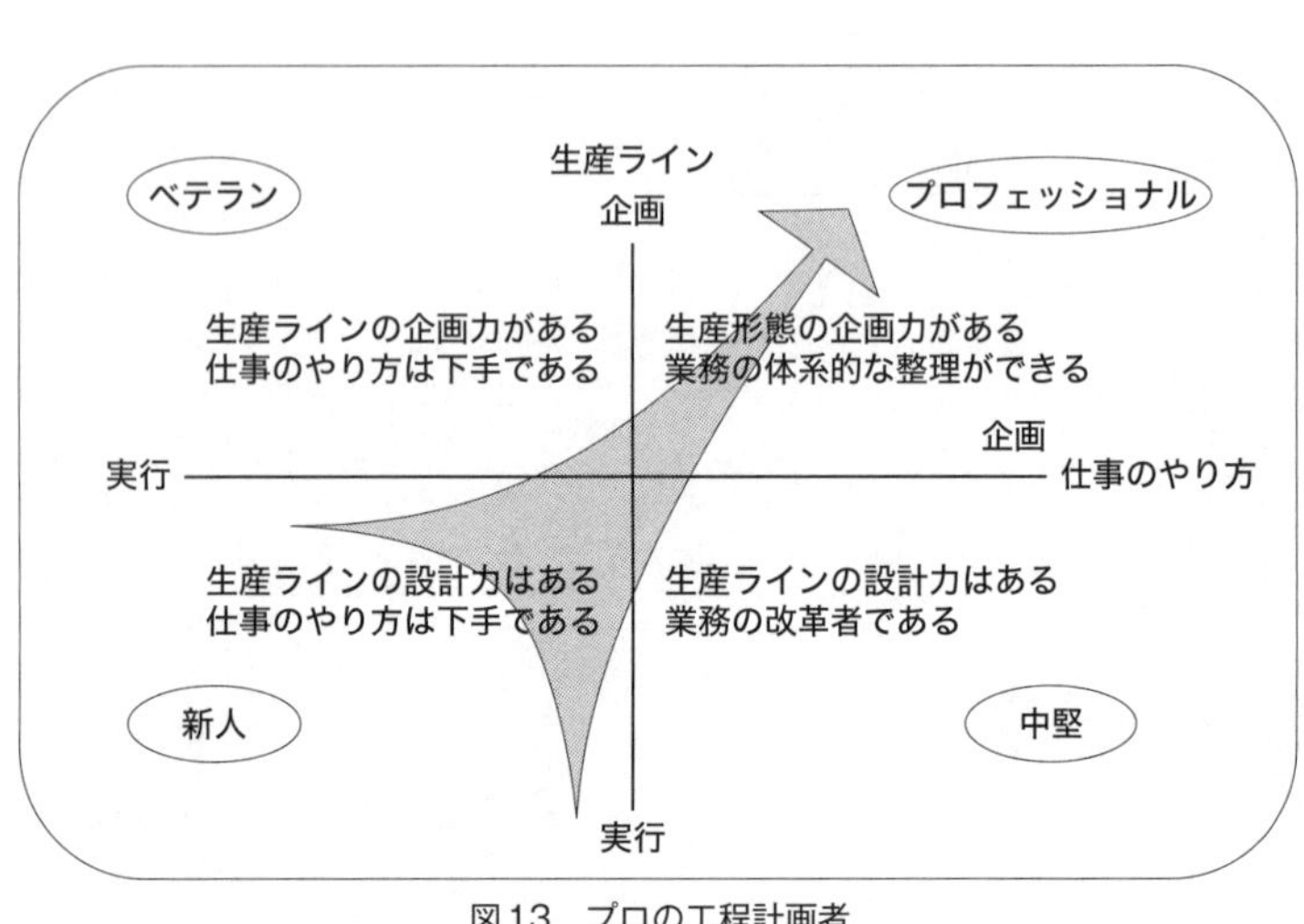

図13　プロの工程計画者

形態のあり方を製品構造の予測から企画する。

【解説】

工程計画者は生産ラインの設計者が一般的である。しかし、与えられた条件で設計するだけではよい生産ラインを設計することはできない。よい生産ラインを設計するには、よい生産ラインとは何かが分かっていないといけない。さらに、それを実現するにはどのような条件が必要かも分かっていないといけない。これらの条件とするためには、製品開発段階にて、よい生産ラインを設計するための条件を説明し、関係部署を説得することが必要となる。ベテランの工程計画者は、これらの関係部署からの協力を得られるような調整能力を持っている。したがって、ベテランの工程計画者とは、業務プロセスを改革できる能力を持っている者である。業務プロセスを改革することができれば、製品の将来動向から生産ラインの形態を企画実行できるプロとなれる。新ラインの設計はこのようなプロフェッショナルにて行われるべきである。

6 エンジニアの生産性を向上させる

グローバルな製品開発競争、少子高齢化など製造業を取り巻く変化を捉え、エンジニアリングそのもののあるべき姿を考えることが必要である。これまでホワイトカラーの生産性にはメスが入っていない。

・製造現場は一秒一秒を意識して製品を生産している。
・この姿とホワイトカラーとのギャップは大きい。
・この違いはなぜかを考えること。

【役割と考え方】

①考える仕事と作業の区別をつける

生産ラインは作業名で仕事を定義できている。エンジニアリングは業務の名前すら定義区別できていない。

②考える仕事の標準化をする

生産ラインの作業は標準化されることにより、良否が判別できる状態になる。エンジニアリングの標準化により負荷が計算できるので計画を立案できる。

③エンジニアの仕事をブレークダウンし標準化する

エンジニアの仕事でも作業的な要素のあるものがある。この探求が不足している。エンジニアリングのマネジメントを実現することが必要である。マネジメントは人事面だけでなく、技術的な面に注力すること。エンジニアリングをマネジメントするにはマネージャーが部下の業務プロセスに入り込まなければ難しい。業務プロセスに入り込む方法を工夫することが必要とされる。

④エンジニアの仕事を継続的に作業化する

定型化できた業務を作業と呼ぶ。作業はＩＣＴ化し、エンジニアはより高度の思考業務を仕事とするように区分する。

【解説】

グローバル化といわれた時期からグローバル競争の時代にすでに入っている。

エンジニアリングもグローバルな感覚を持ち、生産ラインが海外へ進出する際、部品サプライヤを日系とするか？など、これまでと異なる感覚が必要。エンジニアは生産するための準備をする仕事だけでなく、会社が儲かるためのエンジニアリングを考えないといけない。製品開発のスピードはもはや当たり前となり、よい品質を前提としたスピードのある実行を改めて問われている。少子高齢化の中、エンジニアの高齢化はより深刻な問題である。労働力は海外に求めることができても、エンジニアリングのアウトソーシングは難しい。積み上げのされてこなかったものづくり企業はとんでもないハンディキャップを負っているだけでな

20年前	現在
・グローバル化（大企業） ・製品開発スピード競争 ・失業率の増加	・グローバル競争（中小製造業） ・品質問題の大規模化 ・少子高齢化 ・コモディティ化拡大（車）

図14　製造業のエンジニアリングの環境変化

く、中国など若い人の多い活発で意思決定力のある企業に置いていかれている。そのような危機感をトップダウンで示す必要がある。今後の20年間をどのような目標で企業改革していくのかをマネージャーは示さなければいけない。

7　エンジニアの業務を軽減して質の向上

エンジニアリングをアウトソーシングするのは難しい。コア・コンピタンスは何かを明確にしていること。さもなければ自社内の考える力が低下する。甘えの構造になっていないか？　組織の雰囲気が忙しいことを理由に仕事の質低下を見逃す体質になっていると危険である。無駄の排除を改めて行う。日程遅れもいけないが、外部依存も適切に判断する必要がある。一番いけないことは何もしない組織風土である。

- 考える仕事は、自社内で行う。
- 単純な負荷対策だけで社外化しない。一旦社外化すると戻せなくなる。
- 価値ある仕事と価値のない仕事を区分する。

【役割と考え方】

①管理だけの仕事は仕事ではない

管理だけの仕事は製造業には不要である。管理とは改善のために行う仕事であり、改善成果を出すことがその目的である。数字を捉えたら問題解決を行うことが必要である。

②急がば回って標準化

とりあえずの癖をつけると考え抜く力が低下する。自部署の役割と課題を明確化し、お客様が何を求めているか、何をすべきか考え抜くこと。ここでのお客様は自組織の後工程の組織である。今回はこのようにして進めようというのではなく、今後はこのようなことを標準とするということまで議論をつくすことが必要で、とりあえずでは、次の担当もとりあえずの仕事のやり方をするものである。

③忙しいは口実

もっと楽に仕事ができるように組織は考えているか？　自分の仕事に他人を入れない。知識やデータを出し惜しむ。自部署の役割を守り続ける仕事になっていないか？など仕事を行いたくない組織は必ず忙

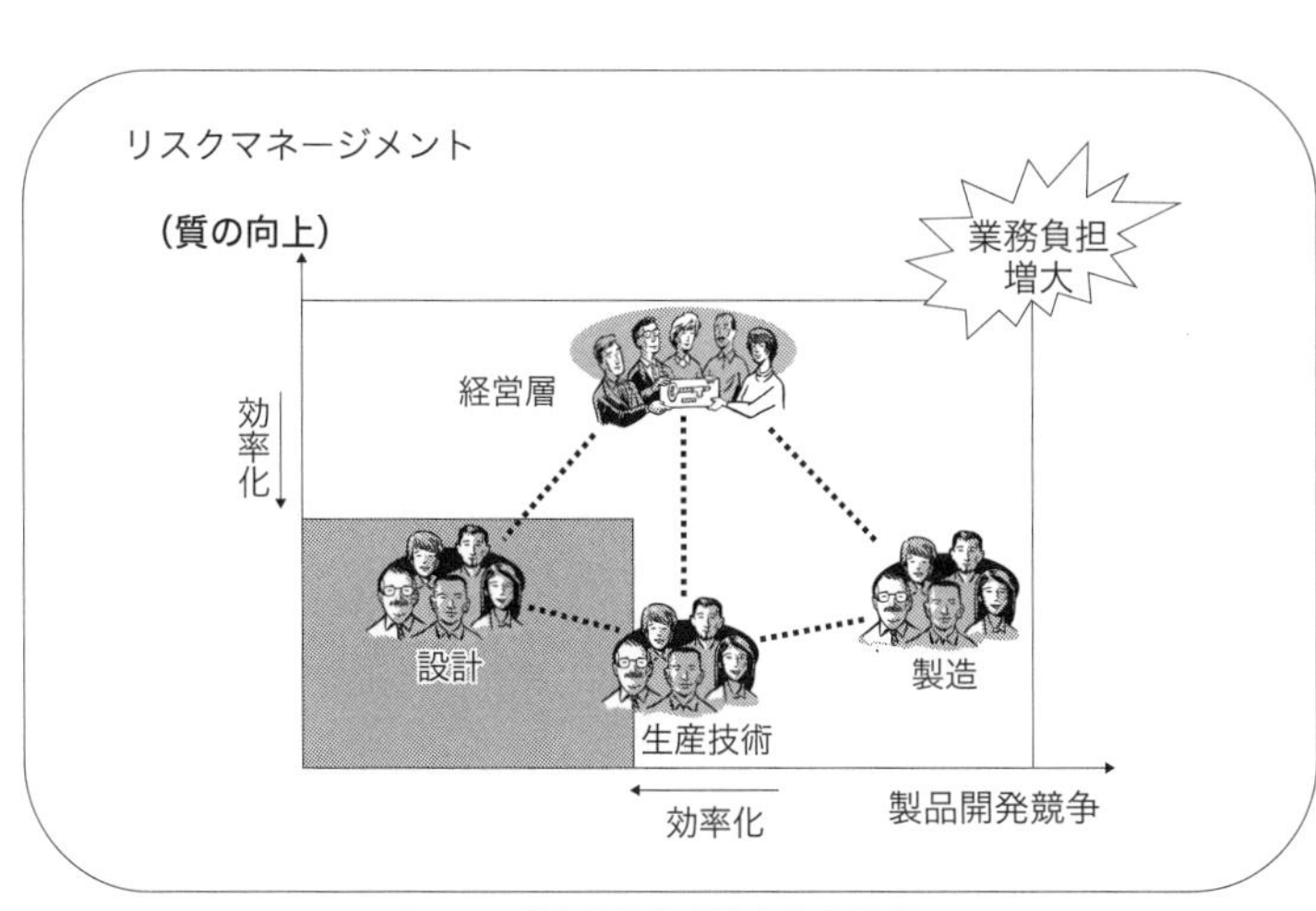

図15　質向上と生産性向上を同時に

しいという言葉を口に出すものである。

④コア・コンピタンスを言えること

自部署、自社でやるべきことを外部依存すると内部には管理業務だけが残ることになる。コア・コンピタンスは何かということを明確に皆が認識していることが重要である。コア・コンピタンスと言えるまでの突き詰めた検討や研究がなされていない状態もよくあることである。

【解説】

製品開発競争は激化し、製品開発のリードタイムはますます短くなってきた。少子化により人員増も望めない。一方、団塊世代のベテランエンジニアも退社し、企業の人材確保は難しい。この環境下にては、エンジニアリングの効率化は経営的な大きな課題である。一方、製品に対する品質は企業の責任であるが、近年、企業内における品質マネジメントの強化を求められている問題事案が健在化している。このように、エンジニアリング負荷に対して、効率化と仕事の品質向上といった2つの相反することをうまく実現していく必要がある。この2つの課題を解決するには、考え方の標準化とその上でのICT化などの手段を進めていく必要がある。属人的な業務推進は直さなければならない。

8　エンジニアは量より質　人材育成でのポイント

世の中、設計者が不足している。人材の取り合いと労働力の流動化を考えると、人材をどのように活用育成するかが重要である。適切な動機づけとテーマを付与する必要がある。それには、机上の仕事ではなく、現場に出て仕事をさせるに限る。年齢を経て現場に出ても思考の新鮮さがないので、若い年代は現場で鍛えるに限る。現場を知らないマネージャーでは人材育成は無理だ。

・現場で鍛える。
・現場の人材を活用する。
・現場に喜ばれるエンジニアリングを考えさせる。

【役割と考え方】

①現場で鍛える

入社2、3年目で一通りの生産技術の仕事概要を教育したら、生産現場の技術的な標準化業務に配置する。生産現場の問題解決を実施することにより、現場だけで解決できることと、生産技術でないと解決できないことを体得させる。これで、2つの立場の視野を広げる。標準化により多くの実績と考え方を経験することができる。

②現場の人材を活用する

生産技術の仕事に生産現場の職制クラスを従事させる。生産現場の問題や考え方を生産技術内に広めると同時に、生産技術のエンジニアリングとして現場問題解決を進める。これで、不足したエンジニアを補完する。

③現場に喜ばれるエンジニアリングを考えさせる

設計と生産現場の間で、どのように上流（設計）へ生産要件を説明できるかが重要である。定性的でなく、将来においても継続できる考え方（指標）を定義し、生産現場を効率化していく。製品設計構造と生産現場の生産性を関連づけて説明できることにより、そこに不足した技術課題を顕在化させ、対策を実行させる。

【解説】

社外のエンジニアを活用する形を示している。人員不足に対し正社員を雇わずに派遣会社などを活用することが増えている。あるいはゲストエンジニアと呼び、部品のサプライヤから応援をもらい、製品設計と部品設計を同期化させている。しかし、生産技術の場合は、派遣会社を活用する方法はあるものの、関係会社、取引先より双方のメリットがある形で生産技術のエンジニアの協力は難しい。生産技術のコア・コンピタンスはそうそう社外へアウトソーシングできるものではない。アウトソーシングは定型的で知的財産性の低くなっ

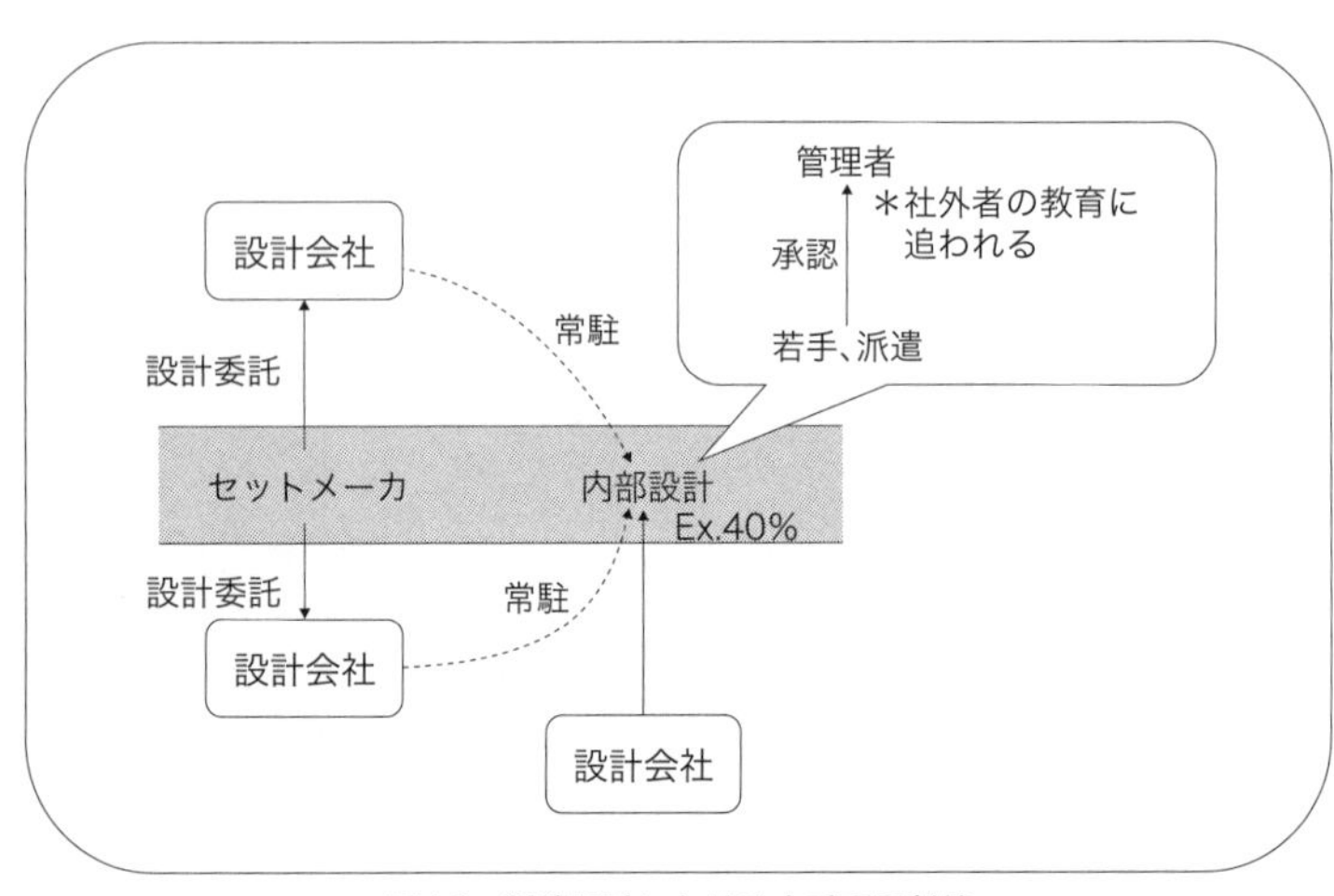

図16　製造設計における人手不足対策

たものでしか実施しにくい。生産技術は本質的に外部依存が難しい。したがって、適切な人材育成と現場作業者の技術屋化を進めることがよい。

9　エンジニアリング改革にＩＣＴが必須

エンジニアリングは、その効率化と質の良さの両方が求められている。この両面にはＩＣＴを活用することが必要である。

- ・ＩＣＴ活用による人の仕事のミス防止。
- ・ＩＣＴ推進による標準化と見える化の実現。
- ・ＩＣＴによる仕事の生産性アップ。

【役割と考え方】

①ＩＣＴ活用による人の仕事のミス防止

ロジックやルールを埋め込むことにより、うっかりミスや思考過程の共有化を実現し、多くの他者の意見を取り入れる。過去の事例や判断材料・結論などを蓄積することにより、システムとして再発防止を実施する。

②ＩＣＴ推進による標準化と見える化の実現

過去の事例などを検討評価し、技術的、意思決定プロセス、仕事のプロセスなどを標準化する。標準化を遵守しつつ、不都合な問題は標準化を決定した過去の事例や決定指標に立ち返り、柔軟に改廃を実施する。改廃を実施したポイントはその理由とともに開示し、即時運用する。標準化推進チームを組織化し、ＩＣＴシステム開発とセットで運営する。

③ＩＣＴによる仕事の生産性アップ

ＩＣＴを活用した仕事のプロセスと考え方の同一化で、意思決定時間を短縮する。技術的な情報調査、現場調査なども効率化される。常にリピートによる効率化ができないかを

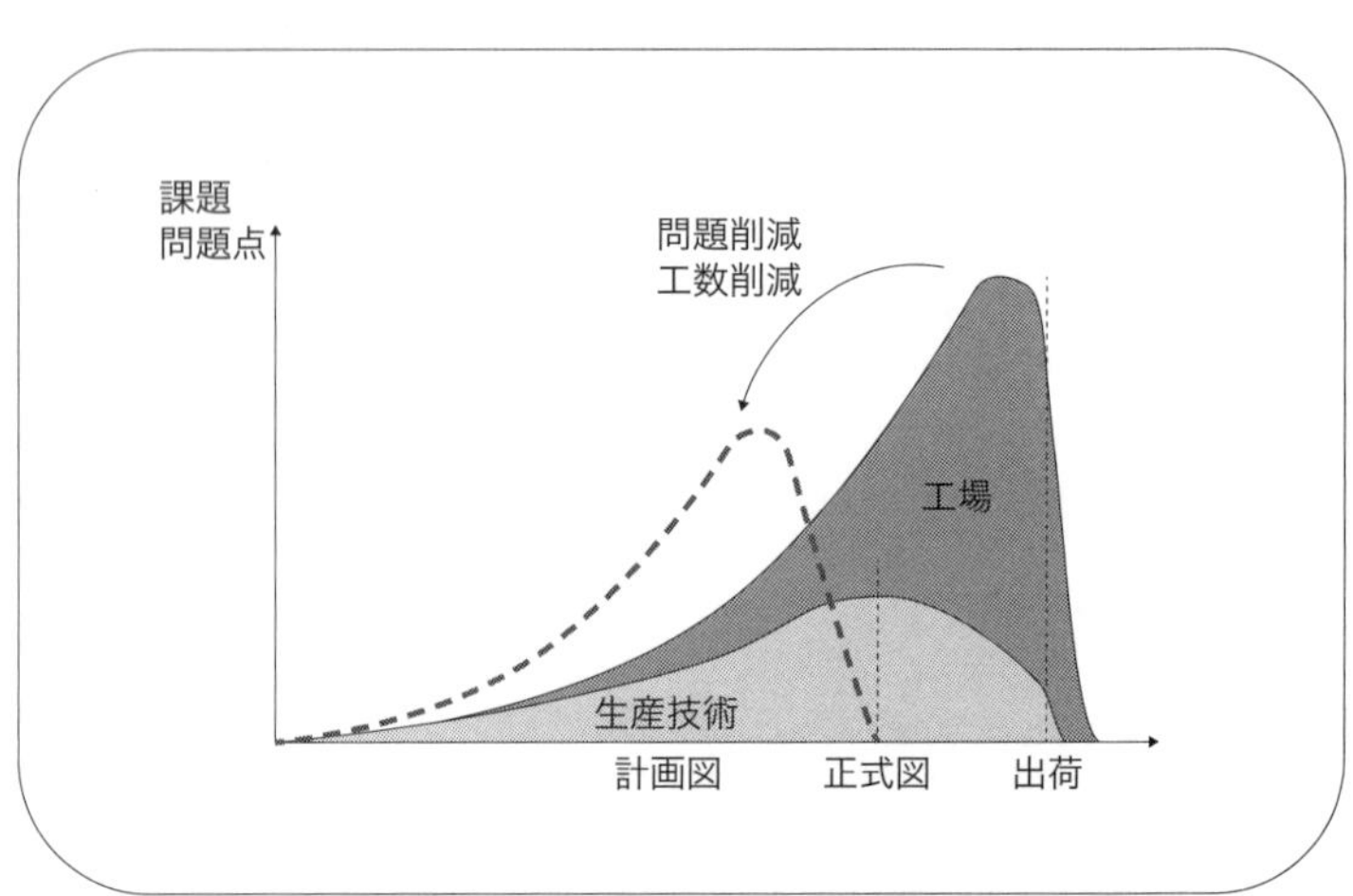

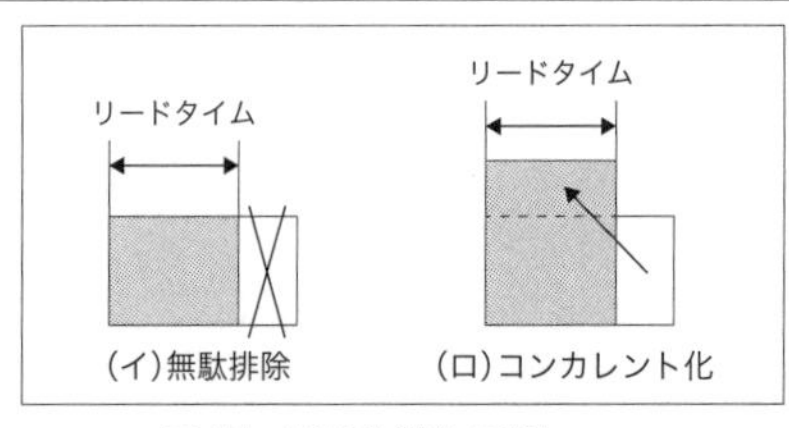

図17　ICT化推進の狙い

考えることで生産性をアップする意識を全員に持たせる。

【解説】

ＩＣＴ化推進の狙いは2つある。1つ目は全体工数の削減。2つ目はリードタイム短縮である。同じエンジニアの人数で同じ仕事をする場合でも、仕事が早期に完了できれば製品開発のリードタイムは短縮される。製品開発は遅れがちになりやすい。一方、生産技術は生産開始に合わせて、設備の手配などを行う最終業務プロセスを担っている。そのため、製品開発の遅れは生産技術業務のリードタイムを短縮する必要がある。リードタイムを短縮するには、同じ質の仕事を完成させるときの無駄を排除するか（図17イ）、生産技術のエンジニア同士がコンカレント（図17ロ）に仕事を行うかのいずれかが必要である。このような目的にＩＣＴは活用されるべきである。

10 継続的な品質改善方法を追求する

生産現場の仕事を見ると、品質改善は行われているが、製品の生産切り替えの都度、以前の品質レベルより品質が低下していることが多い。同じ、あるいは同じような品質問題を発生させないようにすること。製品切り替え前後の品質レベルの差を把握する。徹底的なリピート業務を行うことが組立工程の品質安定化につながる。

・品質問題が減らないものづくり企業は仕事の仕組みがないも同然。
・他部門、他組織に関係する品質不良対策はチームワークの良さ。

【役割と考え方】

①同じ、あるいは同じような品質問題を発生させない

前の製品生産開始時とその後に発生した品質問題をリスト化し、再発防止するように生産準備を実施する。製品が切り替わる前に何が前の製品と異なるかをリストアップする。製品切り替え時前後の品質管理の差を把握する。前の製品と今回の新しい製品とでは製品の機能としてどのような点が同じで、あるいは異なるかを定量的に把握すること。新しい製品を生産するために、製品機能としての差を実現する生産工程の差と対比して、正しく計画されているかチェックすること。その際の品質管理方法の差も製品差で説明ができるようにすることが求められる。

②徹底的なリピート業務で変化をなくす

製品の新旧の構造差に対する生産工程の計画や品質管理のやり方は、徹底的に同じ設計構造化にこだわり、変化をなくせば品質は継続的にレベルを維持できる。

【解説】

ありがちな品質改善の姿は、図に示しているように、需要変更による生産量の変化に対応した工程変更や新製品投入による工程の変化時に、それまで品質改善を実施してきたレベルより一段低下するものである。

これは、生産工程の品質管理の変化や設備の変更、作業者の変更などにより、いったん落ち着いた品質管理のマネジメントに変更が加えられることによる。したがって、新製品の生産開始後、従前の品質レベルに到達していくことに大きな品質改善の努力を必要とする。継続的な品質改善の姿は、図のように理想的には従前の品質レベルを維持向上しながら新製品の生産を開始することである。このためには、従前の品質マネジメント内容に比べ、できるだけ変更のないことが必要である。そのためには、製品設計構造の変更をしないことであり、変更を正確につかむことが重要である。生産ラインは変化への対応をすることが必要であり、その変化を最小化することが、生産技術の役割である。

11 現場問題を見抜く感性を鍛える

ただ漠然と現場を眺めていてはものづくりの問題を

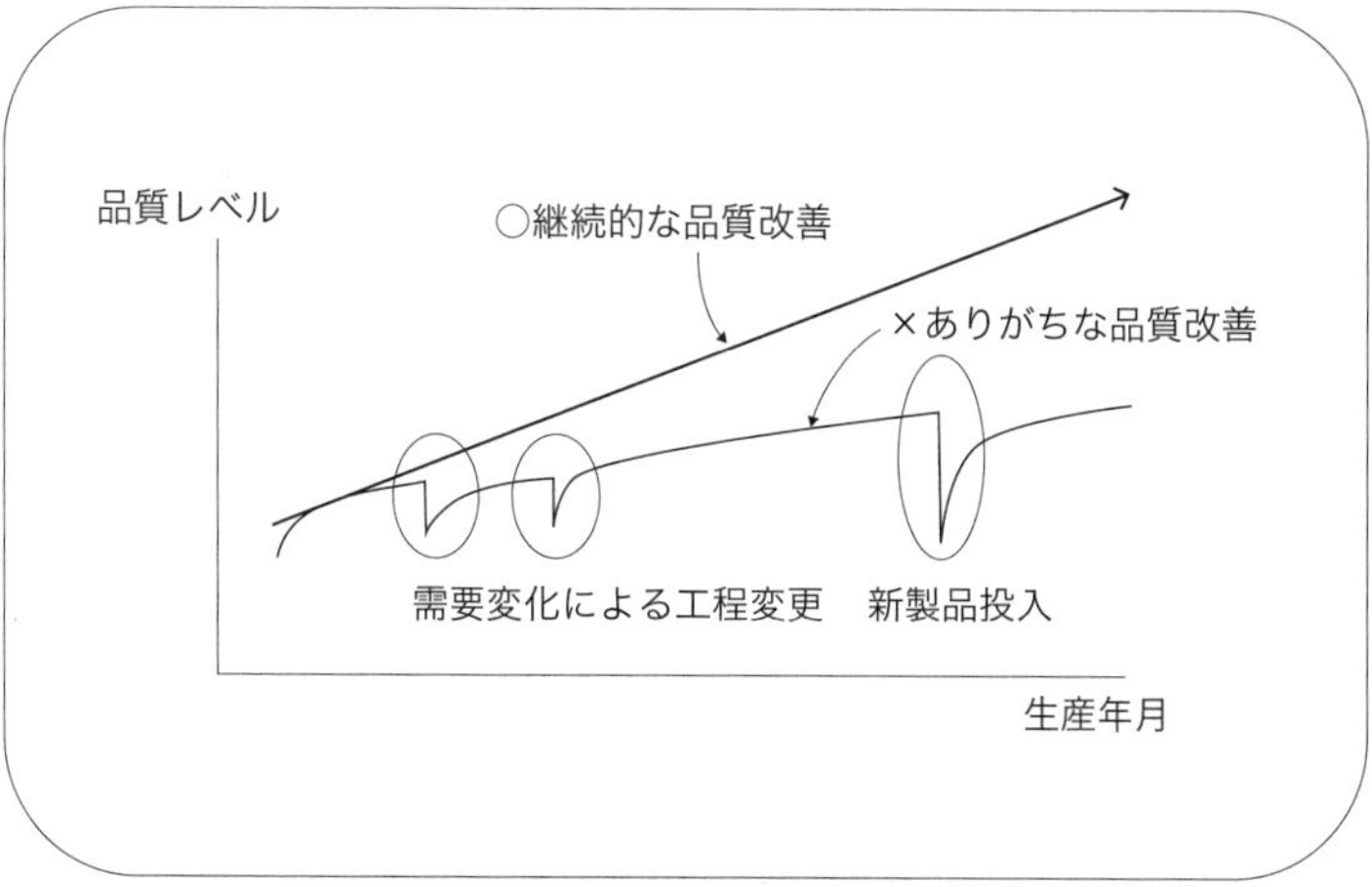

図18　継続的な品質改善

感じることはできない。現場の状態からどのように生産ラインの計画業務に問題意識を持つか、その感性の有無で全く計画の質は異なるものになる。生産技術の計画通りに生産ラインは運営をしているかを見る。シンプルであるかを、何に対しても疑問を持って見る。現場は統制が取れており、簡単であることが必要である。

・自らの考え方で描いた生産ラインであること。
・考えが足りなかったことを見つけ反省すること。
・複雑となっているものごとは何かが間違っている。

【役割と考え方】

①作業、設備、部品、工程、完成品など計画通り運営すること

生産技術と製造との関係でどの時点を仕事のバトンタッチとしているかは企業間でまちまちである。生産ラインに物が流れ始めたら、その後は製造の組織の責任となるが、生産技術の結果確認は継続的に行う必要がある。生産技術が計画した通りに生産ラインが運営されているかを確認し、変更されていることには貴重な反省点がある。

②シンプルであるか

作業、設備、部品、工程、完成品のどれを見てもシンプルにできているかを反省する姿勢が必要だ。人の仕事はどこか必ず反省すべきことがあるものである。計画が物の形に表され、誰にでも分かりやすくなったことにより問題も分かりやすくなる。計画の仕事は図面に集約される。物になったときの気づきと同じ気づきができるように、図面段階での仕事の質を高めること。そのような業務が可能となるようにチェックリストや生産技術要件書などのチェックツールを整備することが必要である。

③疑問を持って生産ラインを見る

いつでも、何に対しても疑問を持って考えることを習慣にした組織は強い。

【解説】

下図の写真は見るからに複雑である。複雑さには多くの無駄が隠れている。複雑な設備を設計、製作することそのものが無駄である。右上の写真はボルトの箱が整然と並べてあり、いかにも熟慮された結果と見える。しかし、なぜ、このように何種類ものボルトを整理して用意しないといけないかとの疑問を持つこと。右下の写真にはたくさんのエアー工具が配置されている。このように並べることも工夫の

なぜこんなに多くの種類のボルトが必要なのだろうか？

たくさんの工具があるな？

図19　現場の複雑さは計画力不足

結果であるが、この中から適切な工具を選択してボルトを締め付ける作業は選択の負担が大きい。生産ラインで働く作業者の意見も重要である。このような作業は大変であるとの感性を持つ作業者の集団は改善が進む。与えられた作業をすることだけに徹した作業者の集団では生産ラインの生産性だけでなく、企業全体の生産性を損なうものとなる。現場の問題意識のあり方は重要な経営改善の要素である。そのような体質に製造部門を整えるのは製造部門の長の重要な役割である。

12 問題点の未然防止のシステム化

同じ問題を繰り返さないことは当然である。しかし、組織は人が運営するために、完全な未然防止は難しい。これの解決には、未然防止の仕組みの中にＩＣＴを活用するべきである。

現場の問題は処置だけして片付けられることが多い。

- ・現場の問題は仕事の質を改善する貴重なサンプルである。
- ・貴重なサンプルを企業内で未然防止する。

【役割と考え方】

発生した問題を今後に生かさないのは大きな損失である。発生した問題以上に大きい損失である。

①現場の問題を未然防止することを常に考える

まず、問題の深さを認識する。単なる単純ミスでも発生した本質的な原因は根深いところに起因していることもある。未然防止策にあきらめが入ると再発する。徹底的に考え抜き、エンジニアリングとしての未然防止を実行すること。

②なぜ、このような問題が起こったか原因を知り反省する

設計段階で決まっていたことは何かを知る。なぜ、設計段階で未然防止できなかったかを協議する。どのようにすれば、設計の無駄をさせずに問題を未然に防止できるようになるか仕事の手続きを考える。必要なシステムを導入するために仕事の手続きに従って情報システムを構築する。構築したシステムで仕事を行い、設計、生産技術でトータルとして効率的であるかを検証する。

【解説】

問題を問題として認識することが第一である。問題の大きさ、緊急性、拡大性など重要性を説得

1、問題認識

なぜ、こんなに多くの種類のボルトが必要なのだろうか？

2、疑問から作り出す新しい仕事の仕組みを考える

①ボルトの大きさは？・・・製品設計的な分類理由の整理
②なぜ、工具は一緒でやれないの？
・・・生産技術的な分類理由の整理
③この問題の大きさ？
・・・生産性やコストなど問題の定量化をする
④もっと少ないときの嬉しさ？
・・・効果を把握
⑤なぜ、設計段階で発生防止できないのか？
・・・仕事の進め方の問題整理

3、システム案をできるだけ創出する

①工場内のボルトを全部調べ、分類整理をし、
標準を決めるシステムを構築
②設計 CAD にそれを表示、検索して流用設計を
推進するシステムを構築
③その中に工具のトルクレンジを登録し、同一工具で行える
ボルトを設計時に選定できるシステムを構築

図20　システム構築に必要な思考シナリオ

できる仕組みが必要。問題として認識が合意できれば、解決はスムーズに進行する。システムを導入する際に、この問題認識に差があると必要性に疑問を持たれる。システムの構築においては、誰でも、正しく、迅速に行う手段として情報システムが適切性を持っているかを考え決定することが必要だ。

第4章　種類の抑制がもたらすもの

1　種類増の連鎖を食い止める

人の仕事にはいろいろな進め方と判断がある。その結果として製品の種類も増える。製品の種類は、多くの例外的な仕事を生み出し、仕事の種類を増加させる。その結果、仕事の品質も低下する。問題の本質は、種類の増加にある。

- 製品の種類を減らす。
- 生産ラインの種類を減らす。
- 仕事の進め方の種類を減らす。

【役割と考え方】

①製品の種類を減らす

製品の種類が増加すると、その製品を構成している部品の種類も増える。部品の種類が増えると部品サプライヤの生産コストが増加し、部品コストが高くなる。結果的に製品コストが高くなる。このことにより市場競争力が低下する。製品セットメーカにおいては種類が増加したことにより、事務的な管理が複雑化するとともに、判断も複雑化する。

②生産ラインの種類を減らす

製品の種類が増加すると生産ラインや工程の種類が増える。生産ラインや工程の種類が増えると生産現場における管理が複雑化し、生産性の低下や品質低下が起こりやすい。工程の種類が増えると生産設備の種類も増え、保全業務や設備の予備品も増える。これにより在庫管理も複雑化し、ますますコストの高い生産となる。

③仕事の進め方の種類を減らす

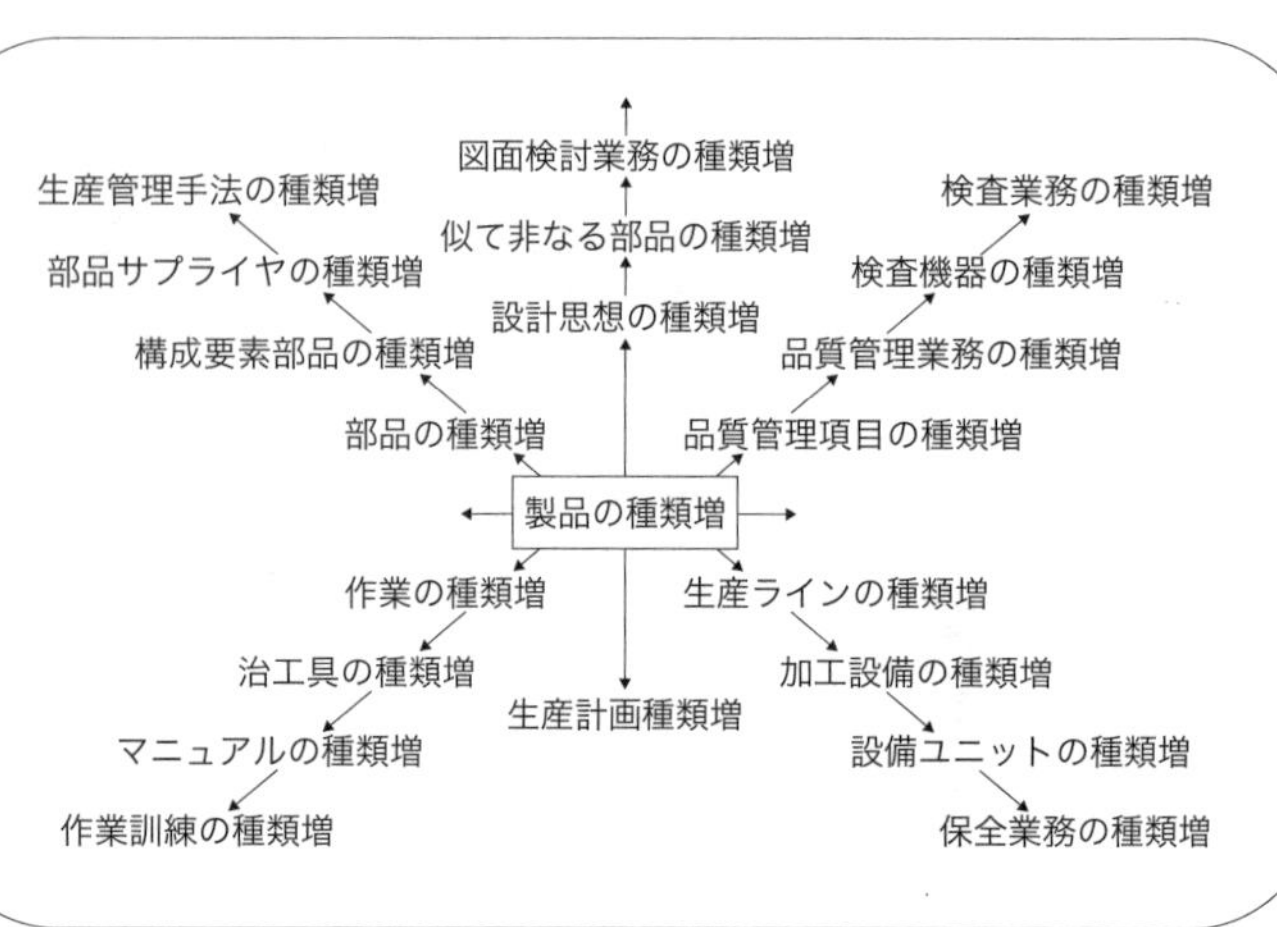

図21　製造業の種類増加の連鎖

設計、生産準備、生産、調達、生産管理などのあらゆる業務の手続き・判断が複雑化し、マネジメントも複雑になる。

【解説】

製品の種類を増やすことは、設計そのものの負荷が高くなることにつながる。設計者はその製品だけを設計する業務であるが、多くの製造業の仕事は種類を扱う仕事である。生産技術、生産管理、品質管理、作業管理などあらゆる管理業務が複数となり、そこに管理から外れるミスが発生する。製品の種類を増やすと売り上げがあがるかもしれないが、コスト面で多くの間接費が増加する。このことを計算から除いて製品設計を着手すると儲からないこともある。製品の種類を増やすことに製造現場は反対をするが、間接部門でも大きな問題意識を持つことが必要である。製品の種類や生産ラインの種類を抑制することは、たとえば生産ラインの汎用化を考えるきっかけともなる。製品の種類は製造業における大きな問題としての経営指標である。

2 種類削減による品質向上

製品の種類やそれに伴って、仕事の種類が増加すると品質不良が発生しやすくなる。管理者は、種類に着目し、種類削減に努めなければならない。

・種類を減らすようなマネジメントを実施する。
・品質から見た種類を絞り込む。
・種類の適正量を定める。

【役割と考え方】

①種類を減らすようなマネジメントを実施する

技術の面から、生産工程と設備、治工具の種類を調べる。その種類増となる要因と製品種類や設計構造との関係を整理する。形状や構造や機能などから層別する。似ているものは同じにならないか検討する。

②品質から見た種類を絞り込む

品質の視点から、生産ラインにおいて、製品の品質を確保することが容易なものとそうでないものを分類する。品質が安定しているものと、不安定なものとの違いを解析して分類する。層別された分類の中で、一番品質の安定するタイプを決定する。

③種類の適正量を定める

以上の検討から、製品機能を含めた適正な種類数を決める。製品開発プロセスのマネジメント指標として、層別した種類以外の設計案について、その種類増の必要性について検討を十分に行うことが必要だ。

人が行うエンジニアリングにはミスが伴う。忘れ、勘違い、単純ミス、見逃しなどが発生するが、組織としてこの発生を防止する必要がある。種類が多ければ、その分の管理業務が増える。そのことにより、人の管理業務が膨張していく。種類が多いと品質についても問題が発生する不安が大きくなる。したがって、シンプルな仕事にするためには、種類を減らすことがまず必要である。種類が減れば、人、物、情報についての注意を十分に行うことができる。これにより、生産技術の仕事の質が向上し、製品の品質も確保できるようになる。もちろん組立作業者にとっても作業が覚えやすくなる。

【解説】

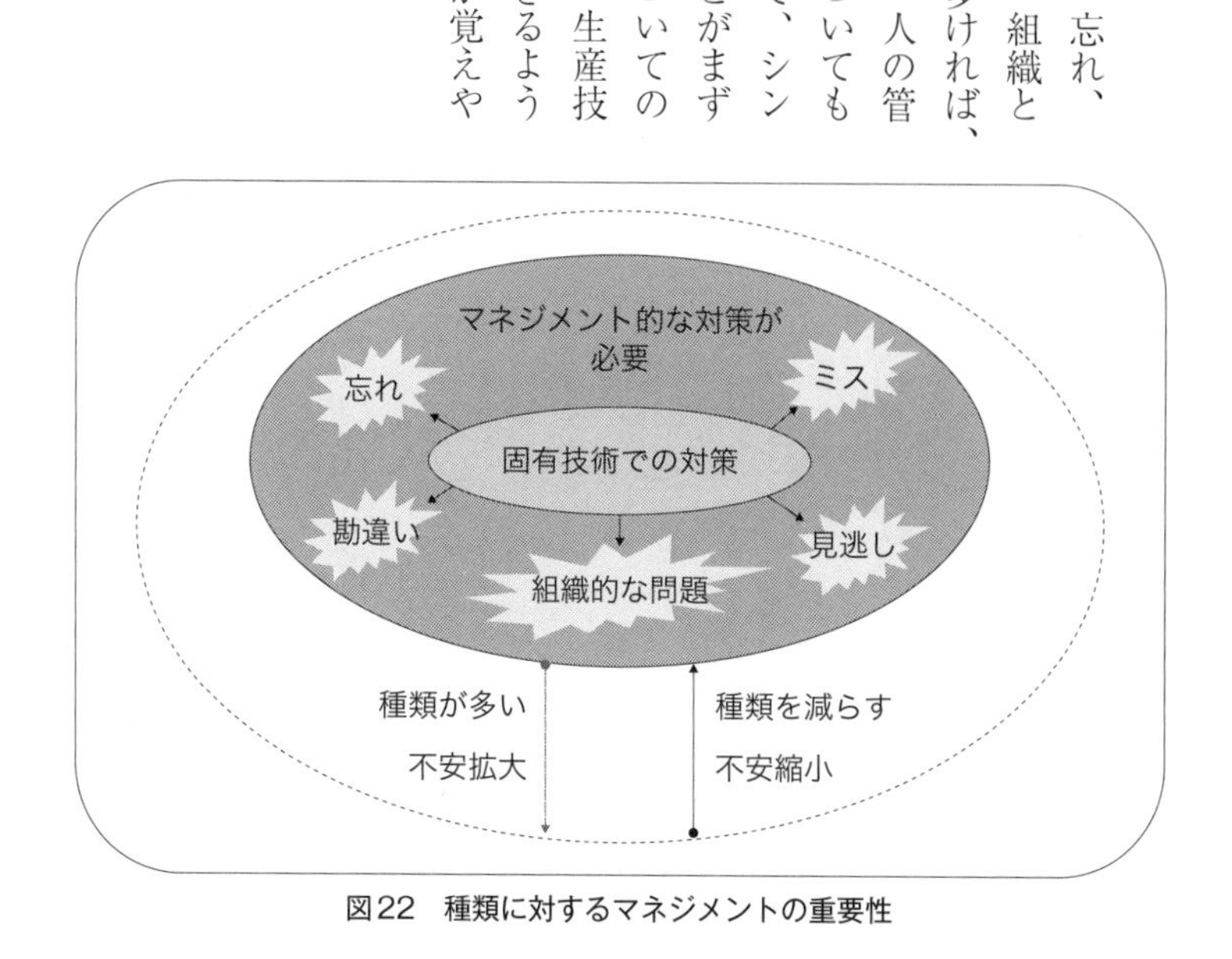

図22　種類に対するマネジメントの重要性

3　サプライヤと部品共通化を実施する

部品の種類を削減するには、サプライヤの協力が必要である。サプライヤは、セットメーカからの依頼そのままで部品設計や生産を行いがちである。そこに種類が増大する要因がある。セットメーカからの仕様を受け入れる弱い立場にある。

- 他のセットメーカからも似た仕様が提示される。
- サプライヤには種類削減のネタがいっぱいある。

【役割と考え方】

①部品の品目別に整理を行う

生産工程にある部品を品目別に現物で並べる。並べられたものを見た目には同じようなものに整理する。品目内のすべての部品の図面から違いを整理する。現物で似たような部品を詳細に図面から寸法などを調査し、一覧表に整理をする。整理したものを品質、作業性、コストなどを評価指標にして、最良な統一案を決定する。次に、製品内ごとにこの統一案に対して設計的に検討を行い、採否を決定する。

②部品の種類を削減する

種類削減対象として採用が可能となった部品は設計変更を実施する。不採用となった製品は、次期製品設計の申し送り事項として記録し、次期製品開発において採用する。統一案の決定には、自社だけではなく、サプライヤは類似した部品の生産を行っているので、サプライヤにある部品への統一化も検討対象とする。

【解説】

セットメーカが複数存在している製品において、セットメーカごとに取引先である1次部品サプライヤがある。1次のサプライヤにおいては、複数のセットメーカから部品の納入依頼を受け、生産を行う場合は同じような部品を生産している可能性がある。同じような部品は各セットメーカの仕様に合わせて部品を設計生産することにより発生する。1次部品サプライヤが同じような部品になることにより、サプライヤ側に部品の種類が多くなり、生産性がダウンすることを主張できれば、同じような部品ではなく同じ部品となる。1次のサプライヤは同じような部品を仕様として受け入

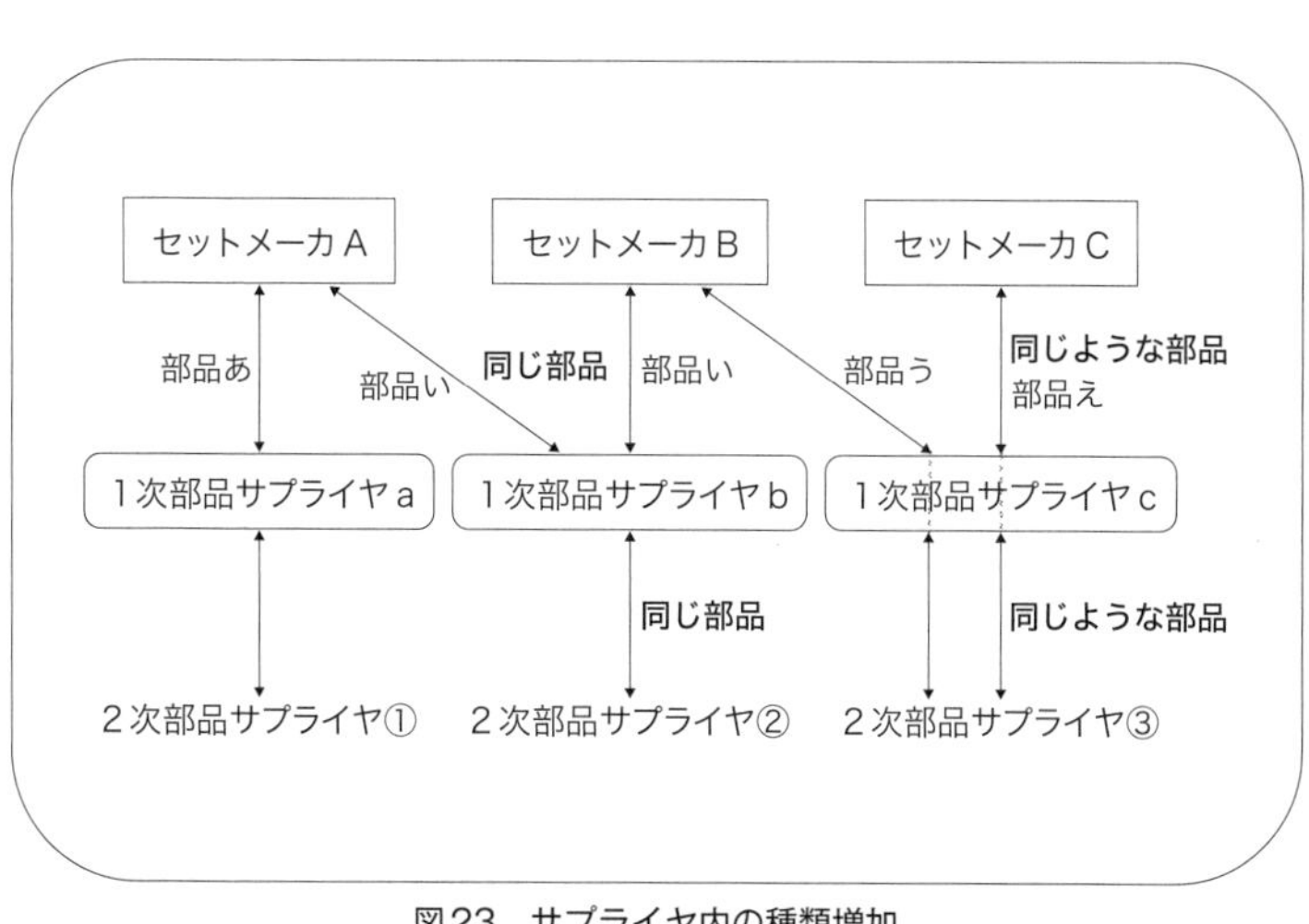

図23　サプライヤ内の種類増加

れると、２次のサプライヤにも同じような部品の納入を依頼する種類の連鎖が行われる。セットメーカはこのようなことを着眼点として、サプライヤの既存部品を活用することを心がける必要がある。これにより、開発、生産コスト、購入コストの低減が可能となる。

第5章　エンジニアリング・マネジメント

1　自部署の技術図鑑を作ること

エンジニアの仕事は個人に依存している。エンジニアリングの生産性をアップすることが必要である。そこで自部署のエンジニアリングとは何をすることかを整理し、形式知化すること。エンジニアリング協会の定義では「細分化、専門化した人・材料・設備・機械などの統合されたシステムを対象とし、その設計・要素調達・加工と運用を行う場合に生ずる結果が、与えた諸目的に対して適切な形で実現するように行う一連の活動」と書かれている。

・エンジニアリングとは多分野にわたる〝人間の知恵〟を集結・統合し、一定の課題を達成する科学技術的な活動〟のこと、と定義されている。
・個人依存のエンジニアリングをチームワーク化するのはマネージャーの仕事。

【役割と考え方】

①自部署のエンジニアリングの確認

何をアウトプットすることが自部署の役割であるかを確認する。後工程は誰か？　目的に対し、どの程度のレベルでエンジニアリングができているかを確認する。

②人間の知恵を集結・統合する

エンジニアリングを推進する自部署の技術とコミュニケーションに問題はないかを確認する。エンジニアリングの判断は皆の意見が含まれるような意思決定プロセスになっているかを確認する。問題を明確化し、知識や意思・結論の共有化を実施する。

【解説】

博物学とは、自然に存在するものについて研究する学問。広義には自然科学のすべて、狭義には動物・植物・鉱物など自然物についての収集および分類の学問をいう。東洋では本草学にあたり、南方熊楠が代表的な研究者である。博物学の作業としては自然物の採集とその同定が最初に行われる。そして、その分類に情

南方　熊楠（みなかた　くまぐす）
1867年4月15日～1941年12月29日

・博物学者、菌類学者、民俗学者である
・大英博物館の東洋関係文物の整理
・科学雑誌「ネイチャー」に論文を発表

熊楠については粘菌のことが取り上げられることが多いが、
熊楠自身は隠花植物全般を専門にしていた。熊楠は非常に多くの標本を作製し、
それらを図としてのこした。
熊楠は自然保護運動における先達としても評価されている。

出典：Google

図24　博物学とエンジニアリング

熱をかけて整理を行い採集と分類は科学としての博物学を支える両輪でもある。

自然界にある多種多様なものを分類するためにさまざまな分類法が編み出された。

この博物学の整理手法はエンジニアリングの整理にも通じるものがある。

エンジニアリングを整理分類することで、人の知識が揃い、その上での検討が行われるようになる。

企業あるいは個々の組織にとって、このような分類が必要である。さらにはこれがグループ企業内の分類と拡大すべきである。

2　ICTはエンジニアリングのためにある

博物学の方法をエンジニアリングにあてはめるとエンジニアリングの分類ができる。その分類をする仕事にはＩＣＴの活用が可能であり、エンジニアリングにＩＣＴ化は貢献できる。

- 基準をつくり、皆に示す。
- 基準と比較できる。
- 事例を蓄積できる。

【役割と考え方】

①基準をつくり、皆に示す

エンジニアリングの判断を行う基準（目的と評価指標）を仮決めして、組織内に示し、共有化する。共有化することで、エンジニアの考え方の違いが認識され、そこに議論が生まれる。

②基準と比較できる

解決したいことを検索し、その基準に従って評価を行う。基準にある評価の方法や内容に現状の情報が不足していることを気づかせ、情報を集める仕事を行う。マネージャーは担当がどのような情報を集め、基準に従ってどのような判断をしたかが分かるようになる。ミスや問題を起こさないような未然防止型の管理を実施する。

③事例を蓄積できる

多くの事例を蓄積することにより、基準がより認知された基準となる。ＩＣＴを活用することでエンジニアを記憶依存から脱却させる。

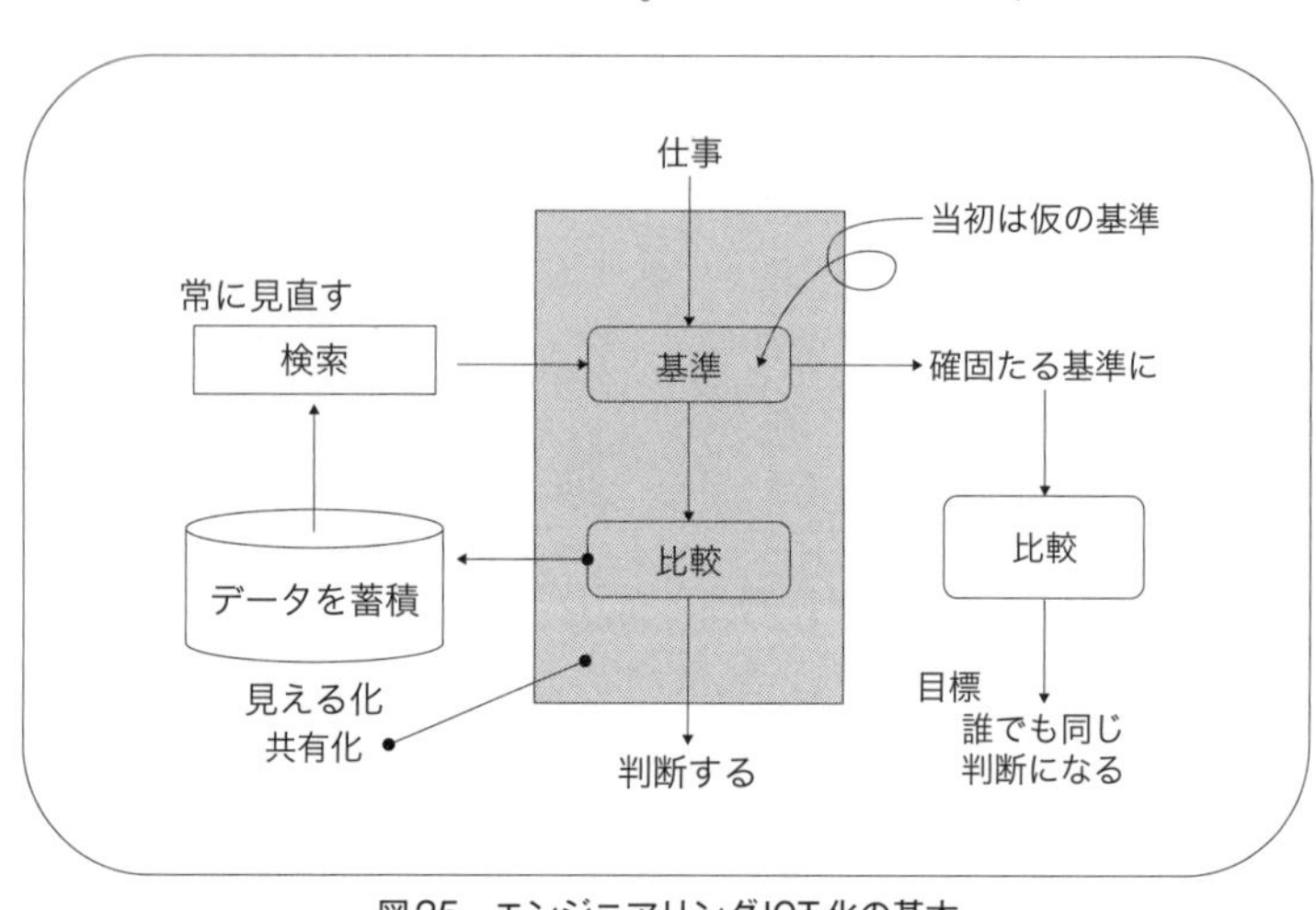

図25　エンジニアリングICT化の基本

【解説】

エンジニアリングのICT化には、事例を蓄積する仕組みと基準を見せる仕組みと基準と比較する仕組みが必要である。

TPSの考え方と同じく、基準を設け比較することで、良否の判断を誰でも行えるように見える化する。エンジニアが実際に基準と比較した内容や、その比較結果と結論をさらに事例としてデータ蓄積するようにすること。基準の改廃の際にも参照できるように、これらの実際の事例を整理蓄積しながらエンジニアリングが遂行できるICT化を進めること。

3　製品指向エンジニアリングの推進

製品設計が行われ図面作成後に生産ラインの設計や工程設定を実施することは無駄な作業・設備導入・物流を行うことになる。

現場の生産性や品質問題の原因を調査すると、結局は製品設計のまずさに立ち戻ることが多い。

・生産技術の製品設計段階への参加で、ものづくりの品質や生産性が異なる。
・生産技術は品質、コスト、生産性にどのように責任を持つかを明確化する。

【役割と考え方】

①生産ラインでよい製品が生産できるように製品設計を行う

生産現場が製品図面に受け身で合意し、無理な生産をしてはいけない。生産現場の品質レベルを正確につかむこと。生産現場が品質を確保しやすい条件に製品設計図を作成する。

②生産要件の整備を行う

生産現場がどのような方法で品質を確保できているかを整理すること。製品の形状は材質、大きさ、重量など設計図面に描かれていることと生産要件を関連させて決定すること。

③製品設計段階に参画する

以上の準備を経て、製品設計図が完成する前に生産要件を織り込んだ図面を作成するプロセス（日程）を全体日程表に掲げる。たとえば、ある期間を生産側の図面検討期間として定義する。その期間のまとめに生産要件織り込み確認会議を実施する。この繰り返しに

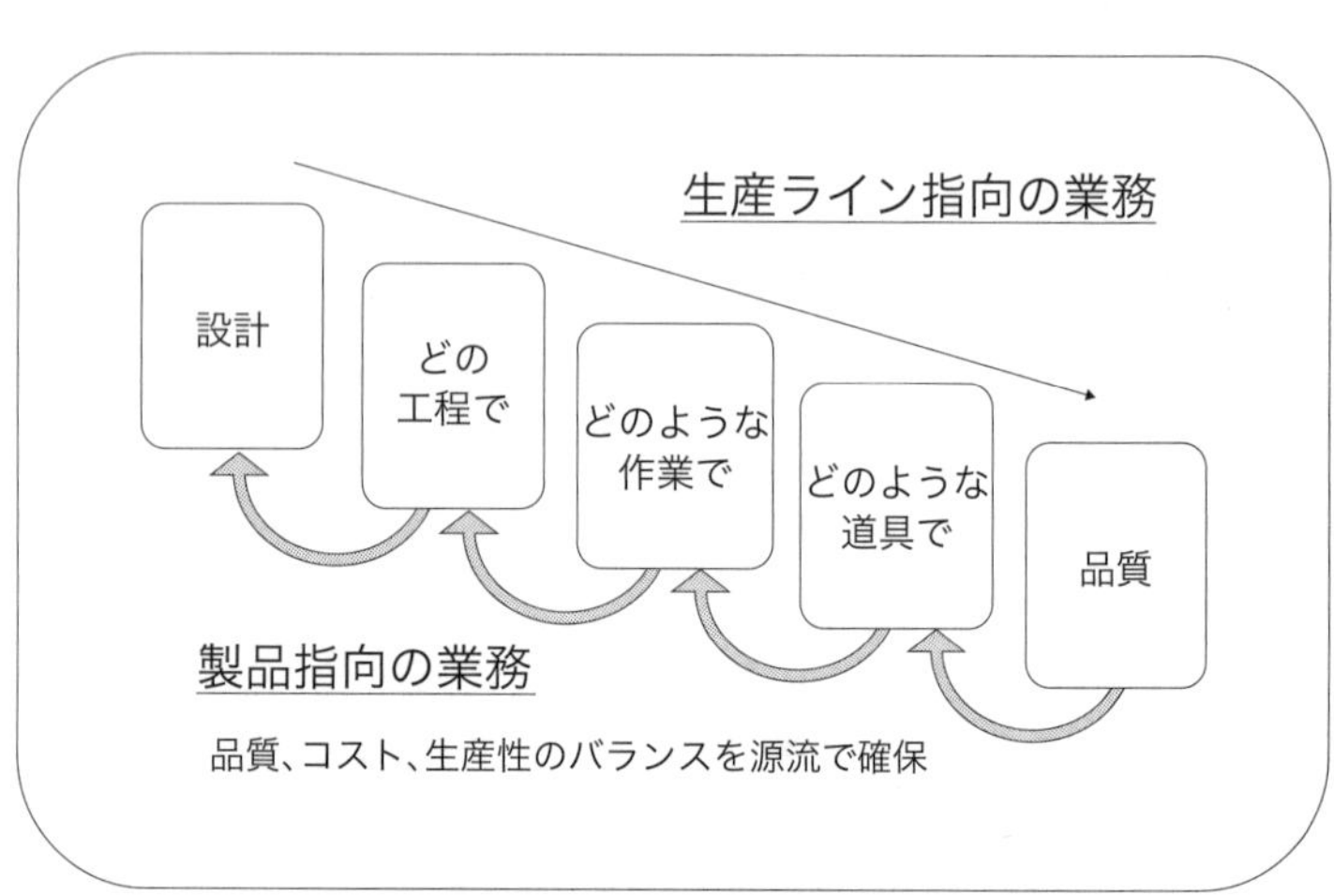

図26　製品指向の生産準備業務

より、より生産要件は進歩し、設計組織には生産要件が浸透していく。

【解説】

従来、生産技術は生産ライン指向の業務を行ってきている。生産ライン指向とは、設計図に描かれた内容をどのような方法で加工や検査し、製品を立ち上げていくかという指向性のことだ。製品指向の業務とは、それとは逆に、どのような図面を作成したら、生産ラインでよい品質の製品を生産できるかを考えていく業務をいう。生産ライン指向の業務では、品質やコストなどの問題が後で見つかり設計変更による無駄を発生させやすい。あるいは、設計変更せずに、大きな安全、品質などのリスクを伴った生産をさせている場合もある。製品指向の業務では、生産ラインでの問題が出ないように設計図面を修正する。したがって、図面を検討する業務に多くの工数が必要とされるが、それ以上の問題発生未然防止効果がある。製品開発業務は明らかに効率化する。

4　品質経営を実行しよう

経営品質という言葉があるが、製造業では品質経営も大切である。品質経営とは品質がよい仕事を皆が行っていくことである。よい仕事を行う企業の製品は品質がよい。

- ・よい仕事を行うようなマネジメントが必要。
- ・エンジニアリングのマネジメントを行う。

【役割と考え方】

①よい仕事を行う企業の製品は品質がよい

一般的ではあるが、製品開発や生産ライン設計、生産ライン運営において人によるミスのない、よい仕事ができているならば、そこで生産される製品の品質はよいといえよう。製品の品質を良くするには、働いている社員がよい仕事ができる仕組みを持つことである。よい仕組みとは、マネジメントの仕組みが明確になっていることである。業務上の問題が自然と分かるようになっていること、そしてその問題を解決する仕組みが構築されていること。

②エンジニアリングのマネジメントを行うこと

エンジニアの業務がどのような進度にあるかは分かりにくいものである。そこで、業務を細分化し、その細部業務単位で納期を決めることが必要になる。そのためには、業務プロセスを見直し、説明できるように整理すること。マネージャーは業務プロセスを熟知し、プロセスに参加しなければマネジメントはできない。

仕事の質が高まる**マネジメント**が行われている経営

製品・サービスの品質もよい

図27　仕事の質は製品の品質に通じる

【解説】

仕事の質を継続的に良くしたいと考えること。継続的にこのことが回っていない企業は、仕事が硬直化し、品質に鈍感となる。鈍感なエンジニアは自社の製品の品質を冷静に認識できない。エンジニアのマネージャーは質の悪い仕事を見つけたら即時に対策を講じなければならない。このようなマネジメントを継続的に行うと、その組織には改善意識が定着化する。仕事の質が外部から分かるようになると、質をあげる対策も講じやすい。マネージャーはエンジニアリングを細分化・見える化し、仕事の質を確保することが必要。どのように細分化するかは見直しを継続すると固まってくる。

5 上位方針で自部署の役割を再定義する

上位の方針とエンジニアリングとの関係性を明確化しておかないと、個々の仕事に意義や価値・成果を認識されにくい。

個々のエンジニアリングの目的を明確化する必要がある。

- 上位方針との関係でエンジニアリングの優先づけを行う。
- 実行計画を立て、継続する。

【役割と考え方】

①個々のエンジニアリングの目的を明確化

エンジニアリングにはライン業務と開発業務がある。これらの目的を明確にしておくこと。ライン業務は製品立ち上げであり、開発業務は技術開発である。この2つはマネジメントの手法が異なるので混同に注意が必要だ。ライン業務は日程管理、質的には投資と品質を満たすことである。開発業務は課題に対する効果を最大とする技術検討であり、正しさの確認と技術問題解決マネジメントが必要である。

②上位方針との関係でエンジニアリングの優先づけを行う

上位方針に集中した取り組みを優先させる必要がある。過去の細かなことややり残しが気になり、引っ張られがちにならないように注意する。テーマに優先順序番号をつけ組織として議論すること。これによりその組織が持つ目標や判断指標が改め

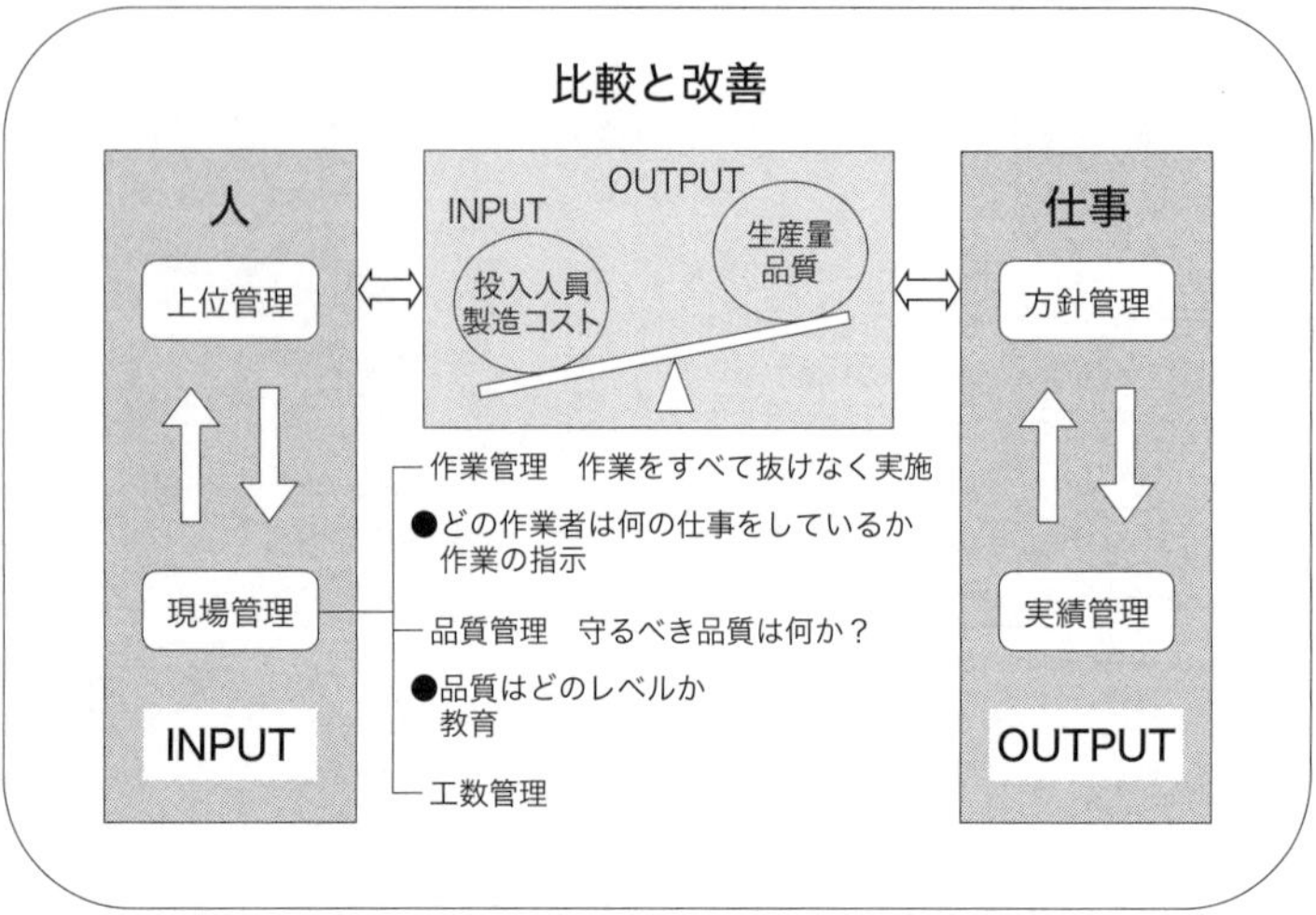

比較と改善

人
上位管理
現場管理
INPUT

OUTPUT
INPUT
投入人員
製造コスト
生産量
品質

仕事
方針管理
実績管理
OUTPUT

作業管理　作業をすべて抜けなく実施
●どの作業者は何の仕事をしているか
作業の指示
品質管理　守るべき品質は何か？
●品質はどのレベルか
教育
工数管理

図28　エンジニアの仕事も生産現場を手本に

て明確となる。

③実行計画を立て、継続する

目標時期までの計画を立て、中間時期における達成目標も明確化すること。段取りや手続きを考え、担当が替わっても継続的に進める工夫をする（マニュアル化、帳票化、指標化、ＩＣＴ化など）。

【解説】

投入した人員に対して、成果が大きくないといけない。製造現場は常に、このインプットとアウトプットで管理されている。この結果、改善が進み標準化されていく。エンジニアの仕事も製造現場と同じような管理が必要だ。エンジニアは人数の管理も難しい。人の数は数えていても、本当に必要なエンジニアの数であるかどうか？　仕事の価値を判断した上で不足しているのか、余っているのかも分かりにくい。エンジニアはアウトプットも分かりにくい。計画した設備の数は数えられても、生産性がよい計画ができているのか、計画の生産性が悪いのかも分かりにくい。現場と同じように、生産技術などのエンジニアリングの生産性を向上させるには、現場の管理手法を採用することが大切となる。

6　エンジニアリングの仕事を見直す

エンジニアリングの仕事の方法は進歩していないのではないか？　反省してみる価値はある。その特徴は次の通り。

・いつも調べごとが多い。
・人によって結論が異なる。
・過去を軽んじ、現状の反省が足らず、未来に無責任。

【役割と考え方】

①調べごとを減らす

エンジニアは過去の図面や資料を見たり、工場を調べたり、製品を分解して調査するなどの時間が大変多い。この時間が多い理由を調査すべきである。さらに、同じようなことを何回も繰り返していることが多い。たとえば、前の人の書類を参考に少し変更した帳票をつくり、勝手な追加をしていることはないか?

②ノウハウで語らない

経験者の意見をよく聞くのはよいが、定量的ではないことが多い。かつての技術や条件ではなく、今の技術と条件で解釈を行い、説明をし直すことがベテランに求められている。

③経験を蓄積すること

過去の知識を蓄積し、その上に、現在の経験を蓄積していくことが未来のエンジニアリング進歩に役立つ。過去を批判する、現状だけの考え方は場当たり的な設計を生むだけで、エンジニアが育たない。エンジニアを育てるために何をすべきかを考えてみるとよい。

【解説】

事務系の仕事に比べ、技術系の仕事はマネジメントのメスが入っていない。理由は技術系の仕事がデータを取れる仕組みになっていないことにある。事務系の仕事はおおよそ売り上げ、発注など数字でカウントできることが多い。数字でカウントできれば、データの分類により、目標も定量化される。その結果、進捗管理も定量的に実施される。技術系の仕事も、事務系の仕事と同じようなマネジメントをするにはデータ化をする必要がある。データ化する際には、価値のあるデータ化を考え、経営指標への結びつきを明確化すること。データのインプットだけでは無駄。自らの職場管理の手法と合わせて考えること。ＩＣＴ化はマネジメントに不可欠でもある。

	事務系	技術系
データが取れる仕組み	○	×
データの分類法	○	×
目標が定量的	○	×
進捗管理が定量的	○	×
経営に直接影響	○	×
判断が絶対的	○	×

図29　エンジニアリングの業務の曖昧性

技術系のマネジメントをデータ化するには、エンジニアリングの中間のアウトプットを定義することが必要である。

7 中間アウトプットの見える化

・エンジニアリングのアウトプットは最終形しか決まっていない。
・仕事を細分化し、それぞれのアウトプットを形式化すること。
・形式化した細部業務に標準の工数を定義すること。

【役割と考え方】

エンジニアリングのアウトプットの最終形とは、設備を設計するときのアウトプットは設計図であり、生産ラインを設計するときのアウトプットはレイアウト図である。電気設計は回路図である。最後の形にしないと仕事の完了や良否が判断できない。これはソフトウエアの開発でも同じである。最終形だけが管理対象とすると、中間の遅れは顕在化されない。また最終形に不備が多い場合はそれまでの工数が無駄になる。

①仕事を細分化し、それぞれのアウトプットを形式化

最終形までのステップや中間チェックの対象を規定することが必要である。そのためには、中間アウトプットの形や書類ならば帳票を決めることである。中間アウトプットの帳票に埋められたデータ量によっても、進度把握ができる。

②形式化した細部業務に標準の工数を定義すること

繰り返し、規定された帳票を埋める仕事を行っていくと、次第に中間アウトプットに必要な工数のサンプリングデータが集まる。これを参照しながら仕事を改善する仕組みを築く。

【解説】

事務系の仕事は時間経過に沿ってのアウトプットを把握しやすい。一方、技術系の仕事は時間経過に沿ってのアウトプットが把握できない。

エンジニアは最終のアウトプットまでの間、必要な情報を整理し、考えを固めていく。したがって、必要な情報の整理度と固めた考えの量から最終アウトプットに対しての進捗が把握できる。

企業の中では同じ品目の製品をモデル変更しながら製品化している。ゆえに、エンジニアが同じ手続きで、

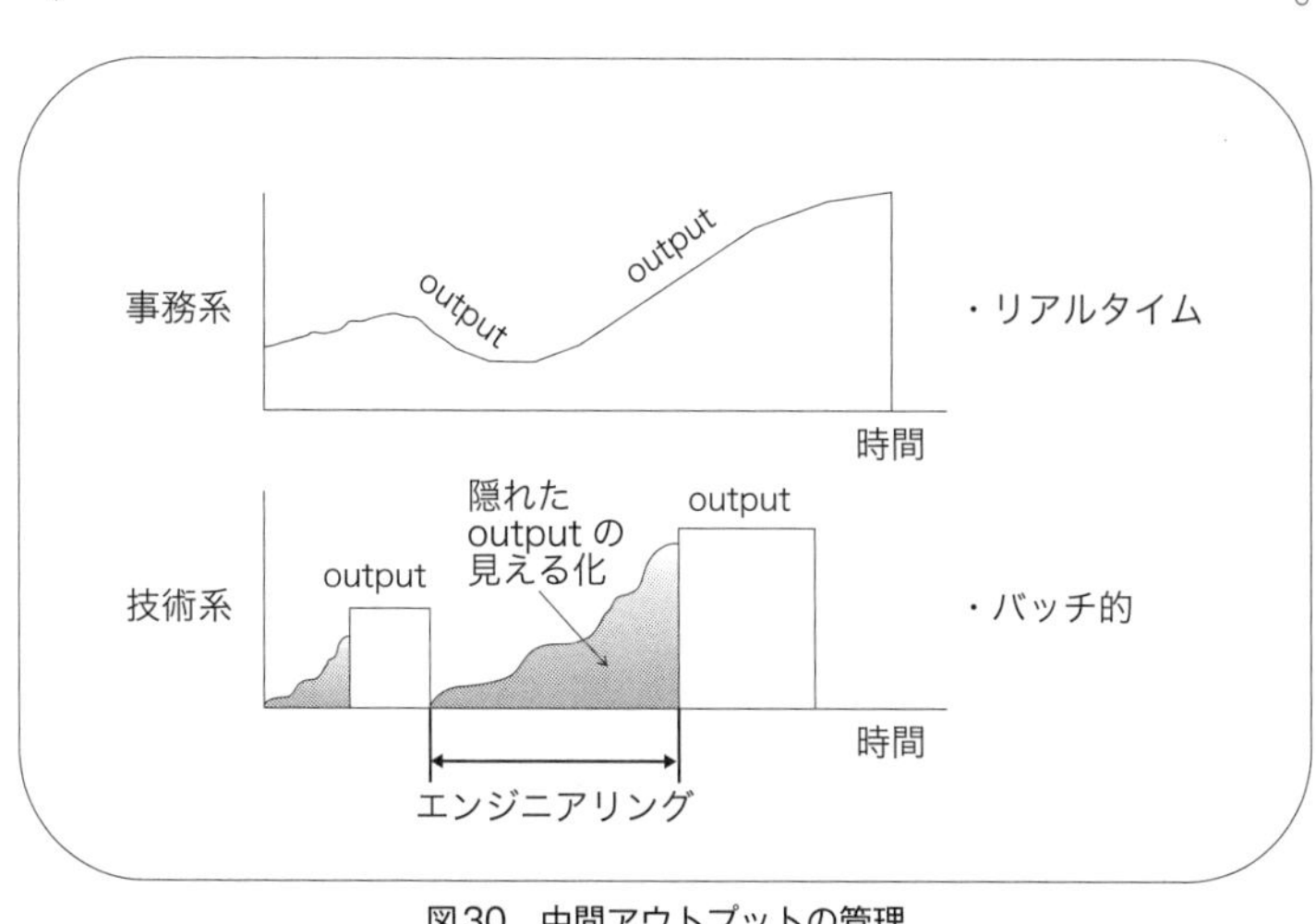

図30　中間アウトプットの管理

同じ帳票で繰り返し仕事すれば、ある標準となる中間アウトプットと標準の工数を決めることができる。

工数集計表だけを作成し、思い出しながら記録しても何の意味もない。実際の仕事をしながらアウトプットと費やした時間が記録されるシステムが必要である。

8 エンジニアリングのマネジメント

エンジニアリングのマネジメントを実施することは過去から未来までの技術進歩の継続性を確保する重要な管理者の役割である。不足しているマネジメントとして次の4つがある。

- 仕事のタイムリーな進捗管理。
- 考え方の正しさ管理。
- 再発防止管理と共有化（蓄積）。
- ビジョンの構築。

【役割と考え方】

①仕事のタイムリーな進捗管理

仕事の進捗管理は前項の中間アウトプットの定義や帳票化による進度把握の仕組みを構築することを要する。継続的に見直しを図りながら、この仕組みを運営すると、組織に多くの事例が蓄積される。

この蓄積されたことを解析しながら、より完成度の高い帳票化と標準化を実施することにつながる。

②考え方の正しさ管理

考え方の整理は難しい。生産ラインの条件や技術の進歩などによって指標やその重要性が変化するからである。しかし、指標がどのように変化し、重要性が変化してきたかを技術者の決定項目とセットで蓄積しておくと、マネージャーは正しい考え方に気づき、エンジニアを正しい考え方へと導くことができる。

③再発防止管理と共有化（蓄積）

マネージャーにとって、同じ失敗を起こさせないことが重要な管理ポイントである。そのためには、失敗の原因が明確になっている必要がある。この際、失敗が暗黙知であると、再発防止は難しい。失敗が暗黙知であることを問題とし、形式化し、標準化することを行う。そして、この事例とともに、標準を公開共有化するとよい。

技術検討業務の項目と量の決定

1、最終のアウトプットと納期の明確化

2、アプローチのやり方を定義（標準化）

3、中間のアウトプットと納期の明確化
（日常的な進捗管理の指標を決める）

4、細部アプローチのやり方と量を定義（標準化）

図31　エンジニアリング・マネジメントのポイント

④ビジョン構築

マネージャーは中長期に何をどのレベルまで到達したいのかの意思を宣言する必要がある。何に向かって進んでいるのかメンバーが理解できないのでは、マネジメントはできない。マネージャーの責任を明確に発して、組織を自ら引っ張るためには何をしたいのかを言わねばならない。このためには、日ごろから、社内の課題をきちんと捉え、そのために自部署のあるべき姿を明確化する姿勢が必要である。

【解説】

エンジニアの仕事は最終的なアウトプットの質にかかった工数で評価されることが多い。しかし、結果が不満足な場合は、その責任はマネジメントにある。マネジメントが中間におけるフォローを的確に行えていないのがその原因である。中間におけるフォローはその中間に求められたアウトプットが定義されていない場合は、判断や指導が曖昧となり、担当する側も独自の方法や考え方で仕事を行ってしまう。そのためには、アウトプットの明確化と中間プロセスでのアウトプット定義、さらに、そのために必要なインプットや考え方までの標準化が必要となる。質のよい仕事を行うには、管理者は仕事の標準化を推進することに留意しなくてはならない。

9　エンジニアリング価値と分類

エンジニアリングはノウハウに依存している。エンジニアリングの仕事の価値を分類し、付加価値のある仕事に傾注すべきである。

・エンジニアの仕事にも作業が多い。
・エンジニアの仕事には単純な作業もある。
・エンジニアには考える仕事を与える。

【役割と考え方】

①エンジニアの仕事を作業化する

ＣＡＤの仕事を例に取ると、エンジニアの仕事が分かりやすい。ＣＡＤに向かって、製品の設計を行う仕事にも多くの作業がある。ＣＡＤは作業をコンピュータ化しているだけである。考えることをコンピュータ化してはいない。だからＣＡＤオペレータが必要となる。

②エンジニアの仕事には単純な作業もある

設計の仕事には、アイデアを生み出す仕事とそれを他の人に分かりやすく伝える仕事がある。前者の仕事は構造設計であり、ＣＡＤで行う仕事ではない。構造設計が終わったら、製品図を作成する。それがＣＡＤで行う仕事である。

③エンジニアには考える仕事を与える

まだまだエンジニアの仕事は紙と鉛筆でないと非効率である。コンピュータ化されたところはもはや作業と定義できる。コンピュータ化されていない仕事こそエンジニアが行うべき仕事だ。しかし、その仕事もいずれ作業に置き換えていくことになる。
エンジニアリングの仕事を分類し、作業化させる。

【解説】

エンジニアはすべて自分で片付けようとする。うまく指示が出せないので、自分で作業のような仕事まで行う。考える仕事と作業とが区別できるように指導することを心がけよ。考える仕事にも作業はある。エンジニアは比較して、結論を出す。比較する仕事は、評価項目や評価基準が標準化していると他者にこの仕事を分担してもらえる。どんな仕事でも細分化できる。細分化すると他者に任せることができる。たとえば、CADにおけるどのような図を描くかと考える時間よりも、CADで図を描いている時間の方が大きい。また、どのような大きさがよいかを考えるよりも、他の大きさのものと比較して選択する方が容易である。容易であることはコンピュータを活用し効率化できる。図の中でイやロは効率化の対象と考えることができる。

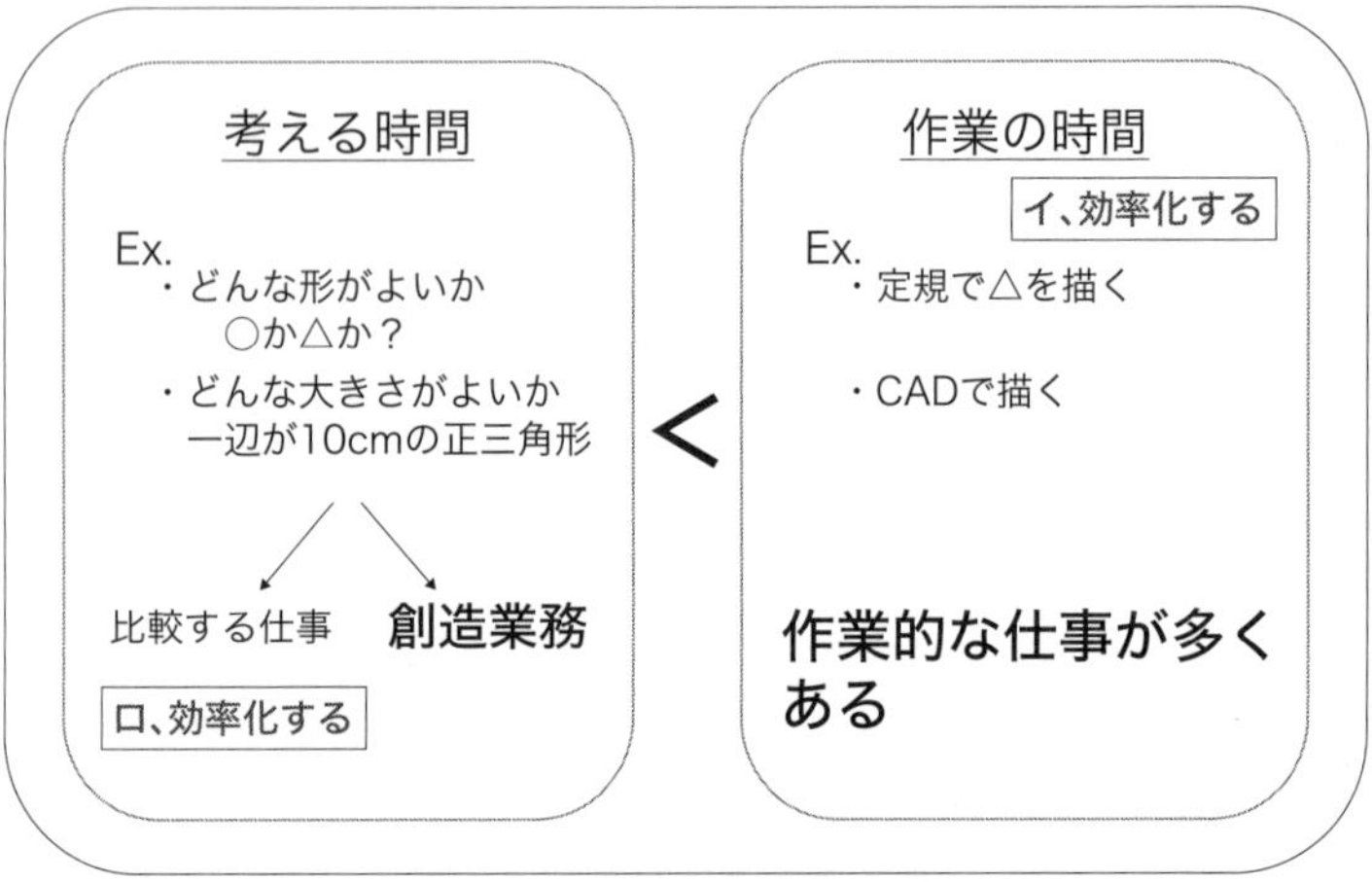

図32　エンジニアの無駄な時間

10　エンジニアの意思決定の支援

エンジニアリングは知識の組み合わせで課題を解決する仕事である。この仕事のプロセスを効率化することが第一歩である。それには次の視点で考えることが有効だ。

・作業を他者に。
・作業を自動化する。
・判断を支援する。

【役割と考え方】

①作業を他者に渡す

エンジニアの仕事を細分化し、作業的な定型業務を定義する。これを生産ライン部門に渡す。あるいはアウトソーシングする。

②作業を自動化する

作業を他者に渡せるくらいに標準化が進むと、これはコンピュータ化の対象となる。ロジック化できるところは処理を自動化する。

③判断を支援する

知識の組み合わせを行い、評価項目を定め、意思決定する部分を支援する。前記②の段階で、多くの事例はデジタル化され蓄積されている。この蓄積されたデータから解決したい問題の類似例を検索して、事例収集を効率化する。収集した事例の評価項目により、解決したい問題に一番近いものを検索する。この事例を参考に意思決定する。結果は公開し、蓄積する。他者の意見を集約し、不足していた評価項目を修正する。

【解説】

エンジニアリングは課題の解決をする仕事である。課題解決には過去の技術の山から、参考となる事例や経験を集め、それらを組み合わせて結論を導く。このとき、過去の事例を多く集めたエンジニアは正しい解に近づく。一方、過去の事例を知らないエンジニアは周囲のベテランに聞くことになる。ここにエンジニアの差が現れる。また、どの事例を組み合わせるかもエンジニアの固有の力となる。マネジメントとは、各エンジニアが解決したいテーマに対して、どのような適

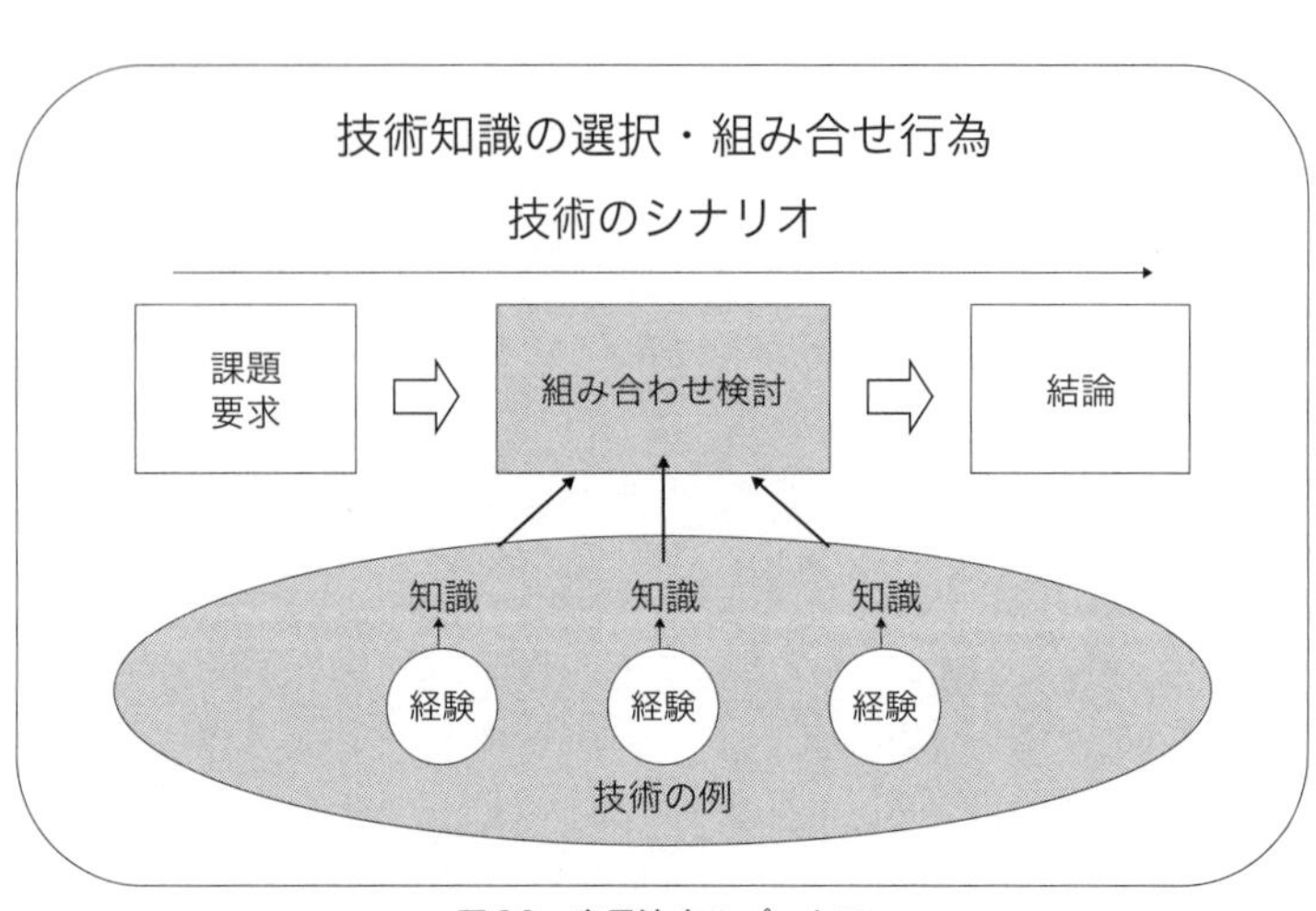

図33　意思決定のプロセス

切な事例を集めるか、その中の何を組み合わせているかが第1のチェックポイントとなる。第2のチェックポイントはその組み合わせから導かれた結論が正しいかどうかである。これらの判断過程が見えるようになると仕事の質はアップする。

11　意思決定のICT化支援の方法

エンジニアの判断を支援することは生産性の向上と仕事の質向上に貢献する。しかし、世の中であまり進んでいない領域である。それは、マネージャーが個の技術者であり、技術集団の能力向上をあまり意識していないことがあるのではと考える。

- 標準を作る。標準をICT活用し公開する。
- 標準で業務を実行する。柔軟に標準を見直す。
- 柔軟にICTシステムを見直し、継続する。

【役割と考え方】

①標準を作る

仮の標準を手っ取り早くつくり、宣言をする。

②標準をＩＣＴ活用し公開する

標準を誰でも見られるようにし、意見を言いやすくする。

③作った標準で業務を実行する

標準を守って実務を全員で行う。良くない点を見つけること。標準は見直すために制定する。完全はないが完成し続ける。

④柔軟に標準を見直す

標準に問題があるならば即時修正する。さもないと誰も守らなくなる。

⑤柔軟にＩＣＴシステムを見直す

標準を修正するのと同じく、ＩＣＴシステムも改善する。仕事のプロセスを定義し、実例を蓄積するシステムであるから、使いにくいシステムではエンジニアの生産性が低下する。

⑥継続する

前記①～⑥を継続的に運営する。

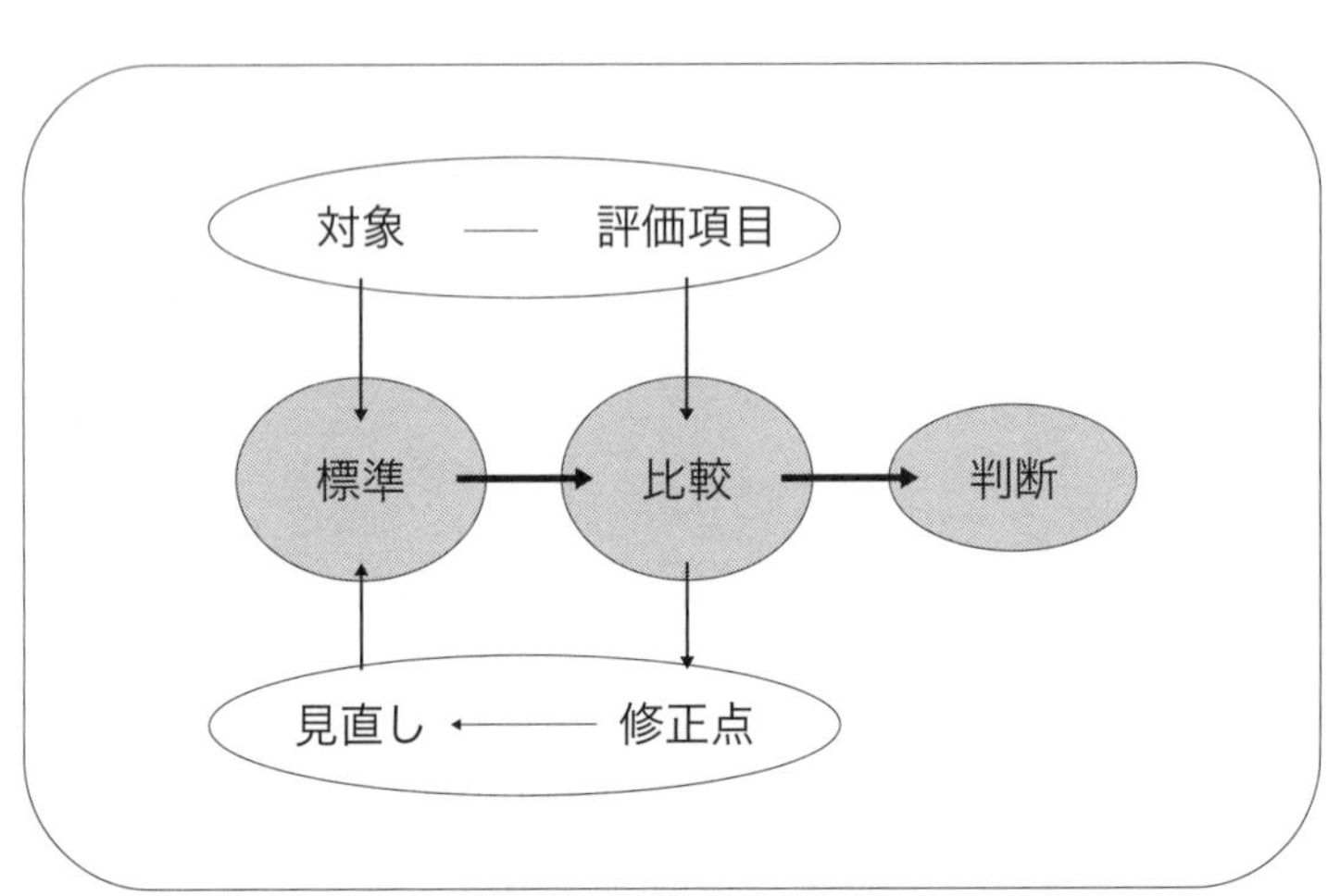

図34　エンジニアの検討モデル

【解説】

エンジニアリングの対象により、その良否を判断する評価項目を決定する。決定した評価項目はエンジニアリング対象の標準とする。同じエンジニアリング対象を他のエンジニアが検討を行う場合、先に決めた標準と比較する。正しければ、標準の評価項目そのままで結論を出す。標準と比較して修正すべき評価項目と結論があれば、見直し案を作成し、関係者で標準の見直しを協議し、結論を公開する。この修正された標準が新しい標準として活用する。これらの検索、メンテナンス、事例蓄積、公開の機能をＩＣＴ活用してシステム化しエンジニアの判断支援として使うこと。

12　継続的なエンジニアリングの整理

ＩＣＴを活用するだけでなく、エンジニアリング組織には継続的に技術整理をする風土がないとＩＣＴ化の効果はなくなる。

- 継続的な整理の必要性とは。
- 継続するための組織を作る。

【役割と考え方】

①継続的な整理の必要性とは

競争相手の企業の製品を調査することで、自社の技術判断と合わない点を再考する。組織の変更や人事異動などを通して、考え方に新たな視点を加える。これまでの守備範囲より拡大した責任の範囲を持つエンジニアリングになると、全体最適な評価項目が加わる。このとき、従前の守備範囲の中で整理された技術の上に付け加えることを忘れてはいけない。ゼロスタートしてはいけない。需要変化、材料などのコスト変化、サプライヤの技術進歩、加工技術の進歩、センサー類の進歩などにより、これまでの常識が変化していく。

②継続するための組織を作る

仕事に追われると継続的な整理も十分に実施されない。そのため、標準化を専門とする組織を作ることが重要となる。専門の組織は、実際の業務組織と分離しないよう、上位マネージャーの直下に置かれ、権限を持たせる。実際の業務組織と標準化の組織間で人事異

	思考の過程	思考の内容	標準化
エンジニアリング	考える範囲	言葉の定義 データの意味	・言葉の標準化 ・データの標準化
	考える順番	解決課題と手続き アイデア検討	・検討手続きの標準化 ・技術の分類整理
	検討の方法	比較項目の選択 指標の重みづけ	・過去の判断事例の整理 ・判定フローチャートの作成

図35　エンジニアリングの整理の対象

動を頻繁に行い、新鮮な標準を作成する。また、標準化の組織は実務の業務組織のプロジェクトに直接参加し、課題を集め解決することを目的とする。

【解説】

エンジニアリングの整理には、思考の過程、その内容、標準化を実施する必要がある。思考の過程とは、エンジニアリングの対象をどの範囲とするか、そして、対象を検討する順番（何から先に決定していくのが合理的であるか）を次に、その検討の方法（マニュアルや計算式、測定方法など）を決めることである。思考の内容とは、コミュニケーションが通じるために言葉の定義を行い、データ名の意味や項目の意味などを理解できる状態にすることである。指標の重みづけについても認識が共通になるように整理をすることである。標準化とは、以上の内容を明文化し、全員に教育を行い、徹底できるようにすることと心得よ。

第6章　製品開発と生産ライン設計の同期化

1　コンカレントな製品開発プロセス

エンジニアリングの判断を確立することで、製品開発におけるICTを活用したコンカレントな仕事の進め方が実現できる。製品設計と生産ライン設計の同期化を行う（コンカレントとは、業務を同時進行させることで開発期間や納期の短縮など効率化を進める手法であり、製造業の開発・設計から製造までの業務プロセスを細分化し、組織間の業務を同期化することで、製品開発生産のリードタイム〔期間〕を短縮するコンカレントエンジニアリングのことである）。

- ・製品設計の迷いを減らす。
- ・生産ラインと製品構造を関係づける。

【役割と考え方】

①製品設計と生産ライン設計の同期化

同期化するには、まずは設計者の描く製品図で、生産ライン設計にできるだけ早期に着手することにある。早期に着手するには、早期に図面通りに生産できることを確認する必要がある。この設計と生産の合意が遅くなるとリードタイムは長くなる。

②製品設計の迷いを減らす

設計と生産の合意を早期化するには、図面作成段階で、生産設計要件を確実に織り込むことが必要である。それには、生産設計要件の形式知化が完了していることが前提となる。生産設計要件の織り込みフォローの仕組みが確実にできていること。一方、設計者にとっては、異なる生産技術者から違う生産設計要件が要求されることがなくなり、設計の迷いがなくなる。

③生産ラインと製品構造を関係づける

このコンカレントな製品・生産ライン設計プロセスを継続していくと、生産ラインの生産工程と製品構造との関係づけが、品質規格と加工技術と品質管理など

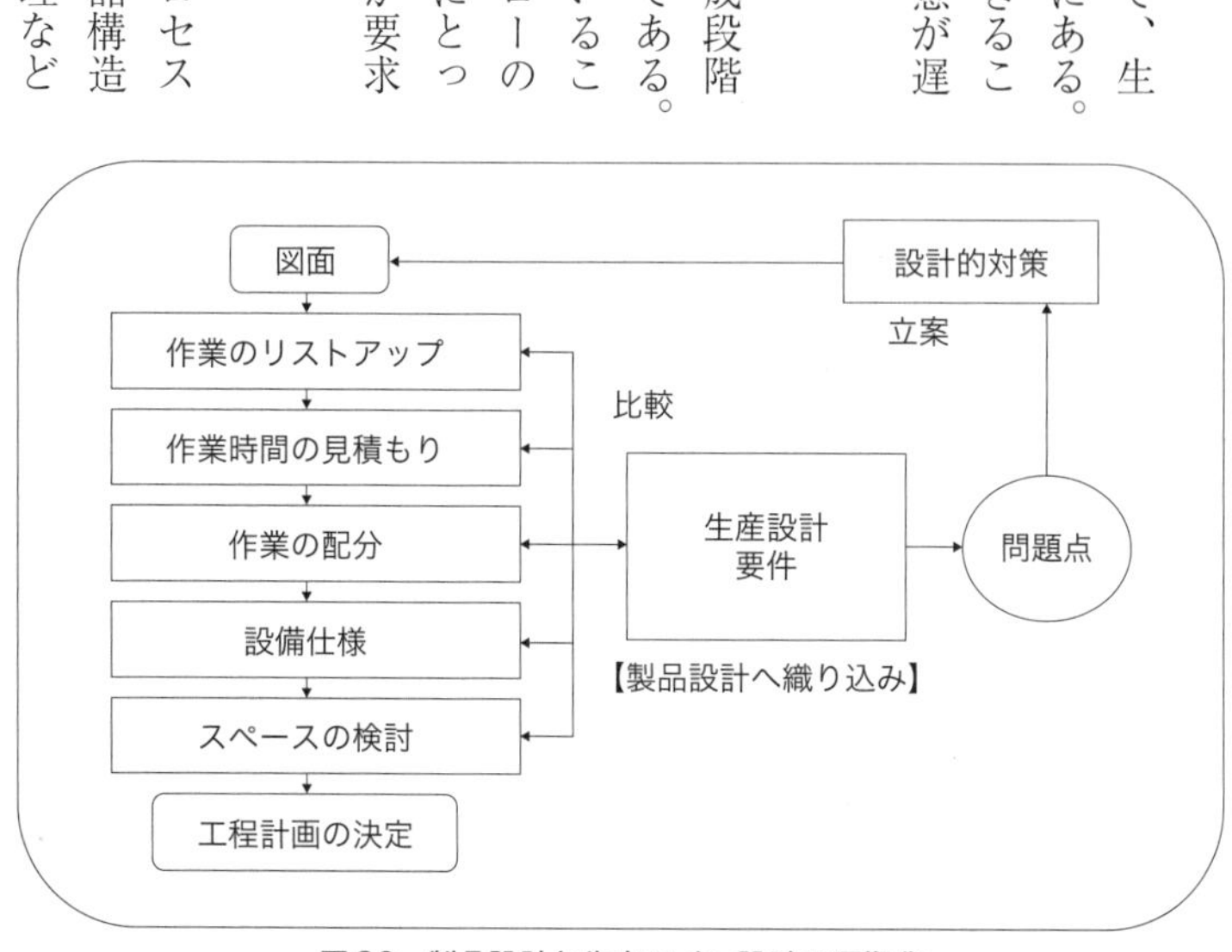

図36　製品設計と生産ライン設計の同期化

と関連づけられ、技術知識が蓄積されていく。

【解説】

設計図面を生産技術がチェックする。その際、図面より、その製品の設計構造を読み取る。その設計構造より、生産工程で必要な作業や加工内容を把握する。その加工内容を生産設計要件（エンジニアリングの判断ロジック）と比較する。その加工内容が生産設計要件を満たさない場合は問題点として、設計部署に伝え、設計図面を修正してもらう。前記のサイクルを構造設計段階で確認合意できれば、製品図の出図を待たなくても、生産ラインの構造設計は実施できる。このように、製品設計のプロセスに一致させて、生産ライン設計をスタートすることができる。ポイントは、このサイクルを短期間で何回か行うことである。

2　設計、生産要件の一体化

生産設計要件は生産技術だけのものでなく、設計組織のものでもある。一般的に標準化はある特定の組織のものとして運用され、組織間における仕事のつながりを含めた標準化は記述も運用も難しい。しかし、生産設計要件は設計要件そのものである。

- 生産設計要件と設計要件の一体化。
- 設計、生産するための技術知識の共有化。

【役割と考え方】

①生産設計要件と設計要件の一体化

製品を生産する企業において、製品設計の要件と生産の要件は別々な組織でそれぞれ決定され、改廃されている。これらはそれぞれに矛盾を持つ関係でもある。あるいは、生産技術の進歩に伴う生産要件の見直しができていないこともある。本来、設計要件と生産設計要件は一体化され、両者より同期化された改廃が実施されなければいけないものである。

②設計、生産するための技術知識の共有化

製品設計のための要件だけではなく、生産するための要件（これはよい品質や生産性を確保するために、生産ライン向けに守ってほしい要件）もある。生産するための要件は生産工場内に保有されていることが多く、上流（生産技術や製品設計）には伝えられていない。

ものづくりにおいて、製品設計をどのように実施するか、製品をどのように生産するかに関する技術知識

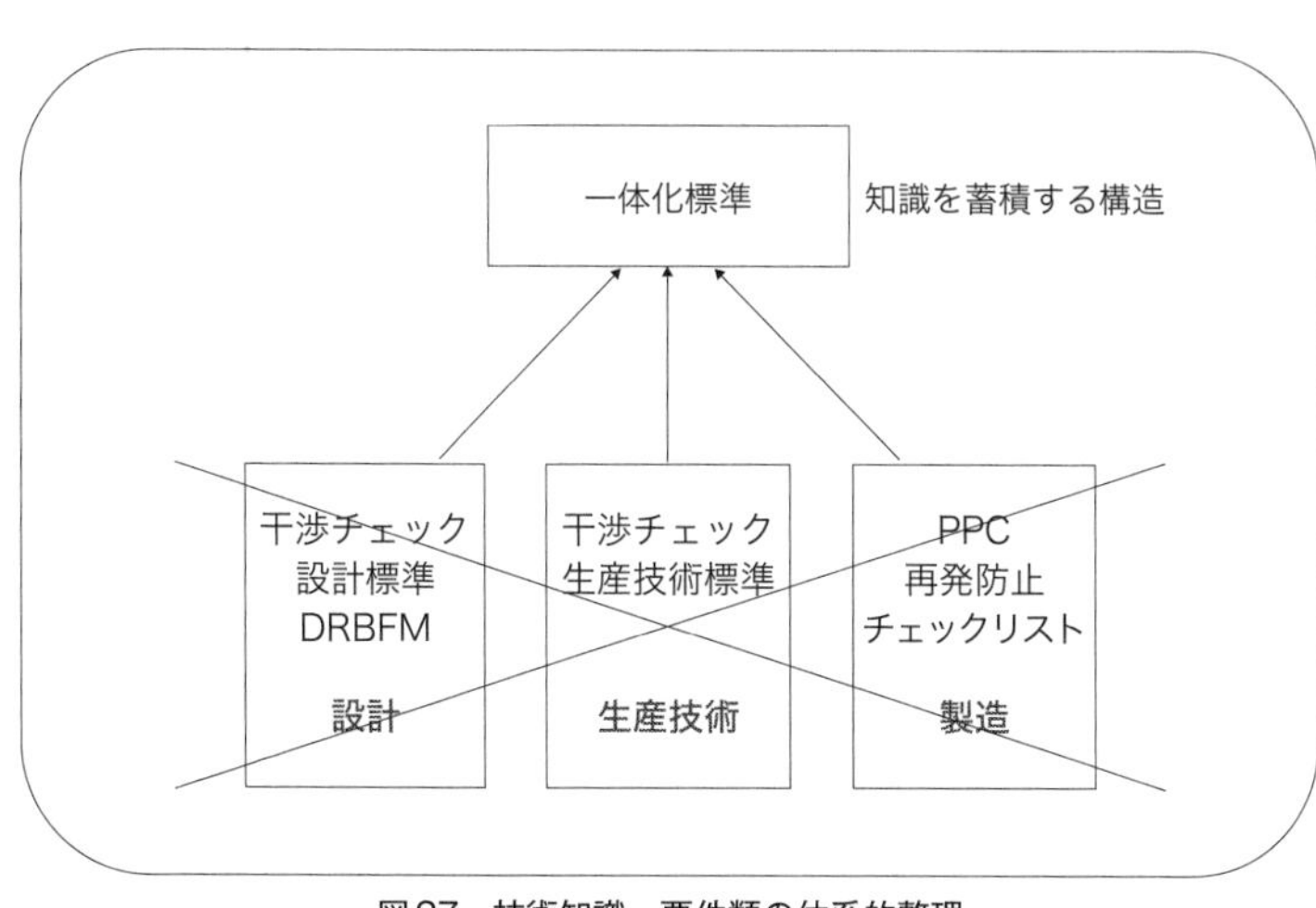

図37　技術知識・要件類の体系的整理

は必ず関連性を持っているが、それぞれの組織で孤立していることが問題となる。これらの技術知識を体系的に共有整理することが必要である。

【解説】

設計には製品設計の要件や標準類がある。DRBFM（Design Review Based on Failure Mode）などの書類も多くある。これら自身もその設計全体で整理ができていない。同様に、生産技術にも多くの標準類がある。生産設計要件だけではなく、設備の標準仕様もある。これらの中には、設計の構造（寸法、公差）や材質などと関係して加工精度の標準もある。生産ラインの製造部側には、加工の要領書、作業手順書、QC工程表、設備保全マニュアル、計測機器の定期点検要領などの標準類がある。これらの標準類は、製品設計を主体に発生してきたものが多い。製品の構造から必要な設備や管理要領があることから、これらの標準類を一体化させることは、設計変更や設備変更などに対して、正確なリアルタイムで同期化された、製品設計生産管理業務に大変有効なツールとなる。

3　新しい品質マネジメントシステム

製造業において品質は経営的な生命線である。このマネジメントが古典的であり、スピードとグローバルの両面で新しい品質マネジメントシステムが必要である。

・マネジメントは設計の企画から。
・皆でウォッチし合うマネジメントを。
・品質のマネジメントは製品設計と生産技術と生産部門で。

【役割と考え方】

①マネジメントは設計の企画から

品質は設計者が決定する品質企画に始まる。その目標とする品質を保証するために設計が知恵を絞り図面を描く。しかし、人の知恵は断片的であるため、不安なポイントをすべて網羅することはできない。そのために、DRBFMなどを用い、自分の考えたことを書類にし、漏れがないかを整理することが必要となる。

②皆でウォッチし合うマネジメントを

ここでいう、皆とは設計だけで品質を決めてはいけないということである。たとえ、設計内でDRBFMを整理したとしても漏れがあると思うことが大切である。人はミスをするものとの前提で、生産技術、製造、品質関係者など、できるだけ多くの人に品質企画と設計シナリオを伝達し、ウォッチし合うことが必要である。

③品質のマネジメントは製品設計と生産技術と生産部門で

品質のマネジメントは設計、生産の関係者で系統的・網羅的・標準的に運営されなければならない。

オープンであることは当然である。製品設計間や生産工程間の中に隠されると進歩はない。お互いに問題意識の共有を行わないと、本質的な品質向上や再発防止はできない。

【解説】

品質マネジメントを実施するのに最低必要なことはチェックリストの整備である。これは、漏れのないことを行うためのツールである。しかし、いつもチェックリストでは満たされない新製品や新構造の設計がある。この場合にはどのような心配点をどのような考え方で設計上に織り込んだかをチェックする必要がある。そのために、設計からの思考シナリオの公開や有識者でのチェック承認が必要である。生産前には、さらに、思考シナリオに沿っての意地悪テストなどを行い、現物での見逃しポイントの有無を確認しなければならない。工程能力を確認し、量産時品質のモニタリングのためにデータで記録しておく。量産段階では、これらの品質を確認し、新しい標準化として登録し、品質設

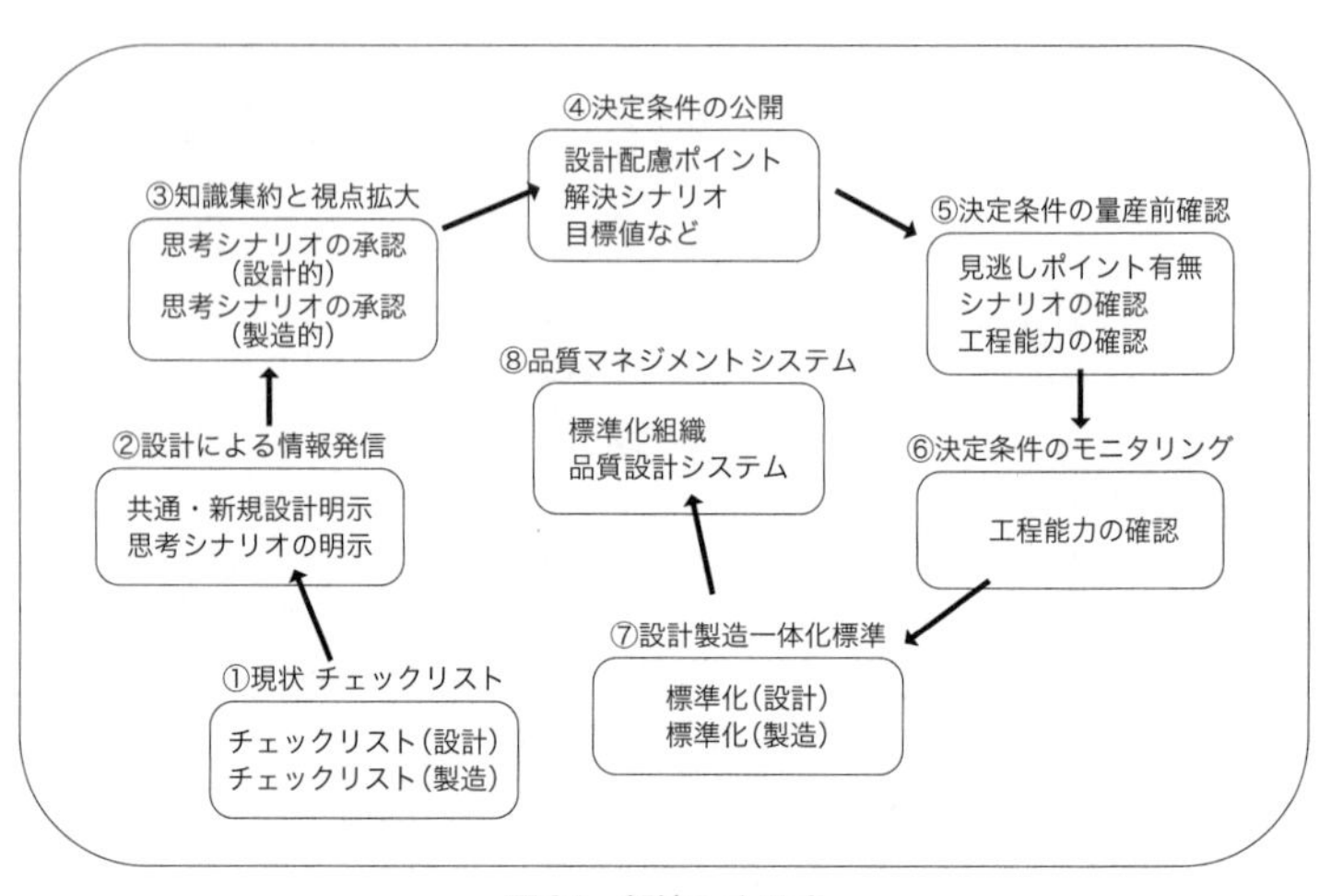

図38　解決シナリオ

計システムに組み込むことである。

4　図面検討手法の改革

生産技術の仕事は図面検討手法を改革することにより仕事の質の向上と効率化が行える。単に道具に依存した図面検討手法ではなく、仕事のやり方、課題の把握の仕方など、付加価値を持った図面検討を行うことが必要である。

・図面検討目的の明確化。
・図面検討の質を高める。
・図面検討の効率化と人材育成。

【役割と考え方】

①図面検討目的の明確化

生産技術が図面検討を行う目的はよい品質の製品を低コストで生産できるラインを設計するためである。そのためには、必要な生産設計要件を設計図面に織り込むことである。

②図面検討の質を高める

図面検討の質とは、生産設計要件を設計図面に１００％織り込むことができているかどうかである。

これにより、設備投資の精度は正確となり、仕事の計画を漏れなく粛々と行うことができる。計画通りに行えた仕事は図面検討の質が高かったといえる。図面検討の質を高めるには、生産ラインの問題点や品質、生産性などを掌握していることが前提である。

③図面検討の効率化と人材育成

図面検討はエンジニアリングの判断を整理することで、考える仕事と定型的な作業に分解できる。前者はベテランに、後者は新人にと区分けできる。このことにより、定型的な仕事からより知恵を必要とする考える検討（新しい製品や設計）に仕事を置き換えることで着実な人材育成が行える。

【解説】

図面検討業務の体系をその目的、生産現場の知識と図面検討知識の蓄積として説明している。ノウハウと呼ばれたエンジニアのこの業務も、エンジニアの人材育成との視点で整理をすると図のように分解される。ベースとして必要なことは、技術的なセンスよりも、現場

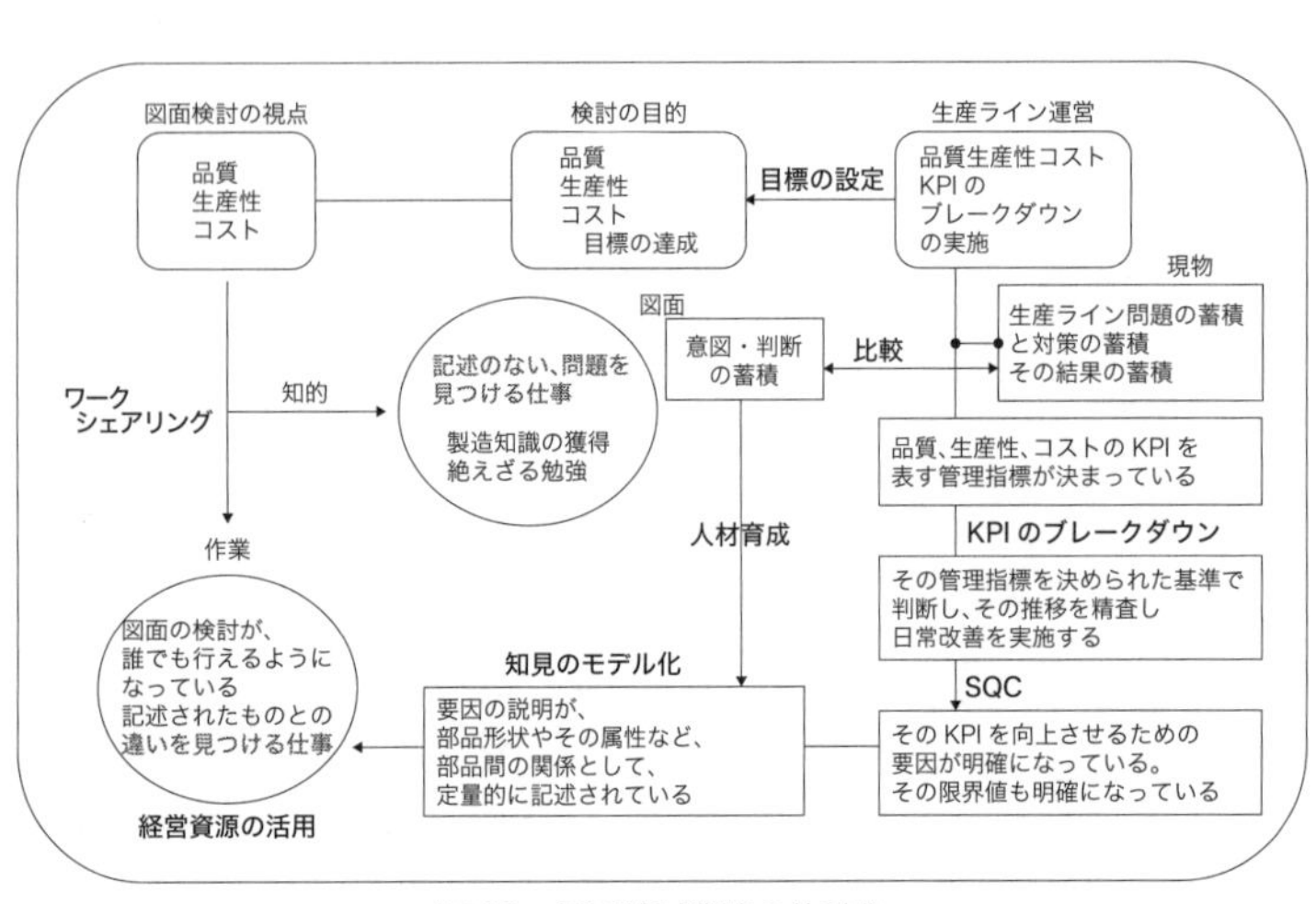

図39　図面検討業務の体系化

の知識である。課題が何かを自分で構築できることが図面検討者には能力として必要である。また、現場知識や設計知識などの蓄積は製造業に必須であり、どんなにベテランが多くいようとも蓄積を避けることはできない。

5　全社的なエンジニアリング改革の進め方

企業内の業務改革は個々の組織を改革しても大きな効果は望めない。組織間の仕事をスムーズに行う仕組みをシステムとして作ることが必要であるからだ。

- ・製造業における業務改革は設計・生産が主役。
- ・業務改革は無駄の排除をシステマチックに行う。
- ・組織間の改革の後に組織内を改革する。

【役割と考え方】

①製造業における業務改革は設計・生産が主役

製品設計を行わなければすべての企業内の活動がなくなることを考えると、製品設計の改革をまず実施すべきである。製品設計は自らの仕事の結果が調達から生産販売に影響を与えることを認識すべきである。製品設計を正確（仕事の質良く）に行うためにはミスのない設計を行うことである。そのためには、関連組織の声に耳を傾けないといけない。

②業務改革は無駄の排除をシステマチックに行う

製品設計の課題は最終的に生産ラインの課題を解決することにある。生産ラインの課題は生産技術が解決すべきであるが、最終的には設計の問題として解決しなくてはいけないことがある。この3つの組織に関わるシステマチックな仕事の流し方を作ることが肝要である。組織間のインプットとアウトプットがつながるように、それぞれが無駄なく行う方法を考える習慣を持ちたい。

③組織間の改革の後に組織内を改革する

組織間の改革を行い基本的なシステムの完成の後に、個々の組織の無駄をなくしていくこと。個々の組織のメリットを主張すると全体システムは無駄が大きくなる。

【解説】

現場部門の品質、コスト、生産性を向上するための対策は現場だけでは答えが出ない。その中には生

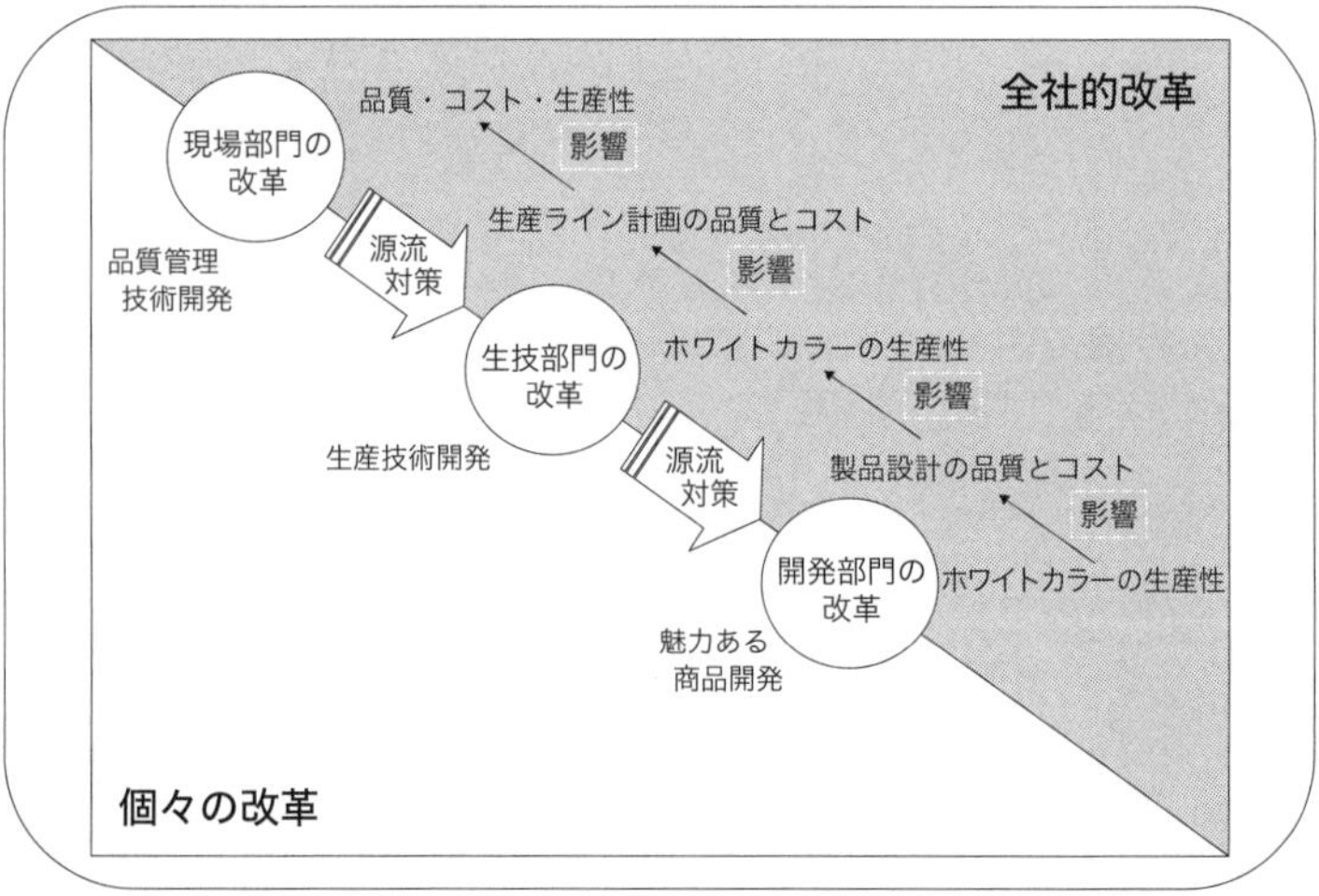

図40　全社的なエンジニアリング改革

産ライン設計の問題や製品設計の問題が必ずある。したがって、製造業の改革はものづくり現場の改革から始まる。逆に開発部門からの業務改革は、個別部門の利益が優先され、設計部門が改革できても、生産技術や製造部門はその影響を受けて非効率な面が多く出る。製造業のエンジニアの生産性をアップする改革を行うことは、企業の競争力をつけることになる。効率化した人員を技術開発に振り向けることができる。生産技術は製造と設計にはさまれている。したがって、全体の改革を進めやすい立場にいる。生産技術の仕事は同時に業務改革の仕事をすることでもある。

コラム

大手重機械メーカの生産技術での事例

この企業の生産ラインはこれまで経験したものづくり企業の中でも、非常に過酷な労働環境となっていた。見るからに不安全作業といえる労働が普通に行われているのであった。自動車生産ラインの人の動きを知っている私にとって、一瞬で、これはいけないと思う生産ラインであった。なぜこのような労働環境が当たり前のように許されているのだろうかと感じた。エンジニアの倫理観はどうなっているのか？　つまるところ、生産加工を人手で行う場合には、安全を第1に確保するのが企業のトップの責任である。そのことが根本的に実行されていないのである。それでも、当事者の皆さんはやっていると口々に言うのであった。結局、何年間もほとんど対策されないことが残念であった。生産ラインをどのように設計すると安全な作業環境となるかを突き詰めて考えると、結局は製品の構造を作りやすい構造に変更すべきであるとの結論に至るものだ。製品構造と生産ラインのものづくりについての価値観の一致ができていなかった。この企業の問題は、マネジメント層において安全対策には作りやすい製品構造にすべきことが必須なのだとの合意に至らなかったチームワークの弱さであった。工数がない、コストが高くなるなどの開発側の意見でものごとが決定されてしまうのであった。また、それを跳ね返す情熱を持った生産技術者がいなかった。このような意識は若いころからエンジニアとしての心構えを指導されてこなかったことに問題があった。これは、技術の前に人間性尊重という心の醸成が必要であり、その心の上で、組織の役割を再認識する育成である。若い人の人材育成以前にマネジメントの意識改革が必要な企業であった。多くの組織のリーダに何回も基本的な考え方について説明させていただいたが、がんばろうとするリーダを応援する人は少なかった。結局、長い間身についてしまった風土（心の持ちよう）は少数の情熱だけでは変えることができず、トップダウンによるリーダシップが十分に発揮できない（受け取るミドルマネージャーが逃げてしまう）のであった。現場は作業だけやればよいのだ、さらには大変な作業でもそれが現場のやるべきことだというエンジニアやマネージャーがいたことは大変悲しいことであった。

第2部

製品開発プロセス改革

第1章　プロセス改革の狙いと方針

1　プロセス改革のリーダは生産技術

生産技術がリードするプロセス改革は関係組織を広く取り込み、大きな範囲を対象に実施できるメリットがある。生産技術は設計の出図が遅れると一番困る組織であるため問題意識も強く適任である。その目標と進め方については次のように考えるとよい。

- ・製品開発リードタイム短縮を目標とする。
- ・品質関連業務を中心とした一貫性のある日程を組む。
- ・リードタイムの長い部品から短縮する。

【役割と考え方】

①製品開発リードタイム短縮を目標とする

製品開発リードタイム短縮を目的に業務改革を行うことで、組織の仕事の関連性を見直すことができる。リードタイム短縮は実施的な効率化が行われる必要がある。そのために、エンジニアリングの無駄に正面から取り組むことができる。一過性の対策では成功しない。

②品質関連業務を中心とした一貫性のある日程を組む

品質企画に始まり、それを実現するための製品設計、工程設計と評価計画に終わることで、各組織が一貫した目的を持った日程検討を行うことができる。たとえば、設備の製作日程は、この品質日程の中にトライ日をエンドとした日程で記入する。そのトライ日より逆算すると品質規格の確定日が決まってくる。その確定日に設計が完了できるように日程計画が設定される。

③リードタイムの長い部品から短縮する

製品開発のリードタイムを短縮するには、品質規格の確定日から品質確認のできるトライ日までの日程が一番長い部品から順にリストアップし、それらの部品やシステムを日程表の大きな単位に記述する。これら

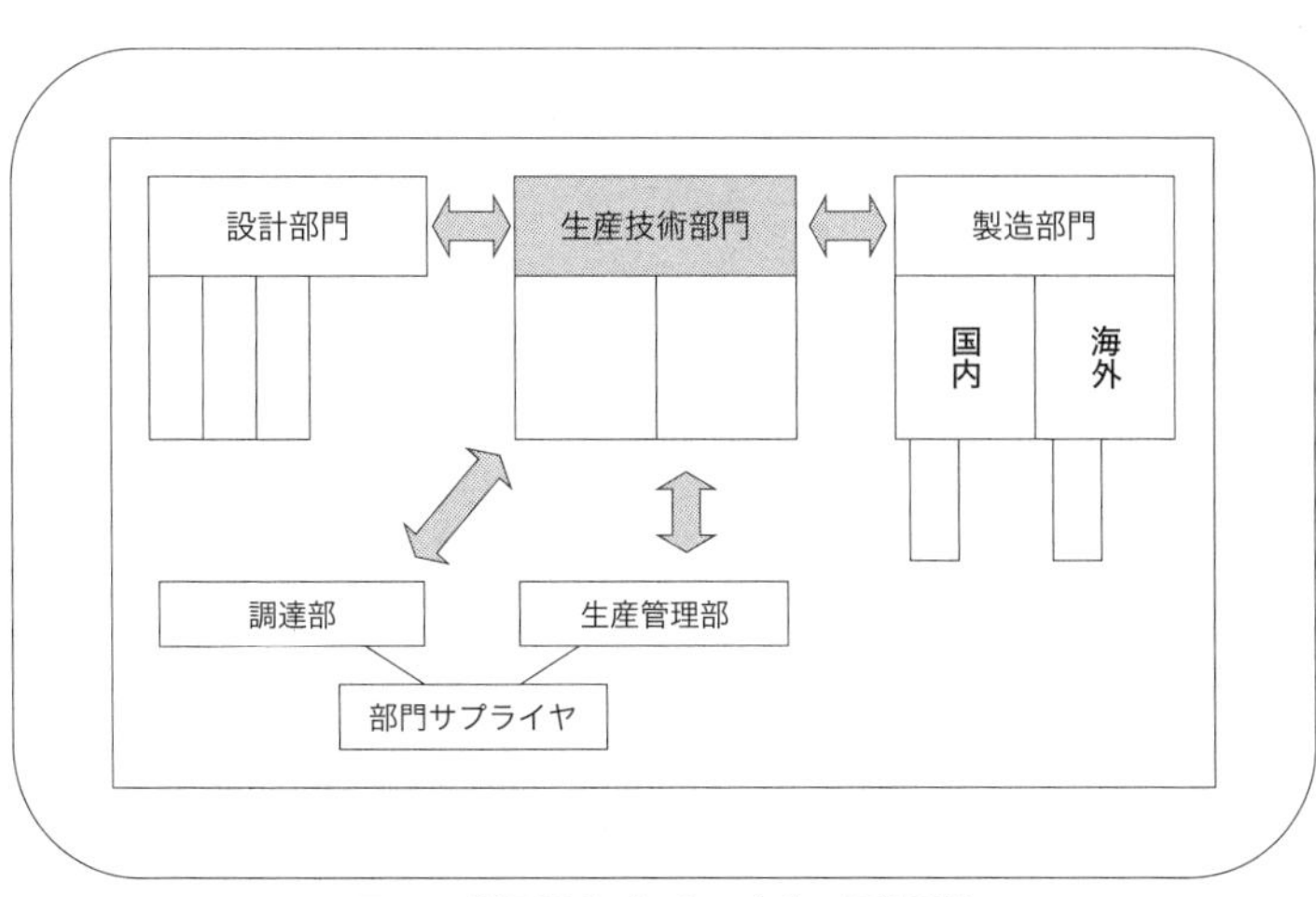

図41　製品開発プロセス改革の組織関係

の日程の中に、短い日程の部品やシステム設計は包含されていく。

【解説】

実際に生産する体制で開発プロセス改革を行う。図41のように、製品を生産するには設計が完成し、図面が出図されることが必要となる。これは部品サプライヤも同じである。

しかし、技術的に製造部門側の条件を理解しながら、設計部門と調整できる組織は生産技術部門しかない。

設計部門が技術的に製造部門の条件を理解しながら、調整することは生産知識を持たないがゆえに困難である。

部品サプライヤの取りまとめも同じである。設計は業務担当が部分的に任されるものであり、全体の部品を生産までまとめる機能はない。

一方、生産技術はすべての部品が完成しないと製品にすることができないため、部品サプライヤの条件も理解しながら開発プロセスの改革を考えることができる。したがって、生産技術部門が製品開発プロセスの改革をリードするのがよい。

2　製品開発リードタイム短縮

製品開発のリードタイムを短縮するには、技術力とは別に組織力が必要である。組織力の指標として製品開発リードタイムを用いるとプロセス改革が行える。

・製品開発リードタイムとは。
・製品開発リードタイム短縮の考え方。
・製品開発リードタイム短縮は本当にできているかを確認する。

【役割と考え方】

①製品開発リードタイムとは

リードタイムとは定義が定まっているものではない。製造業におけるリードタイムとは、商品企画決定から商品の生産開始までと考えるのがよい。商品の企画決定後、開発着手する際には大きな日程が決定される。これは他社との競争が優位になるために必要なタイミングが明示される。製品によっては販売開始までのルート構築までをリードタイムとするべきものもある。しかし、製造と販売を分けて扱い、本書ではエンジニアリングの範囲に留めて、製品設計から生産開始までを全体のリードタイムとする。この方がエンジニアリングに改革が集中できる。

②製品開発リードタイム短縮の考え方

リードタイム短縮は、無駄を省く、業務を同期化する、業務を自動化することが行われなければ不可能である。当然、仕事の質は確保されていないといけない。

③製品開発リードタイム短縮は本当にできているかを確認する

工数をかけてリードタイムを短縮しても価値がない。少なくとも同じ工数でリードタイムが短縮されなければ、無駄の排除や自動化は実現されたとはいえない。継続性もない。単なる同期化で短縮できた部分は、これまでの余裕を減らしただけにすぎない。

【解説】

本書では製品開発リードタイムを図の下段のように商品企画決定後より設計が着手され、生産ラインで生産が開始となるまでの期間と定義する。上の図にて、旧の時期より新の時期に生産開始が早く行われるようになっても、企業の経営的視点から見ると全体工数が増加しては意味がない。全体工数が旧の状態の方が、リードタイムが長いがコストの安いプロセスになっているからである。また、リードタイムを短縮するのに、単に仕事の前出しで短縮ができるような場合は、もともとのリードタイム設定に余裕があったのである。これは短縮したことではない。リードタイム短縮とは、プロセスの無駄がなく、プロセスを自動化するなどの方策が伴って初めて実現できることをいう。その方策を考えることで開発プロセスを改革できる。

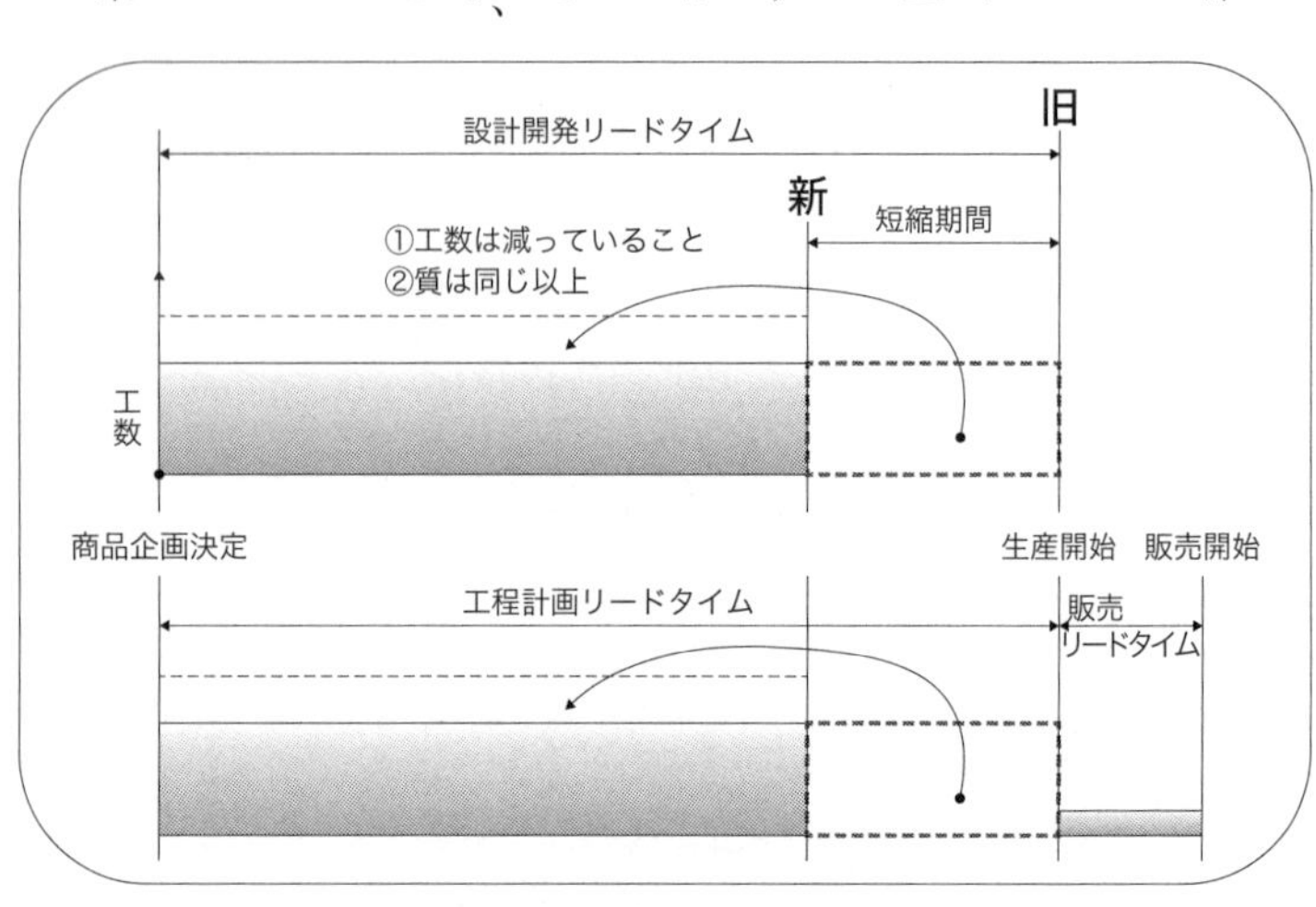

図42　製品開発リードタイムの定義

3　品質業務を中心にプロセスを記述する

製品を生産する製造業は品質が重要な経営指標である。したがって、大きな日程から細部日程にいたるまでの組織間、業務間の連続性を保持させる日程要素は品質関係業務である。

・品質関係業務で記述する。
・組織間の業務フローの連続性を明確化。

【役割と考え方】

①品質関係業務で記述する

日程表は長期日程から短期日程などや、プロジェクト全体の流れを表す大日程は、業務の基本的な区切りを表すイベント（会議）などで表現することが多い。これらのイベントの表現には品質関連業務をうたうことが必要である。

品質関連業務をうたうことで、品質マネジメントが実行され、そのイベントに関連業務を記述することができる。これにより組織間の情報がつながることになる。各組織が自組織の都合でイベントを定義すると、そのイベントと他組織のイベントは接続できない。

②組織間の業務フローの連続性を明確化

組織間の業務フローを連続的にする書き方が業務プロセスを理解しやすくする。製品設計の進度も機能から少しずつ形状に進展していく。その間において、機能の表現する言葉のコミュニケーションがスムーズに行われないといけない。そのためには帳票化により標準化が必要で、進展に合わせ情報の受け渡し内容などの書き方を取り決める必要がある。

そして、その取り決め内容が他部署に渡されたときに他部署は仕事を着手することを相互で了解しておくことである。

【解説】

上段に設計の日程、下段に生産準備の日程を例として示した。一般的には、生産準備の日程は設備やラインの日程などをイベントとして記述することが多い。しかし、どのようなラインを設計するかは、どのような品質の製品を生産するかが決まらないと検討することはできない。設計は品質計画の業務であり、実験な

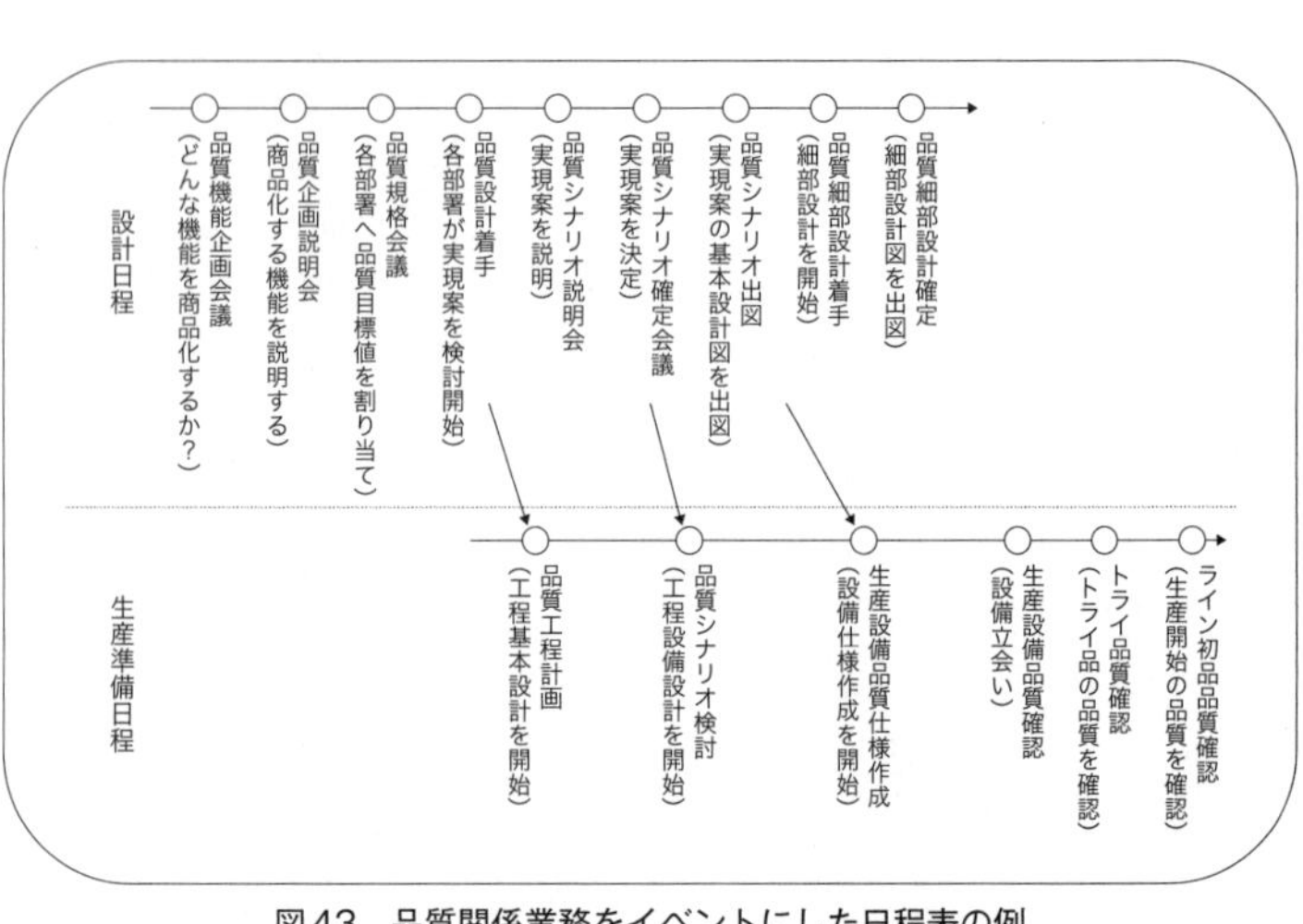

図43　品質関係業務をイベントにした日程表の例

どもその目的として行われる。そのため、品質を中心として日程は作成しやすい。設計の検討している品質計画の進度により、生産準備の進度も一致させることができる。製品の形状に関しては、その形状に精度よく加工できるかどうかが生産準備側の視点である。したがって、断面形状が出図されると生産側の品質仕様は明確になる。最終的な形状や大きさが確定されてから、設備の形状仕様が確定される。設計側の品質関連業務の進展に合わせて、生産技術側の品質関連業務を記述し、その業務に関連するように設備仕様作成などを後付けで記述していく。ポイントは、設計の何が決まったら、生産側の何を確定できるかを考えることである。最終的な製品図面完成後から生産準備が開始される考え方では、リードタイムは短くならない。

4　リードタイムの長い部品から改革する

リードタイム短縮を進めるにあたり、漠然と行うのではなく一番リードタイムの長い部品に着目し、これを短縮することが近道である。

- リードタイムリストの作成。
- 多くの組織に関係する部品を対象。
- 期間は短いがやり直しが多いものを対象とする。

【役割と考え方】

①リードタイムリストの作成

すべての部品に対し、品質設計着手からラインでの初品品質確認までのリードタイムを表にする。前もって、リードタイムが短いと思われるものは除外してもよい。このリードタイムリスト内には設計だけでなく、生産技術や製造部などの業務も含まれる。さらに部品サプライヤのリードタイムも含まれる非常に大切な基礎データである。

②多くの組織に関係する部品が対象

リードタイムリストをリードタイムの長い順に並べ替えを行い、もっとも長いものから上位10部品程度を選択する。選択された部品について、関係組織の多い順に並べ、もっともリードタイムが長くて、関係組織の多いものを第1番目の改革対象とする。

③期間は短いがやり直しが多いものを対象とする

トータルの期間は短いが、設計と生産の間を行き来しながら、確認調整の多い部品は技術的あるいはプロ

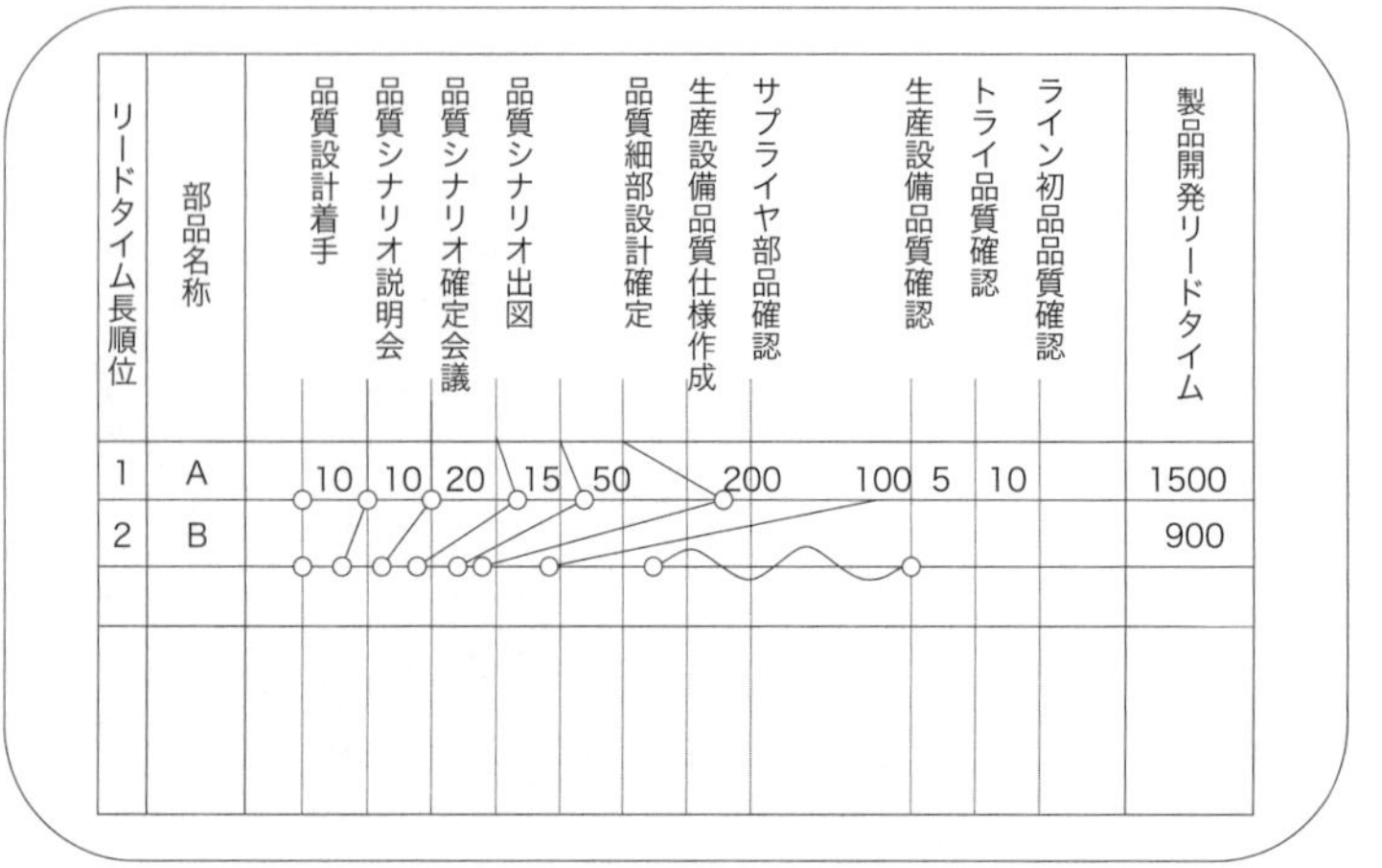

リードタイム長順位	部品名称	品質設計着手	品質シナリオ説明会	品質シナリオ確定会議	品質シナリオ出図	品質細部設計確定	生産設備品質仕様作成	サプライヤ部品確認	生産設備品質確認	トライ品質確認	ライン初品品質確認	製品開発リードタイム
1	A	10	10	20	15	50	200	100	5	10		1500
2	B											900

図44　リードタイムリストの作成

セス上の問題を抱えている。そのような部品を対象とすることは業務の無駄を対策するよい着眼点である。

【解説】

これは、筆者が提案する開発プロセス記述法である。横軸には品質関係業務のイベントを記入する。このとき、サプライヤなどと実施するイベントも忘れずに記入する。表の横軸方向にイベント間で行う各組織の業務に必要な期間を記入する。リストの上位からトータルの製品開発リードタイムの長い順に並べる。実際には他の部品の進度に依存し、同じイベントから同時にスタートする部品もある。それらについては、待ちの期間を波線で記入すると余裕が分かりやすくなる。このように各組織は、上段に記述したイベントで自部署の開発業務を記述していく。これにより品質意識が関連組織で共有され、組織間で品質課題についての解決にも連携ができる。製造業の品質コミュニケーションが円滑になる。

5　技術マネジメントの難しい日程例

一般的に作成される日程は、組織の役割を示す日程や自部署の担当を基準に作成されるケースが多い。このような日程には次のような問題点がある。

- ・組織間での技術的な関係性が見えない。
- ・守るべき日程の重要性が分かりにくい。
- ・開発プロセスの標準化ができない。

【役割と考え方】

①組織間での技術的な関係性を見えるようにする

製品開発では、製品を企画、設計、実験、生産ラインを企画、設計、製作、整備、評価など多くの業務が行われる。この業務はそれぞれの組織で機能ごとに推進される。しかし、これらの業務には共通して品質・コスト・生産性が関与している。これらの指標に対し、どの部署がどのような責任を負っているかが日程の中で読みきれないと、これらを別の横断的な進捗会議でのフォローが必要となる。しかし、このフォローは多くの手戻りの原因となる。

②守るべき日程の重要性を分かりやすくする

品質・コスト・生産性の中でも、製品としての品質が不足していればコストは意味がなくなる。生産性も同じく意味がない。したがって、日程の中では基本的な品質が確保される見通しをフォローすることが必要である。一般的な日程は仕事の量によって時間が定められ、その技術的な重要性で日程が決められていない

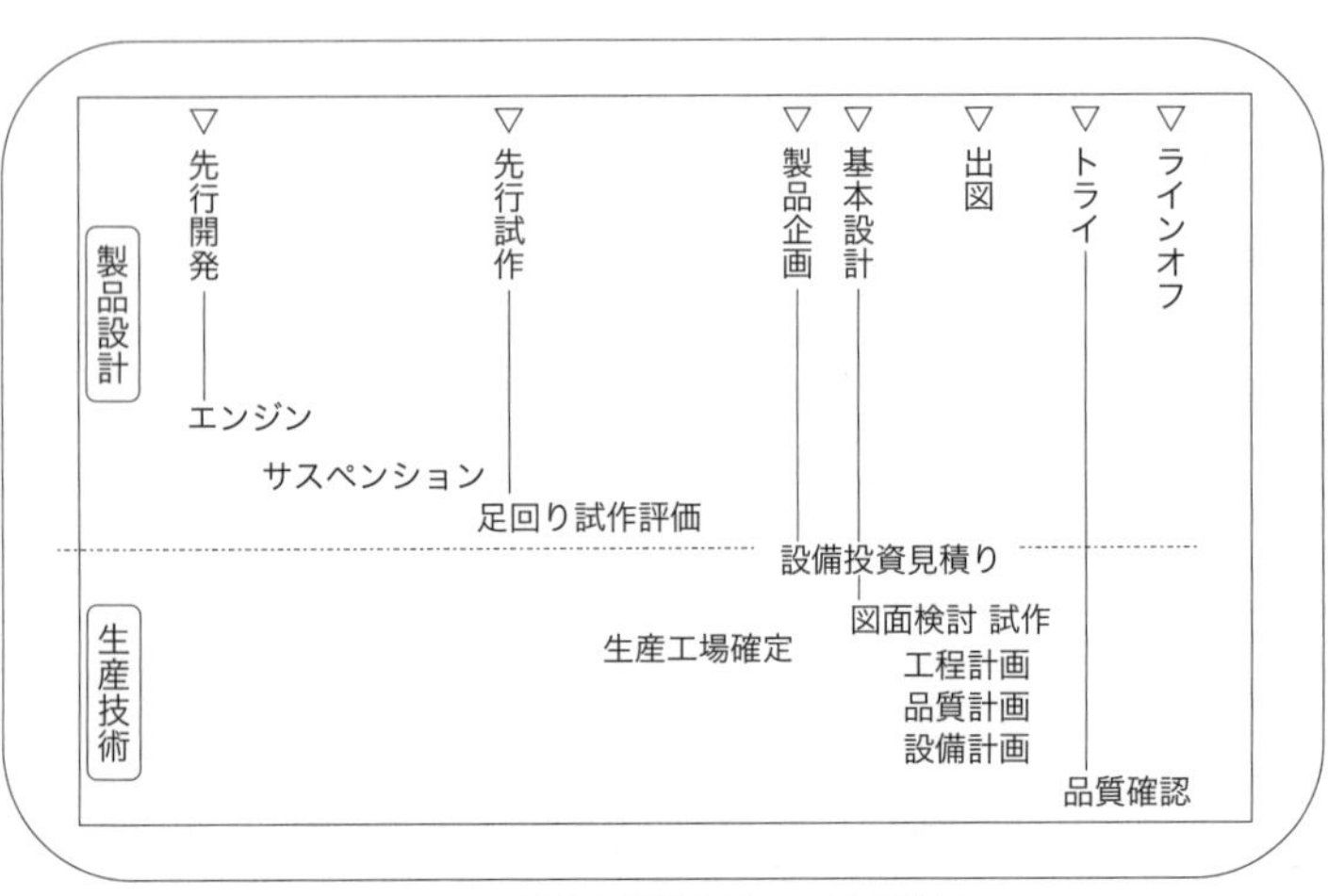

図45　一般的な製品開発の日程記述例

ことが問題である。

③開発プロセスの標準化を行う

開発プロセスにはそれぞれのイベントに因果関係があるものを記述しないと、イベント間の期間が意味を持たなくなる。その結果、いつも期間が都合よく定義され、プロセスは用語も期間もまちまちで標準化が進まないのである。

【解説】

これは、一般的な自動車の開発日程である。横軸には大きなイベントが仕事の単位で記述される。このイベントは、この日程で行うと宣言をしている。大きな社内的な仕事の節目をつくり、進行させる点では問題はない。しかし、製品開発プロセスを短縮化させようとするには、この節目の間にある日程を分析していく必要がある。この節目の間にある日程も同じように、仕事の単位で作成されることになると、組織間での仕事の関連性は見えにくくなる。組織内の仕事の日程を作成するのに、仕事の単位で作成する癖がついてしまっている。品質に関して何をどのように計画を進めていくかという書き方に慣れていない。このことを強く意識すると、品質に関する検討漏れなども減るはずである。また、日程の期間も必要性が明確になるはずである。

6　業務改革の進め方

製造業の業務改革は個々の組織を改革しても大きな効果は望めない。それは多くのエンジニアがノウハウを持って仕事をしているからである。組織間の仕事をスムーズに行う技術的コミュニケーションの仕組みを作ることが必要であるからだ。

・技術的コミュニケーションとは何か。
・必要なWHYの理解。

【役割と考え方】

①技術的コミュニケーションとは何か

エンジニアリングはその専門分野ごとに独特な言葉がある。それらの言葉は会計、財務、商取引などとは異なり、一般的でなく、多くの社員の中でコミュニケーションを図るには多くの分野の専門用語を覚えなくてはならない。

専門用語が分からないとエンジニアはその仕事の中に入っていこうとしない。しかし、共通の判断指標は品質・コスト・生産性である。この指標に各専門領域がどのような個別技術指標を持っているかをオープンにすることである。そして、その指標を理解することで、その指標の水準が自分の専門分野への活用やそのレベル差を認識することができる。

②必要なWHYの理解

技術的なコミュニケーションとはそれぞれの技術用語を品質・コスト・生産性に分解して説明し、社内でその理解をし合うことである。

技術畑でのコミュニケーションでは多くのストーリ的な説明が必要である。言葉の説明や、指標の意味や重要性などについて、相手に理解をしてもらえないと議論は技術的なものにならない。技術職は技術的理解のできないことに合意ができないからである。政治的な判断ではない。したがって製造業における基本知識として、これらの技術知識は常識とする必要がある。このことにより結論を得るまでの時間は圧倒的に短縮される。

【解説】

下図は設計、生産分野における専門用語の共通性を表現したものである。専門用語の理解度の差は技術的な議論への参画性を阻害する。品質・コストなどの企業の共通目標を表す言葉は特段の説明も必要がなく理解できる。しかし、それが組立分野の品質・コストの説明になると、組立における品質やコストはどのような指標で表現することができるかは、その分野の専門知識がないと理解できない。生産現場で使われる現場

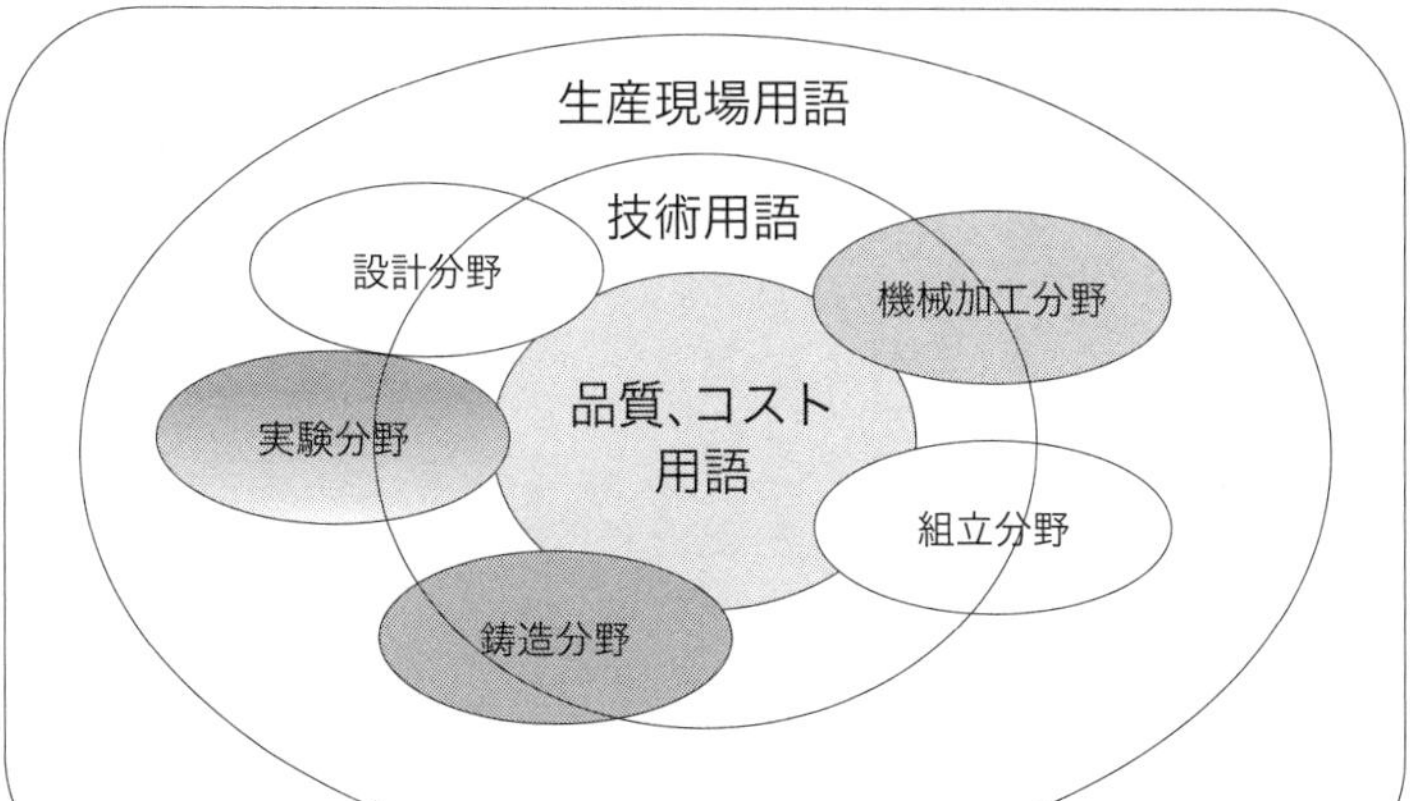

図46　分野で異なる専門用語

的な指標も結局は品質・コストと結びつくものである。しかし、その指標が企業全体の品質・コストに対する比率が決まっていなければ、全体最適の結論になることはできない。また、それだけでなく、各分野における技術的な限界を理解し合うことも必要である。組織的な役割責任と技術的な実現性とは一致することはなく、技術的な実現性の容易な方策（コストや対策期間などが優位）を全体として選択できるコミュニケーションが必要である。技術的なコミュニケーションは品質、コストの指標の理解とそれぞれの分野の技術や課題などを理解した上で行えることである。これが業務改革の第一歩である。

7　業務改革にＩＣＴを活用する心

企業内の業務改革は情報システムを活用することで大きな改革が実現できる。しかし、エンジニアリングでのＩＣＴ活用は不十分である。ＩＣＴ化は次のような視点が必要である。

・業務はプロセスに対する人のつながり。
・プロセスと人のコミュニケーションをスピードアップ。
・データ蓄積による共有化と標準化による業務の自動化。

【役割と考え方】

①業務はプロセスに対する人のつながりである

エンジニアリングは、とどのつまり人による技術の組み合わせと調整である。それには正しいプロセスで仕事が遂行されなければならない。正しいプロセスを進めている仕事は知識のある専門家の判断が入り、正しい方向へと進んでいく。このプロセスを正しく導くにはＩＣＴを活用し、人によるルール外れをなくすことが必要である。

②プロセスと人のコミュニケーションでスピードアップ

プロセスがルール化されることで、無駄な検討や調整がなくなり意思決定が迅速化する。いつまでに何を決め、その後は何をやるかが決まっているために、先を読んだ検討ができ、重点が絞られたコミュニケーションが進んでいく。

③データを蓄積し共有化と標準化

データによる仕事の自動化をプロセス通りに進めていくと、そのプロセスにおいてインプットとアウトプットが蓄積されていく。この蓄積されたデータは仕事を

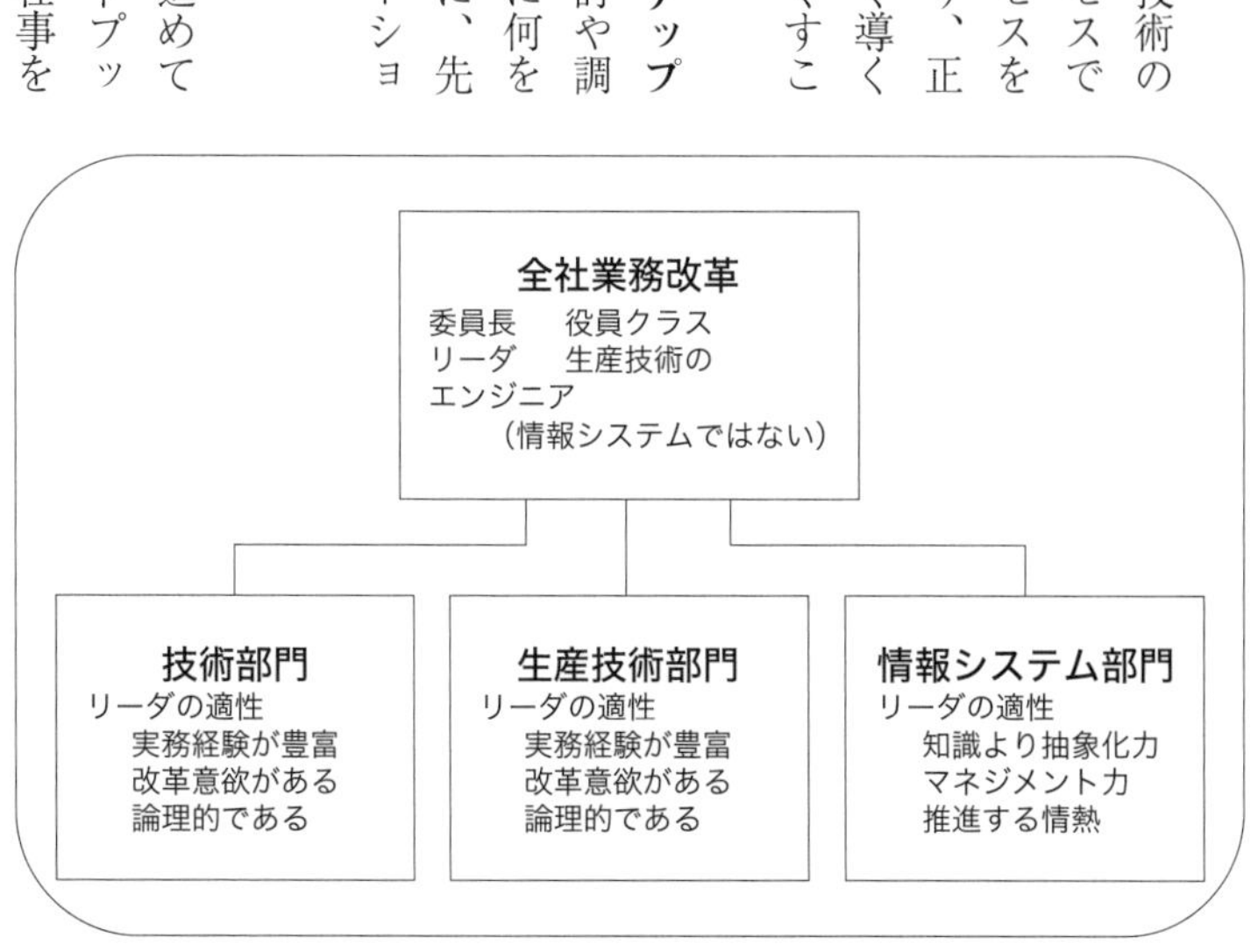

図47　エンジニアリングの業務改革を推進するための組織

行うための条件と結果を表す。このデータを整理することで、標準化を行いやすくなる。標準化が進むと自動化が行える。エンジニアの仕事の最終結果（図面など）は残されても途中のプロセスでの思考経過などは蓄積されない。ここにエンジニアリング方法が進歩しない理由がある。

【解説】

業務改革のリーダには部門を横断的に見る役員クラスが就くべきである。その補佐あるいは実行の全体リーダは情報システム関係者ではない。過去の情報化初期の時期は保有知識として全体リーダに情報システム関係者を配置することがあった。現在は、どのような活用を進展させるかであり、業務そのものを見直すことができるエンジニアがリーダとしてふさわしい。情報システム担当はユーザとシステムとを区別しがちであり、ユーザとしての思考から逃避しやすい。情報システムは道具であり、業務改革の結果として生まれるものである。しかし、道具がなければ改革はできない。一方、ユーザ（エンジニア側）は情報システム担当を過去の推進体制と同等に見る間違いをしているため、情報システム担当がすべてをやってくれるか、もしくは、システムしかやらないとの認識に陥っている。これは古く間違った考え方である。ユーザは自身の仕事のシステム開発は自らの組織で行い改廃し続けなければならない。

8　業務改革成功の3つのポイント

業務改革を推進するには、日常の業務を行っている現場の参画と、現状業務の否定から仕事の価値観を再認識することからスタートする。

・現場の存在意義と自己否定。
・退路を断つ。
・システムありき。

【役割と考え方】

①現場の存在意義と自己否定

実際に日常の業務を推進している実務者を必ず参画させる。実務者は日常の仕事を基準として考えるので、問題認識を持ちにくい。実際の仕事そのものの必要性は白紙にして考えねばならない。その上で、マネージャーとともに自組織と仕事の理想的な役割を再認識すること。メンバーには改革的で建設的な人材を選ぶ。

②退路を断つ大きな課題認識を共有すること

ホワイトカラーの生産性向上を30％実現することなどが該当する。各自が30％効率化することができる案を考えることなどでもよい。のんびりと進めず、長くても3カ月の短期で方策をまとめることだ。改革に直接参加しないメンバーにも広く宣言をし、期待を促し、自らの責任を認識する。

③システムありき

情報システムはツールであるが、改革実現の必要条件である。現状問題と解決策の策定だけで終え、結局ハンドでの業務推進を継続するのでは検討そのものが無駄である。最良の生産性を実現することが成果であり、最初からシステム要件を考えて臨むのは当然である。システム＝仕事のプロセスである。

【解説】

ここでの失敗のポイントは、最終目標を共有していないことにある。つまり、仕事をどのようなプロセスにするかを決める際に情報システムを作ることも方策の必須アイテムとしていないことによる。これにより、システムはツールだからシステムを作るのは目的でないとの声があがる。システムを使って最大の生産性をあげることを考えていない。システムを作る側も、エンドユーザの仕事の議論に積極参加しようとしない。仕事の議論の結果を待ってシステム要件を整理しようと考えてしまう。仕事の議論の中に参画し、どのようなシステムを作れば、これまでより圧倒的な生産性をあげられるかを考えていない。目的はシステムを使って、最大限の生産性をあげることだという共通目的と

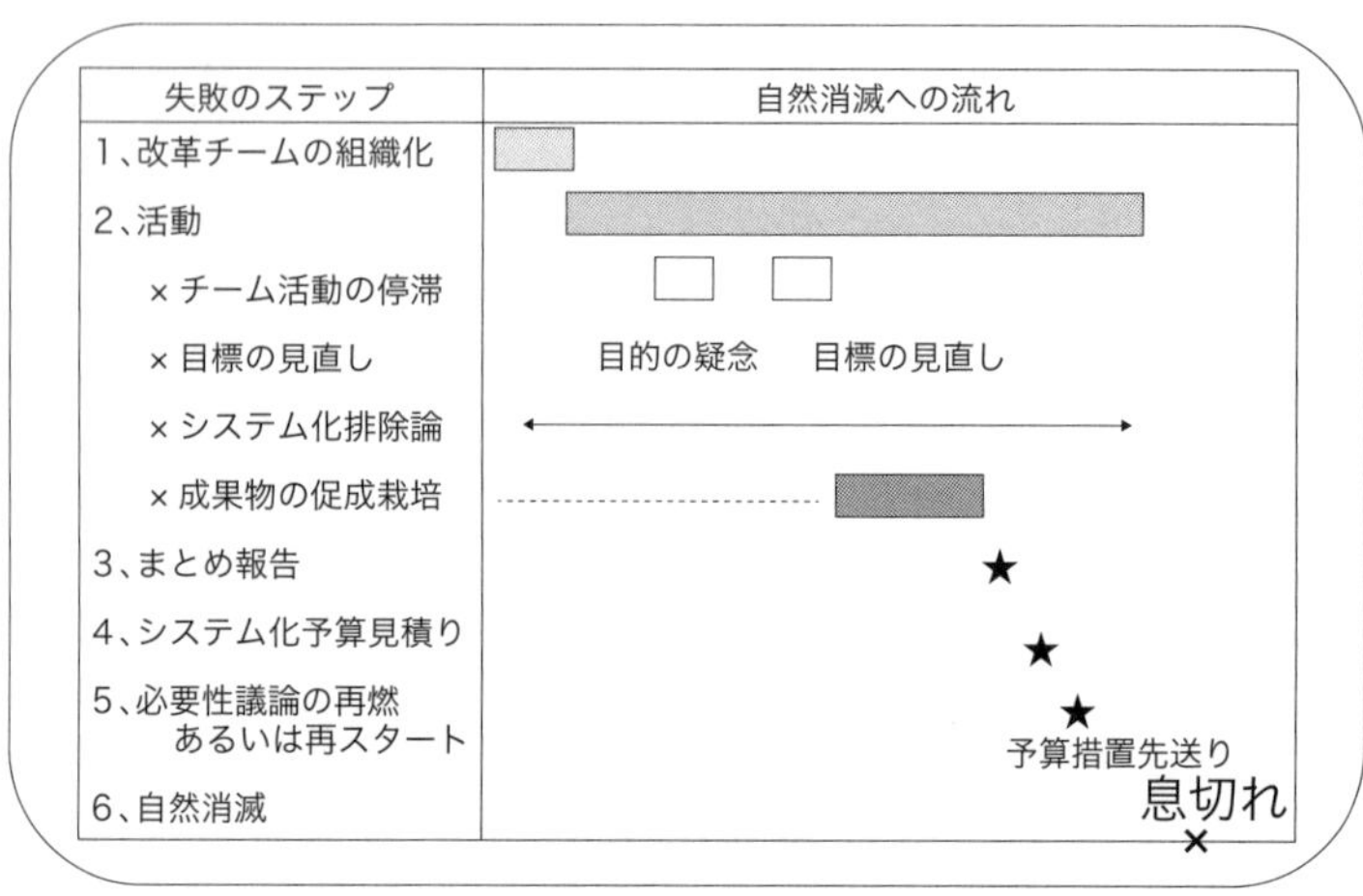

図48　業務改革の失敗事例

認識を最初に行うことである。これにより、システム化予算は常に検討されつつ進み、システムの必要性などの議論が再燃することはない。活動を実施しても、実際の改革が行われないような中途半端な成果物（業務の整理のみなど）を出すことが一番無駄な仕事である。最後は息切れになる。

第2章　プロセス改革は仕事の同期化

1　仕事のコンカレント度を高める方法

仕事の同期化を進めることは企業の競争力において迅速性を高めるよい手段である。そこで、同期化の実現方法を述べる。

- 自部署と関係部署との役割明確化。
- インプットとアウトプットの明確化。
- 関係部署の情報確度とスタート可否。

【役割と考え方】

①自部署と関係部署との役割明確化

仕事の同期化の前に、自部署の役割を整理することを行う。後工程が必要としていることと自部署のアウトプットは一致しているか？　アウトプットは後工程の欲求に照らして、過不足ないか？　あるいは、余分なアウトプットをしていないか？　誰も期待していない仕事をしていないか？　それらを整理する必要がある。

②インプットとアウトプットの明確化

インプットとアウトプットを帳票に書き出し、必要十分な帳票を作成することである。

③関係部署の情報確度とスタート可否

前工程からのインプットは十分であるかをチェックする。不十分なら、そのとき、自部署は何をしているかを把握する。その把握することは本来どの部署が行うべきかを明確化する。この過程の中で、前工程からのインプットはどうあるべきかを考える。たとえば、仮の情報でもあれば自部署の仕事が進む。あるいは、仮の情報では、かえってやり直しが大きくなり、正しい情報となるまで待つ方がよい場合もある。正しい情報は社内において前工程以外に把握できないかどうか、

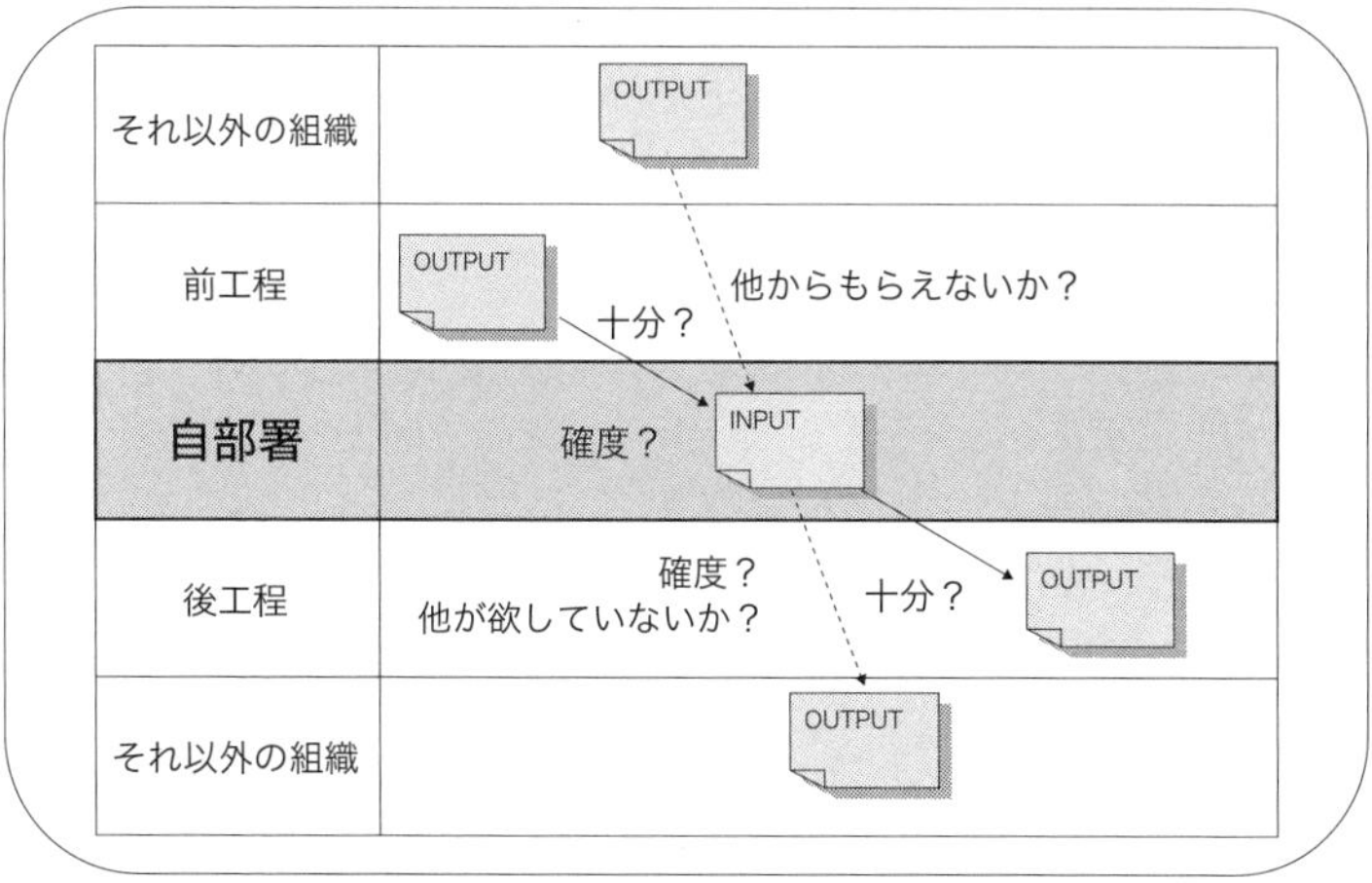

図49　業務のインプットとアウトプットの整理

別の視点で情報入手を考える。

【解説】

日常の仕事も、よく調査してみると誰も期待していない仕事をしていることがある。自部署の仕事の価値や役割を再認識し、インプットとアウトプットの関係を帳票で整理することが重要となる。帳票で整理すると人によりインプットの質や量やタイミングが異なることが分かる。同様にアウトプットにも差があることが分かる。インプットとアウトプットを標準化する目的で、本質的な必要な時期とその質を議論する。その際、一部の情報でスタートできる仕事もある。仮の情報でも仕事をあるステップまで進めることができる。このように前工程の情報量と精度に合わせて、自部署の仕事を細分化することで、同期化できる時期と対象の仕事を決めていく。このような整理をするには、前工程だけでなく、他部署も含めて行う必要がある。この結果、同期化が進むとさらに同期化できることも見えてくる。当然これらの仕事を実現するには情報システムが必要である。

2　コンカレントは工程計画から実施する

生産技術の工程計画と製品設計の業務の同期化を先に実現することが肝心だ。製品と生産ラインの設計業務は表裏一体であり、この同期化をすれば他の業務は追随する。

・工程計画の同期化条件の決定。
・同期化の条件整理。

【役割と考え方】

①工程計画の同期化条件の決定

製品の設計図面を受け取り、その図面の部品（製品）を生産するラインの計画を行う業務についての役割と考え方を示す。設計から受け取る条件としては、製品の図面と部品表、営業（企画）からは生産量である。これらの一部や仮情報で仕事をスタートできる条件は、製品の大きさ、重さ、必要な材料、生産量である。これにより既存生産ラインでの大きな問題の有無の検討は着手できる。さらに、製品の機能が現状の製品と同じか、あるいはどこが異なるかの情報により、生産ラインの工程改造が定性的に判断できる。さらに、部品の大きさや重さ、必要な材料、部品の基本構造案などから、現状の生産工程での機械仕様や加工工程などの順番についての詳細な検討業務が可能となる。

②同期化の条件整理

同期化の条件整理は一言で言えば、得られたインプットに対してデータで比較できる状態に準備しておくことである。たとえば、生産ラインの順番や加工工程、そこで使用される加工設備、工具などのデータをデジタル化する。これらの生産ラインのデータを製品の名称やその機能などにより、製品の分類や部品表の分類と対比できる状態でデジタル保管しておくことが望まれる。

【解説】

製品設計は企画と具体的な設計に大別される。工程計画も生産ラインの企画と具体的な設計に大別される。それぞれの企画は類似した概念設計であり、具体的な設計手法も同じである。企画や設計は物を作らないので同期化させやすい。修正もしやすい。この段階で双方の整合性をしっかりと図ることが大切なのである。

工程計画が進めば、自然と作業、物流、設備などの計画は追随してくる。例として、製品の組立工程計画を説明する。組立に必要な作業時間を算出できることがコンカレント化に通じる。製品の試作品ができてからその組み付け時間をストップウォッチで測定する方法ではなく、描きつつある図面よりその組み付け作業を抽出し、その結合構造から組立時間が算出できるようにすることである。時間と組み付け方法が分かれば、製品の生産工程や必要人数や配置、設備の必要性や部品の供給などの仕事が同期化する。

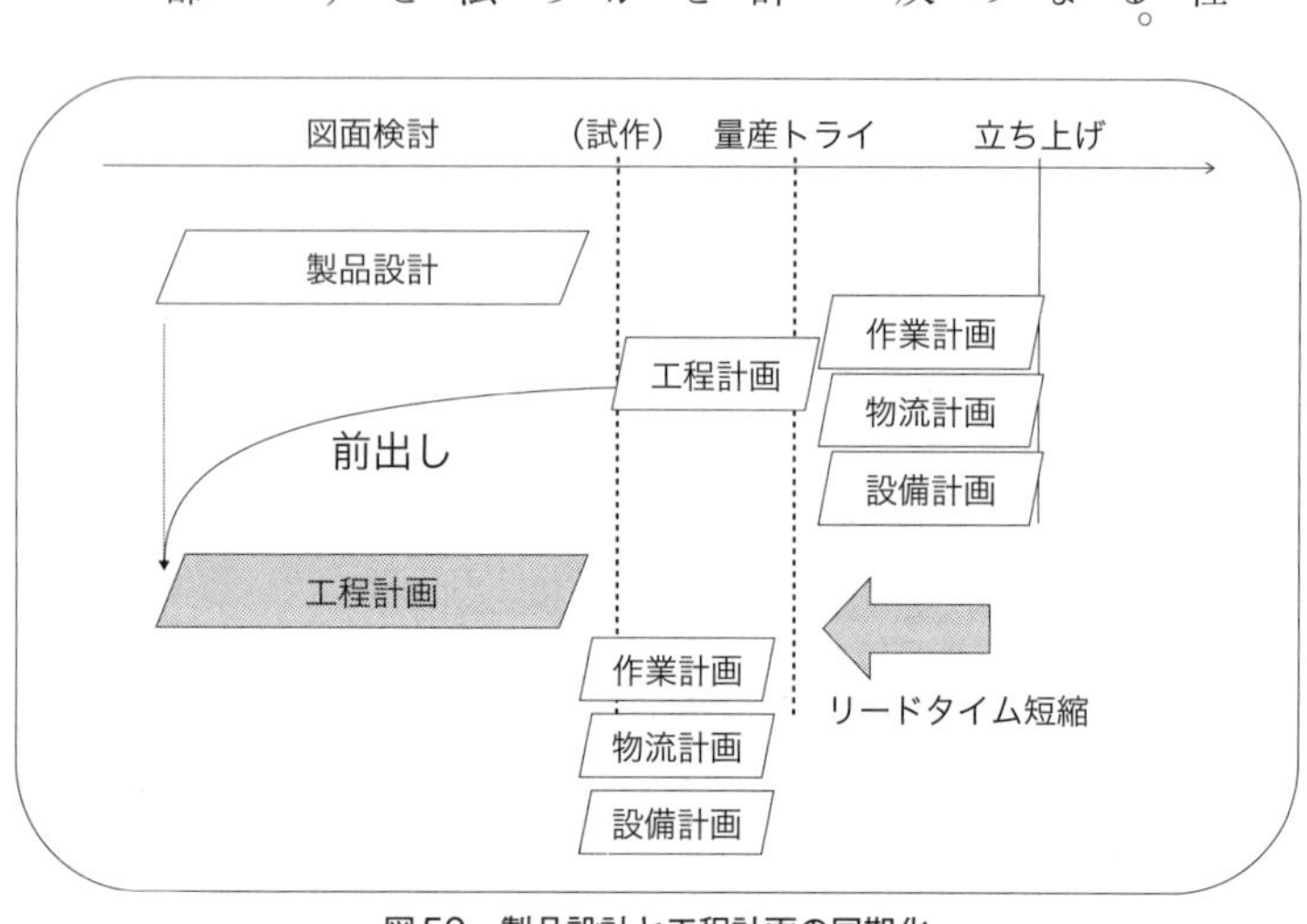

図50　製品設計と工程計画の同期化

3　同期化の心は製造現場の問題解決にある

製造現場は製品開発における最終のプロセスである。したがって、現場に新製品の説明をすると苦情が多く出るものである。しかし、苦情を聞くタイミングが遅いと製造現場での問題を解決することができない。工程計画と製品設計の同期化は製造現場の問題を解決する目的意識を持つことである。

・工場の言い分。
・生産技術のコンカレント化への動機。

【役割と考え方】

①工場の言い分

製品開発は長期間にわたるプロセスとなる。1つひとつのプロセスの完成度が重要である。完成度とは、生産開始時においてよい品質とコストが実現できるかのレベルである。したがって、最終的には生産現場の意見を重視すべきである。プロダクトアウトでなく、カスタマーインを開発プロセスに持ち込むことである。たとえば、生産ラインにおける現状の品質問題や作業性の問題などを新規製品開発で解決することである。

②生産技術のコンカレント化への動機

工場の言い分の中には生産設備そのものの問題もあるが、多くの問題は製品設計構造での対策を図らなければならないことである。製品設計部署と解決を推進することは、自らの生産準備の仕事を前出しし、生産要件を確実に製品図面に織り込んでいく仕事が必要となる。この結果、製品図面作成プロセスにおいて確度の高い設計情報を取得でき、その情報で生産準備の同期化が推進される。

【解説】

工場において発生する日々の問題点を解決することが、生産技術と設計部署とのコンカレント化ニーズである。それには日々工場での問題点を蓄積しておくことが大切である。そして解決方法と一緒に発生した問題点と解決策をまとめて記録しておくことも忘れてはならない。新製品の開発企画時点で、この記録を生産技術は製品設計部署に再発防止依頼として提示する。この再発防止策を新しい設計図面に織り込めているこ

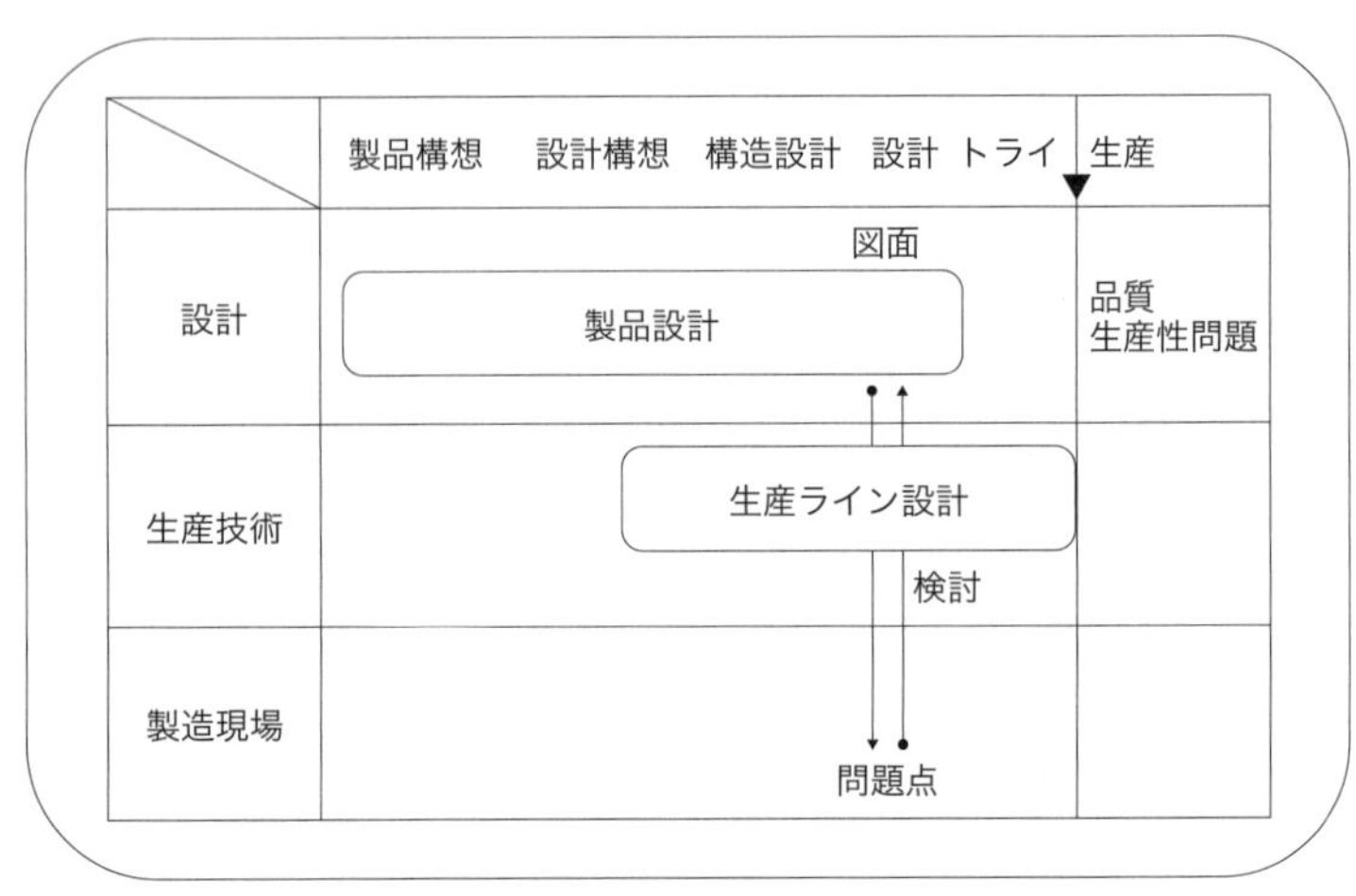

図51　生産技術のコンカレント化ニーズ

とを確認するような仕事の進め方を行う。たとえば、フォローリストを作成し、製品開発の中で、何回も織り込み確認を行う。最終図面に記述されていることを確認してクローズとする。このような問題解決手法には、図面全体の把握と設計との密なコミュニケーションを必要とする。その結果、生産ライン設計に必要な情報を集めることができる。コンカレントエンジニアリングは後工程問題を解決するための手法と考えると、自然と生まれてくる考え方でもある。

4　同期化の心は製品設計変更をなくすこと

生産技術のコンカレント化を進めるニーズは、工場の苦情をなくすことと、もう1つは上流の製品設計者による変更をなくすことにある。多くの生産技術者はこの設計変更の無駄に悲鳴をあげている。

> ・製品設計変更が及ぼす大きな無駄。
> ・生産技術のコンカレント化への動機。

【役割と考え方】

①製品設計変更が及ぼす大きな無駄

製品開発は長期間にわたるプロセスとなる。製品設計が進んでいくと設計上の性能やコストなどで、設計を変更することがある。生産技術では、型の設計や加工など生産ラインの設計や設備の準備が進展している中での変更を余儀なくされる。設計変更をなくすことが、生産準備業務の生産性向上につながる。そのために、どのような設計変更が量的・質的に行われているかを顕在化することが必要である。個々の組織としてではなく、会社全体で把握することに努める。

設計変更の多い分野順に原因を突きとめ、対策を講じていく。

②生産技術のコンカレント化への動機

設計変更の対策を進めることは、設計変更プロセスの中で部品表や図面などの内容をチェックしていくこととなる。そのため、設計情報を入手していく姿勢となり、その中で得られる情報にてコンカレントが進んでいく。さらに、コンカレントを進めていく中で、やり直しが入らないようにコミュニケーションを図る姿勢が浸透することで、コンカレント業務が効果的に推進できることにもなる。

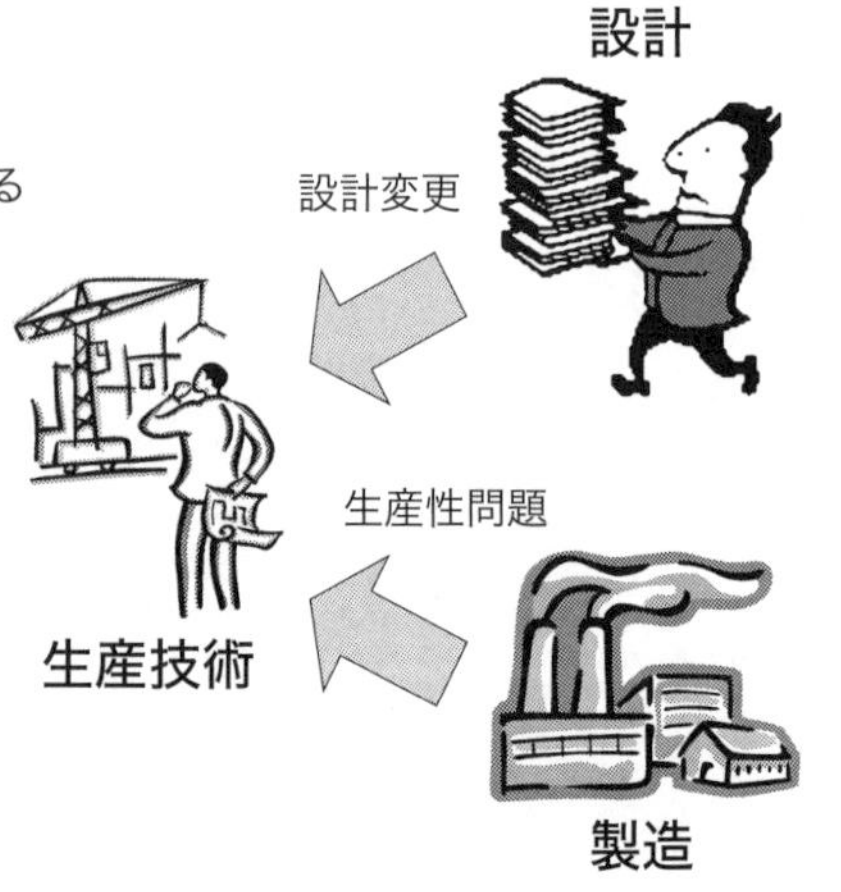

図52　生産技術のコンカレントニーズ

【解説】

生産技術は製品設計部署から設計変更を余儀なくされる。しかし、製品の立ち上げ時期は変更されることは少なく、生産ラインの設計や設備の設計などの期間が短くなる。一方、工場からも製品の開発内容が明らかになってくると、要望や生産ラインにおける問題が提出される。製品設計変更を減らす活動をして、生産準備を計画的に実行したくなる。一方、工場からの生産ラインの問題点を対象とすると製品設計が進みすぎており、生産技術の立場として、製品設計を変更してもらうエネルギーの必要な調整業務を行わなければならなくなる。これらの2つの問題を解決するためには、製品設計段階で、生産ライン要望を実現する条件を図面に織り込む自発的な行為と、自らの生産準備の計画性を確保するために、防衛的に製品設計の質的な向上を支援する行為が生まれてくる。ここに、間接部門である生産準備部門が、社内のコンカレントエンジニアリングを推進するリーダとしての適性の理由がある。開発生産問題の調整機能である。

5 工場と一体化した生産準備体制の推進

生産技術は設計と工場の両方に対し、調整機能を働かせることは難しい。そこで開発段階では、身近な工場サイドを生産技術と一体化して、設計と生産の二極間調整を行うことが効率的である。

・工場の代表者の意識を高める。
・生産側の代表としての生産技術の意識を高める。

【役割と考え方】

①工場の代表者の意識を高める

工場から生産技術と一体化するためのメンバーを選出する。選出されたメンバーは工場の代表として、工場の意見をまとめる役割を担う。工場の代表として指名されたメンバーはモチベーションが高まり、意欲的に生産ラインの問題を自ら解決する行動を取る。その進捗を工場に報告する責任があるので、より積極的に生産ライン問題の再発防止を行う。

②生産側の代表としての生産技術の意識を高める

生産準備のリーダは、これまでの生産準備だけではなく、工場の生産ライン問題解決も行う長となる。このリーダは、工場の代表メンバーとともに、工場側への進捗報告の責任が付加され、より真剣に生産ライン問題解決に取り組むコンカレントエンジニアリングを推進する。多くのメンバーに囲まれ、幅広い問題の解決を行うこのチームは製品設計と対等な立場となり、同時期に多くの視点で同じ問題解決にあたることで、最適な解決方法にたどり着くことができる。このような経験を経て人材は育成される。

【解説】

製品設計部門と生産部門に大きく2つに分かれて、製品設計と生産設計を担う。2つの組織の関係であるので、問題解決の意思決定が迅速化する。生産ラインでの問題も少なくなる。現場も製品開発段階に生産技術と一緒に参画したため、開発プロセスが進んでしまってからの要求は出にくくなる。多くの知見を持ったメンバーで開発を推進するために、人による勘違いや見落としがなくなる。判断ルールがなく、意思決定に悩む問題が発生しても、チームで、生産現場の調査などを行え、標準的なルールをその都度決定しながら進めることができる。製造エンジニアリングの考え方の整理を行えることが、この体制の大きなメリットである。次の製品開発のプロセスと標準ルールが整備され、次期製品開発の下敷きとして活用できる。

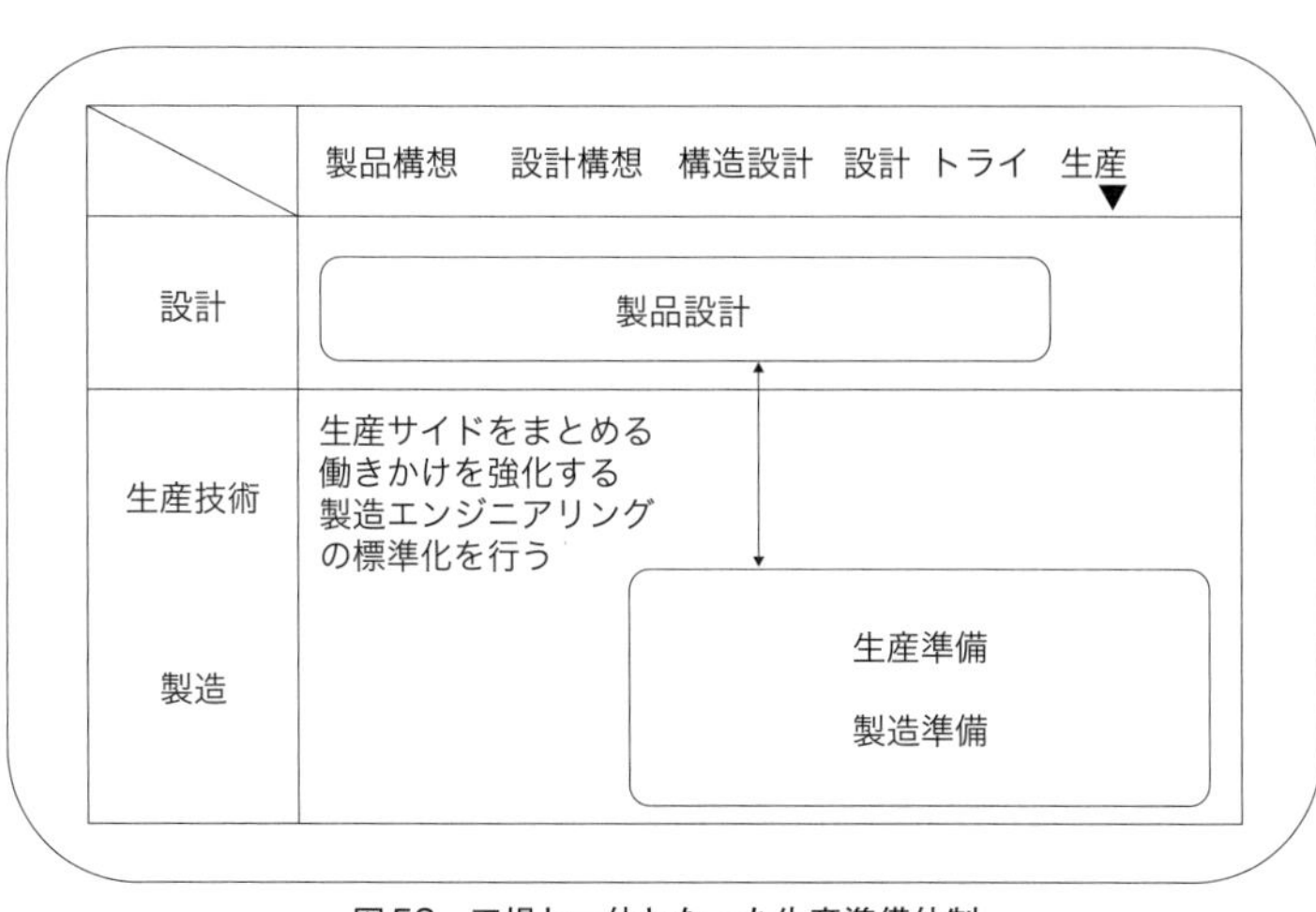

図53　工場と一体となった生産準備体制

第3章　同期化にはＩＣＴが必須である

1　コンカレント化はＩＣＴが必須条件

コンカレントな仕事を実現するには情報の正しさと迅速な伝達、組織間での情報一元性などを保障する必要がある。そのためにはＩＣＴを活用せざるを得ない。

・コンカレントに必要な機能。
・ＩＣＴで実現する際のポイント。

【役割と考え方】

①コンカレントに必要な機能

コンカレントを実現するには業務を細分化し、インプットとアウトプットの整合性をとり、着手時の約束事を決め、アウトプット内容変更のルールを定義することが必須となる。ＩＣＴとして必要な機能には、インプットとアウトプットの関連性の保存、インプット情報の確度に合わせたアウトプット情報確度の表現、業務着手時期と条件によるアウトプットの配信がある。アウトプット内容変更時の通達と影響情報の表示も重要である。

②ＩＣＴで実現する際の重要なポイント

　インプット情報の入手からアウトプット情報を出力するまでの間は自動化ができないため（思考検討を行っている）、そのプロセスに関し、どの部分まで自動的に処理を行えるかを検討しておくこと。この検討により、標準化された仕事がどこまで自動化できるかがポイントである。マネジメント機能も重要なポイントである。ＩＣＴにデータが投入された時点で仕事の着手を促すメッセージが出るようにする。アウトプットまでの期間などの日程管理機能が必要である。個々の仕事がパターン化できるようにデータと仕事のプロセス

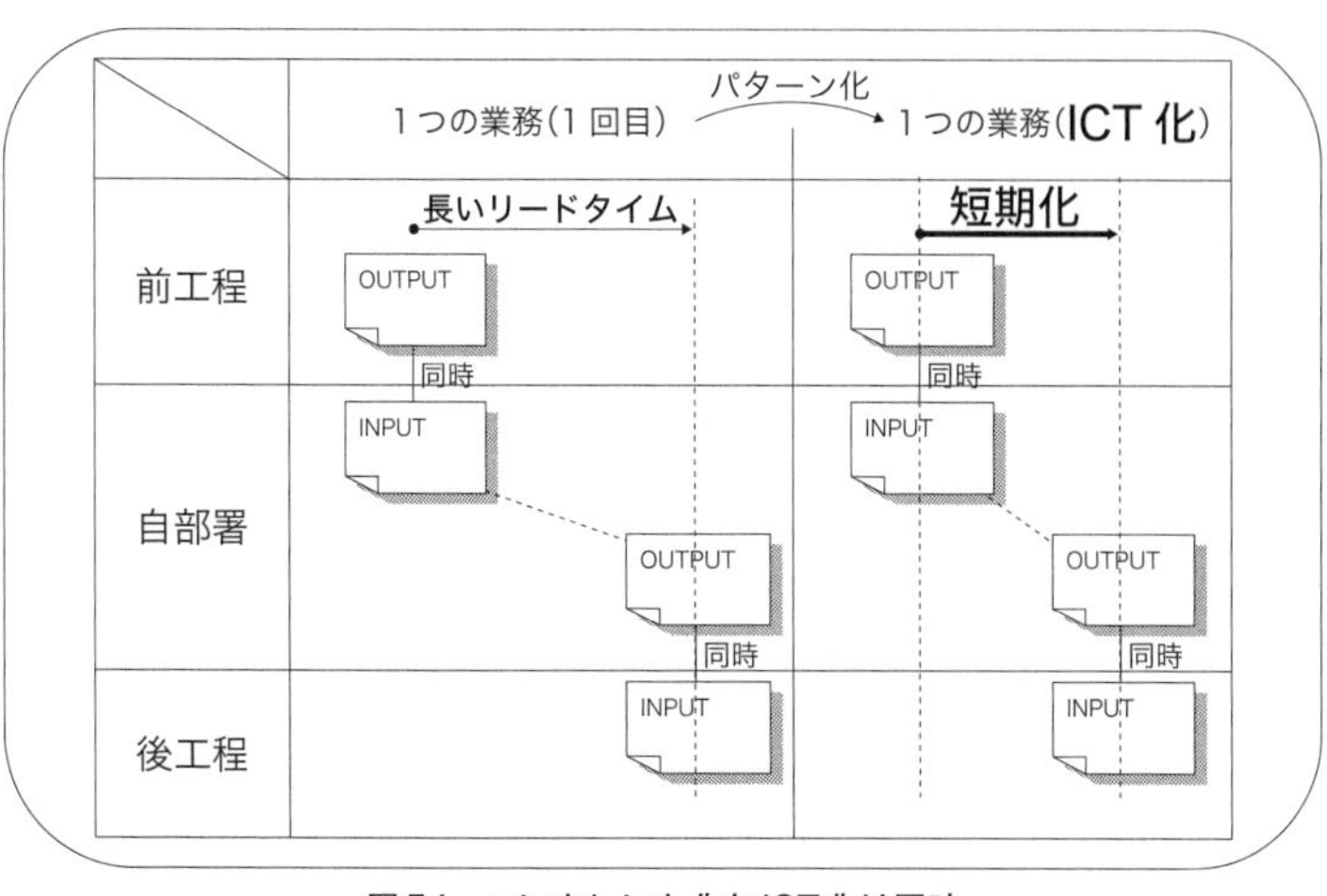

図54　コンカレント化とICT化は同時

を蓄積し、標準化と自動化を繰り返す。

【解説】

業務を細分化し、ＩＣＴ化することで、前工程のアウトプットの一部をそのまま、自部署でのインプットデータとして活用できる。これまでのように未確定な情報であるかどうか頭の中に記憶として留め、それに基づいて後工程へ情報を流すプロセスとは全く異なる。インプットをベースにして、まだ標準化されていないことや自動化されていないことを推進する。自部署のアウトプットが出せるまでの間はこれまでと同じ時間が必要であるが、少なくとも、細分化されＩＣＴ化された業務は効率的になる。このように、ＩＣＴ化は業務の標準化の進度を表しているものである。したがって、マネージャーは管理点が明確化できるようになる。ＩＣＴ化が進んでいない業務は多くの改善点を持つ無駄の山になっているということを知っておこう。企業のエンジニアリング力とは、これらのＩＣＴ化進度で読み取ることができる。

2　ＩＣＴ化は生産技術の仕事から始める

ＩＣＴは業務改革ツールである。業務改革のニーズの高い生産技術部門にその必要性が大きい。したがって、社内のＩＣＴ化は次の点より生産技術部門から始めるのが適切である。

・業務そのものが情報の入手と加工である。
・中間組織であり、製品開発と生産の間のパイプ役。

【役割と考え方】

①業務そのものが情報の入手と加工である

生産ラインそのものは改造により長い期間使う企業が多い。したがって、生産技術の仕事も同じ生産ラインに対しての繰り返しの仕事が多い。製品設計などのように新たな発想で製品の開発を行うことではない。製品開発から開発情報を仕入れ、どのような方法で製品を生産するかを考える仕事である。したがって、情報を生み出すのではなく、加工をする仕事といえる。ＩＣＴの適用に向いている業務である。

②製品開発と生産の間のパイプ役

製品開発と生産現場の意見を調整する役割が大きく、適切なタイミングで、正しい調整を実施することが求められている。その結果として、生産ラインの設計や工程計画を進めることができるのである。調整のタイミングを逸すると製品開発が進み、型などの設計も進む中での製品設計変更を行うこととなり、企業としても多くの無駄をすることになる。したがって、より人間に依存している調整業務（標準化の遅れている）には、人間の仕事を助けるＩＣＴ化が必要であるし、ＩＣＴが活用しやすい業務なのである。

【解説】

生産としては工場運営のシステムと開発プロセス軸でのシステムの2つが考えられる。製品や部品などの加工品質を確認する必要性から、生産ラインや検査工程では品質測定の設備が導入される。多くの測定対象は結果をデジタルなデータとして拾い、精度解析を行うことになる。そのために、品質確認の必要性から情報システムの活用が進む。一方、調整業務の必要性から、製品開発の情報を正しく受け取り、検討を行うためのシステムや、その際に浮かび上がる製品設計上の問題点、生産設備上の問題点、生産ラインにおける問題点などを漏れなく解決する必要性から、課題管理をする仕組みが導入される。これらの課題を適切なタイミングで解決していくために、製品開発から生産までの業務日程を管理する必要が出てくる。製品開発や設計から実際に物を生産開始するまでの期間はあらかじ

①工場管理をスムーズに行う必要性から進むICT技術

・工場運営システム(人、物、設備、工程など)
・生産問題の蓄積システム(品質、コスト、生産性、安全)
・製品検査の測定技術や分析システム

②製品開発調整業務をスムーズに行う必要性

・開発プロセス管理システム
・製品図面検討システム
・業務推進課題管理システム
・生産ライン設計システム
・日程管理システム
・知識管理システム

図55　工場・生産技術でのICT化対象

め決められている。この期間の中で、よい製品設計を促し、生産ラインを立ち上げるには、課題と日程管理をうまく実施することが大変重要である。

3 現場のICT化で比較、競争させる

業務を行うのは社員一人一人である。管理指標として、その仕事の様子をトータルでつかみたい経営的なニーズもある。しかし、現場における管理指標を積み上げて、結果として経営的な指標につなぎきれていない。

- ・現場のＩＣＴ化の必要性。
- ・経営指標として考えるべきこと。

【役割と考え方】

①現場のＩＣＴ化の必要性

自部署のレベル認識や他より弱い点の認識などから課題の構築をするためにＩＣＴ化で比較できる状態にしておく。ＩＣＴ化には自部署と他部署、他ライン、他ショップ、他工場、海外他拠点を数字で比較できるように構築する必要がある。製品や加工の違いなど環境や条件に理由を求め、これらの比較ができていない。つまり、自組織のレベル認識すらできていないのである。比較＆競争により現

場を活性化する必要がある。マネジメントは全体をつかむときだけ、ザクッとした経営指標の現状分析を思いついたときだけにやりがちである。現場の運営に根づいた継続的に把握できる管理指標でなければならない。そのために現場のＩＣＴ化を進めることである。

②経営指標として考えるべきこと

どのような経営指標を捉えていたいか？　その指標がどのようにしたら変化を追えるようになるかを考えることである。企業の中の無駄なＩＣＴ化は、ただ、指標を取りたいがための仕組みだけをつくり、多くの社員にインプットという負荷を与えるだけのシステムを構築しがちである。指標で把握し、アクションをする組織そのものが必要とするＩＣＴ化であるべきである。ただ、足し算するだけの無駄な仕事を生み出すＩＣＴ化はインプットすることだけを仕事と勘違いするものだ。現場の継続的改善のためのＩＣＴ化を実現することが大切である。

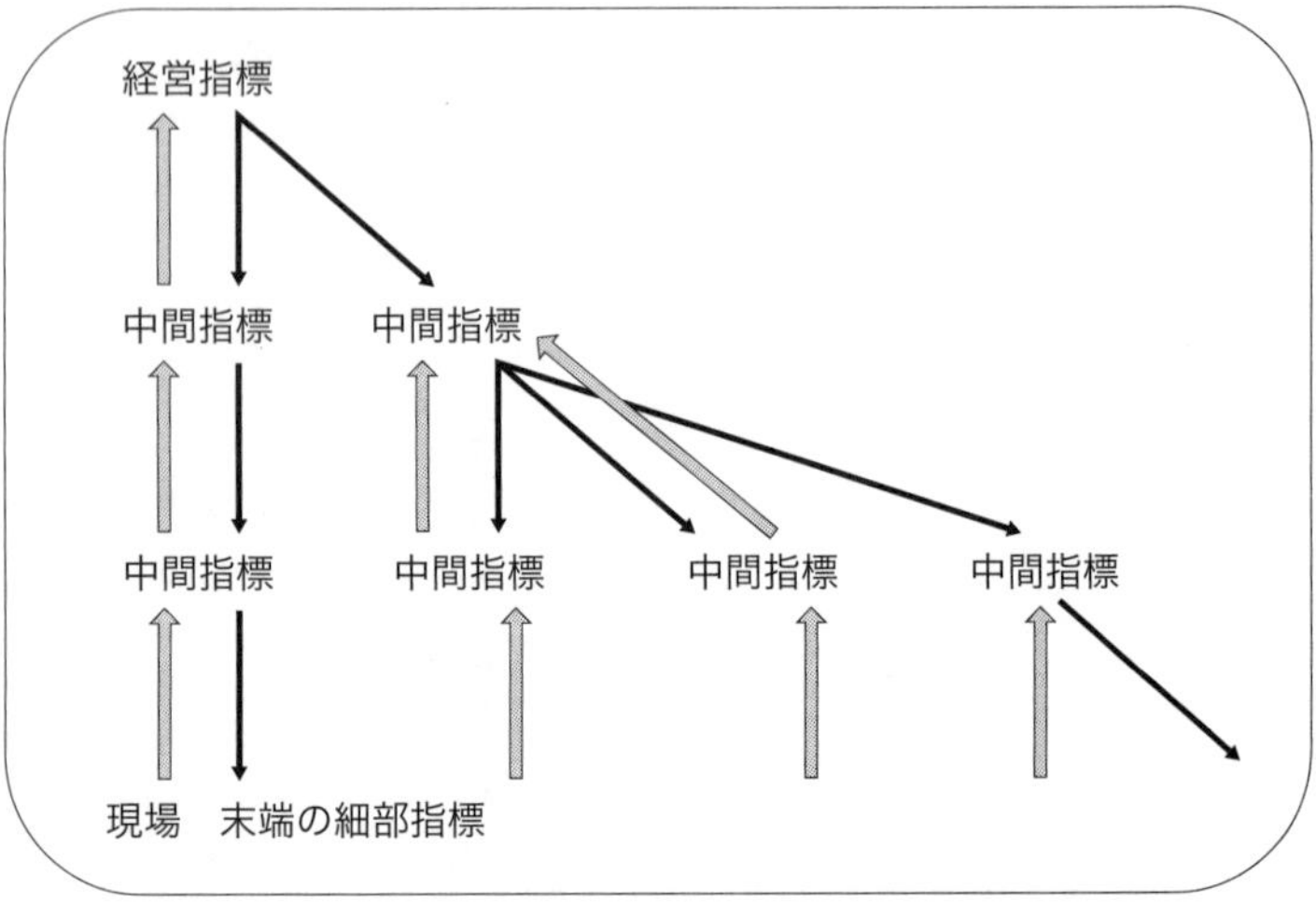

図56　現場から経営指標へつなぐ

【解説】

経営指標をリアルタイムにすべて把握するには全組織に対し、ＩＣＴ化を推進しなくてはいけない。どこかに重点指向して問題を解決することが経営的に重要である。多くのことにおいて、どのような経営指標には、どこの組織の影響度が高いかは経験的におおよその数字がつかめている。通り一遍なＩＣＴを導入し、正確なリアルタイムなインプットを行わせても、現場にとっては余分な仕事が増加するだけである。それよりも、データを集めたい人の効率化よりも、入力する人の無駄が圧倒的に大きいシステムとなる。それよりも、指標の影響度の高い部署に重点志向し、その組織の業務を改革する目的でＩＣＴを運用させ、結果として経営指標が得られるようになる方が得策である。この組織が効率化すると次に影響度の高い組織を改革していけばよい。上位システムから末端の指標に下げることは不可能である。上位システムは現場が分かっていないシステム仕様となっている。コンピュータの得意な加算処理で現場からＩＣＴ化は構築していくものである。

4　ＩＣＴ化は人手作業現場から着手する

製品の製造ラインは多くの場合、人手による作業が多い。あるいは、設備でも人の操作によるものが多く、完全自動の生産ラインは少ない。この生産ライン現場においてＩＣＴ化のニーズと例を述べる。

・人手作業ラインのＩＣＴ化の必要性（工場）。
・人手作業ラインのＩＣＴ化の必要性（生産技術）。

【役割と考え方】

①人手作業ラインのＩＣＴ化の必要性（工場）

生産ラインは市場の需要変動に伴って、生産量が変化する。そのために、そこで行われている作業者への作業量は変化する。変化しないのは設備の加工時間である。このときの必要性として、作業者へ割り当てる仕事の内容を紙で指示している企業が多い。しかし、そこには作業配分の漏れがあり、配分計画策定に時間がかかる。頻繁に行われているがＩＣＴ化されていない。人手作業ラインへの仕事の指示は設備への電気的指示ではなく、やはり人による指示である。人のいるところには無駄があるものである。現場監督者による計画が主であり、その内容は現場に任せすぎている。そのため、作業量の適切さや最適性などの科学的な研究が不足している分野でもある。

②人手作業ラインのＩＣＴ化の必要性（生産技術）

生産設備やラインを計画するエンジニアは、これらの現場の作業をほとんど把握できずにいる。そのため、大きな計画を行って、後は現場組織に依存した仕事をしている。このために、製造業の生産技術のエンジニアは、ハードに強くても、生産ラインの最適なシステムを考える力が不足している。現場を知らないエンジニアには全体のシステムを考えることができない。人が多く働く工程は情報伝達も作業も自動化候補である。

【解説】

図には現場の作業が紙に書かれている。その作業は縦に記述され、横方向にはどのような製品型式に何の作業を行わなければいけないかを記述したものである。もともとの紙に書かれた状態をそのまま運用がスムーズになるように、ＩＣＴ化したものである。

このＩＣＴ化の導入により、現場の作業のデータがデジタル化された。この結果、要素作業名がよく分からない、作業時間が適切なのか。作業の組み合わせがよいのかなどの多くの意見が出され、課題が顕在化する。

この顕在化した課題を解決するために作業名、作業時間、作業組み合わせの考え方などの検討がなされることとなった。その結果、標準化が実現されることとなる。

この標準化検討に生産技術のエンジニアが関わることになり、生産現場の運営についての形式知化が進む

工場	w
ライン	2
車種	
組ライン名称	1G 前半
工程	1
工程名	右フード
工程位置	11-R-2-()

	旧	動	No.	作業名	時間	R 4SF	R 3SF	R 3SG	L 7AF	L 5SF	R 7AF	R 5SF	R 3SF	R 3SG	L 7AF	L 5SF	L 3SF	L 3SG	R 3S.GT	L 3S.GT	5SF	3SG	3SG	3SG
12																								
14			001	指示票確認 .部品取出し	5.0	S	S	S	S	S	S	S	S	S	S	S	S	S	S	S	S	S	S	S
15			002	集中指示ﾋﾞﾗ準備 .仮置き	10.8	S	S	S	S	S	S	S	S	S	S	S	S	S	S	S	S	S	S	S
16			003	右ﾌｪﾝﾀﾞｰｶﾊﾞｰ取付	2.9	S	S	S	S	S	S	S	S	S	S	S	S	S	S	S	S	S	S	S
17			004	右ﾌｰﾄﾞﾎﾞﾙﾄ外し（2本）	6.8	S	S	S	S	S	S	S	S	S	S	S	S	S	S	S	S	S	S	S
18		*	005	指示ﾋﾞﾗ &ﾊﾝｶﾞｰﾎﾞﾃﾞｰｾｯﾄ	2.1	S	S	S	S	S	S	S	S	S	S	S	S	S	S	S	S	S	S	S
19		*	006	Frｳｫｯｼｬｰﾎｰｽ取付	5.9	S	S	S	S	S	S	S	S	S	S	S	S	S	S	S	S	S	S	S
20			007	RH. ﾀｲﾔﾗﾍﾞﾙ搬入	1.8	S	S	S			S	S	S	S					S	S			S	S
21		*	008	LH. ﾀｲﾔﾗﾍﾞﾙ &ﾊﾞｷｭｰﾑﾗﾍﾞﾙ搬入	1.9				S	S					S	S	S	S		S	S	S		
22			009	RH.E/G ｻｰﾋﾞｽﾗﾍﾞﾙ確認 .貼付OPT	3.3	S	S	S					P	P					P					S
23		*	010	RH.ﾀｲﾔﾗﾍﾞﾙ確認 .貼付	3.1	S	S	S			S	S	S	S					S				S	S
24		*	011	防水ｼｰﾙ貼付（2枚）	4.6	S	S	S	S	S	S	S	S	S	S	S	S	S	S	S	S	S	S	S
25		*	012	RH,S/T ﾎｰﾙｶﾊﾞｰ搬入	2.3	S	S	S			S	S	S	S					S	S			S	S
26			013	ｷｰｾｯﾄ搬入 ,右ﾄﾞｱｷｰ ＊右ﾄﾞｱ搬入	5.2	S	S	S	S	S	S	S	S	S	S	S	S	S	S	S	S	S	S	S
27		*	014	ｶﾚﾝ Rr ｳｫｯｼｬ ｰﾎｰｽ搬入	6.4	P	P	P																
28		*	015	LB.Rr ｳｫｯｼｬ ｰﾎｰｽ搬入	5.7						S	S	S	S	S	S	S	S	S	S				
29		*	016	RH,S/T ﾎｰﾙｶﾊﾞｰ取付 （ﾅｯﾄ 2,ﾎﾞﾙﾄ 2）	11.9	S	S	S			S	S	S	S					S				S	S
		*	017	RH. ﾀﾞｯｼｭ BKT 取付	9.1	S	S	S			S	S	S	S					S				S	S

作業名と時間

エンジン、ハンドル　グレードなどの仕様マトリックス

図57　作業手順書のICT化実施例

ことになる。これはグローバルな組立ラインで運用されているシステムの一例である。

5　ICT化で言語の壁を越える

グローバルに製品を生産する企業は、海外に生産拠点を持っている。しかし、現地との技術レベルの会話には言葉のコミュニケーション力の限界がある。ここをICTで解決する。

・3Dモデルを活用した製品設計の相互理解。
・専門用語の標準化とICTコード化による言語自動変換。

【役割と考え方】

①3Dモデルを活用した製品設計の相互理解

海外の生産工場において、現地の人がこれからどのような製品を生産するのかを理解しやすい伝達方法が重要である。このとき、各国の言語で形や方法を説明するよりも、図を活用して説明することが理解を助ける。この図の代わりに3Dモデルを画面に表示すれば、どのような作業がどのような品質を保証するために必要かを伝達することが容易となる。

②専門用語の標準化とICTコード化による言語自動変換

企業の中で使われている言葉を整理して標準化することが必要である。海外において、それぞれの国の言葉を使って、日本の言葉を置き換えているが、その置き換えた言葉と意味をグローバルな拠点での言語で企業内標準とすることが重要である。企業は絶えず人が入れ替わり、組織も変化するし、人事異動もある。そこで、統一的な言葉で同じ意味を表現することを守り続けることが必要である。この前提が不足しているとコミュニケーションの無駄とミスが発生する。この守るための仕組みとして、ＩＣＴを適用すべきである。

【解説】

製品開発段階において作成中の図面を理解することは図面に慣れたエンジニアでなければ難しい。その図面をチェックし、生産設備や生産工程における問題点を指摘することはさらに難しい。特に工場など生産を行う製造部門の現場にとっては、生産上の指摘はエンジニアの仕事と割り切ってしまいがちである。しかし、エンジニアが製造部門の見方で生産上の指摘を行うことができないのも事実である。そこで、製品開発段階

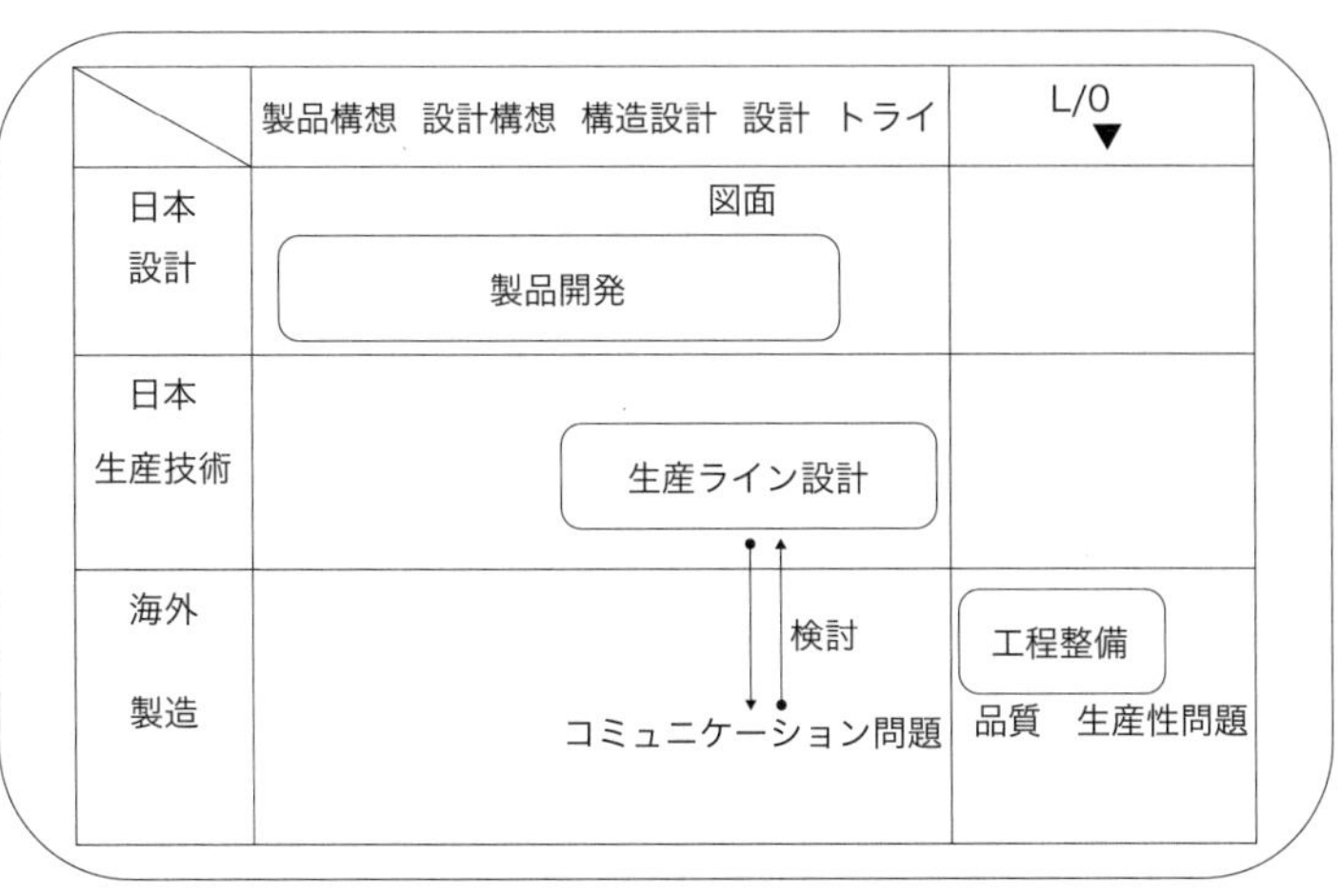

図58　製品開発段階の海外との意思疎通問題

に製造部門の参画をさせるが、ここでの図面を理解するという想像力のいる仕事にコンピュータの3Dモデルの助けを借りるのである。3Dモデルは視覚的に形状を表しているために、海外の現場においても理解が容易となる。同じ理解度から仕事がスタートできることで、理解させるために必要とした時間や、難しい紙図面の理解ミスによる大きな手戻りを未然防止できることになる。

6 ICT化で仕事の品質を揃える

グローバルな拠点や事業体を持つ企業の悩みは、それぞれの拠点ごとに仕事の質に差があり、なかなか全体を同じレベルに底上げができないことにある。このような目的にもICTは有効な道具となる。

- 自己流からの脱却。
- 比較による進歩。

【役割と考え方】

①自己流からの脱却

企業の中での人はそれぞれ同じような仕事のやり方を行っているようであるが、全く同じやり方ではない。それぞれに工夫をし、あるいはショートカットして行われている。海外など遠く離れる拠点では、この細かな仕事のプロセスは見えにくく、結果だけが比較されやすい。時間と場所が離れていても、ＩＣＴにより、仕事のプロセスの見える化と仕事そのものを共有することが可能となる。このことにより、自己流からの脱却を行う必要がある。

②比較による進歩

自己流で行っている仕事は、自分の仕事の質レベルを比較できない。進歩するには他と比較することにより、自分のレベルを知り、足らざるを改善する必要がある。海外など、その文化や考え方に差があっても、拠点間の仕事のプロセスや内容を比較することで、劣っている拠点の問題が顕在化する。そのためには、ＩＣＴを活用し、プロセスと仕事の中身を標準化し、比較するものさしを持つことが必要である。異業種、異組織などと比較することで気づくことは多く、有益である。

【解説】

下図は国内の生産ラインと海外の生産ラインの生産性を比較したものである。国内の生産ラインの方がアウトプットだけを比較すると優っていることで

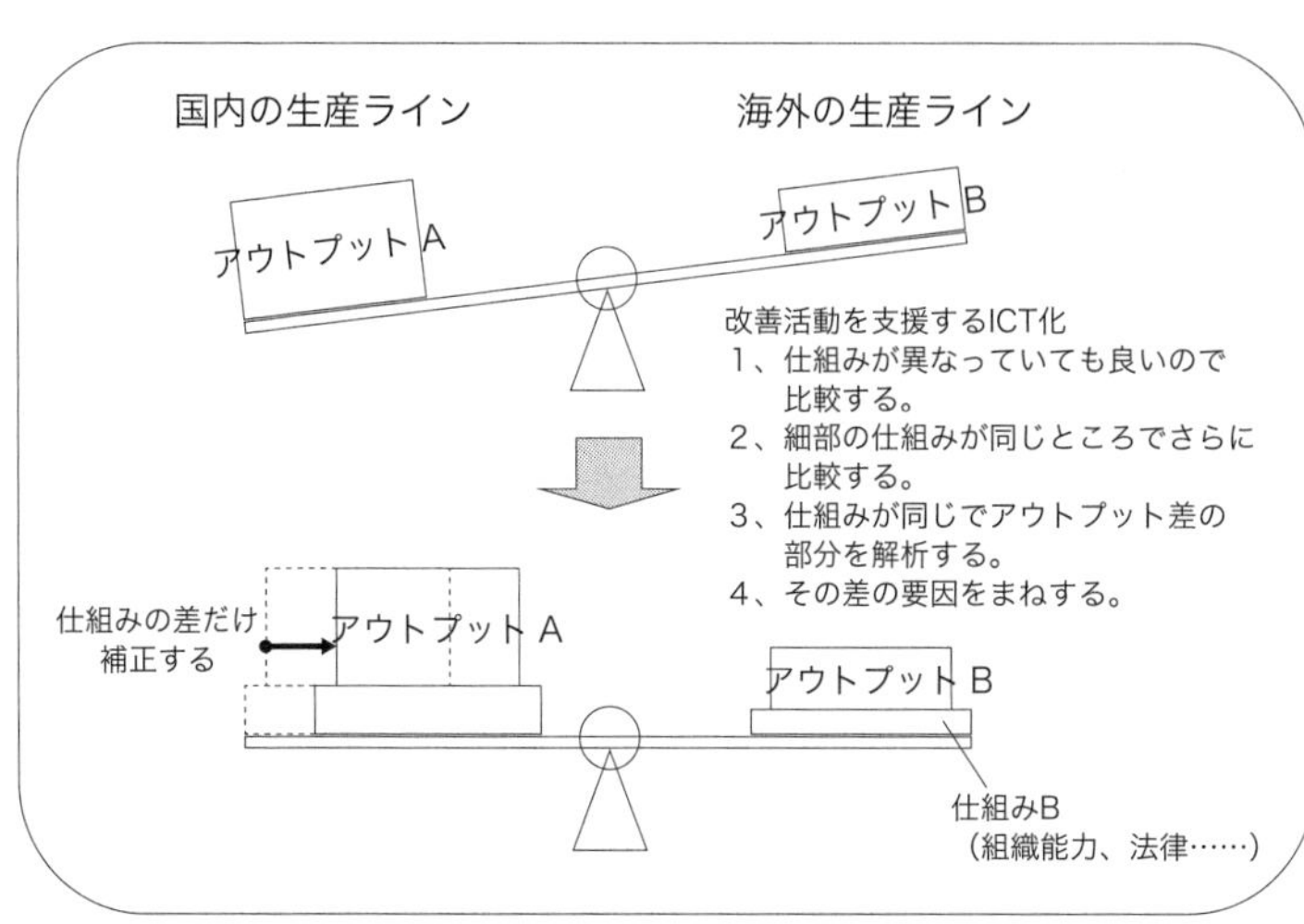

図59　ICT化による生産性比較と補正

あっても、海外の諸事情を考えると生産性が低いかどうかは、解析できていないことを表している。海外では、生産活動のための法律などの制限や組織が新しく未熟であることがあるし、自動化のレベルに差があることなど上の図のように単純に比較することはできない。アウトプットのA、Bは指標を定めることによりデータを取得し比較することは簡単である。しかし、その指標はどのような細部項目の関数であるかは定義を定めないと指標を改善する活動を行うことができない。また、その優先順序も分からない。このように、最終アウトプットの比較から、その改善のための活動にICTを活用し、その細部項目を比較するといったブレークダウンした解析と対策が運営できるように考えることが重要である。

7　3Dモデルによる図面完成度の向上

製品設計者の作成する図面を基に生産を行う。しかし、図面は人の能力に依存して作成されるため、左記の問題点が含まれる。

- ・実現したい機能や性能についての機構や考え方にミスがある。
- ・加工や生産が難しい形状や構造がある。
- ・作図のミスがある。

【役割と考え方】

①図面の検討方法を工夫する

企業の中での人はそれぞれ同じような仕事のやり方を行っているようであるが、全く同じやり方ではない。それぞれに判断が異なるので考え方と評価メジャーを定義し、同じ判断ができるようにする。そのためには関係者間で問題を解決する仕組みをつくり判断を一致させる。まず、図面作成プロセスと確認プロセスを決めることから始める。次に開発期間に何回か、適切なタイミングを決める。そして問題の摘出に３Ｄモデルを活用し、迅速に図面理解をする。誰でも短時間に計画図面を理解し自部署の専門的な視点から問題を発見できるように工夫することが必要だ。

②図面検討で見つけた問題点を解決する仕組みをつくる

記録も重要であり、問題点を伝えるツールを活用する。連絡帳票を作成し、回答承認ルートを決める。進捗確認会議日程を決め、懸案事項を解決する。ＩＣＴ

DR検討会

3D　CADモデル

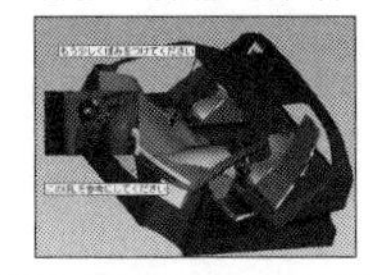

漏れなく
①専門的視点
（組織の役割）
・工程知識
・技術知識
・生産知識
・物流知識
など

正しく（最適結論）
②共通目的視点
（全社的な目標）
・品質知識
・コスト知識
・生産性知識

間違いなく
③検討条件を揃える
（人の差をなくす）
・３面図からの想像不要（形を想像）
・問題の発見が容易
・誰でも参加できる

図60　3DCADの活用の価値

を活用し課題を共有する。フォローし、いつまでに、誰が、何をどのように解決を進めていくかを決定し、その進行管理を行う部署を決める。どのプロジェクトも同じやり方をすることにより、プロジェクトの差を認識し、その差から良い点、悪い点を見つけ、問題解決の仕組みそのものや組織能力を改善していく。このようにして次のプロジェクトに引き継いでいく。

【解説】

従来の2次元に表現された図では、実際の形を想像するのに図面を読む経験が必要であった。しかし、3Dモデルの良さは、誰でも実物のように形状を認識できる点にある。これは、どのような専門部署でも図面を検討することができることであり、人が作成したミスや問題を多くの目で調査するのに必要な基本条件である。形状の認識差が人によって発生しては、意見の調整も時間の無駄になる。

この条件を揃えることで、多くの専門部署が製品図の問題をチェックすることができる。また、共通の品質、コスト、生産性に関する専門部署の関係性や重要性を理解し合い、全体最適な結論を導くことができる。この議論を通し人材が育成される。このように3DCADモデルは製品開発段階におけるコンカレントエンジニアリングを実現する大切な表示手段である。

8 チェックリストによる図面検討漏れ防止

製品図を検討する際に、漠然と眺めていては漏れが発生する。そこで、体系的に漏れなく図面をチェックする仕組みが必要である。

・いつも同じやり方を繰り返す。
・多くの人の目で検討する。
・チェックリストを改廃しながら蓄積と継続を行う。

【役割と考え方】

①チェックリストの整備

企業の中には多くのチェックリストがある。生産技術におけるチェックリストには少なくとも次のものがある。生産現場におけるチェックリスト（生産性、品質など）や生産技術におけるチェックリスト。後者の中には、たとえば、設備に関するチェックリスト、工程に関するチェックリスト、物流に関するチェックリスト、検査に関するチェックリストがある。これらのチェックリストには製品構造についての要求と設備、工程、検査、物流に関する要求がそれぞれ交ざり合っている。チェックリストは組織単位に作成されるものであるため、その組織機能ごとの内容になりがちである。製品の設計を確認するためには、これらのチェックリストの中から製品構造に関するものを製品の機能、部品単位に分類し、整備することが重要となる。

②チェックリストの運用

チェックリストは製品開発ごとに毎回同じことを繰り返しチェックすることに意義がある。検討漏れを防止する。それがチェックリストの役割である。かつ製品開発後に見直しをすることも重要である。

【解説】

チェックリストは過去の問題・対策などを具体的に書き、要件はその事例を一般的な技術的記述に整理したものであり、事例の標準化である。チェックしたことの記録を残す。図面は変化していくので時期とともに問題の有無も変化する。問題が対策された時期、あるいはその後問題が再発したことなどを記録する。問題点も何がどのように問題なのかを分かりやすく書く。寸法など定量的な記入に努めること。製品開発ごとにこのチェックリストを繰り返し活用し、新規問題を付け加えていく。このことで、問題発見の着眼点も増えていく。このチェックリストでの問題点（×）の数量で製品開発における設計の品質を推定できる。事例をすべて記述していくと量も増えるので、標準化するのがよい。チェックリストは抽象化していき、最終的にはコンピュータ内にロジックを作り、チェックの自動化を目指さないといけない。自動化できないチェック項目はまだ曖昧性のある知識である。

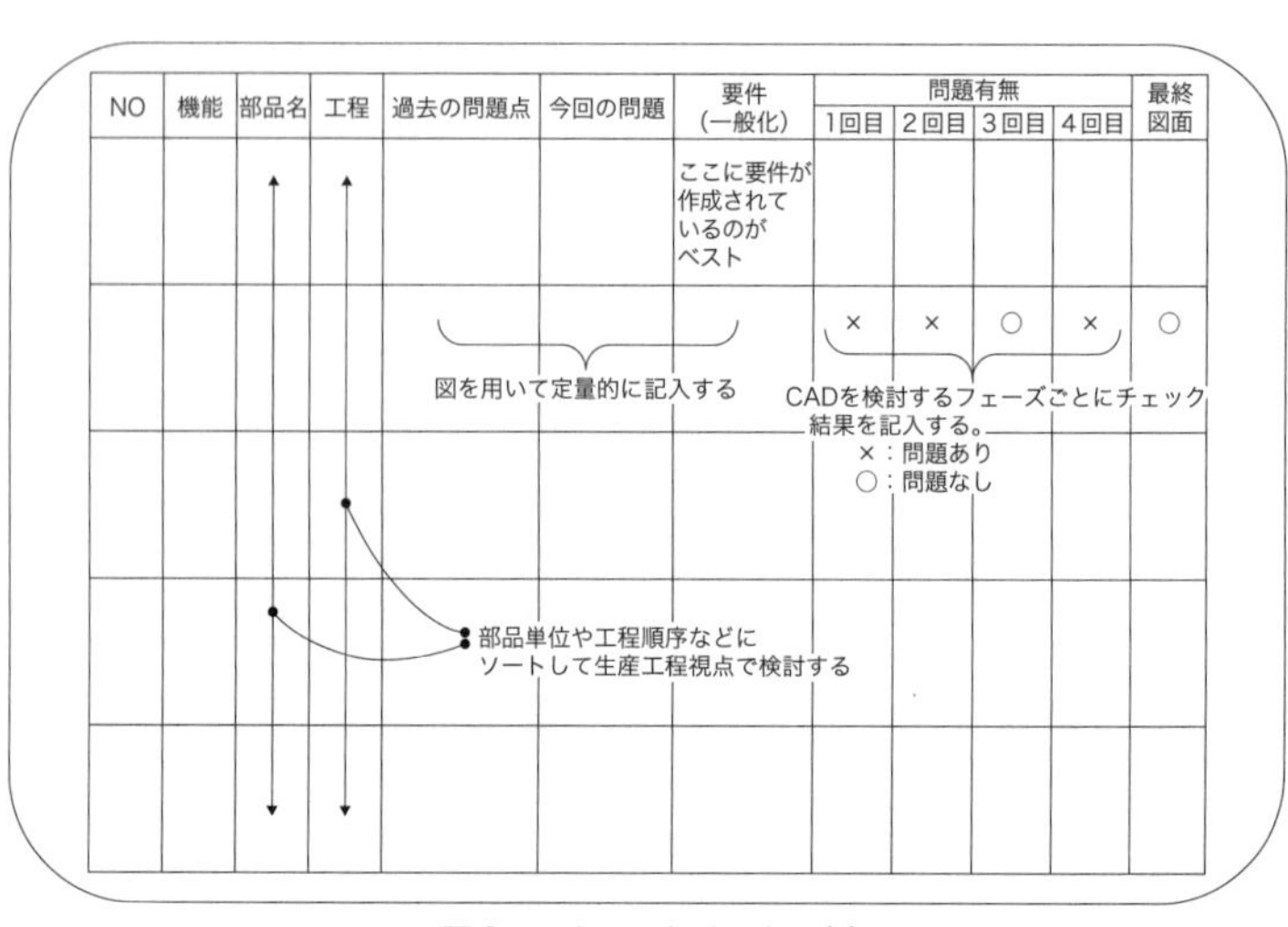

図61　チェックリストの例

9 生産ラインの3Dモデル化の価値

製品図を作成するにもCADが活用されると同様に、生産ラインのモデル化もコンピュータで行われている。この価値と有効性について考えてみることが管理者に必要である。

・生産ラインの3Dモデル化の価値。
・3Dモデルの効果がない領域。

【役割と考え方】

①価値のあるモデル化をするには

モデル化の目的は大きく2つある。1つ目は生産ラインをモデル化することで、製品開発と生産工程設計を同期化するために行われる。2つ目は生産ライン設計におけるミスの防止である。製品開発と生産工程設計の同期化とは、生産ラインを3D化し、その生産ライン内に開発中の製品モデルを投入することで、生産ラインにおける設備の問題点を抽出することにある。この問題抽出は、物理的な形状の干渉問題として自動検出されるために、製品設計との同期化として有効である。2つ目のミスの防止は、生産ラインの設計において、周辺の設備などとの干渉などの単純なミスを防止するために用いる。

②効果のない領域とは

これらの3Dモデル化の効果は、生産ラインの機械化が進んでいる場合によく現れる。生産ラインが複雑な動きをする設備で構成されているか、あるいは機械が複雑に配置されているものに適する。3Dモデル内での物と物との干渉問題を解決すれば生産ラインの設計ができてしまうラインに向いている。人手の作業ラインのような、日常的に配置が変更となる領域にはモデル化しても、内面的な生産ライン問題を発見できるわけではないため、組立工程のモデル化は効果がない。

【解説】

生産ラインは工程単位でその計画がリピート設計できるとよい。リピート設計は品質や効率面で優れた方法である。そのためには、生産工程内での設備、周辺設備、それぞれの動きなどが標準化されていなければならない。同じく部品についても生産工程での設備に対する位置決めや向き、あるいは投入軌跡

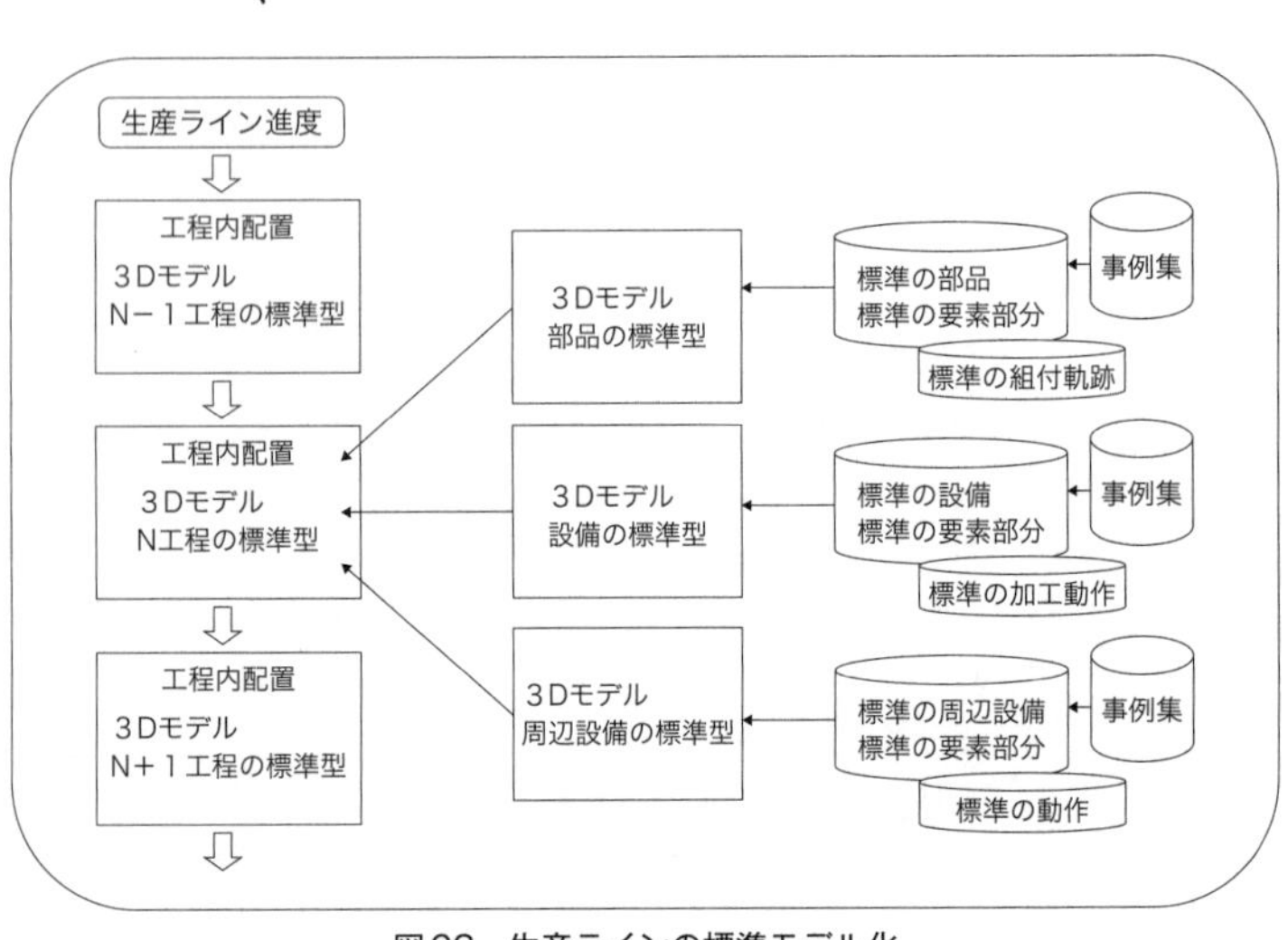

図62　生産ラインの標準モデル化

なども標準が決められている必要がある。これらの標準化とは、実際の生産工程単位の事例を集め、その中から最適な設備仕様や工程内配置を決めることである。この3つの部品、設備、周辺設備の標準（複数）から選択を行うことで、特定の製品に適切な工程モデルを3Dで設計することが理想的な方法である。単なる生産ラインのモデル化は生産ラインの干渉問題は分かるが、生産ラインの思想を守る設計には役に立たない。

10 製品設計に必要とされる構造設計CAD

近年、多くの設計者は製品図作成に3DCADを活用している。しかし、この3DCADには本質的な機能が不足していることを知るべきである。

- ・設計用3DCADの問題点。
- ・本質的に必要な機能。

【役割と考え方】

①設計用3DCADの問題点

設計用3DCADの問題を知り、適切に活用する場合において多くのCADはモデリングソフトであるということを認識すべきである。基本的な設計構想を練るには2DCADで十分である。2Dは視覚的にも基本設計意図を認識しやすい。3DCADを活用すると、設計者には構想を練ること以外に、コマンドを駆使したモデル化が必要となる（形を表示させるための操作が必要となる）。この操作にかかる時間は意外と工数が取られる。気がついたら、モデル化で1日が終わったということもある。したがって、生産性は低い。

②本質的に必要な機能

本来設計とは機構・運動など工学的な要素を形と両立させ、目的の機能を作り出すことである。計算と形の修正、機構の修正などをスピーディに処理する設計支援システムが望まれる。現在、これらの機能はそれぞれ単独にシステム化され、それも部分的に提供されている。うまくつなぎ合わすこともできないため、機構と作図と計算の処理を行う間にデータの整合性を修正する手作業が入りこむ。基本設計を考えながら、その結果としての形状を自動的に表示する設計CADの出現に期待する。CADの多く

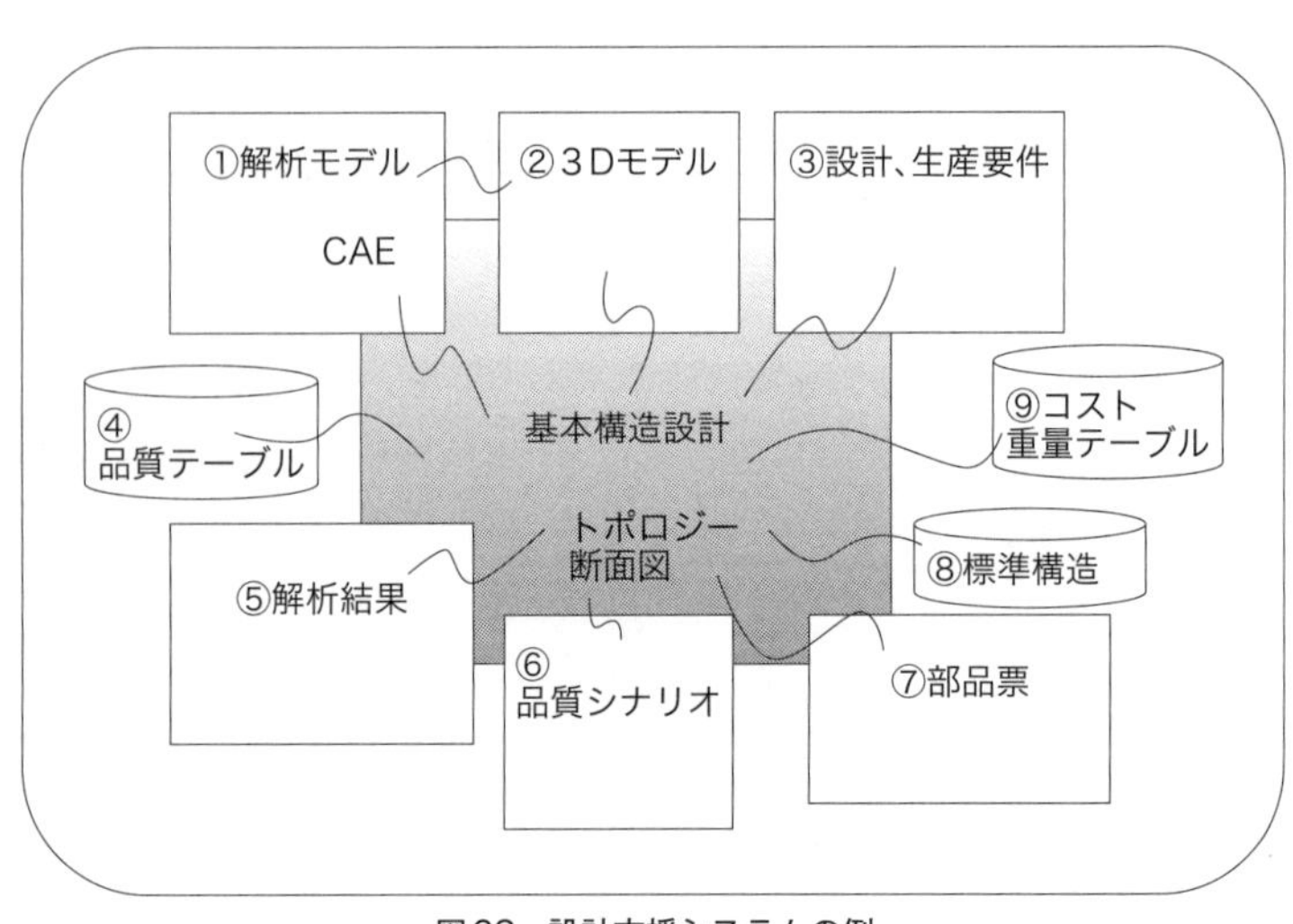

図63　設計支援システムの例

はモデリング用であり、リピート設計などでのデータの再利用で役立つ分野に適用すべきである。

【解説】

基本構造設計は基本断面の作成をして、その結果で3Dモデルを作成する。あるいは3Dモデルの修正から基本断面に反映する。3DモデルはCAE用のデータを生成し、CAE解析結果を設計者は即座に確認することができる。その結果により、3Dモデルを修正し、改めてCAE解析を行う。構造設計から部品表が生成される。部品表にはコストや重量テーブルから求めた結果が合わせて表示される。この部品表を自部署の分類に合わせてソートし、自部署のコストや重量の管理目標との差を表示することができる。構造設計から目標とする品質シナリオが作成され、その公差から整合性の確認が計算される。構造設計において、作成する際は標準構造から選択を行い、設計要件や生産要件のチェックを行いながら設計を進める。このチェック結果は管理者も見ることができる。それにより管理者あるいは検図者は重点的なチェックを行うことができる。

11　エンジニアリングに必要な部品表

多くの企業には製品の構成を記述した部品表がある。しかし、この部品表は仕入先へ部品をいくつ発注するかを表現することを目的としているため、エンジニアリングには使えない。

・設計の作成する部品表とは。
・エンジニアリングに必要なものとは。

【役割と考え方】

①設計の作成する部品表とは

設計者は製品設計を完了した後に、その製品の構成を部品表に記述する。もちろん、設計途中でも部品の構成を考えているが、最終的に完成するのは製品設計が完了した後である。これらの部品表の目的は、製品を完成するために必要な部品名と数を示したものである。その中には部品のサブアッシー単位と、その構成も意識されたものでもある。あくまでも、調達のための集合形態と数に重点を置いた書き方である。

②エンジニアリングに必要なものとは

生産技術などのエンジニアにとっては、数よりも、その品質やコストが重要である。そのために、検討の単位に合った書き方であることを求めるのである。

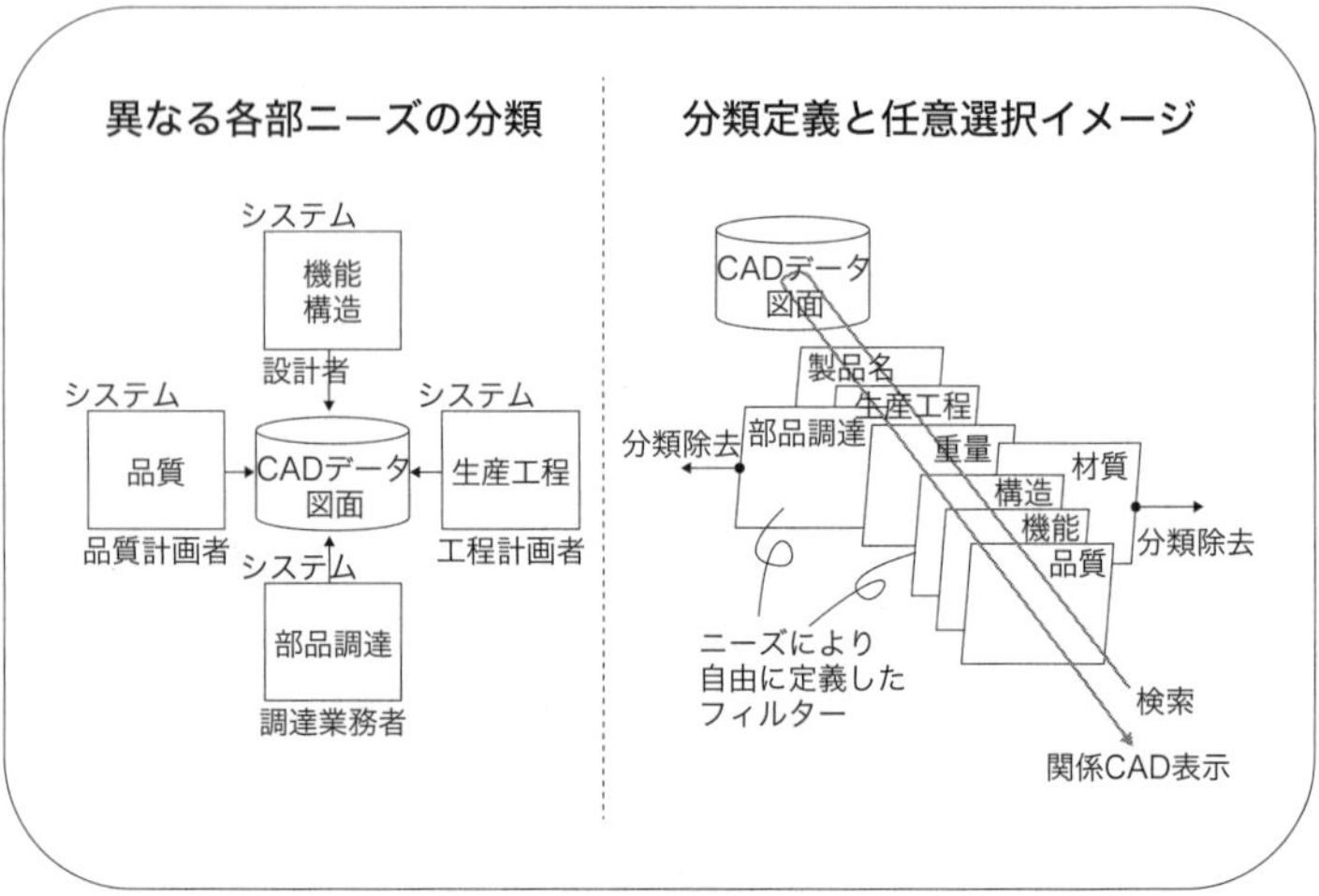

図64　自由な分類定義イメージ

どのような品質を守れるかは、その品質を生み出す構成部品単位に部品を集め、検討する。その品質単位に組織も形づくられることも多い。しかし、作成される図面も部品表の単位になる。したがって、エンジニアは関係する部品を部品表から抜き出すのに苦労する。このとき、品質の関係機能単位や生産工程の単位に集めるなど、異なる分類体系で製品図を瞬時に収集できることを望んでいる。

【解説】

ＰＤＭ（プロダクトデータマネジメント）という言葉がある。これはたとえば製品の構造的なモデル化である。解釈はまちまちであるが、１つの最小部品で考えるとその部品の持つ属性であり、一般的な特性として属性が標準化されたものである。その部品の性質などを表したものである。ある製品品目（自動車、テレビなど）内で考えると、その構成部品を複数集合させたサブアッシーにも、標準的な属性がある。

同じく、生産ラインにおいても設備や工程などにモデルがある。生産ラインと製品のデータモデルは関連性があるが、違う構造をしている。しかし、それぞれが自由に構造定義（分類）はできても、仕事の同期化には、製品の構造変更に対する自動的な変化が生産ラインの分類の中で読み取れる必要がある。その意味では、仕事の内容により、各部署が欲しい分類体系に対応できる機能を有しかつ、全体の内容は一致していることが保証された仕組みが必要である。各部署の持つＩＣＴシステムはこの分類体系が一致している必要がある。なお、部品表にはすべてのものづくりに必要な中間品や準備作業などの加工プロセスにおいて発生する記載がない。ＥＢＯＭとＭＢＯＭは一致することはないのである。ＭＢＯＭは生産の中で改善により変化するものでもある。

第4章　同期化しても仕事の質を下げない工夫

1　品質設計は生産技術の責任が大きい

品質は長年の生産活動の中で結果として、その実現可能なレベルを認識している。生産ラインで出せる品質を意識して製品設計を行う。しかし、近年の高品質化ニーズに対し、生産工法を変えて対応する必要性が出てきた。

- ・生産ラインでの適合品質とは。
- ・品質設計とは。

【役割と考え方】

①生産ラインでの適合品質とは

同じ品目の製品を設計、生産している企業においては、設計者は従来の設計をリピートして設計することが多い。それは、その設計が生産ラインで実績があり、市場でも問題がないからである。これは製品設計と生産との間に長年の品質実現を調整してきた結果として工場の工程能力をベースに決定されているからでもある。しかし、同じ品目の製品であっても、ワンランク上の品質レベルを実現する必要性があるときもある。このようなときには、これまでの生産工程の能力をワンランクアップする必要があるが、これには設計、生産両者の協力が不可欠である。

②品質設計とは

品質設計とは、生産ラインや市場で品質問題が発生しないための設計を行うことである。世の中にはFMEAやDRBFMなどがある。しかし、どのような方法を用いても、設計と生産が両立しないと品質のよい設計は実現できない。初めて経験する製品構造の場合は、生産ラインで工程能力がどのくらい実現できるか未知数である。このような場合に、生産ラインそのものも品質設計されないといけない。

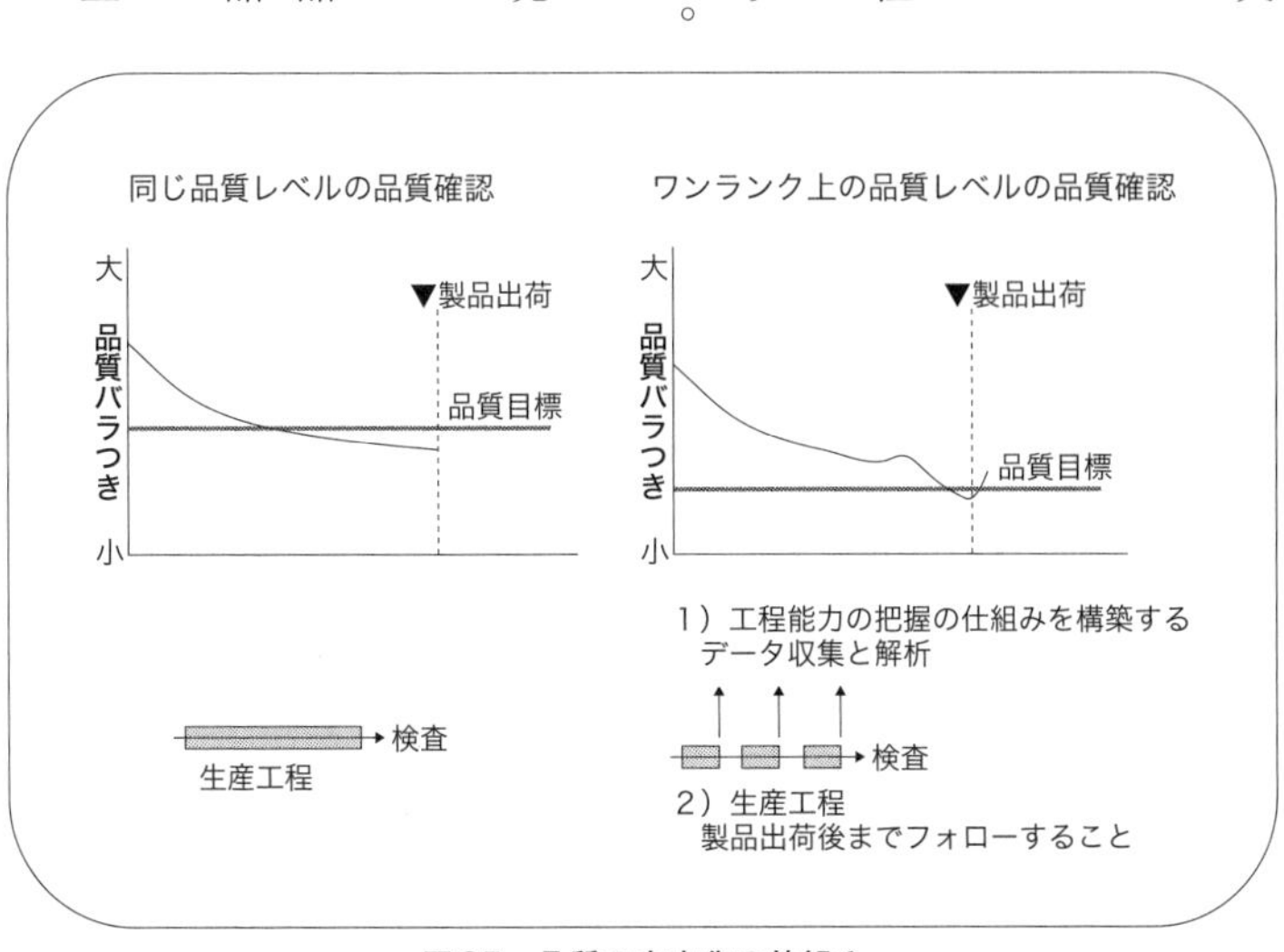

図65　品質の安定化の仕組み

たとえば、生産ラインにチェックポイントを設定し、品質実現に影響のある因子を定量的に捉えられる仕組みを必要とする。

【解説】

同じ製品品目を継続的に機能やデザインを向上させて出荷する場合は生産中の工程能力（品質バラツキ）を目標に製品設計も行われる。生産ラインは徐々に製品の品質が安定化し製品出荷までには目標の品質が達成される。しかし、品質のバラツキを前ページの図のように小さくさせることが必要な設計構造の場合には、製品出荷後も品質が不安定となる可能性がある。その対策を速やかに行うために、製品出荷前に生産工程の個々の工程にて品質特性を定め、特性値のデータ蓄積を行っていることが必要である。この期間における各工程の蓄積データは製品出荷後の品質安定化の条件や不良発生時の対策のよりどころとなる。このように工程内に品質モニタリングと対策の回る仕組みを構築することにより、次の製品設計における品質設計の確からしさを向上させることができる。

2　ロケット打ち上げと同じ製品立ち上げ

生産ラインでの品質確保活動は多くの場合、生産ライン内における工程内不良の削減活動である。この考え方を変えていく必要がある。

・一発合格。
・品質のコミュニケーションの実現。

【役割と考え方】

①一発合格

一発合格とは、製品の初品が生産工程内に何も問題なく流れ、製品検査で合格となり、そのまま市場に出荷できることである。一般的には、このような直行は難しく、どこかの生産工程で不具合が発生し、それを手直しして、製品検査が合格となることが多い。しかし、ロケットの打ち上げはそうはいかない。一発で成功しないと多大な投資を無駄にしてしまう危機感がある。多くの生産ライン関係者は、少しずつ目標品質に近づいていけばよい（直行率が向上していく）と考えがちである。

②品質コミュニケーションの実現

製品を一発合格するには、それぞれの工程で、その役割を完全に果たすことが必要である。しかし、工程によっては、難しい目標品質になりがちである。これは工程間で、共通な品質目標を実現するための議論が不足しているからである。お互いの実現性を技術的に認識し合うコミュニケーションが不足しているのである。このようなコミュニケーションが不足すると、過大な投資をかけながら目標品質を実現できない不安定な工程を設定してしまうことになる。製品品質実現のために、合理的な工程品質目標に配分するコミュニケーションをマネジメントすべきである。

【解説】

下図は、代表的な自動車の生産工程を図示したものである。最終製品が完成するまで多くの工場で部品が生産され、1台の車となりお客様の手に渡っていく。1台の車を構成するすべての部品がよい品質でなければ車を完成出荷させることができない。そのためには各工程間で品質に関する約束（規格値）が守られていることが必須となる。異常の場合の発見が、迅速かつ即座に発生した工程に伝達されることが必要である。品質のコミュニケーションとしては、まず、この品質伝達の運営がオープンで迅速であることが最低必要なことである。しかし、どの工程にどのような異常を伝達するべきかについては、品質計画が網羅的に行われていなければ不可能である。生産現場の品質コミュニケーションを実現するには製品開発段階での品質計画業務において設計・生産技術が品質確保のための心配点を出しつくし、品質確保できるシナリオと対策を行った記録（データ）を生産工程に渡すことが必要である。

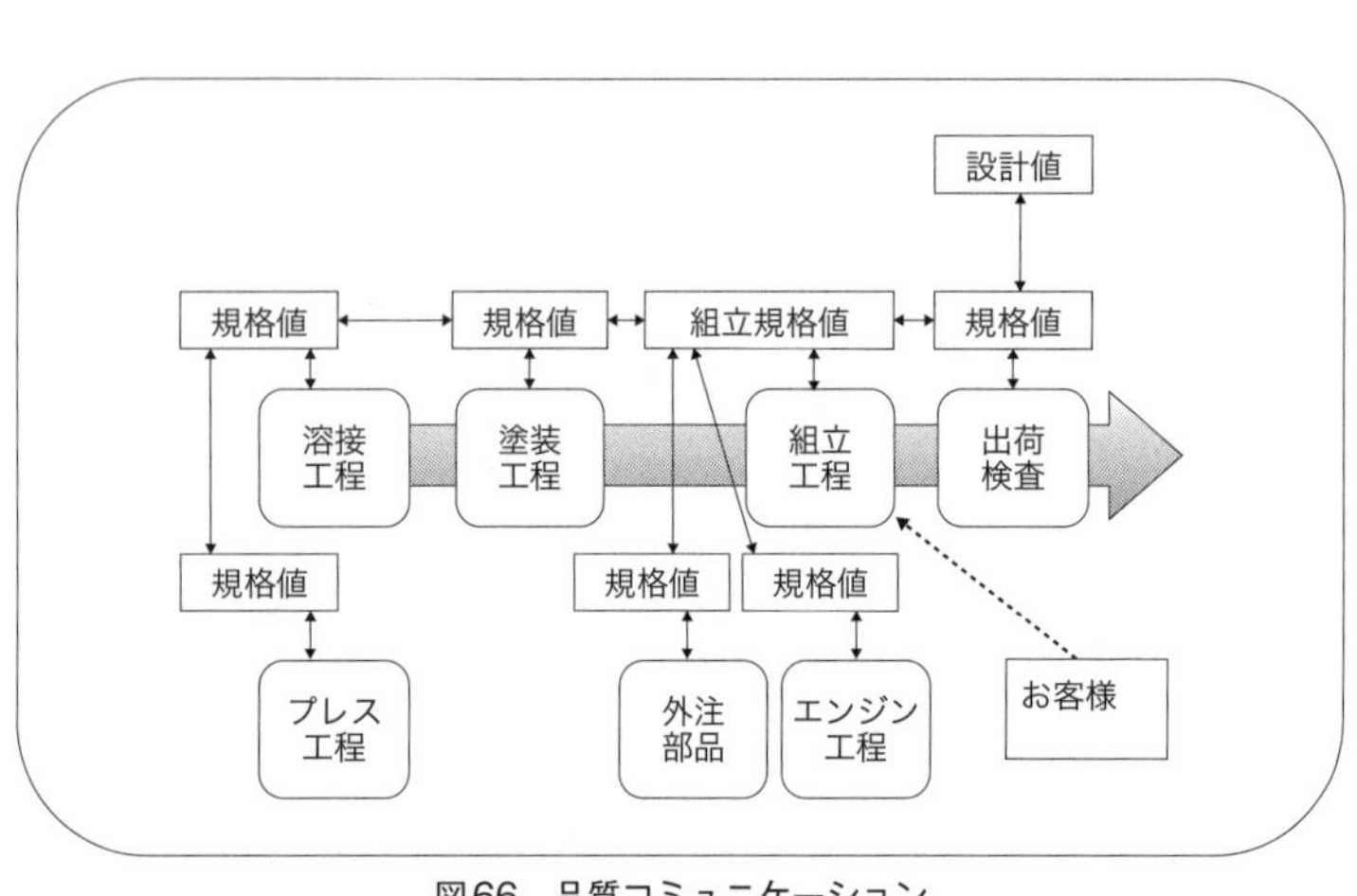

図66　品質コミュニケーション

3　生産技術業務の量を減らす方法

仕事量や種類が多いと仕事の質は低下するものである。生産ラインの効率化と同じように、エンジニアリングの効率化を図り生産性の高い仕事ができるようにする。

・エンジニアリングの生産性向上。
・生産性向上と仕事の質。

【役割と考え方】

①エンジニアリングの生産性向上とは

仕事の評価は、単位時間当たりの仕事量とその質である。これは生産ラインの生産性と同じである。しかし、近年、このエンジニアリングの生産性向上を掲げている企業は少ない。昔は業務改善活動と呼ばれ活発に行われていた。この活動には標準化が図られ、標準書類の見直しも頻繁であった。少子化、団塊世代の退職、グローバルなコスト競争など製造業においても、エンジニアリングの生産性を高め、コスト競争力をつけなければいけない時代となった。

②生産性向上と仕事の質

生産性を向上させるには、短い時間で多くの業務をこなす必要がある。そのためには、仕事を標準化することが第一である。地味な仕事ではあるが、このことがICT化の時代になり改めて必要なことになってきた。仕事の質を向上させるには、ミスを減らすことへの取り組みや、手続きの標準化、判断の標準化を行うことが必要である。ミスを減らすことは、標準化の取り組みとつながっていくものであるが、ミスをした原因を調査し質を向上させることがその狙いである。仕事とは本来生産性向上と質向上を図ることである。

【解説】

下図は生産技術における業務量全体を表したものである。生産技術の仕事は製品を構成している部品数と1つの部品を完成するのに必要な工程数の掛け算合計である。標準部品を多く活用すれば、生産技術の仕事は減少し、仕事の品質も向上する。しかし、標準部品を大きく採用できる品目の商品は少ない。標準とはボルト、ナットなどの要素部品くらいである。多くの種類の品目に共通で使用できることが一番よいが、なかなか難しい。せめて企業内での同一品目を共通化の範囲として標準を決める

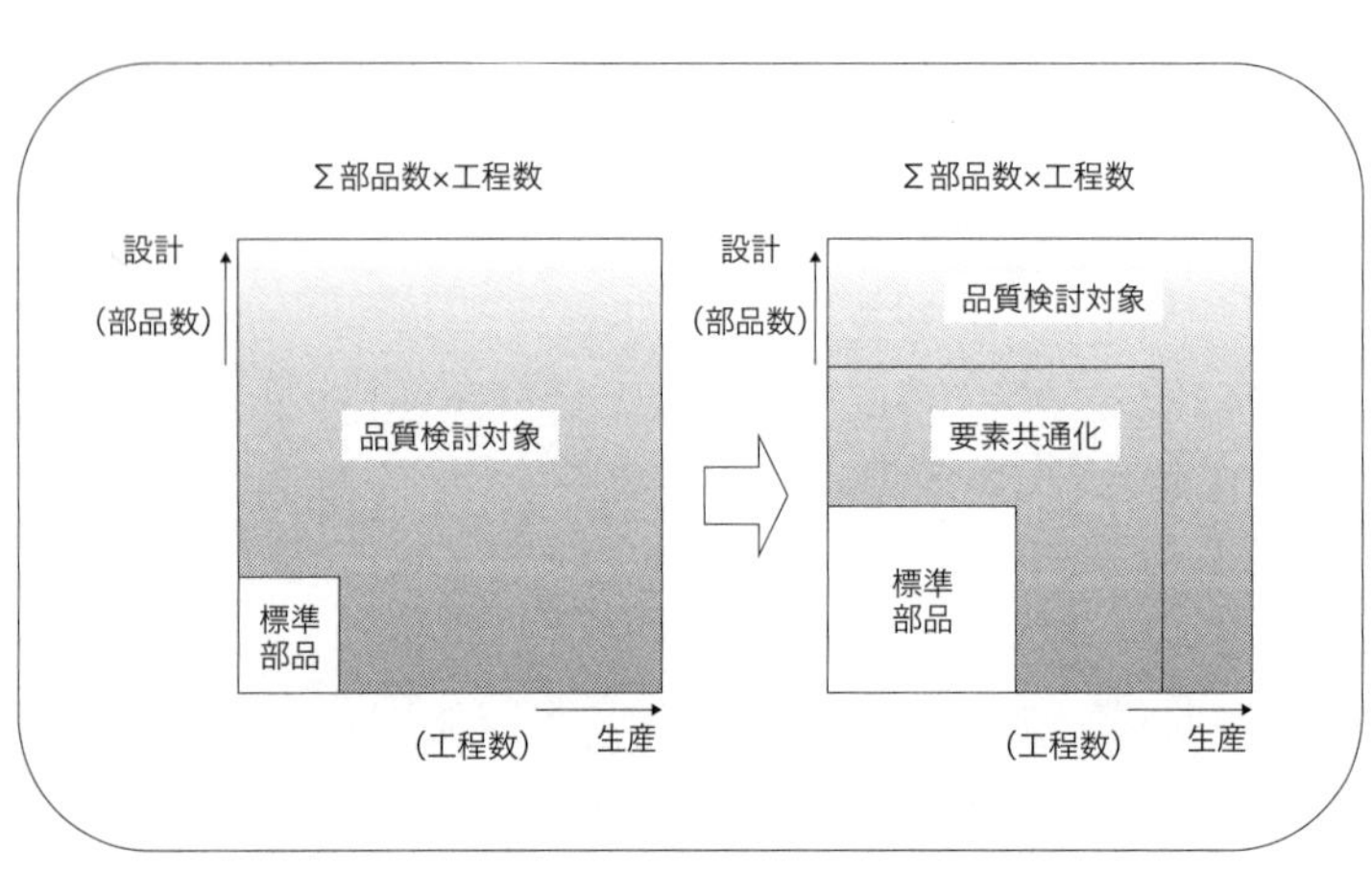

図67　業務量の定義と削減

ことが精一杯である。この図はその標準部品を部品単位ではなく部品の要素（部分の加工構造）に着目して標準化を推進し、部品数、工程数を減らすことを表現している。要素に着目するとまだまだ、メスの入っていない標準化の対策が見えてくるものである。

4　要素の標準化

標準部品などの活用を増やすことはなかなか難しい。しかし、前に述べたように要素ならば可能である。

・要素の標準化とは。
・要素の標準化のメリット。

【役割と考え方】

①要素の標準化とは

要素の標準化とは生産技術的な視点と言い換えることができる。たとえば同じ作業を繰り返し行う作業者と、いろいろな種類の作業を行う作業者とは、仕事の結果の品質も生産性も前者の方がよい。製品加工においてその加工法が同じであれば、加工工程は安定化する。製品の構造においてボルト1本でも同じ品番で、同じ締結構造、材料であればその締め付けは安定化する。製品の構造の中で要素を定義し、同じ目的のための設計構造を全く同じ構造にすることを要素の標準化という。

②要素の標準化のメリット

製品設計の中で要素が標準化されると、設計はその部分においてリピート設計となる。それにより生産技術における工程計画がリピート化できる。条件の異なる設備を複数導入する必要もなく、生産ラインでは設備の保全の複雑化を避けることができる。日常管理も変化させなくて済むために、常に安定した工程能力を維持することができる。企業全体として計画も生産もリピート化される。

【解説】

どのような製品でも、類似性を見つけることができる。図では板厚、穴径、公差、位置、材質、塗装などを比較整理している。製品名が異なっていても、大きな生産効率から考えると、穴径が同じならば、同じ加工機とドリルで済む。製品の種類が増えても、その構造や要素が生産ラインにとってシンプルになるように制限をすると、品質管理も同じでよいことになる。社内にある製品や部品の類似性を比較調査することが大

		A	B	C
形状		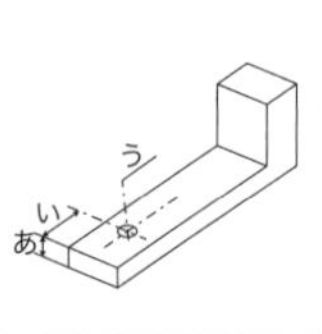	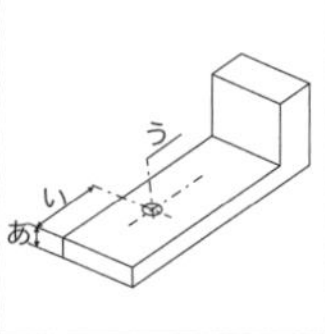	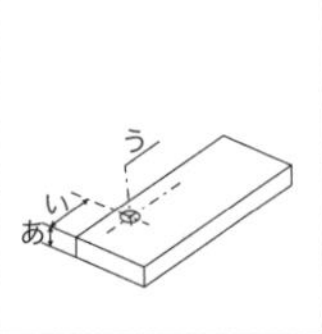
詳細形状	板厚 あ	10mm	10.5mm	10mm
	穴径 う	8mm	8mm	6mm
	公差	±0.1	±0.2	±0.1
	位置 い	50mm	55mm	50mm
	材質	S45C	S45C	SUS
	塗装	あり	あり	なし

図68　部品の類似性の整理

切である。比較した結果、似て非なるものが多いことに気づくべきである。生産ラインにとって、設備や治工具の種類が削減できれば作業や加工の組み合わせもシンプルになる。加工機の段取り替えも減る。そもそも生産計画を立案する業務や材料や部品を調達する業務など、関連業務削減は大きな効果を発揮する。製品設計は、そのときの人や組織で実施される。その人や組織は人事異動により変更となる。新しく設計をすることが設計だと思わずに、共通化をする努力をすべきである。自己流の設計は多大な無駄を継続的に発生させることになる。

5　工程計画早期化の理念

製品開発プロセスの短縮には生産工程計画の早期化が必須である。そのためにはエンジニアの意識のベクトル合わせが大切である。

> ・生産工程計画の早期化の必要性とは。
> ・究極なコンカレントを目指す。

【役割と考え方】

①生産工程計画の早期化の考え方

古い考え方は設計図が出図されてから生産ラインを考える請負主義である。生産ラインに対してQ

（品質）、C（コスト）、D（納期）の責任を持たない後工程任せ主義である。設計図に従って実現手段を考えるだけの開発優先主義である。それに比べ、新しい考え方は、生産ラインを低コストで、高生産性、高品質にするための製品設計を行うことである。製品開発と同期して、生産ライン計画を実施することでもある。生産ラインの問題は製品設計と工程設計を行う生産技術の責任にあることを認識し、製品立ち上げ期間を短縮し、他社より先に、製品の市場への投入を考えることである。生産ラインでの問題に製品設計を原因とすることがあり、生産現場では根本対策が打てていないことを知ることも重要だ。

②究極なコンカレント製品開発プロセスの実現を目指す

工程計画の理想的なコンカレントは次のようになる。

〝製品設計完了＝工程設計完了〟

これを実現するためにどのような取り組みを行えばよいかを考える必要がある。この取り組みで多くのプロセスと自組織の能力の課題に気づくことになる。

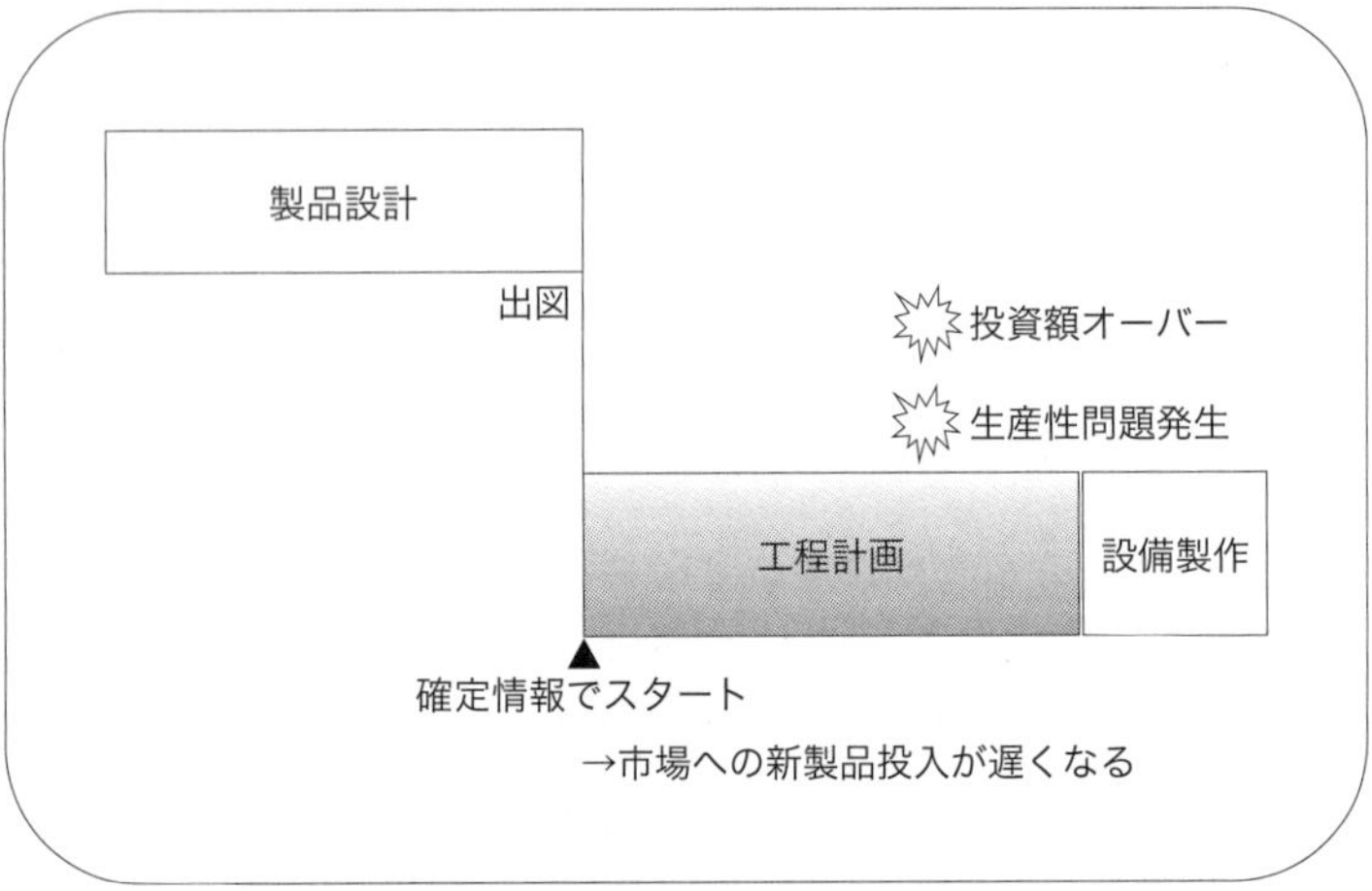

図69　工程計画着手遅れによる問題

【解説】

前ページの図に示すようなプロセスでは、図面が完成した後で、工程計画に着手すると、図面の確定で工程の設計を行うことができる。一見手戻りがなく、合理的と考えがちであるが、次のような問題がある。製品を加工するラインの設計において、従来の生産技術では対応のできない加工方法を開発する必要が見つかり、製品立ち上がりを延期することになる。生産技術開発の研究投資が大きくなり、実際に導入する設備投資もかさむ。生産ラインの工程を大きく変更する必要が見つかり、生産ラインの基本フローを崩す。生産ラインの考え方を逸失する。立ち上がりまでの計画に不安要素が多く、図面を書き直しておけば容易に解決できたであろうことも、型や設備などの完成時期が逼迫し、多くの組織による検討を繰り返し、対応を見つけ出す大問題となる。工数と投資の大きな無駄となる。これらの問題が出ても対応が十分にできるように、製品開発日程に余裕を持つようになり、ますます、開発力が低下した組織やプロセスとなる。厳しさがないから成長はない。

6　工程計画ビジョンの提示

単に、製品開発プロセスの前出しでも、製品設計に文句を言う工程計画担当者では、開発の邪魔になるだけである。管理者はこのようなことにならないために工程計画ビジョンを示すマネジメントが大切である。

・生産現場へ果たすべき役割の明確化。
・設計へ果たすべき役割の明確化。

【役割と考え方】

①生産現場へ果たすべき役割の明確化

重要なことは生産ラインの将来像を描くことにある。そのためには、現状のラインの課題を認識し、将来の製品を予測し、生産ラインの将来像を持つことである。現状の課題を整理し、解決シナリオを作成し、仕事のやり方をどのように変えると課題が解決できるかを考えることが必要である。たとえば、達成したい課題について組織の機能不足を是正し、関連組織との合意形成を図ることである。仕事のプロセスと生産ライン設計の考え方を標準化し、結果を分析し、標準を見直しする姿勢を持つべきである。

②設計へ生技が果たすべき役割を明確化すること

生産ラインの将来ビジョンを説明し理解の徹底を図ることである。そのためには定期的にビジョンの進度と効果を説明することである。生産技術開発のテーマを示し、生産技術としても課題に対する取り組みを宣言する。設計と連携し、課題の対策計画書を合意し、定期的な対策進捗ミーティングでフォローし、効果確認を相互にすることが大切である。生産現場にて、設計と生産技術、生産現場と効果を確認し課題を共有し、対策計画へ反映させる必要がある。

【解説】

コンカレント化した仕事のやり方としては、技術の手戻りをさせないための工夫が必要である。手戻りがないとは、生産技術の思う通りの図面にさせることである。そのためには設計の手戻りも考慮しなくてはならない。設計の基本設計に対して設計の進度に合わせてタイムリーにＹｅｓ、Ｎｏを回答するには、設計と一緒に対策案を考える姿勢が必要である。設計の進度については、設計側からできるだけ手戻りのないブレークダウンしたプロセスの提示が必要である。この進度間隔は短いほどよい。タイムリーにＹｅｓ、Ｎｏを回答できるようにするには、生産工程設計のエンジニアリングにおける考え方や要件などが明確になっていないとできない。生産工程設計の標準化と生産準備業務プロセスの標準化が整備されていることが必要である。生産技術のマネージャーは日常業務として、この標準化を推進し、的確なタイミングと正確な回答を行える仕組みを運営することが重要である。

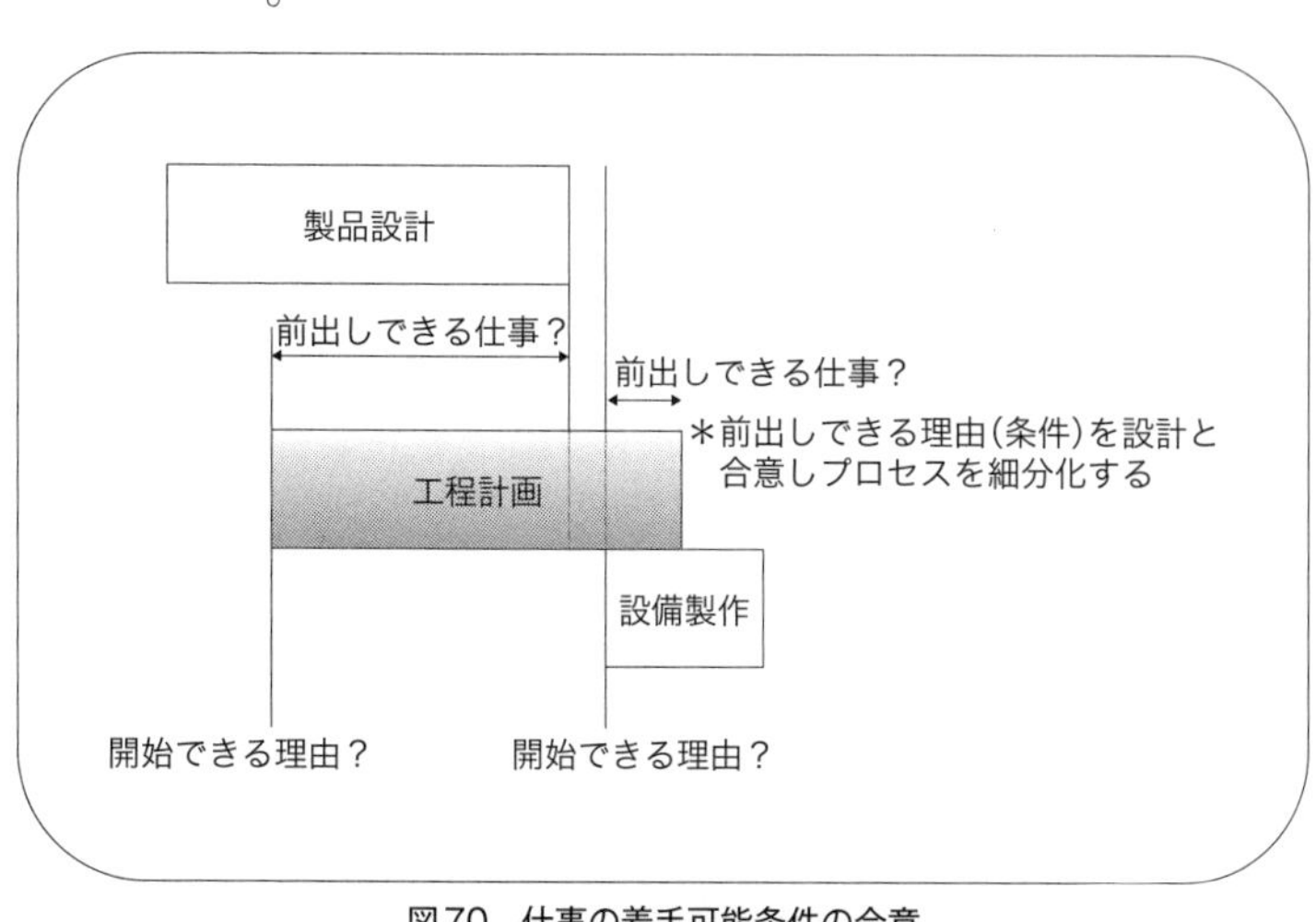

図70　仕事の着手可能条件の合意

7　ＩＣＴによる技術コミュニケーション

工程設計の前出しには標準化によるタイムリーな回答が必要であるが、常に設計と生産技術がタイムリーなコミュニケーションができるわけではない。ここにＩＣＴを活用する。

・タイムリーなコミュニケーションとは。
・ＩＣＴ化に必要な機能とは。

【役割と考え方】

①タイムリーなコミュニケーションとは

コミュニケーションとは、単なる会話でなく、どのような情報が伝達されるべきかを考えることである。基本情報としては形状を表す図面である。そして部品表である。次に重要なことは、設計の機能保証シナリオである。これは設計者が製品の機能を考える際に前提とした公差などやそれを実現するシナリオである。この考え方が公開されていなければコンカレントはすでに失敗をしている。最後に重要なことは、設計者が作成した図面、部品表、設計シナリオの変更部分を正しく分かりやすく、漏れなく生産技術に伝達をすることである。

②ＩＣＴ化に必要な機能とは

コンカレント化の基本条件を整備することである。それには、製品図面変更と部品表変更の同期化（自動化）や製品図面と設計シナリオの作成機能（部品組み付け順序と組み付け基準と必要公差などを図面と関係して記述する機能）を準備し、変更部分の表現と伝達機能、工程設計システムとの連携機能が必要である。

【解説】

下図は自動車の生産ラインの工程計画業務の流れを示している。開発企画としての製品機能と生産台数を前提に、設計が基本的な構造検討を進める。この構造検討が作成される時期に生産技術においては設備投資見積もりを実施する。この段階では、まだ、仮の情報による見積もりではあるが、製品企画を実行する価値があるかを判断できるだけの精度が要求される。この設備投資見積もりには、生産設備の改造規模など見積もり根拠を明らかにしながら行う必要がある。この間においても製品設計は着々と設計を進めている。中間時点で、設備投資見積もりの確認がなされるが、原価

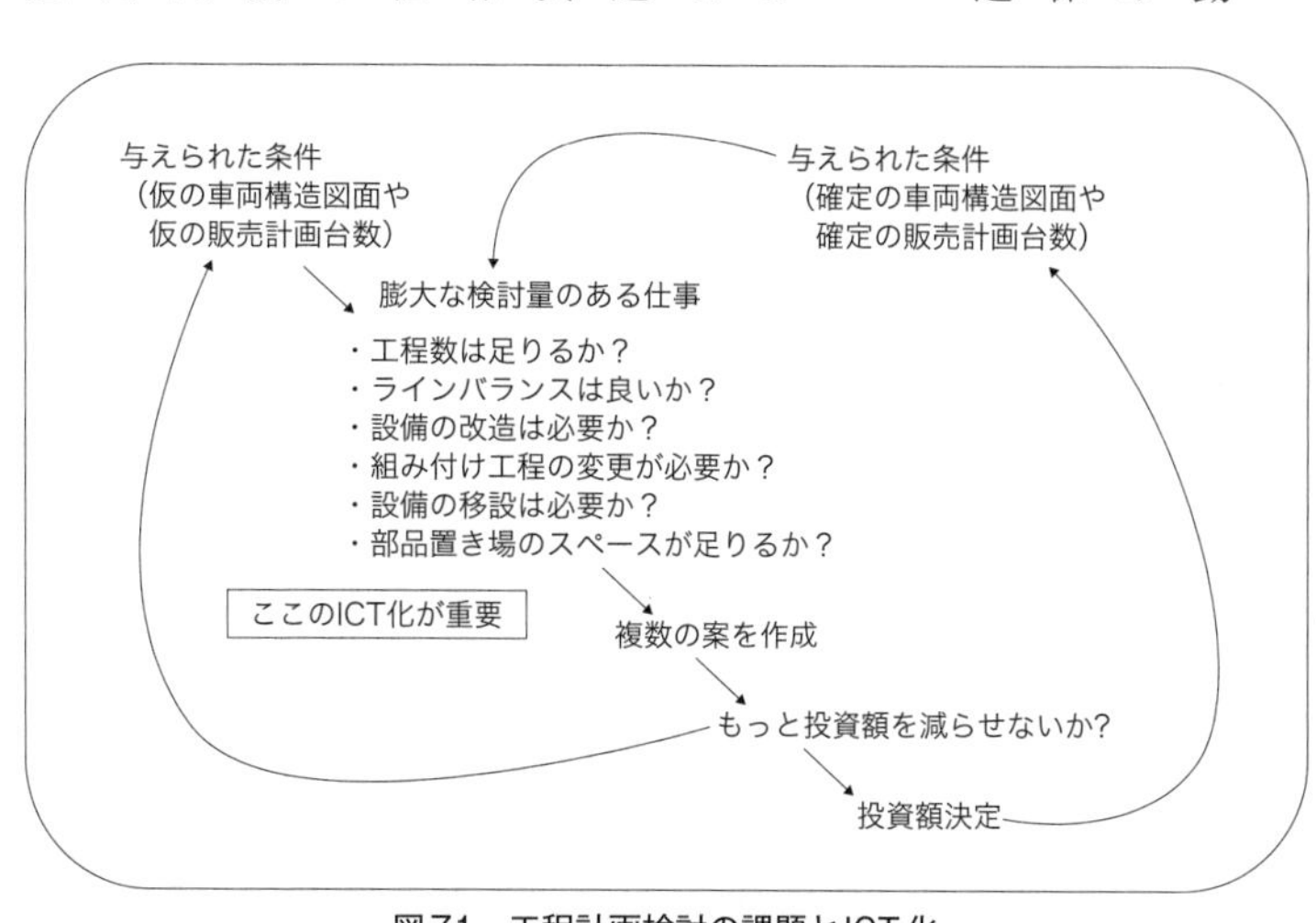

図71　工程計画検討の課題とICT化

企画としての目標値はすでに示されている。このため、当初の見積もりに納まるように製品設計を押さえ込んでいくことが必要になる。このため、製品設計の変更があるたびに、生産ライン計画への影響や投資などを迅速に算出し、製品設計と調整を図ることが必要である。変化に対する迅速な計画の影響を知るすべが必要である。

8　コンカレントは変化を知る速さが命

製品設計と工程設計を同期化するには製品設計の変化を迅速に知り、対応できることが必要である。

- 製品設計と工程設計の同期関係。
- 製品変更に対する工程設計影響への迅速な把握。

【役割と考え方】

①製品設計と工程設計の同期関係

製品設計の進度は全体的に少しずつ進むパターンである。それは製品設計も関係設計部署と同期化して仕事を行っているからである。ある部分の設計だけが一気に完了することはない。工程設計にとって、一番大きな着目点は、既存の生産技術で生産ができるかどうかである。これまでに経験のない加工が必要かどうかを早期に把握することである。さらに、生産ラインの全体の能力が足りるかどうかは早期に抑えたいポイントである。次に、生産加工ラインにおける工程の順序とその各工程の能力が着目点である。これには、部品の構成や形状などを知る必要がある。これらの情報を知りつつ、生産ラインの全体計画を作成し、個々の部品の設計計画から生産工程の個々の問題を把握する仕事を行っていく。

②製品変更に対する工程設計影響への迅速な把握

製品設計が変更となると、生産ライン全体への影響を確認する必要がある。その影響を品質、生産性、投資額の評価を行い、定量的にその問題の大きさを関係部署と調整する必要が出てくる。生産工程の個別問題も、その問題の大きさを認識し、製品設計を修正するか、生産工程を改造するかを判断できる整理を行い、1つずつ解決を図る必要がある。いったん決まりつつあるものを変更することに必要なエネルギーは大変大きいので確定前に調整しておくことが重要である。

【解説】

下図は製品設計と工程設計の仕事における設計変更

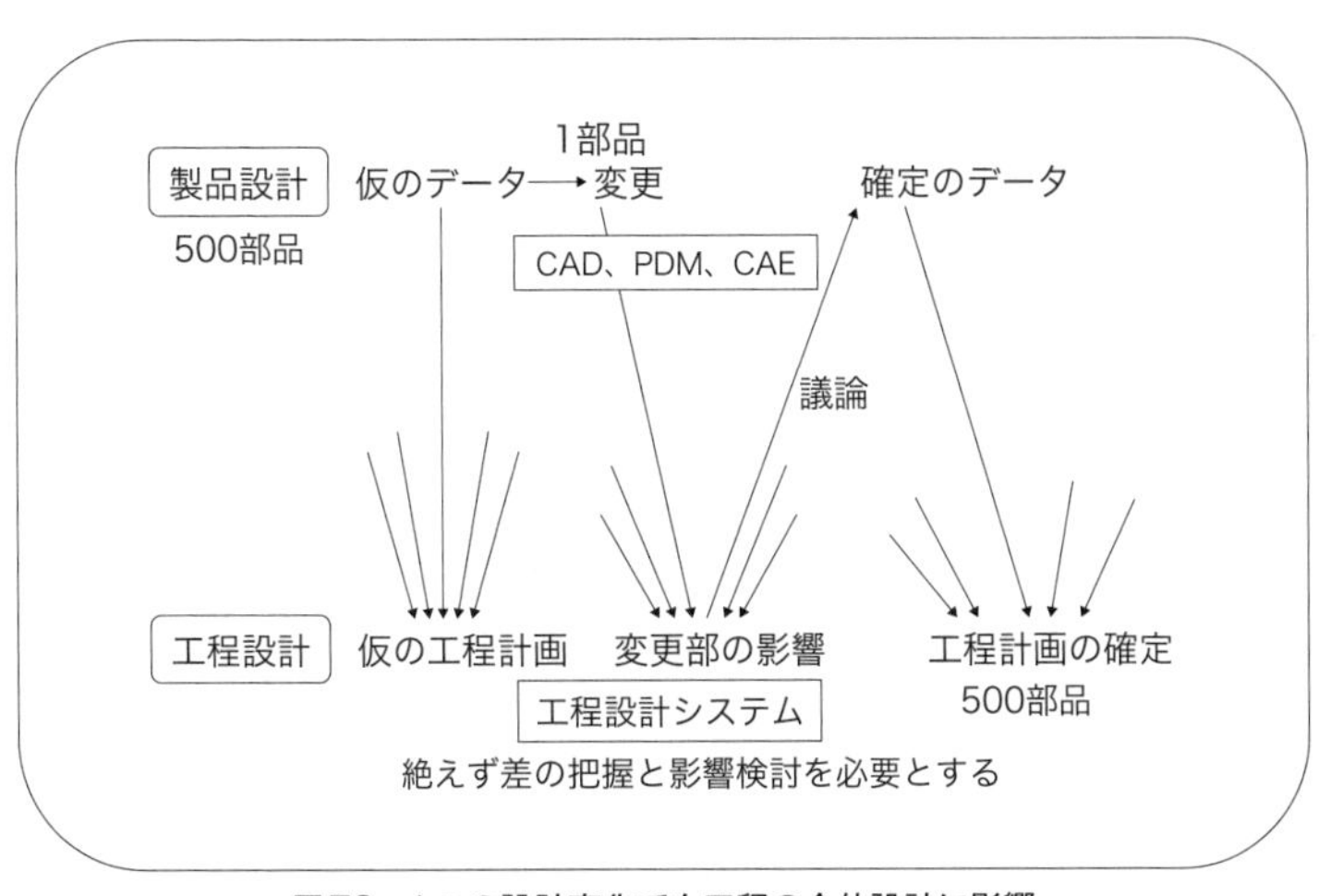

図72　1つの設計変化でも工程の全体設計に影響

の影響を示した図である。自動車の場合、主たる部品は約500点ある。その設計者が各自少しずつ設計を開始し、仮の図を生産技術の工程設計者に渡す。ここで、工程設計者はその仮の中から判断できる確定的な情報より、生産工程における基本的な影響と問題をつかむ。仮に、500点の部品の1点が設計変更となる場合でも、特に組立ラインの工程計画においては、作業時間変更などに影響があれば、全体の計画を見直すことも必要になる。製品設計者にとってみれば、1点の部品変更だけであるが、組立ラインにおいてはそれだけの変更で終わらないということである。ここに人が働く生産性を追求するラインと設備主体の自動化ラインとの大きな差がある。このように、設計の変化がありうる開発過程では、その変化に対し、絶えず変更の影響確認と対策を検討することが必要になる。その検討の迅速性が重要な課題となる。

9　究極のコンカレントを目指し仕事を改革

最終のコンカレントな仕事を掲げて、製品開発プロセスの改革に取り組まなければ、単なる改善に留まり本質的な課題を認識することができない。

- ・究極のコンカレントとは。
- ・実現の方策。

【役割と考え方】

①究極のコンカレントとは

究極のコンカレントは製品設計完了時点で工程設計が完了することである。製品設計の完了とは図面と部品表の出図である。工程設計の完了とは生産ラインのレイアウトの完成であり、設備の仕様書の完成である。このようなコンカレントを実現することを目標に進めることが、製品開発プロセスの見えない問題点を顕在化することに役立つのである。その中にはそれぞれの組織の能力の問題や組織間のコミュニケーション（技術的問題の解決力）問題などが登場してくる。したがって、コンカレントを実現するには、このような見えない問題点を未然防止する仕事の取り組みが必要となる。つまり、コンカレントを実現するには何をどのように仕事を進めていけばよいかを、製品開発に関与する組織間で検討と対策をすることである。

②実現の方策

製品開発において、設計する側とそれを活用し評価する側（生産技術）とで、設計要件と生産要件の食い違いを減らしておくことである。これには設計要件も生産要件も論理的に矛盾なく説明できるようなレベルに確立することが必要で、技術の蓄積そのものを行っておくことである。

【解説】

これは本書の大きなテーマである。製品設計が完了した時点で工程設計が完了されていることが究極のコンカレント化である。それには大きな2つの課題がある。1つは生産ラインの変更を全くする必要がないように製品設計を行うことである。この課題達成を掲げ、生産技術の要件の確からしさを高める業務に変革していく。もう1つは生産ラインを製品設計の影響をなくすように設計することである。製品設計の変化を直接の生産工程ではなく、間接的・小規模な工程だけの変化に集約することを考えていく。変化を認めるが生産ライン全体にではなく、どこかに集中させることもよい（下図）。

10　生産要件の整備方法

生産要件が整備されているようであるが、それが守られているかが問題である。生産要件は作成しても、メンテナンスされなければ誰も見なくなる。

- ・生産要件の整備の方法。
- ・改廃の重要性。

【役割と考え方】

①生産要件の整備の方法

製品設計

工程設計

▲製品の生産開始

・生産ラインの変更ゼロ要件の製品設計への織り込み
・生産ラインの形態を製品設計と極力分離し、影響をなくす

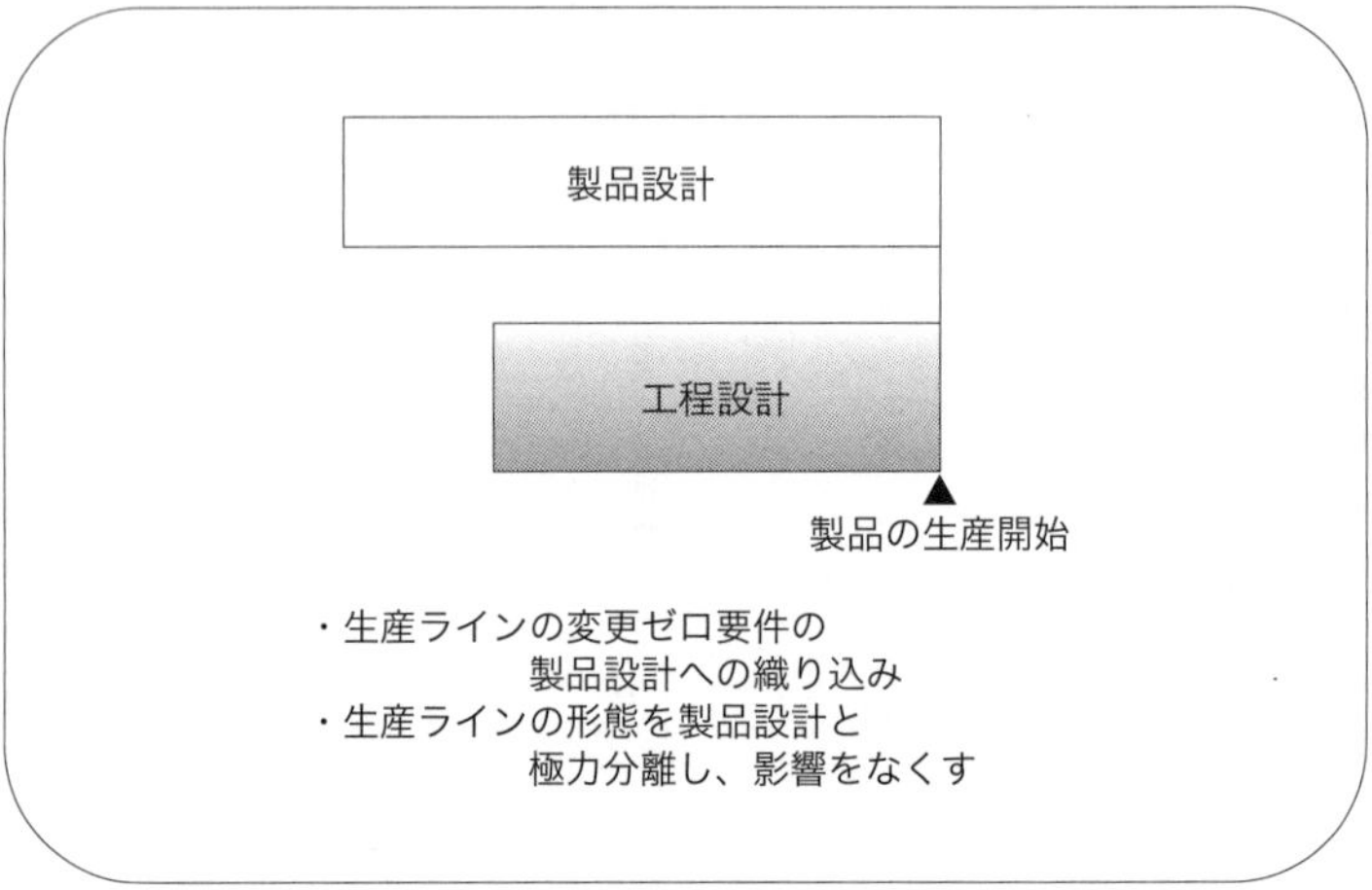

図73　究極のコンカレントとは

生産要件は多くの企業ではベテランが経験をベースに作成することがある。しかし、ベテランは失敗したことを強く記憶し、うまくいったことを忘れがちである。生産要件は必ず守らねばならないことを書くので記憶依存では書きつくしにくい。ゆえに常に部分的で不足がありメンテナンスが必須である。また、その守るべき理由が技術的に明確である必要がある。企業内で生産要件が守られないのは、この理由が不明確であることによることが多い。技術的な根拠を明確化するには、数値とシナリオで納得性のある説明ができることである。当然、生産技術も進歩する。進歩したことで要件も変更になる。製品設計が設計したいことが実現できない生産技術も反省すべき点がある。生産要件の整備と改廃組織を継続的に置く必要がある。

②改廃の重要性

不思議なもので、少しでも要件が守られないとすべての信用がなくなる。要件を守ることは設計には大きな制約である。生産技術もいったん要件を守らなくて

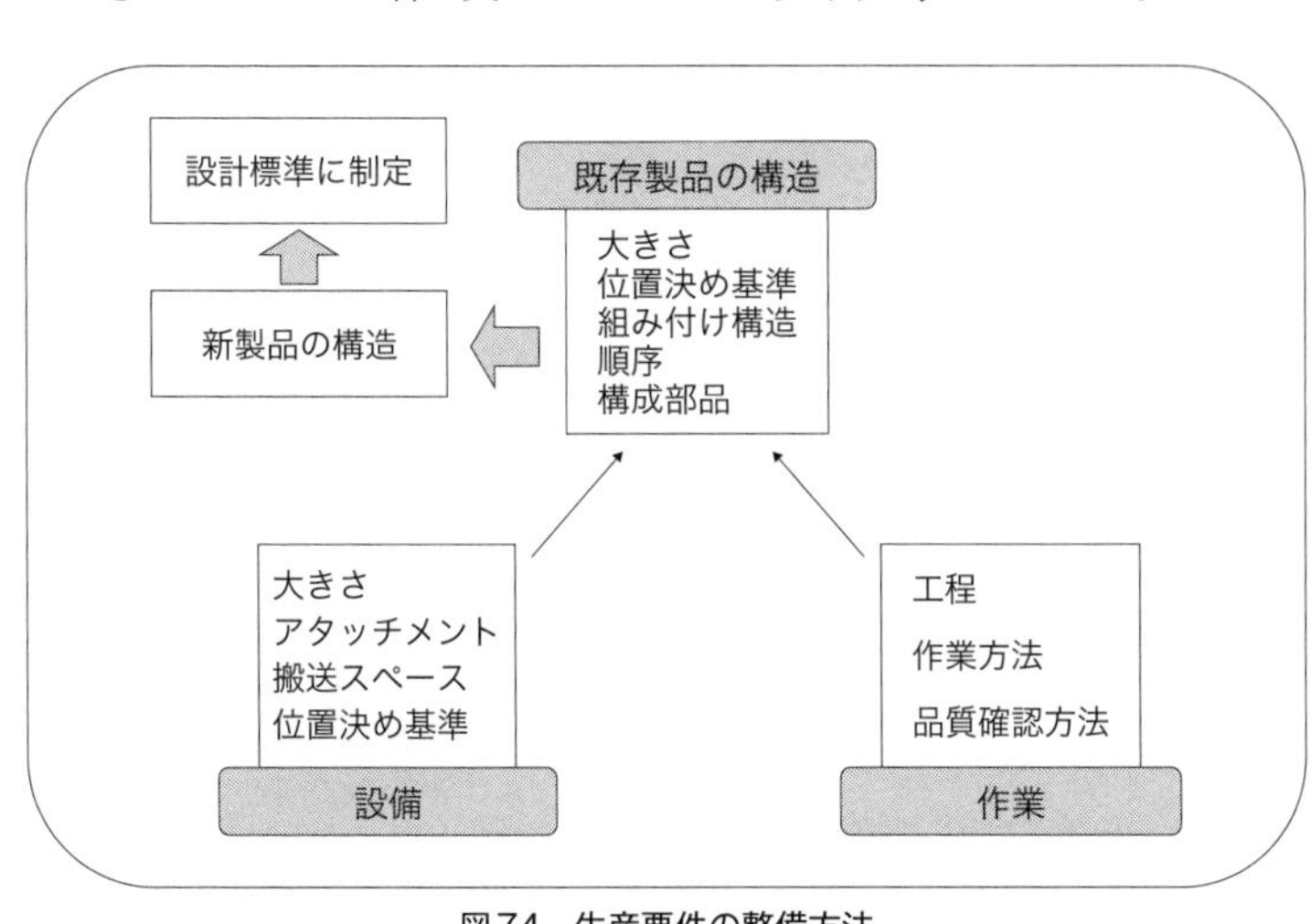

図74　生産要件の整備方法

もよいことにしてしまうと、要件の価値がなくなる。エンジニアのよりどころとなる生産要件を維持することは大変であるが、企業の技術の蓄積であり、知的財産の維持である。

【解説】

前ページの図は生産要件の整備をする対象を示したものである。生産要件の整備は現状の把握を行うことである。現状の品質と生産性や投資がどのようなレベルであるかを認識することである。エンジニアが計画すべき生産ラインには古い設備も多くある。それにより、同じ機能を果たす設備でもいくつものタイプができている。それらを現時点の技術や環境から定量的に評価をし直すことである。エンジニアリングの仕事は比較判断をすることである。生産ラインの設備の仕様も作業の問題や品質問題もすべては製品設計に源がある。製品構造と生産設備と作業の生産性と品質を関係づけて、製品構造の比較とその生産技術の種類とを整理することである。この結果、生産要件を現状の経験と視点におけるものとして整備することができる。

11　生産要件の発掘には完全自動化を想像する

現状の姿より生産要件を整備することは大切であるが、まだ気づいていない生産要件が存在する。その要件の発見の仕方について述べる。

・気づいていない要件があることを認識。
・完全自動化ラインは要件を構築する手段となる。

【役割と考え方】

①気づいていない要件があることを認識

生産要件は生産ラインや生産技術の仕事の中で、問題となったことを再発防止する目的で作られる。しかし、それは現在の生産ラインの姿を認め、レベルが低下しないための要件でしかない。将来の生産ラインの目指す姿に向かって製品設計に要求する要件ではない。ここに生産技術の進歩の遅い原因がある。加工技術だけが生産技術ではなく、全体システムとして品質と生産性やフレキシビリティを追求するための生産要件を発見する必要がある。

②完全自動化ラインは要件を構築する手段となる

組立ラインのように、人手で行う作業における生産要件は、人がすべてロボットであると想像して要件を発見すること。具体的には、人が部品を取り出す際に、単純なロボットがつかみやすくする要件は何か？　部品の入っている箱での部品の荷姿、ロボットが部品をつける際に何が簡単な方法であるかなどを考えることで、目と頭脳を持った人を前提とした要件とは違うものが思いつくはずである。次に、その要件は、人の作業でも品質、生産性によいかを判定して採用すればよいのである。あまりにも知能的な人間的な高度なロボットをイメージせずに投資ミニマムな自動化を想像する。人の生産ラインを、ロボットに置き換えたら品質確認をどのようにするかと考えると、人のラインでの生産技術開発テーマが生まれる。

【解説】

どの企業でも、設計要件と生産要件の整備は別々で行っている。しかし、コンカレントを進めていくには、この2つの要件間での不整合は双方の仕事の手戻りの原因となる。設計から見た生産要件は、設計要件と一致しないこともある。また生産側から見た設計要件は生産要件と一致しないこともある。この不整合点を設計技術的、あるは生産技術的な開発テーマとして登録し、減らしていくことが必要である。究極のコンカレントを実施するには、製品設計と工程設計の同期化の中で変更を迅速に把握し、対処していく技術的なコミュニケーションが必須である。しかし、その前に、設計、生産の要件が確立されていて、かつ、その2つの要件のすり合わせや技術開発を継続的に行う仕組みの運営がなければ、その実現は困難である。製品開発は常に

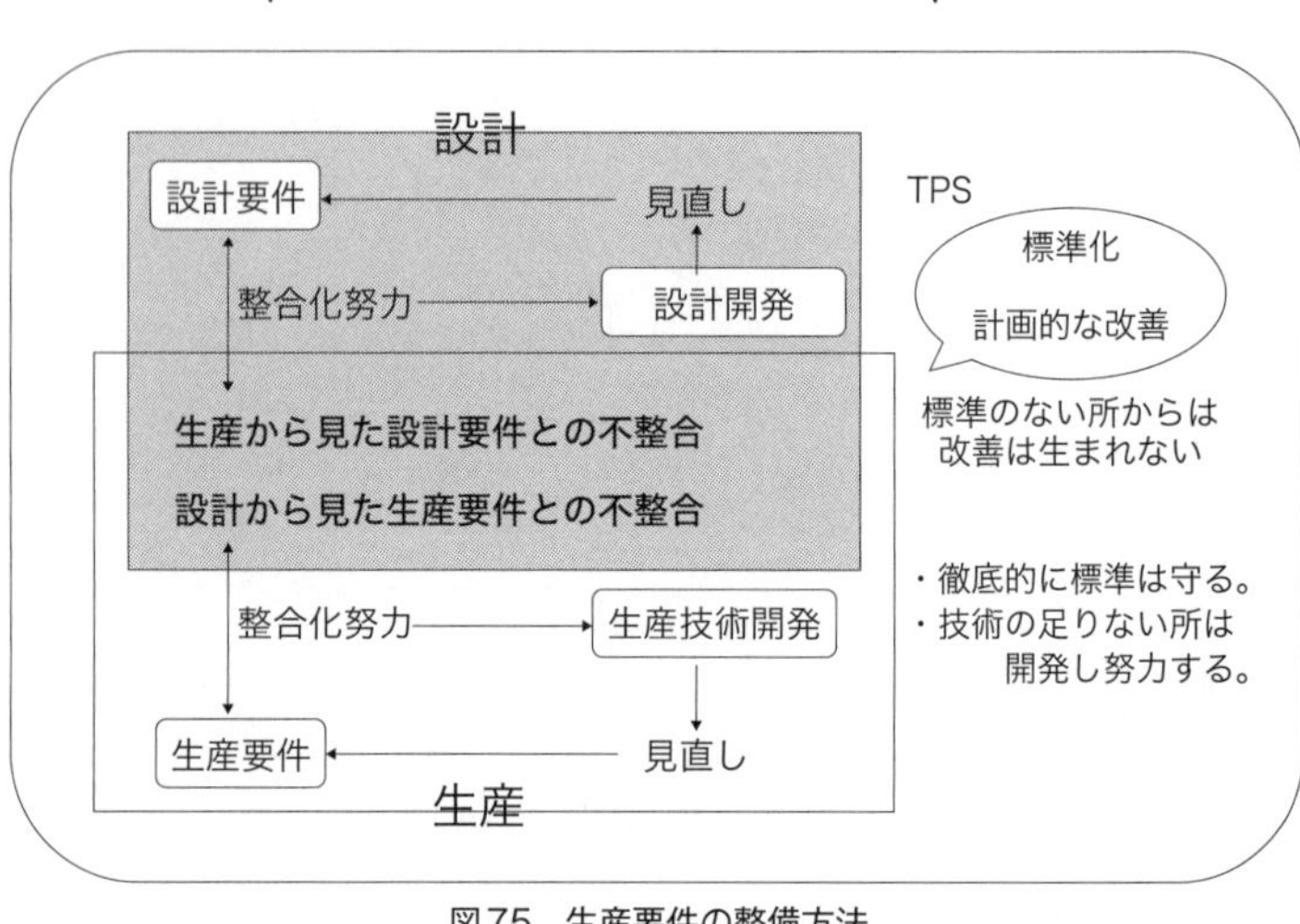

図75　生産要件の整備方法

新しい機能や商品を生み続けなければならない。その中で、それぞれのエンジニアリング力を継続し、進歩させていくには、常に新しい機能や商品化の都度この一体となった要件を改廃し続けなければならない。この粘り強い運営力が製造業における製品開発プロセス改革に必要なことである。

コラム

大手電子素材メーカの情報企画事例

この企業は世界的にも最先端の製品開発にチャレンジしていた。小さな開発チームであるが、そのチャレンジしている分野が素晴らしかった。この企業へはIT企画コンサルタントとしてアドバイスを行っていた。製品開発には新しい実験設備の開発だけでなく、その実験結果を分析するITシステムが必要となっていた。データオリエンテッドな提案を受け入れていただき、実験を支援する分析システムの開発導入が行われた。この意思決定を行ったセンター長の感性は素晴らしく、提案したアイデアを自ら解釈し、そのシステム化の必要性を即座に決定したのである。久しぶりに清々しいシステムの分かるマネージャーにお会いできたと嬉しく思った。IT企画としてコンサルした企業の窓口の多くは情報システム部門の方々であった。単に、もっと新しいソフトウエアはないのかなどの問い合わせが多かった。次に出てくる言葉は価格が高いとのこと。ITで支援しやすい事務方の業務の多くは市販ソフトが存在し、社内への導入は完了していた。ものづくりの分野では、部品表やCADシステムが浸透し、その次の何かを求めていたのである。今日（こんにち）もこの状況は20年前から変化しているとは思えない。Industry4.0と海外から発信されて動き出すようでは残念なことである。多くの企業にてＩＴ企画を行ってきたが、何がしたいのか？　なぜそれをすべきか？　がはっきりしていなかった。何を、なぜを自らの頭で考え抜くことが必要な時代だと改めて思う。外部のＳＩｅｒ（システムインテグレーター）等に丸投げするのではなく、企業内で独自に開発する方が仕事を改革し、価値ある情報投資が行えると思うのである。

第3部

生産エンジニアリング改革

第1章　生産ラインのフレキシビリティ

1　生産ライン設計に思想を持つ

生産ラインを見ると、生産ラインの配置や加工の考え方などが分かりにくいラインがある。分かりにくいラインではライン設計の思想が現場で維持されない。

- ・生産ラインの設計思想のつくり方。
- ・生産ラインの工程順序の考え方。
- ・ライン配置の考え方。

【役割と考え方】

①生産ラインの設計思想のつくり方

生産ラインの設計思想は、製品を作る際の目標を決めることである。品質、コスト、リードタイムは共通であり、今は環境も加わる。これを実現する方法として、どのような考え方を持つかが設計思想である。たとえば品質維持のしやすいラインなど。

②生産ラインの工程順序の考え方

生産ライン設計の思想により、工程順序は変化する。従来から持ち続けている設計思想を一度見直すと工程順序は変化させないといけないことが分かる。工程順序を変化させるには、製品設計そのものを変更させていく必要があることが多い。ここに、製品と生産ラインの共通の思想が生まれる。

③ライン配置の考え方

工程の順序をどのようにラインとしてレイアウトするかがライン配置の考え方である。これは、工程配置より大きな考え方で決定される。たとえば、物流最適化などがある。

【解説】

生産改革は生産ラインと製品開発との関係において、どのような仕事をするかと同じである。生産ラインをどのように変革させるかとの理念を持つと、製品開発をどのように変えないといけないかに気づく。生産ラインの課題や将来予測から、製品

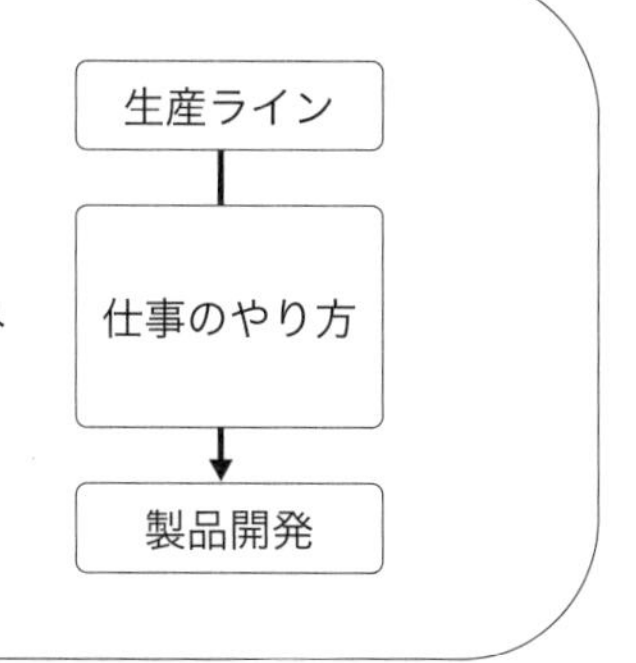

図76　エンジニアリング革新の意義

設計の課題や将来予測までを関連づけることが必要である。生産技術においては、生産ラインの理念や設計の考え方をしっかりと持たなければ統一的な仕事はできない。どのような企業でも、生産ラインの理念の上で、それぞれの部署の役割を認識することが必要である。製品設計にすべてを任せて、生産ラインを設計することは変化への対応が難しくなる。品質、コストなどの目標は維持向上することはできない。生産ラインの理念や考え方の上で、製品設計はどのような構造であるべきかを生産技術はつくる必要がある。このように、生産ラインの思想は結果的には製品設計の構造に現れる。製品を分解すると、生産ラインの思想あるいは生産技術の思想が読み取れるものである。

2 生産ラインの課題認識によるライン設計

嗜好の多様化やグローバルな競争、生産時代における生産ラインのあるべき姿は次の2点であると考える。

- ・品質の確保が図れるライン。
- ・フレキシブルなライン。

【役割と考え方】

①品質の確保が図れるラインとは

品質は人で作られるものである。生産ラインがすべて自動化されていても、その機械を保守、運転するのは人であるからだ。人の判断と操作により、生産ラインは運営されている。品質の確保には、人によるミス防止、機械の異常検知による品質問題を未然防止することが必要である。一方、誤って発生した品質問題が発見しやすいラインであることも大切である。大量の不良品を後で発見したのでは、経営に大きな打撃である。逆に品質問題が発見されず市場に流出すると大きな悲劇となる。品質問題が出ない、市場へ出さないラインとはどのようなことを実行すればよいかを考えるべきである。

②フレキシブルなラインとは

生産ラインの変更を短期間に低コストで実施できることである。生産ラインへの生産量の変更に伴い自動で変更を行えるラインではない。世の中の製品動向などに対し、新製品の生産に必要な期間と設備投資、工数が少なく行えるラインのことである。今

1、生産ラインの課題とあるべき姿を考える
2、製品と工程の関連性を整理する
3、品質確保のキーポイントを整理する
4、品質問題が発見できる方法を考える
5、コスト構造を整理する
6、コストミニマムの方式を検討する
7、生産性を検証する
8、生産性課題の対策を考える

図77　生産ライン設計を考える順序

フレキシブル性が高いといえる。

の時代、製品の寿命は短い。したがって、生産量への対応だけでなく製品変更への対応力という点も

【解説】

生産ラインの課題が何であるかを知り、そのあるべき姿を考えることが大切である。製品の今後の方向性や市場の環境の変化を予測し、その上で、何を計画的に実行していくかのシナリオを描くことである。製品と工程の関連性を整理して、製品を生産する工程が製品と対比して説明ができることが分かりやすいラインとなる。分かりやすいラインは変化に気づきやすいため問題点が顕在化してくる。製品と工程とが関連して設計されるため、製品開発での設計構造の良否がそのまま工程の成立性と一致する。次に品質、コスト、生産性の順に考える。たとえば、作業品質は大工の仕事と同じである。作業性のよい仕事にはミスが少ない。釘を打つ姿勢を想像すると分かりやすい。設備保全も保全性がよいと安全である。安全は品質より先に考える。生産ラインでは品質問題が隠れやすい。問題を早期に発見し対策が行える生産ラインとはどのような構成のラインであるかを考えること。この考え方は生産技術の進歩に貢献する。

3 標準工程の考え方を確立する

工程の考え方はさまざまである。生産ラインの目的として何を目指すかでその形は大きく異なるものである。

・標準工程とは何か。
・標準工程の効果。

【役割と考え方】

①標準工程とは何か

生産ラインは製品が品質よく効率的に生産できることが必要である。そのために、どのようなことを考えるかは製品や企業によって特徴が表れるものである。完全自動化を考えたラインともその考え方は異なる。完全自動化のラインであれば設備があるので標準工程は守りやすい。それは設備で構成されたラインは、改造費が高く、製品切り替えの自由度が低下するからである。しかし、人による手作業ラインでは、それにかかる投資額が少なく、生産のフレキシブル性が高い半面、標準工程は守れない。組立における標準工程とは、このような目的を明確にした上で、その構成を定義したものである。そして、エンジニアリングの基本的な考え方を具体化させたものである。

②標準工程の効果

標準工程は製造業において、生産ラインの考え方であり、生産技術者にとっては生産ラインを設計する規則である。生産現場では、常に考え方を守っていかなければいけない。この標準工程が決められることで、エンジニアリングの意思決定が、製品や生産ライン設計において調和し同期化が可能となる。

【解説】

下図は手作業を主とする組立ラインの標準工程の考え方を表したものである。ここでのラインの目標はより良い品質と生産性の向上とした。そのためには作業者の作業がしやすい姿勢であり、作業の内容もシンプルでないといけないものであると考えている。それを実現するためには、標準工程として守るべきことを規定している。標準工程とは品質、エルゴノミクス、生産性、フレキシビリティの４つが満足されることと考えている。その条件を満足させるには、製品の構造と設備の仕様に標準工程の要件を織り込むことが必要である。このように、目的とその条件、その条件を満足するために何をするのかをエンジニア間で共有することで、標準工程の考え方が浸透していく。この標準工程の考え方は製品開発プロセスの改革には必須である。

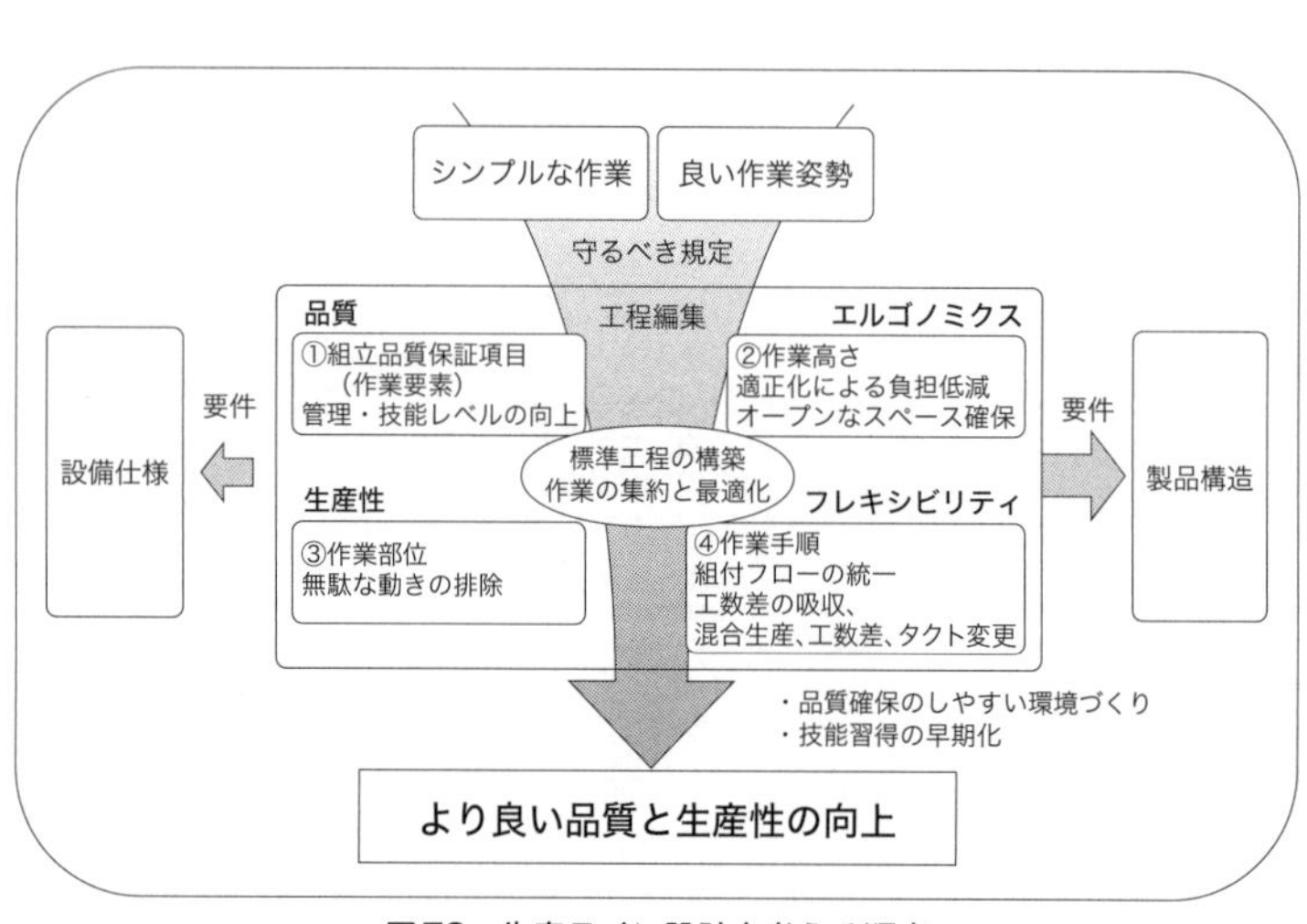

図78　生産ライン設計を考える順序

4　生産ラインのあるべき姿を考える

生産ラインの課題が何であるかを知り、そのあるべき姿を考えることが大切である。製品の今後の方向性や市場の環境の変化を予測し、その上で、何を計画的に実行していくかのシナリオを描くことである。

・生産ラインを取り巻く環境を考える。
・あるべき姿を考える。

【役割と考え方】

①生産ラインを取り巻く環境を考える

生産ラインは製品を生産するラインである。したがって市場の嗜好変化を受け、生産量もぶれる。お客様がどのような方向で製品を捉えているかもリサーチする必要がある。一方、電子化や小型化が進む中で、自社の製品がどのような構造になっていくかも検討する必要がある。技術の進歩も速い。技術進歩の影響が少ないラインは、品質、生産性を考えることになる。技術進歩の速い製品の生産ラインは投資も抑え、迅速な生産ライン変更ができることも考える必要がある。他社のラインも参考にするとよい。

②あるべき姿を考える

あるべき姿を考えるときは多くの関係者で議論するとよい。生産技術だけが考えるテーマではない。皆が環境の変化や現在の生産ラインの課題などをクリアにし、論理的に説明ができるように考えることを心がけるとよい。今の生産技術だけでなく、あるべき姿を考えるときにはいまだ実現できていないことも考慮して考えることが大切。生産技術の取り組みテーマが生まれるはずである。

【解説】

下図は自動車の組立ラインの例を示したものである。需要の変動に対し、生産計画やリソース計画を迅速に立案することが求められている。組立ラインとしては、生産計画の変化に対し、フレキシブルに生産ラインを変更することが必要である。たとえば、期間従業員を雇い需要に応えることや、生産設備の能力を向上するための設備改造が短期間でできることが必要となる。そのような変更が行われても、生産ラインでの製品の品質は維持されなければならない。このように、組立ラインでは需要変動に対し、フレキシブルな対応力があ

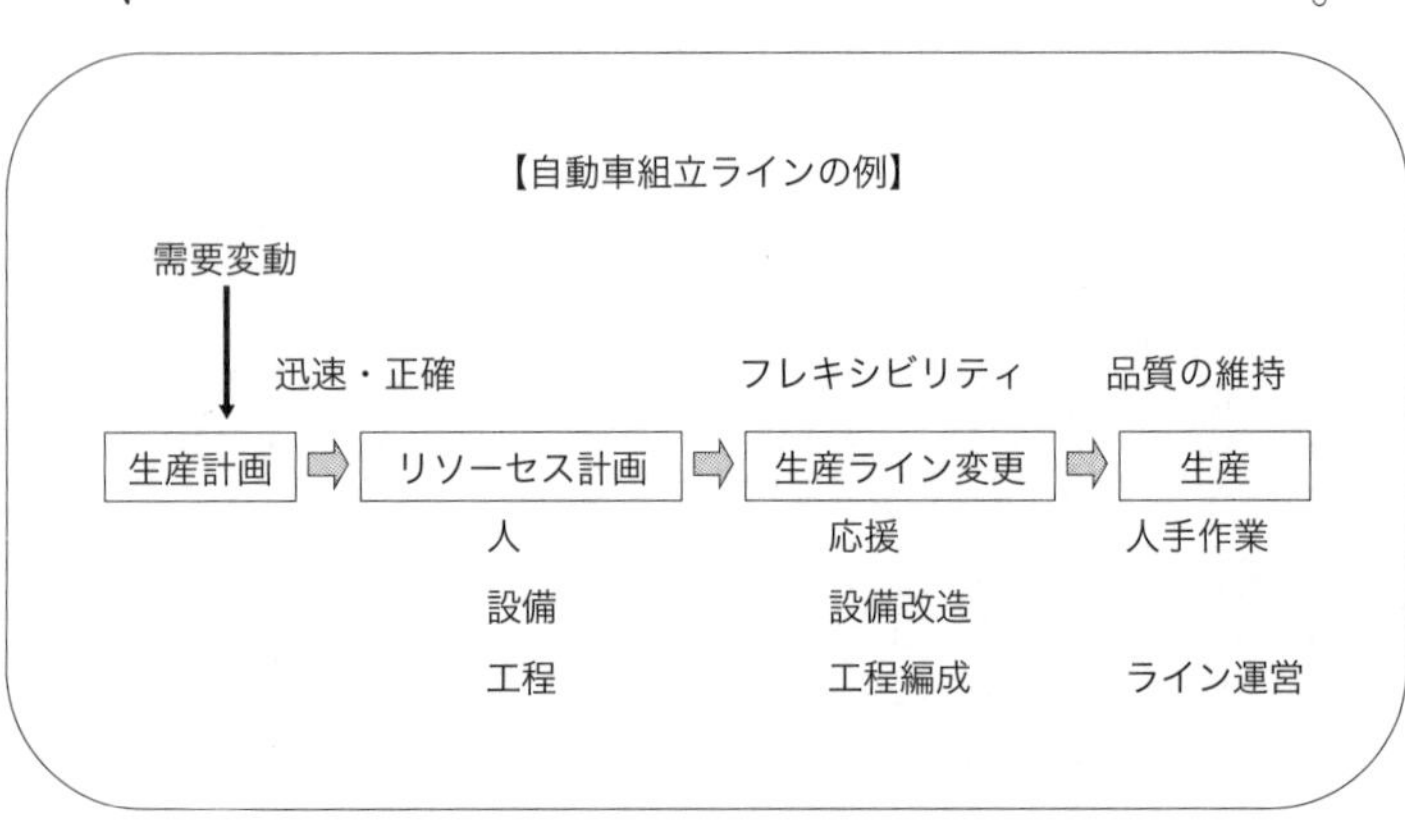

図79　生産ラインの課題とあるべき姿

り、変更に対しても品質が確保できる運営を目指すことである。

5　フレキシブルなラインを考える

製品の変化に対し、フレキシブルなラインがますます必要になってきている。フレキシブルなラインとは、どのような要件を満たせばよいのだろうか。

・生産量の変化への対応力。
・製品変化への対応力。

【役割と考え方】

①生産量の変化への対応力

生産ラインの生産量を増やす場合、人の作業ラインでは作業者の数を増員する。それが可能になるには、人を配置できる作業のスペースが必要とされる。しかし、全く設備がない場合はよいが、治工具などの設備の移動や部品の棚の移動などが必要となる。これらの変更工数が少なければよい。一方、自動化されたラインで生産量を増やす場合、設備のサイクルタイムをアップすることが必要である。しかし、これらは全体としての整ったサイクルタイムでなくてはならない。一台の設備の能力がボトルネックになることもある。これらの変更投資と改造期間が少なければよい。

②製品変化への対応力

製品が変更になることへの対応は難しい。生産している製品の構造や部品により、生産工程を大きく変えなければならないケースもある。製品の設計構造と生産ラインの関係を精査し、無駄な工程変更が発生しないような仕事をすることが先決である。製品を加工する設備の大きさや動作ストローク、ワークのアタッチメントの工夫など、製品の将来動向を考えて設備仕様も検討しておくことが大切である。このとき、どのようなことを想定して設備計画したのかを記録しておくことが大切となる。

【解説】

下図は自動車の組立ラインの例を示したものである。需要の変動に対し、生産ラインの変更は人を増減させることと、設備を改造すること、工程での作業の組み合わせを変更することである。いずれの変更も低コスト・短期間で実施されることが必要である。形の変更ができても、そこには新しい作業者も

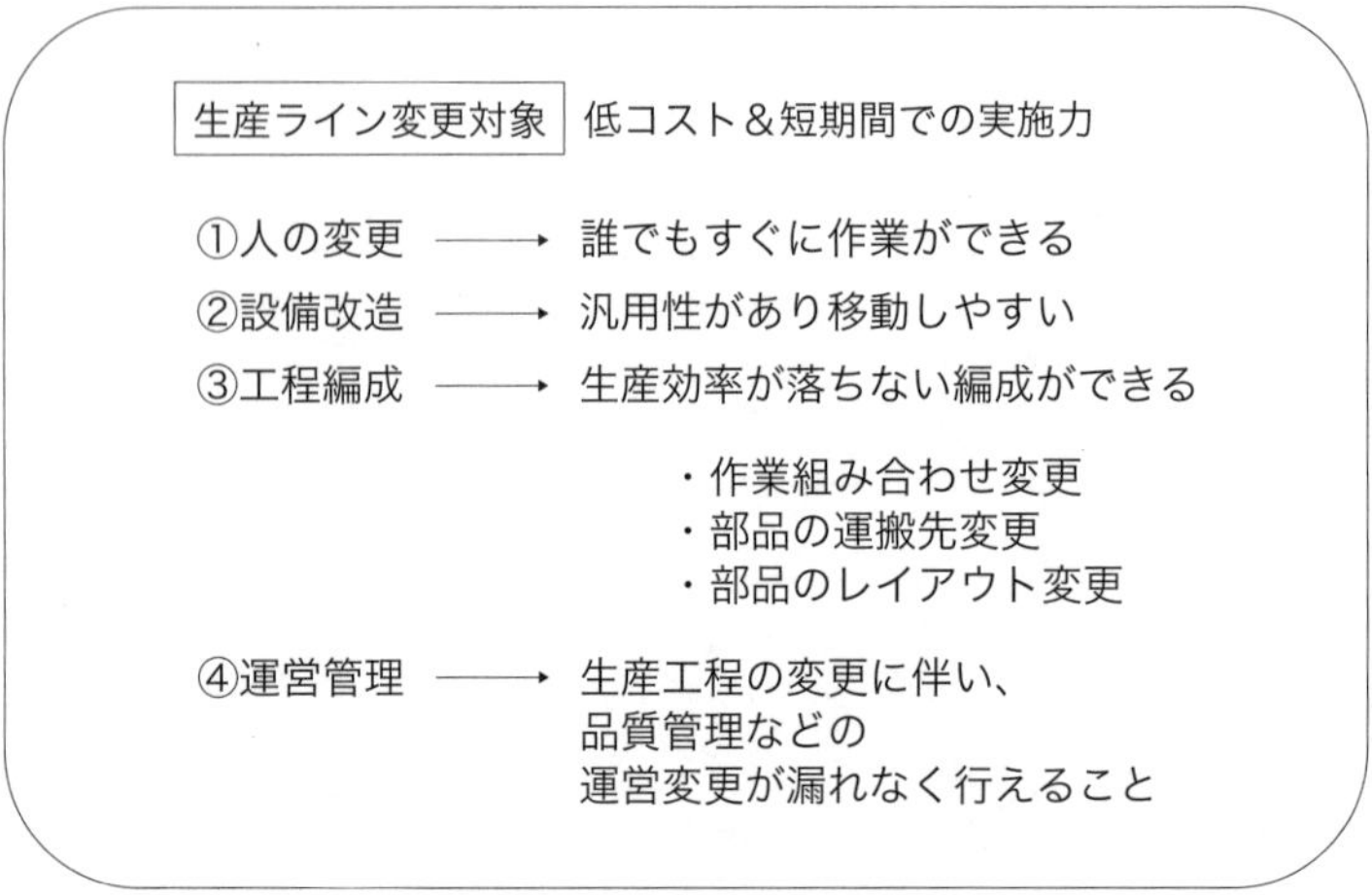

生産ライン変更対象　低コスト＆短期間での実施力

①人の変更 ——→ 誰でもすぐに作業ができる
②設備改造 ——→ 汎用性があり移動しやすい
③工程編成 ——→ 生産効率が落ちない編成ができる
・作業組み合わせ変更
・部品の運搬先変更
・部品のレイアウト変更
④運営管理 ——→ 生産工程の変更に伴い、品質管理などの運営変更が漏れなく行えること

図80　組立ラインのフレキシビリティ

入ってくる。あるいは、これまでと異なる作業を行う人が出てくる。そのために、誰でもすぐに働けるラインとなっていることが大切である。品質が保てることは何かを製品設計面で保証することが重要である。部品の運搬先の変更や管理運営の変更など、全体の生産効率が低下しないように生産ラインの変更ができないといけない。工程を変更すると作業、品質、設備などの管理者も変更となる。工程の変化がこれらの管理業務に伝達されなければ運営管理が乱れる。この運営管理にはＩＣＴを導入する必要がある。

6　究極のフレキシブルなライン

ものを考えるときに究極の考えをすることで新しいアイデアが生まれるものである。フレキシブルの究極とは何かを考えてみる。

・究極のフレキシビリティとは（量への対応）。
・究極のフレキシビリティとは（製品変化への対応）。

【役割と考え方】

①究極のフレキシブルなラインとは

生産量の変化や製品の変更に対して、何もしなくても生産できることが最良である。自動化ラインにおいて、生産量の変更は生産ラインのスピードを変更するだけでよく、設備も十分なスピードを持っている。部品のハンドリングも含めてすべての設備が生産ラインの速度設定に追随して動くようにできていればよい。ワークを搬送する生産ラインと加工設備のコントロールは生産ライン上のワーク検出で設備をスタートさせればよいと考えることができる。問題は量が減る場合、搬送経路が冗長になりがちだから、当初から搬送は短く設計するとよい。一方、人の作業ラインにおいて、生産量の変更は人をどの工程に追加あるいは減らすかを計画しなければならない。そのため、生産変動への対応は完全になくすことができない。そこで、できるだけ対応工数を削減できるように生産ラインの設計をすることが必要である。

②製品変化への対応

製品が変更になることへの究極の対応は生産ラインの加工基準や加工内容を変更させないことである。

ミニマムコストのライン	新製品が生産ラインに与えるインパクトをゼロに
1. 設備投資 →	設備が流用できるようにすること 場所も移動させない
2. 生産性維持 →	材料、作業、加工方法を全く同じにすること 機械も人も変更しない
3. 品質維持 →	同じ品質規格にすること 機械も人も変更しない 品質管理手法や運営方法も変更しないこと

★なんでも作れるラインではなく、
コストをかけずに作れる条件で製品設計を行うこと

図81　究極のフレキシブルラインとは

公差や穴あけの数やサイズなど、製品のモデルが変更となっても作業や加工内容に変更がなければ、製品変化への生産工程の対応は不要である。組み付けや加工順番なども変更しないようにする。製品モデルあるいは製品品目依存度を減らす生産ラインの設計を行うことである。特に先に述べた標準化により構造要素を共通化することは大きくフレキシビリティに寄与する。

【解説】

究極のフレキシブルな生産ラインを検討する際には製品変化に対して、ラインを改造しないとの考えを持つことがよい。中途半端なことを考えていては本質に気づくことができない。設備については、何も変更しなくて済むようにする。設置場所も変更しないことである。生産性についても機械も人も何も変えないことである。品質についても同じ品質規格の製品設計を行うことである。このように、生産ラインの作業や加工は製品設計に依存している。生産ラインの生産性や品質を低下させることなく新製品を立ち上げるには、新製品の生産に必要な加工や公差規格などすべてを変更させないことである。それによって、生産ライン運営も変更がなくなり、管理の漏れが少なくなる。

7 品質確保のできる生産ラインを設計する

品質問題が記事になることが多くなっている。小さな部品でも品質問題が起こるのはなぜであろうか。生産の効率性に視点が向きすぎで、品質についての配慮が薄れた生産ラインとなっていないか見直しが必要だ。

・品質問題が発生する理由。
・これからの生産ラインでの品質管理。

【役割と考え方】

①**品質問題が発生する理由**

加工の異常で発生するケースがある。これは、設備の運転条件などの日常点検の怠りや条件設定のミスにある。作業のミスには、勘違い、忘れなどや気づかない不良がある。製品開発評価の問題には事前検討の不足（意地悪テスト不足など）やうっかりといった設計のミスなどである。

②**これからの生産ラインでの品質管理**

製品設計も製品を生産するのも、製品を使用するのも人である。人による問題は完全に防止することはできない。そのためには品質の検査をしっかりと行うことである。品質の検査は意外と目視確認が多い。検査そのものも人に依存しているため、そこでのミスが市場に流出することになる。今後は検査の自動化を進めていかなくてはならない。生産加工の自動化に投資をしても検査の自

生産　品質不良をなくすには

①人手作業 ⟶ 誰でも良い品質の作業ができること

②ライン運営 ⟶ 品質流出防止ができること

図82　品質の維持のポイント

動化投資は少ない。これからの品質管理は自動検査機とセットで考えることが必要である。

【解説】

生産ラインでは品質不良がないことが理想である。しかし、どの製品の生産にも工程内不良はある。品質を維持するには、人の特性を考えることを念頭に置いておく。作業が人で行われる場合には、誰でもよい品質が出せる作業となっているかをチェックする。たとえば、部品の構造が組み付けにカン・コツが必要になっていないか？ 設備の扱いが難しくないか？ 作業の姿勢はよいか？ などである。生産量の変動に対しても誰でも行える作業にする努力が重要である。次に、人がミスをした場合にそのミスを早期に発見できる仕組みとなっているかも重要だ。たとえば、次の工程が、直前の作業品質がよくないと作業が進まないように工程編成を行うことだ。あるいは、工程内に検査を配置し、定期的なサイクルで網羅的な検査作業を計画することなどがある。近年は画像処理の技術やソフトもよいものがある。従来とは違った品質管理や自動検査も導入すべきである。

8 品質を発見できる生産ラインを設計する

品質問題が発見できる生産ラインとするには、生産現場の管理者の役割が大きい。人の管理をうまくできる管理者のラインは品質がよいといわれる。

- 品質問題が顕在化しない理由。
- 品質問題を顕在化させる仕組み。

【役割と考え方】

①品質問題が顕在化しない理由

品質問題が隠れる理由は、自工程の作業が完了すればよいとする意識（前工程の問題に気づきながら報告しない）にある。問題の表面化を隠そうとする組織（いつか大きな問題が発生する∵ハインリッヒの法則）体質にある。また、品質問題が問題とならないのは、何が問題なのかを理解していない（現場での教育不足）ことに起因する。不良が出ても対処療法で済ましているため、手直しを仕事と勘違いしている（繰り返し問題は対策がマンネリ化する）。

②品質問題を顕在化させる仕組み

コミュニケーションの実施が必要である。毎日、午前、午後に作業の中で気づいたことや変化したことがないかの品質ミーティングを実施する。前後工程間の品質ミーティ

1、生産工程が分類されている

①同じ人が同じ仕事をする
②工程内に検査装置を導入する

2、前工程のミスに気がつくように後工程作業を設定する

①後の部品が組み付かない
②前工程の品質を後工程が監査する

図83　問題発見のできる工程設計

ングを実施する。品質問題の発見者の表彰制度や工程単位の品質結果をリアルタイムで表示するシステムの構築も行う。加工、作業完了時でのリアルタイム自動品質検査機の導入も必要である。

【解説】

生産ラインで問題を発見するには、生産工程を品質分類することがよい。生産工程がいろいろな種類の仕事を行っていると、何の役割の工程であるかの意識が薄くなる。外部から見ても、その品質の管理状態を把握しにくい場合がある。手作業の場合は同じ作業者ができるだけ同じような作業に従事させることである。技能の異なる作業を組み合わせることは品質が不安定となりやすい。同じ作業だけなら検査設備もシンプルとなり導入環境も整えることができる。前工程のミスに気づくように作業の編成を行う。これは積み木のような作業編成をすると考えると分かりやすい。たとえば、前工程作業がつけた部品がしっかり嵌合していないと、次の部品が組み付けできない。あるいは、前工程の加工した穴に、次の工程でシャフトを組み付けるなど。製品の設計上も、品質が確保しやすいように配慮することが大切である。

9　工程計画の基本はフレキシビリティである

工程計画とは生産ラインの加工や作業の順番などを決めることである。アウトプットとしてはレイアウト図であるが、その中における考え方が大切である。

・いわゆる工程計画とは。
・工程計画の意義とは。

【役割と考え方】

①いわゆる工程計画とは

一般的には工程計画とは、生産量などの条件を前提に、与えられた図面の製品を生産するための設計を行うことである。工程計画が完成すると、細部の計画に着手することができる。設備の計画や物流の計画などである。工程計画で決めることは、ライン上のどの工程で、どのような道具で、どのような作業を行い、どのような品質を達成するかを決めることである。

②工程計画の意義とは

工程計画を行う意義は、実際の生産ラインを立ち上げるためであり、設備投資を予算内に抑え、完成した生産ラインでは生産性と品質を確保することで

ミニマムコストのライン	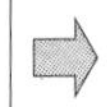	新製品が生産ラインに与えるインパクトをゼロに

1. 設備投資 ──→ 設備が流用できるようにすること
場所も移動させない

2. 生産性維持 ──→ 材料、作業、加工方法を全く同じにすること
機械も人も変更しない

3. 品質維持 ──→ 同じ品質規格にすること
機械も人も変更しない
品質管理手法や運営方法も変更しないこと

★なんでも作れるラインではなく、
コストをかけずに作れる条件で製品設計を行うこと

図84　工程計画の意義

ある。しかし、これによる成果は限界がある。それは与えられた製品図面を前提とした業務だからだ。工程の計画は製品の計画と同時期に始まっていると考えるのがよい。製品開発と工程計画は一体であり、一体となって、生産ラインの生産性と品質確保を目指すものである。

【解説】

フレキシビリティの節でも述べたように、工程計画の役割はなんでも作れるラインを設計することではなく、コスト（設備投資）をかけずに物を作れる製品設計を推進することである。これが生産技術の基本的な役割である。製品図面をすべて設計者に描かせてはいけない理由がここにある。少なくとも、生産ラインの投資、効率、品質に関わる構造部は生産技術者が製品図面を作成するつもりで推進することである。

10　工程計画の仕事の範囲は広い

工程計画の捉え方で仕事の中身は大きく変わる。生産ラインの立ち上がった後の結果に責任を持つことは最も重要だ。その役割の幅広さの認識が不足している。

- 工程計画に必要な知識。
- 製品設計業務における役割。

【役割と考え方】

①工程計画に必要な知識

工程計画は多くの情報を仕入れながら仕事を行わなくてはできない。たとえば、製品の開発スケジュールにおける設備工事期間と立ち上げ時期、製品の販売計画数とその理由、製品の新機能や新機構、品質企画、製造原価目標、生産ライン改造投資目標、既存の生産ラインの問題点（現場の要望）、既存の生産ラインの工程と作業、加工（設備仕様）、既存の生産ラインレイアウトなどである。製品設計と生産現場で製品設計構造を生産システムに転換させる役割である。同時に設備や物流計画の基本計画を作成しているわけであり責任も大きい。

②製品設計業務における役割

特に、製品図面を作成する過程における図面検討業務は重要な役割である。生産ラインの品質や生産性がこの図面で決定するからである。また、設備投資も図面で決定するからである。したがって、ライン設計においては、しっかりとした設計思想を持たなければならない。

【解説】

工程計画者の仕事の定義は、製品を生産するラインの計画ではない。これは従来の考え方である。今日、製品開発のスピードを競っている時代である。製品設計の完成を受けて、それを条件として生産ラインの設計をしていては、よい生産ラインは作れない。後で、製品設計を修正することは金と時間を大きく損失することになる。そこで、今日では製品が生産できるようにするための事前検討業務全般を行うことが工程計画の役割である。図面における生産性問題を解決することや、品質企画や計画に参画し、工程能力内での設計を推進調整する業務など多くの調整業務を行って、コスト、生産性、品質目標を達成できる条件を作り出すことと考える。

工程計画の定義

× 製品を生産するラインの計画

○ 製品が生産できるようにするための事前検討業務全般

図85 工程計画の業務の認識

第2章　自動車組立ラインの標準化

1　自動車組立ラインから学ぶ

自動車の組立ラインは大規模な生産ラインである。したがって、複雑であるが、多くの考え方が蓄積されている。これ以後はその事例から着眼点を展開する。

・自動車の組立ラインの歴史。
・生産ラインの課題。

【役割と考え方】

①自動車の組立ラインの歴史

自動車の組立ラインは古くからその形態に大きな変化はない。連続コンベアによる搬送方式を採用しており、かつてはその動力はチェーン駆動であった。今は電車搬送であるラインもあるが、古い生産ラインはチェーンコンベアのままである。生産計画は販売店の受注によって計画を修正する計画修正型である。生産ラインは車両の種類（車名）をミックスして流すラインが多い。作業は人手で行われている。40年前には自動化論争が巻き起こり、欧州を中心に、また日本でも自動化の試みがなされた。しかし、精度問題による設備の信頼性や経済性などで、多くの企業は自動化から撤退をした。

②生産ラインの課題

組立ラインの課題は人と種類への対応である。人が作業をしているために、自由度が高い。そのため、製品設計が自由化されてきた工程である。一方、溶接ラインはロボットを中心とする自動化ラインであるため、製品設計への制約は大きく、改造投資が勝るため、製品構造は標準化されてきた。しかし、組立は作業の負担やそのための製品構造変更は難しく、自働化対応するにも設備投資が大きく、作業負担対策は進みにくい。製品は新機能が追加され、部品の種類も増加しスペースも問題となる。変化が大きく標準化が進みにくいラインである。

【解説】

自動車組立ラインの概要を示しておこう（次ページ図参照）。組立ラインは全長１kmあり、約２００人の作業者が働いている。自動化率は低く数パーセントである。搬送方式は連続コンベアであり、流れるラインの上を作業者が部品を棚から選択して取り付ける仕事をしている。プレスされた板金部品をボディの姿に溶接される溶接ラインを通り、塗装ラインで塗装され、その先に位置するのが組立ラインだ。お客様へ製品を渡すための最終工程であるために、品質や納期について厳しいコントロールの中にある。バッファはほとんどなく、生産された製品はそのまま、すぐに出荷されていく。部品の中では、エンジンなどは内製であるが、他はサプライヤから納入される。今日、嗜好が多様化したため、部品の種類も多く、ラインへの部品運搬に工夫を凝らす企業が多い。

2　現場依存の工程計画課題

自動車の組立ラインの工程計画は大変時間のかかるものである。しかし、工程設計の標準化などを経て、少しずつではあるが仕事のリピート性が高まってきたといえる。

- ・組立ラインの工程計画とは。
- ・その担当と課題。

【役割と考え方】

①組立ラインの工程計画とは

自動車の組立ラインはほとんどが人手作業である

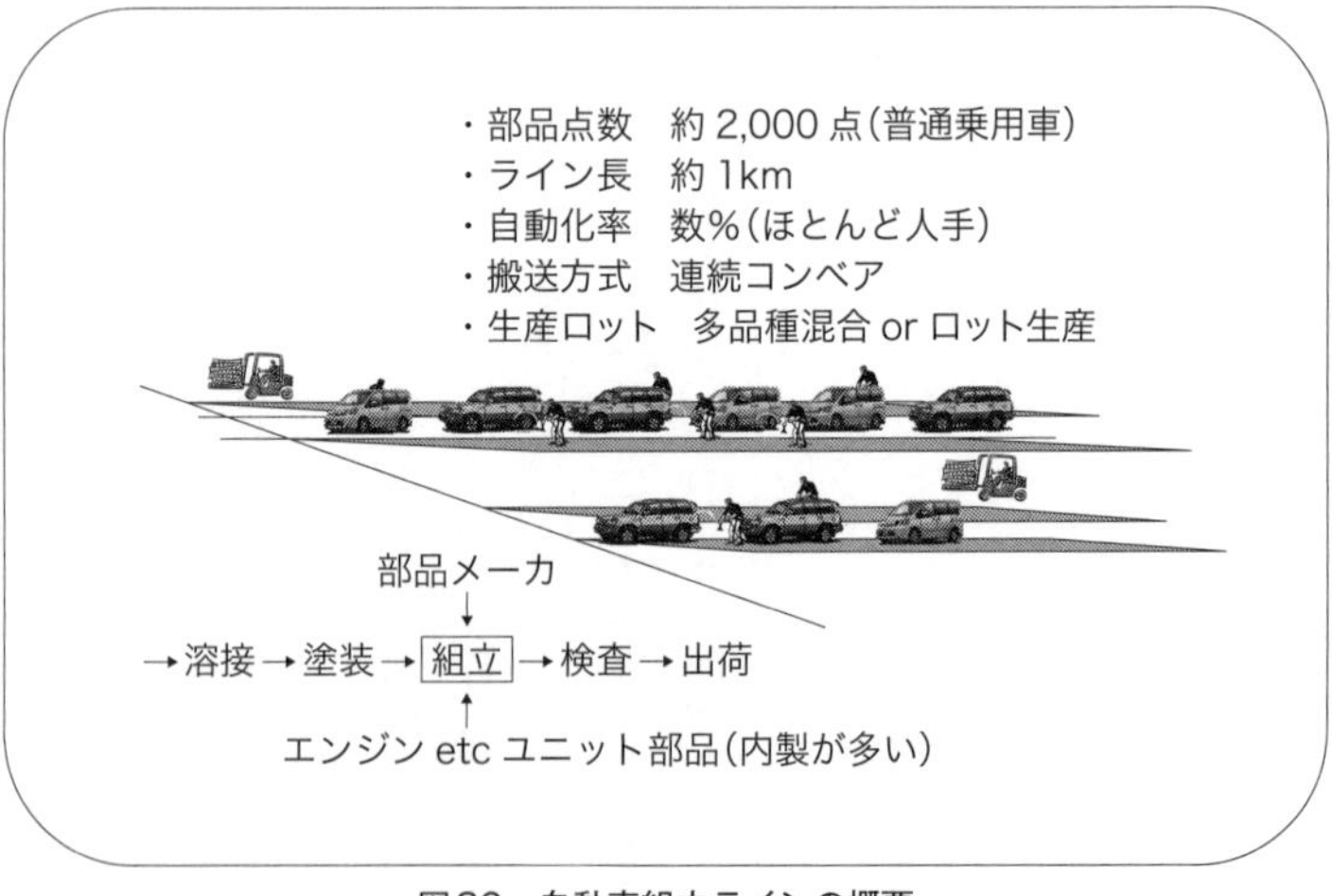

・部品点数　約2,000点（普通乗用車）
・ライン長　約1km
・自動化率　数%（ほとんど人手）
・搬送方式　連続コンベア
・生産ロット　多品種混合 or ロット生産

部品メーカ
↓
→溶接→塗装→組立→検査→出荷
↑
エンジン etc ユニット部品（内製が多い）

図86　自動車組立ラインの概要

ために、工程計画はその作業の割り振りまでをも視野に入れた細かなものとなる。溶接工程であれば、配置されているロボットは動かず、その役割も変化することはない。しかし、組立では最少の人数で生産をすることを求められるために誰一人として固定的な作業を行うことはない。したがって、製造部では現場の組長がメンバーの技量を考えながら、誰にどのような作業を行わせるかを決めている。生産技術で行う工程計画は個人の能力差を考慮せずに、基本的な人員配置と作業を提示することである。組立における生産技術の視点は、製品に必要な作業時間から生産ライン全長が不足しないか、あるいは、生産ラインの設備を移動させる必要があるかないかである。ある意味、投資額の視点が強い。

②その担当と課題

このように組立ラインの工程計画では最後は現場の組長の検討が入り完成する。また、日常の生産量変化に対しても、作業組み合わせが変更となる。したがって、生産技術は製品設計に部品の組み付け順序を指示したくても、現場が変更の主役であるため統一的な順序を提示できない。これが、製品設計における自由な設計をさせてしまう原因である。いかに、この工程編成に生産技術が関与するかがポイントである。

【解説】

自動車の工程計画の進め方について説明しよう。まず、製品計画の段階では、主たる部品を組み付ける順番を検討する。まだ、仮の状態である。しかし、このとき、すでに既存の生産ラインとは順序が異なる計画が推進されている場合がある。このときはその計画を修正する。ある程度の製品設計が進むと、生産ライン内へ人や部品や設備の配置を決めていく。これができるのは、ほぼ製品の計画が出来上がった段階である。さらに製品設計が確定し、図面が完成すると、現場での詳細な工程編成が作成される。最後に生産ライン内で人と部品と設備の配置が確定するには10cm単位の詳細な配置検討が必要となる。このようにして工程計画は最後に細部レイアウトを完成させるが、現場が最後に手を加えて完成しているのである。

3　部品種類と部品供給方法の問題

生産ラインでいくつものモデルをミックスして生産を行う場合、ラインでの部品置き場や部品の運搬方法などに工夫が必要である。

・部品の置き方と供給方法。
・部品基地化による部品種類の削減。

【役割と考え方】

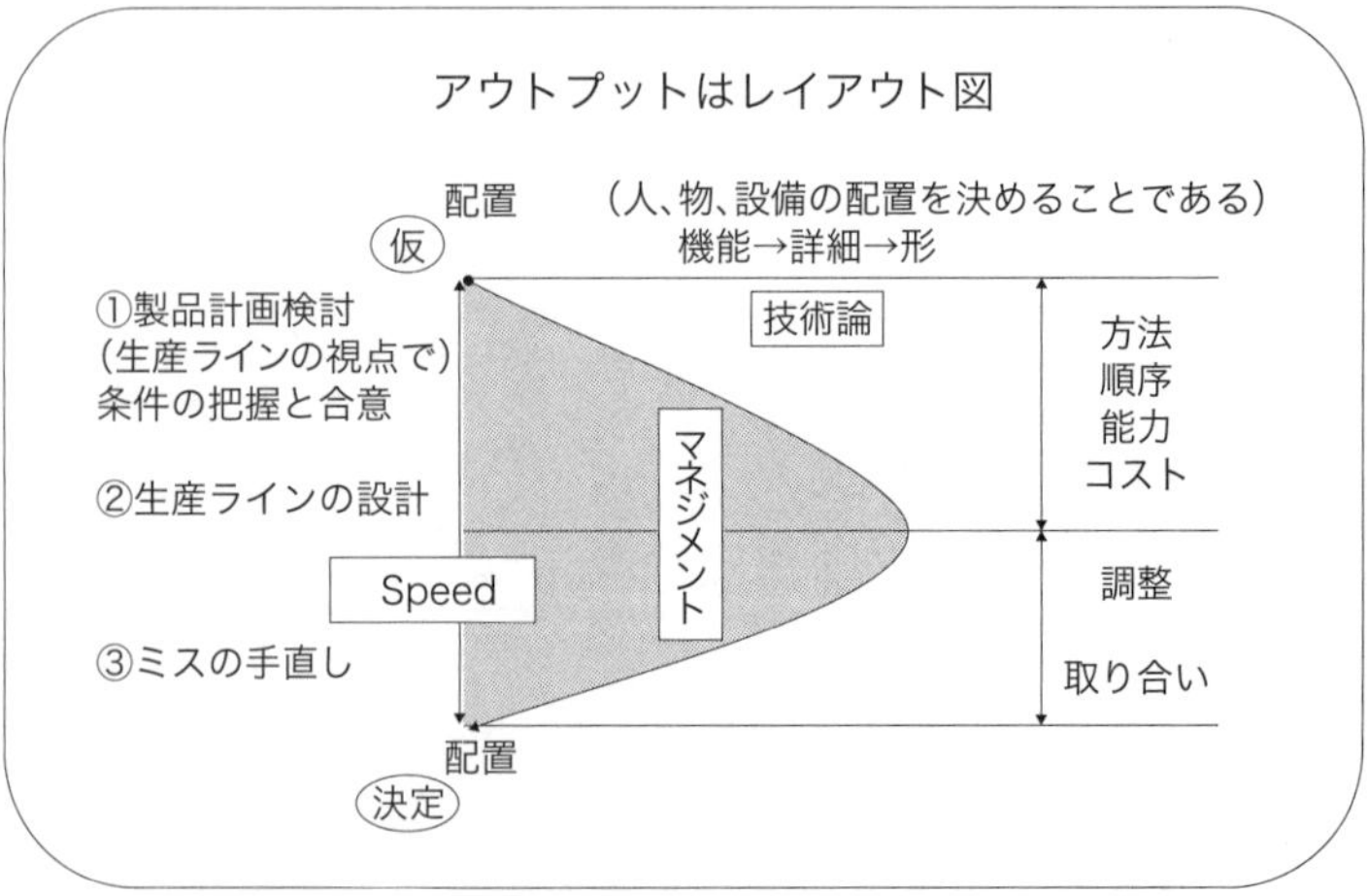

図87　工程計画のアウトプット

①部品の置き方と供給方法について

自動車の組立ラインでの部品の置き方は4種類ある。フローラックと呼ばれるローラ上に部品箱を置き、ラインと直角に部品を並べる方法。大きな部品はパレットごとラインに供給する方法。生産順番に部品を並べて、供給する順序供給方法。一台を完成するのに必要な部品をセットにして何回かに分けてラインに供給するセット供給がある。順序供給方法やセット供給は生産ラインとは離れた場所で順序立てしセット立てする。この場合は、生産ラインには部品棚がなく、ラインに沿ってのスペースは空いている。生産ラインの全長は製品の加工時間に比例して計画でき、製品の部品種類の多さによるスペース確保とはレイアウト設計上できれいに考え方を分けられるメリットがある。

②部品基地化による部品種類の削減

組立は部品種類対応を必要とするラインである。ラインに沿って部品を並べない方法を採用すると、生産工程の流れ順を意識せずに、同じ品目の部品などを集約して配置させることができる。部品の種類が目で見え、削減の対象を認識しやすくなる。ライン内に分散させると、種類という課題が見えなくなる。

【解説】

次ページの図88は自動車の部品の置き方について示している。上段の右図は生産ラインを正面から見た図である。このように一般的には左右にフローラックを並べ、部品を収容している。上段左図はラインを平面で見た図である。部品棚と記述のある部分にフローラックが置かれ、作業ラインを挟んでいる。下段はフローラックのスペースを生産ラインから離し、別な場所で順序立てやセット立てを行う場合を示している。このような方法を採用すると、部品は部品ピッキングゾーンに移り、生産加工や作業ラインと分離される。生産ラインの全長は製品の加工時間で決定されるため、ラインの全長は短くなる。一方、部品のゾーンは部品種類によりスペースが決定される（生産量は定期的に同量が納入されるとすれば、生産量はスペースのパラメータにはならない）。

4　生産ライン諸元の標準化

生産ライン設計においては、ラインの諸元寸法を標準化しなければエンジニアの都合で異なる設備計画をされてしまう。

・ライン諸元の標準化。
・効用。

【役割と考え方】

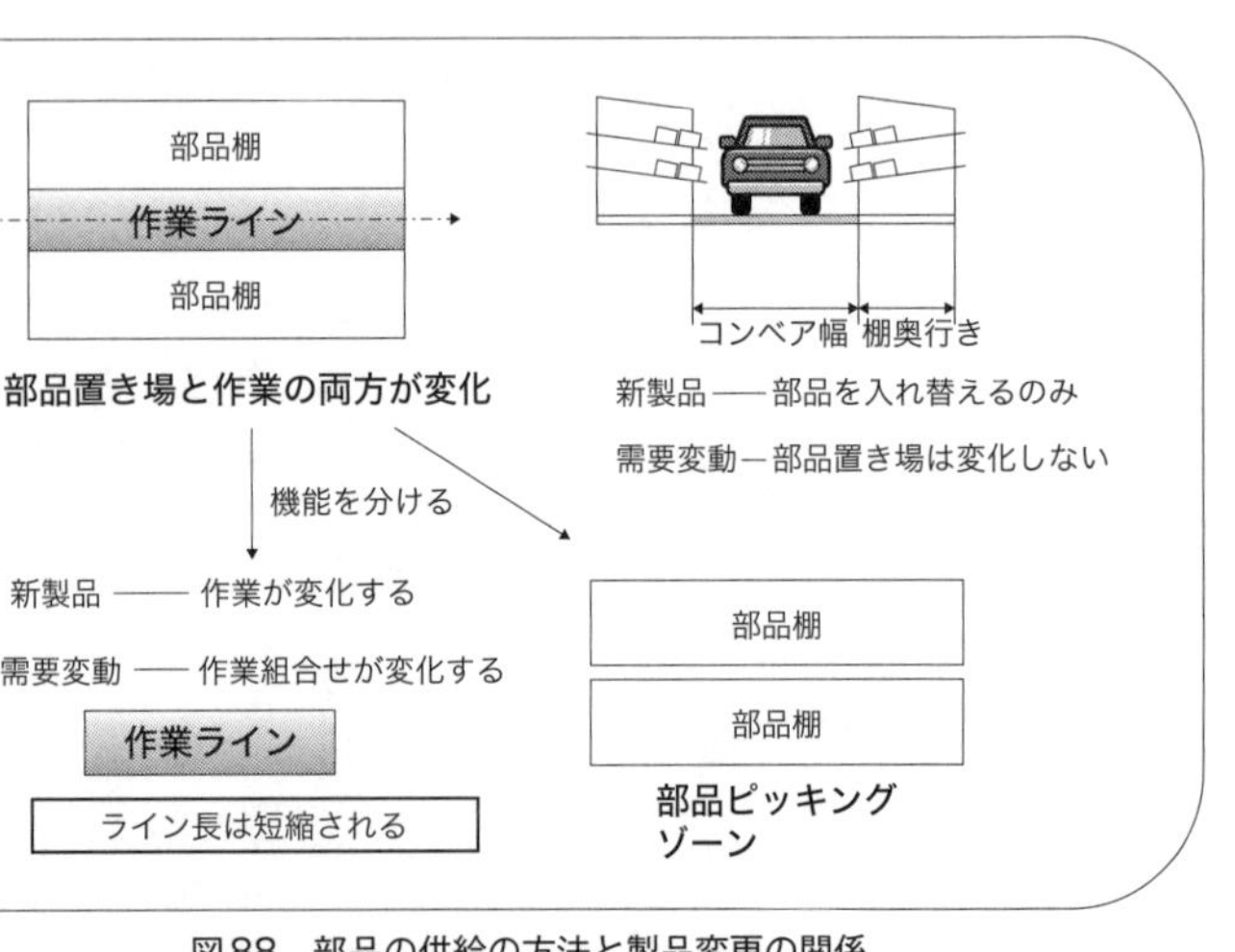

図88　部品の供給の方法と製品変更の関係

①ライン諸元の標準化

同じ製品を繰り返し生産しているラインでは、生産ラインの諸元寸法が標準化されていなければならない。初めての製品を生産するラインではなく、何回も生産している製品のラインは人の作業スペースの大きさや、製品の大きさからラインの幅や高さなどの標準化が進んでいく。この諸元寸法は、同じ製品を生産するラインで遵守されなければならない。

②その効用

生産ラインには、設備が導入される。設備に使えるスペースや空間の高さなどを揃えておかなければ設備の標準化もできない。日本だけでなく、海外生産工場も統一的に諸元寸法で設計されなければ、生産技術のエンジニアリングでの無駄が多くなる。生産ライン諸元の標準化は設備や棚などの標準化の基本的な条件となるべきものである。

【解説】

生産するワークの大きさにより、図のような諸元

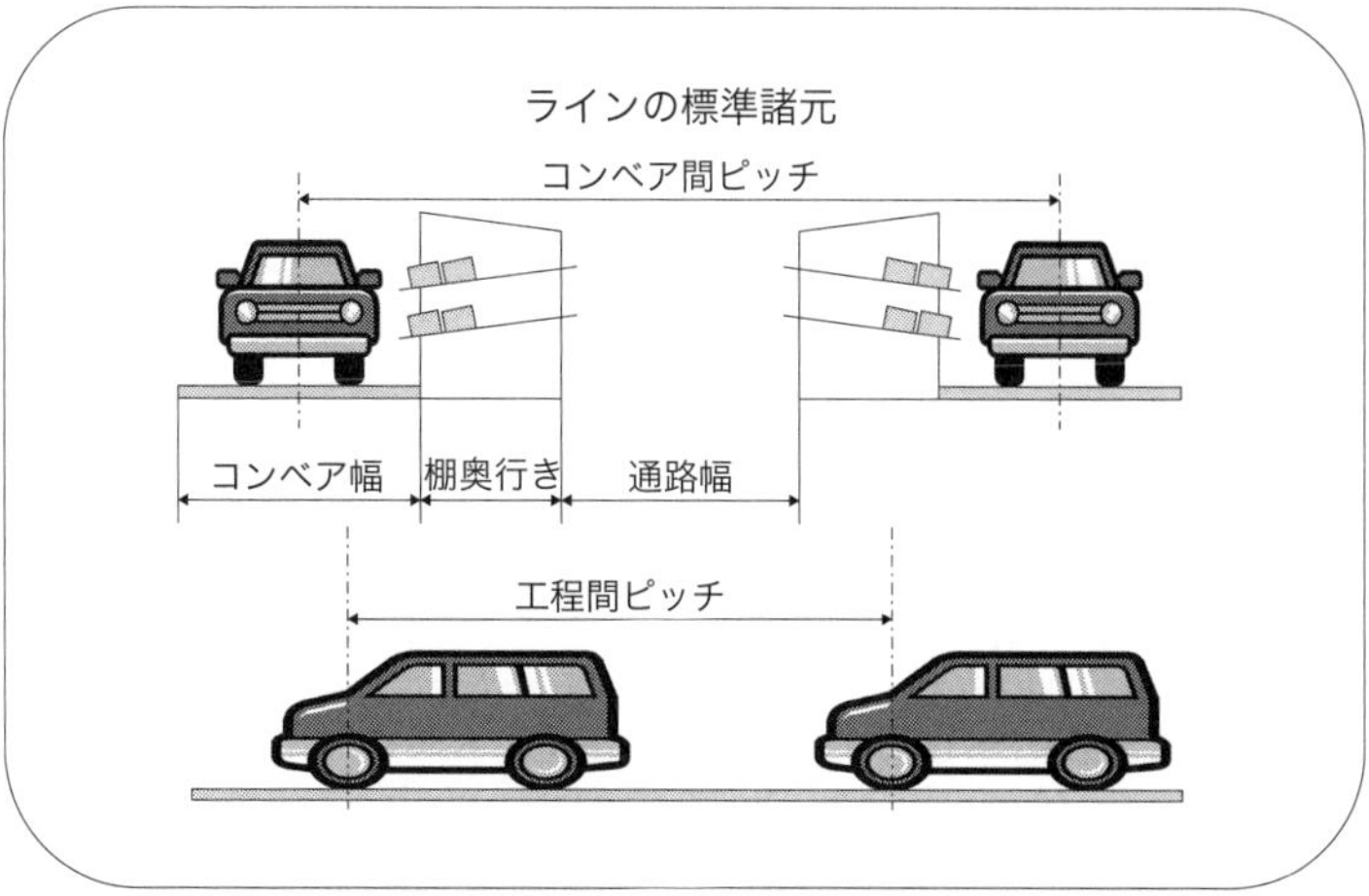

図89　自動車におけるライン諸元

寸法を標準化する。生産ラインにおいて繰り返し生産する製品の場合はおおよその大きさに変化がない。他社製品や法律などの関係である大きさに分類されていくものである。自動車では全長、全幅などが製品の基準となり、その大きさに対し、作業者が立つコンベアのスペースを加算しコンベア幅が標準化される。さらに、部品棚のサイズも標準化されることにより棚奥行きの寸法が決められる。また、部品を運搬する設備に歩行通路を片側に加算して通路幅が規定される。コンベア上におけるワーク（車）のピッチは自動車の前後に作業者が二人立っても仕事の邪魔にならないスペースを加えて規定される。

5　ライン分類とライン配置の標準化

新しい工場を建設する際にも経験的に決まっているルールが必要である。ラインの配置にも基準がある。

・ラインの配置の考え方。
・効用。

【役割と考え方】

①ラインの配置の考え方

自動車の場合、その構造から大きくラインは3つに分類される。どんな製品にも一番大きなライン分類がある。自動車のボディはモノコックボディである。そのため、床裏につけるサスペンションなどの足回りを組み付けるラインは他とは区分される。このラインは床裏に部品をつけるために、空中に吊った状態でボディを搬送する必要がある。この足回りのラインに対し、ボディに先につけておかなければならない部品がある。これらを足回りの前に組み付けるためのラインが区分される（前艤装）。最後は、足回りのラインを組み付けた後でなければ組むことのできない部品を組み付けるラインである（後艤装）。このように3つに自然と分類される。この自然な分類を守りやすいので、標準化の区分としてはよい。このような分類を製品に対して考えてみることである。

②メリット

長いラインを全体として工程計画するよりも、3つに分けて検討を行う方が容易である。生産ラインの工程計画はできるだけ、小さな単位にグループ分けした方が、工程の

組立ラインの分類と配置

①前艤装、足回り、後艤装でラインを区分する

②足回りラインは建屋壁際配置

③大物部品はライン端へ配置

図90　自動車組立ラインの分類と配置ルール

編成がしやすくなる。生産工程を分類することで、工程計画のエンジニアリングの担当分けが可能となり、仕事を並行分担することができる。

【解説】

組立ラインの分類と配置の考え方として、生産ラインは3つの分類を持っている。足回りの部品はエンジンやサスペンションなど大きく重い部品が多い。その運搬も他の場所からトラックで運搬されるために、トラックのアプローチ性が高い、建屋の壁際に足回りラインは配置される。また、天井やウインドウガラスなどの大きな部品はラインの端にその組み付け工程を配置する。この方が、そのような大きな部品を組み付け工程に運搬するのが楽だからだ。大きな観点から、生産性を考えて計画を行わないと、ライン設置後では変更することができない。大きな生産性の確保を忘れないように工程計画を行うことである。

6　品質、コスト、生産性の3つのバランス

新しいラインを設計する場合、どのような狙いとするかの方針を決定しなければいけない。品質、コスト、生産性という異なるメジャーをどのように判断するかが重要である。

・3つのラインの配置の大きな考え方。

【役割と考え方】

①3つのラインの配置の大きな考え方

長いラインをたとえば3つに分類した場合、建物の大きさがその配置によって異なる。1㎞を3分割すると1本は300mあまりの長さになる。この場合建屋は細長くなる。さらに1つのラインを150mとして2本で構成すると建屋の形は正方形に近くなる。このような場合、搬送コンベアの投資額に大きな差が出る。その反面、部品を供給する際の物流動線は短くなる。工程計画において、生産ラインの切り方や配置は建物の投資額や搬送コンベアの投資額などの初期投資と、実際のライン運営における生産性と品質の差などを比較説明する必要がある。レイアウトは何回も描き直しながらアイデアを練らないといけない。この段階の難しさは、大きな配置を考える際にも、生産ライン内の部品の順番や位置を意識し、外壁に近いラインエンドに大きな部品を置くことができるか検討することである。自動車の場合、部品の組み付け優先関係が複雑であるため、全体計画をする際にライン内の個々の工程配置を一緒に考えることは難しい。このような問題を解決するためには、ICTによるシミュレーション（思考錯誤支援）が効果的である。

【解説】

次ページの図はラインのコンセプトと配置例を示している。一番単純なAタイプは設備投資を優先した配置である。連続搬送コンベアを途中で分割すると、分割部分に空中搬送ラインが必要となる。Bタイプはその点では設備投資が大きい。しかし、ライン間の部品供給を行う際には、ライン長が短いほど運搬効率は高くなるメリットがある。また、ライン単位と組織単位を一致させ、ライン間に十分なバッファを持つことにより、ライン運営が独立する。Cタイプは一箇所にラインの出入りを集めたもので、ラインでの完成品を全員で確認し、品質問題解決の迅速性を狙った配置である。このように、生産ラインの配置はその狙いにより変化する。狙いを定めて意思決定することである。

7　マトリックスで優劣評価

投資額、生産性、品質の異なるメジャーをどのように判断するかが重要である。しかし定量化しても、それぞれのメジャーの重みをどうするかで比較が難しい。

・エンジニアリングはマトリックスで整理する。

【役割と考え方】

①マトリックスによる意思決定

工程計画だけではなく、エンジニアはマトリックス

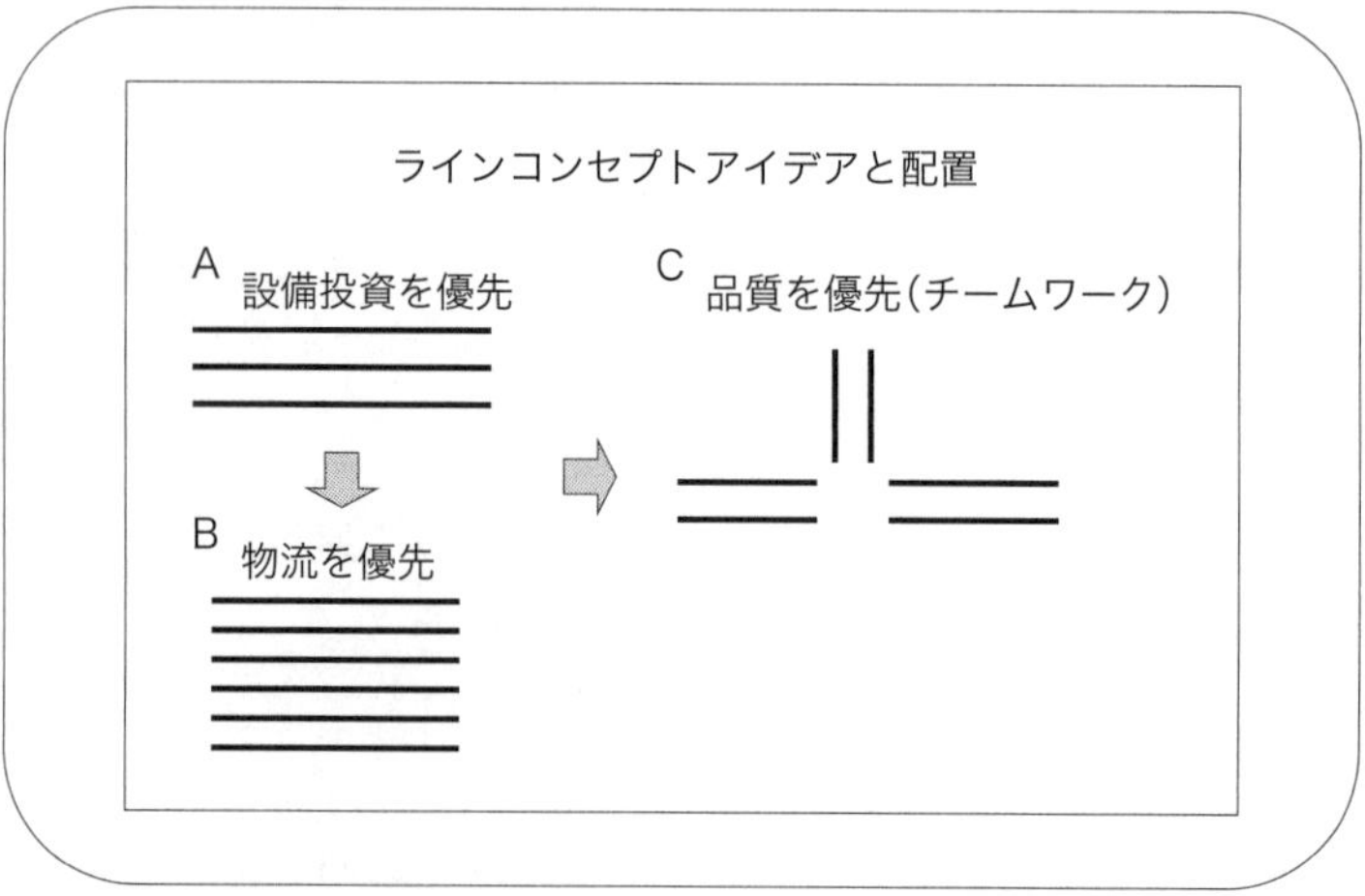

図91　自動車におけるラインコンセプト

を作成することが多い。それは常に判断に悩む意思決定をしなくてはならないためである。自分一人の判断ではなく、総意としての決定を求めるためにはマトリックスに落として相手に説明、納得をさせる必要がある。マトリックスにするのは、解決したい課題を比較評価することであり、そのためにはどのような評価指標を使って比較するかを考える必要がある。この評価指標は課題のタイプごとに設定される。逆に都合のよい結論を導くために有利な評価指標を設定することもあるために管理者は評価指標の選択に注意する必要がある。工程計画は課題を解決する業務である。そのために、繰り返し同じことを経験すると同じマトリックスが活用できる。エンジニアの仕事は蓄積が不足していることと、他の仕事のプロセスを流用しないことにより標準化が進まない。課題解決にマトリックスを活用し、その判断指標を標準化して継続することが大切である。マトリックスを作成する習慣のないエンジニアリングにはＩＣＴ化は適用できない。

レイアウト比較

	投資額	スペース	品質	生産性	拡張性
A	○	○	×	×	×
B 	×	△	△	△	○
C 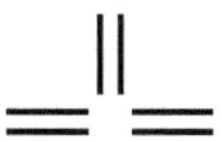	△	×	○	○	△

土地価格　　アワーレート

図92　自動車におけるラインコンセプト

【解説】

前項6のレイアウトを例にして前ページの図のようなマトリックスを作成した。上段には評価メジャーを並べてある。これらのメジャーはどれも単位が異なり単純に比較することができない。それを、○、△、×で評価した。スペースや生産性などは土地の価格やアワーレートなどにより評価も変わるであろう。拡張性は、生産量の増加として評価したものである。これには追加投資額や工事期間などが細部のメジャーとして考えられる。このマトリックスには結論を載せていないが、結論を出すには○、△、×などに評価点を設定し、総合得点で評価する。実際にはそれぞれに説明を付け加え、お互いの理解を深めなければいけない。

8 作業配分のルールを標準化

人は器用であるがなんでもできるわけではない。生産ラインの中での労働は作業負担も高まってくる。良い品質の製品を作るためには負担の少ない作業配分のルールが必要である。

- 作業配分ルールの必要性。
- 作業配分ルールの見つけ方。

【役割と考え方】

①作業配分ルールの必要性

ルール化の目的は、第一に品質向上である。人の作業は作業手順を規定し、同じ作業の繰り返し性を高め、それによるミスの防止と作業習熟による品質の安定性を行うことを求める。製品の生産量や製品の種類によっても、繰り返し性を高めた作業を配分することに注力する。第二には、コスト低減である。繰り返し性により、作業が慣れ、1つ1つの作業そのものの速度がアップする。作業者間で同じ作業量を配分することで、生産ライン内でのボトルネックをなくすことができる。また、生産タクトに対する標準作業量の過不足が見えるようになり、改善が進む。第三は、製品開発時の生産要件の標準化である。作業の配分ルールそのものが、生産要件である。作業の組み合わせの考え方から、作業の繰り返し性や配分の均等性が守りやすい製品設計構造を考えることになる。

②作業配分ルールの見つけ方

作業配分ルールは、長年運営している生産ラインの職制が経験的に持っている。この経験的なルールを解きほ

人手の作業ライン

原則

①品質：品質確認完了までが一人の仕事
　　　　1つの部品は一人で組み付け完了
　　　　製品種類に対して同じ作業を一人が行う
　　　　標準作業を繰り返す

②コスト：製品種類と作業者間で作業量を同じにする
　　　　　一人だけの離れ小島をつくらない

③作業負担：限度を定め、楽な姿勢を確保

図93　作業配分ルール

ぐして、製品設計の構造と関連性を求めることで規定することができる。現場の習慣を技術的に解釈し、製品構造や工程設計、品質、コスト、生産性との関係に結びつける科学的な業務を生産技術が行う必要がある。組立の生産技術はこのような分野を基本的な仕事として理解する必要がある。組立作業のことは、現場とその職制に任せておけばよいとの意識では、生産性や進化はない。古い考え方を変えなければ、欧米の方法に追いつけないのではないかと危惧している。

【解説】

人手による作業は品質が確保できることが第一である。人はミスをするものであることを前提に原則を決める。そして、ミスをしないようにするには、ミスをした場合どうするかの2点で作業の配分ルールに含める。製品種類に対し同じ作業を行うとは、製品でも同じラインで仕様違いがあるもの（オプション、グレードなど）を混流生産する場合、製品種類によって、一人の作業者の仕事が変化することは標準作業ではない。同じ仕事を繰り返すとの原則に一致しない。さらに、生産タクトに対して半端な工数が必ずあるため、それをいかに減らしやすくしておくかをルール化したものである。離れ小島（集団から離れ、別な場所でポツリと数人で行う仕事）を定義しないことである。また、作業が行いやすいことを念頭に考える。姿勢が楽であること、重量負担がないこと、局部の筋肉などを酷使しないこと、動きに変化が少ないことなどである。

9　設備のフレキシビリティを高める

人の生産ラインでは、生産量の変化に対し、人を増減させる際に設備が邪魔になることが多い。改めて設備のあり方を見直すべきだ。

・人の作業ラインにおける設備の問題点。
・設備のあり方。

【役割と考え方】

①人の作業ラインにおける設備の問題点

作業ラインでの設備の問題としては次の点に注意する。安全性、作業性、保全性、信頼性、生産変動への対応性、製品変更への対応性、改善の容易性。

②設備のあり方

安全性を確保すると頑丈な安全対策で不安全になることが多い。安全対策の必要のない軽い設備にすることがよい。作業性をエンジニアの頭だけで考えるのは難しい。現場と作業性を追求した標準設備をチャンピオンマシンとして取り決め、設備に対する人のアプローチの方向や歩行距離、部品のセットの確実性、タクトタイムにおける作業の順序と設備仕様のマンマシンサイクル検討、など現場との認識を一致させることに重点を置く。保全性とは保全マンの安全性と保全作業の容易さ迅速さなどが確保されていることである。設備の信頼性は重要であり、チョコ停が多く、難しい設備を開発導入してもいつか撤去されてしまう。特に市販の設備では導入が難しいのが組立である。組立の設備はアイデアが重要であり、前記の要件を踏まえ標準化をして生産要件とする必要がある。

【解説】

組立ライン設備の標準化については、製品の機能などの変化を受けるのが組立の設備である。製品ごとに個別に改造を加える仕事は段取りばかりに時間を費やし無駄である。組立ライン設備のモデルチェンジ対応を繰り返し行うと、徐々にどこを標準化すればよいかが見えてくる。そのためには、同じ設備を何回も担当することが必要である。担当が替わりすぎると、標準化は行えない。製品と生産設備との関係を整理し、アタッチメントの大きさや装置のメカニズムなどの標準化を実施することが必要だからだ。生産ラインの切り替え工事は土日を使って行うが、昼休みに切り替え工事ができるように考えると、何を標準化、開発すべきかが分かってくるはずだ。極端な方針を立てると新たな発想が生まれるものである。アウトソーシングで外部企業にこれらの業務を丸投げしている仕事は技術が進まない。

人手の作業ライン設備

原則

・人と共存できる安全性
・ワークに見合ったサイズ
・移動できる設備
・標準設備(自ら開発する)

図94　設備仕様の標準化

10 組立品質は検査とタイアップし高める

検査は検査の仕事だとの認識で、生産と検査組織の仲がよくないことが時々見受けられる。品質問題を出さない運営には検査の存在が欠かせない。

・組立の品質不良の特徴。
・検査と組立の品質コミュニケーション。

【役割と考え方】

①組立の品質不良の特徴

組立の品質不良の原因は次のようである。作業の忘れ、間違った部品を組み付け、途中で仕事を終えてしまった（終わったつもり）、部品の不良、部品の破損、落下、傷つけ。

②検査と組立の品質コミュニケーション

人の担当作業が変わると品質不良が発生するため、年休などで、人の交替があった作業を重点的にチェックする。このために、検査は組立の人の配置をラインスタート前に確認するようにする。検査は発生した品質の原因と見られる複数の工程に同時に品質確認を要請する必要がある。品質不良の発生しやすい部分を統計的に把握し、その原因解析を確実に行うことも忘れてはならない。作業ミスをした人を叱るのではなく、そのミス発生の要因を明確化し、対策することが現場の職制の役割である。その真因が製品の構造や工程配置、設備などである場合は生産技術が対策することとなる。現場は品質不良を直したら一段落と思いがちで、このようなことを継続している状態は生産ライン運営が下手だと反省すべきである。未然防止策を運営開始し、再発防止成果をモニタリングすることを徹底する。検査は生産技術や設計に品質不良の発生原因を伝達することも重要な役割である。

【解説】

QA（Quality Assurance）ネットワークについて説明する。これは、組立の品質保証度の低い作業を申告し、検査でその保証ごとに合わせて検査方法を決定する方法である。どこの保証度が低いかを製品の構造や工具、設備などで総合的に評価することで、保証度を高める活動を推進する。一方、保証度の低いことを認識し、漠然とした工程管理を行うのではなく、重点思考した工程管理を行うようにする。すべての作業について評価を実施し、

検査工程

：考え方

ふた物が組み付け前に検査

QA ネットワークで仕組みを評価

Quality　Assurance

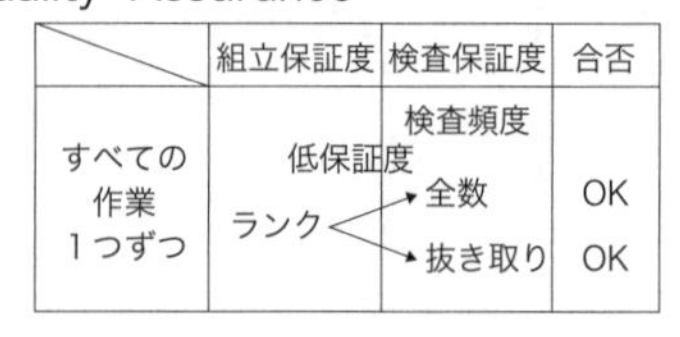

	組立保証度	検査保証度	合否
すべての作業 1つずつ	低保証度 ランク	検査頻度 →全数	OK
		→抜き取り	OK

図95　自動車における最終組立ライン検査の例

保証度を検査と共有する。保証度の低い作業は設計、生産技術で解決する。保証度と実際の品質不良との相関が把握できれば、製品設計変更の説得力あるデータとなる。設計基準の見直しにつなげる。保証度の評価メジャーは製品設計図面の検討の際の評価アイテムとして活用する。

11　検査を自動化せよ

人の判断による検査が多く見られる。以前は技術的に検査を自動化する方法が未発達であったが、今日はコンピュータ技術進歩によりその可能性が広がっている。

・人による検査の問題点。
・検査の自動化のメリット。

【役割と考え方】

①人による検査の問題点

人による検査の問題点を挙げると次のようになる。検査の忘れ、合否判定のミス、人による合否判定のバラツキ、判定結果が定性的、検査サイクルタイムが長くなるなどである。

②検査の自動化のメリット

検査ミスや合否判定がバラツクなどの人の判断差がなくなる。検査結果が定量的に保存でき、ＳＱ

Cなどの解析に利用できる。良品条件（よい品質を作るための条件）が整理されていく。製品開発段階でのCAE活用が進む。グローバル生産での品質チェックが統一化し、品質状況が確認できる。検査の方法としては、画像処理、レーザ計測、各種センサーの活用が考えられる。これらとコンピュータを組み合わせた判定と結果の蓄積を行う。目に見えない小さな加工や製品の検査を参考にするとよい。

【解説】

下図は自動車の一般的な検査方法を表している。動く機能はほとんどが全数検査で、その判断は制御系以外の機能について、人の判断で行われている。そのため、検査作業の訓練は十分に行われ、専門化している。今後の課題は、コンピュータシステムで動作する機能検査をどのようにするかである。走行の制御も細かく運動制御されていく。その制御の検査は実車走行で確認するには手間がかかる。テスト装置内で検査する検査装置が今後開発されるであろ

一般的な検査方法

・直接機能検査・・・・走行テストスタンド・・・全数
テスト走行・・・・・・・・・抜き取り
ふた物 ・・・・・・・・・・ 開け閉め・・・全数
傷、汚れ、建付け・・・・・目視・・・・・・・全数
・間接機能検査・・・・締め付けトルク・・・一部全数・・・設備で保証
一部抜き取り
＊人と作業や検査に依存したものや、
デフォッガなど実動作確認に時間が必要なものなどの
機能確認は課題

・手直し・・・・電子、センサー・・・ダイアグノーシス
他　・・・分解調査・・・再度組み付け
or 部品交換

図96　自動車での検査方法

う。このように、製品は制御で動くものの検査を生産ライン内で行う研究が遅れている。生産ラインのタクトやスペースの中で検査装置を考えるとよい。また、触感や目視依存しているなどの人間の五感判断を活用している検査や実走行を代替できる検査方法や自動化を行うことが大切である。ここに生産技術の価値がある。

12　物流は情報伝達をシステム化せよ

製造業の工場内の物流は改善の余地が多い。旧態然とした方式で部品の運搬を行っていないか？生産量の変化や種類の変動などに対し、効率的な供給が行われているかチェックすることを意識せよ。

- ・工場内の部品供給における問題点。
- ・情報システムの活用法。

【役割と考え方】

①工場内の部品供給における問題点

工場内の部品供給における問題点は次のようである。自動化コストが高く、人による運搬である。運搬作業が管理しにくいことが挙げられる。

②情報システムの活用法

人が替わると供給遅れが発生するため、年休などで、人の交替があった運搬を重点的にチェックする。このために、運搬もいつでも誰でも行えるように標準化しておくことに注意する。そのために運搬作業指示システムの構築が考えられる。必要なタイミングで運搬する必要があるが、逆に手待ちが発生しやすい。運搬のタイミングの指示にＩＣＴ活用が考えられる。運搬頻度の高い工程を把握し、頻度に合わせた供給組み合わせを行う。運搬進度をモニタリングし、供給効率をアップする。

【解説】

下図は自動車の一般的な運搬方法を表している。部品運搬は工場の安全や環境へ配慮しリフトの使用を控えている。部品の運搬は人手によるため、運搬距離が短くなるように部品受け入れ（サプライヤの荷卸場所）と組立工程との位置関係を考慮する。一度置いた箱を動かして、また元の位置に戻すような無駄を避ける置

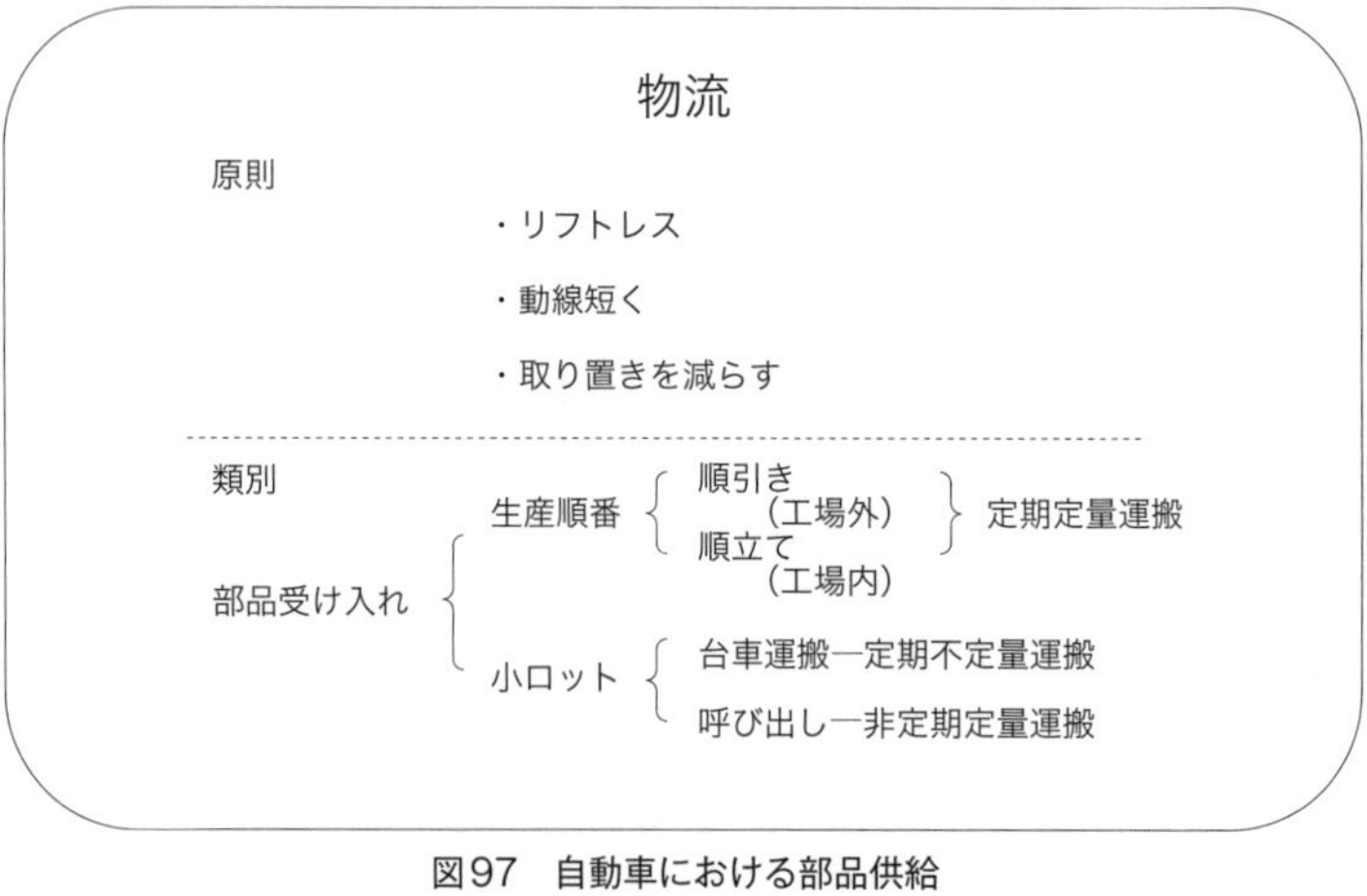

物流

原則

・リフトレス

・動線短く

・取り置きを減らす

類別

- 部品受け入れ
  - 生産順番
    - 順引き（工場外）
    - 順立て（工場内）
    - } 定期定量運搬
  - 小ロット
    - 台車運搬ー定期不定量運搬
    - 呼び出しー非定期定量運搬

図97　自動車における部品供給

き方や棚を工夫する。運搬の方法については、製品の生産順番に合わせて、部品メーカや前工程から順序通りに箱詰めされて、生産ラインではその箱から順番にピックアップする生産順番に一致した方法と一般的に同じ部品を小ロットにしてその単位で供給する方法に大別される。前者は同じ品目での部品種類が多い場合に、生産工程でのスペース対策として用いられる手法である。

第3章　製品と生産ライン区分の一致

1　完結工程づくり（KANKETSU　PROCESS）

自動車の組立ラインは約３０００点の部品（含む締結ボルト）をほとんど手作業で組立てしている。国内にある多くの組立ラインはそれぞれの生産車種や生産量により最適な作業組み合わせを実施していた。そこへ１９９４年の組立部長連絡会にて組立ラインのあるべき姿を実現する統一した考え方が示された。まず、それまでの組立における問題点は次の通りであった。

・作業が複雑化し、作業者にとって作業が時間合わせのための作業の固まりになっていて、作業の価値や意味が分かりにくい状態であった。
・作業の習熟に時間がかかるために、工程変更・作業者の配置変更後の生産性や品質回復に日数を要していた。
・誤欠品、品質不良のフィードバックが行いにくく、再発防止などの工程での品質作り込みが弱くなっていた。
・生産技術において、車両構造、組立設備の標準化や横並び展開が難しかった。

以上の問題を解決するための組立ラインの設計思想として完結工程の定義がなされ、社内に展開されることとなった。

【役割と考え方】

①ワーキングライフの構築

組立ラインで働く人のスキルを明確にして、各作業者のスキル獲得、成長度などの評価を行い、さらなる技術獲得に向けての教育や経験を積むプロセスを見える化することで、働く人の働き甲斐や動機づけなど作業者に寄り添う運営ができる。

②組立ライン設計の基本

世界中の組立ラインの基本設計思想として展開することで、品質と生産性の基盤を工程設計の段階から高レベルを確保することができる。工程設計者の個人的な能力や製造部の能力に依存しない普遍的な考え方を具体的に示すことで、生産ラインの設計において投資や建設期間や生産準備工数を削減することができる。

③工程での品質作り込み

工程はタクトタイムによって作業量が変化するが、どのような組立作業であっても、事前に行うべき作業と事後に行うべき作業を定義することにより、生産量の変動に対する作業組み合わせの制約を作ることとした。その制約の中で、品質をより安定化できるための工夫を積むことができ、また、その改善アイデアは容易に同等の他の組立ラインに横展開することができる。

④組立工程からの車両構造への制約

かつて、製品開発部門の悩みは製品のミックスにおける組立工程が、ミックスされている車種により異なることであった。それは生産技術にとっても、全工場の全組立ラインの全車種の製品構造の違いと組立工程の違いを知っておく必要があった。これはとんでもない記憶依存のエンジニアリングであり、困難な工程設計の業務であった。完結工程づくりにより、部品の組立順序（標準工順と呼ぶ）が定義できたことにより、製品構造の標準化と同時に世界中の組立生産ラインの標準化が確立できたのである。この標準化は後述の生産ラインの機能分類により具体化されている。

【解説】

図98は完結工程づくりにおける自動車の機能分類につ

図98　完結工程　機能分類例

いてのイメージを表現したものである。例はハンドブレーキの部品をどのような観点で分類したかを示している。一般的に、ハンドブレーキの操作部は室内に部品が取り付けられる。ハンドブレーキの動作部は床下の部品で構成されるものとなる。この場合において、床下の仕事を終えてから、改めて、室内に入り込んでの室内作業を行うこととなる。これは自明なことであるが、製品の構造から組立の組み付け分類をどのように決めて最後に、ブレーキの性能を調整ナットにて行う構造であるため、ハンドブレーキの機能は3つのサブグループに分解され、最後がナット調整作業のサブグループとなっている。また、図99には、それぞれのサブグループの部品について要素作業を定義したものである。このように、自動車が本来保有する機能ごとに、サブグループという製品構造に合わせた便宜的なグループに分割することで、製品の構造と組立ラインの構成とを関係づけることができる。サブグループは組立ラインの品質と生産性が確保できることと製品構造の成立性

JIS 用語分類

機能分類

大分類	項目	目的	主要装置	機能系	サブグループ	部品グループ	要素作業
基本性能	シャシ	止まる	制動	パーキングブレーキ	(A)ブレーキレバー	レバー、ボルト	レバーの取付
					(B)ケーブル	右側ケーブル、クランプ、ボルト	右側ケーブルの取付
						(右側ケーブル、レバー)	右側ケーブルのレバーへの結合
						左側ケーブル、クランプ、ボルト	左側ケーブルの取付
						(左側ケーブル、レバー)	左側ケーブルのレバーへの結合
					(C)引き代調整	(ブレーキレバー調整ナット)	パーキングブレーキ引き代調整

図99　完結工程　機能分類と関係部品と作業

から機能の分割範囲を定めることとする。このサブグループの組立作業を近傍の複数の作業者に配分を行うことで、この作業者たちが、自動車のどの機能を担当しているかを意識できるように分類したものである。

2 製品構造の優先関係を知識化する

製品開発から生産に至るまでの間で工程計画に必要な知識として共有化されないものに構造優先関係がある。これを後で調査することは大変な仕事である。

- ・製品の構造と工程との関係。
- ・構造優先関係の知識化のメリット。

【役割と考え方】

①製品の構造と工程との関係

製品の構造とは、部品と部品の関係のことである。この部品間の優先組み付け関係は生産工程における工程順序を決める大きな要素となる。生産工程は1つのライン（分岐・合流は多少あるが）として設計される。優先組み付け関係はネットワーク図のような複数の関係となっている。したがって、生産ラインはこの優先組み付け関係を守りつつ直列配置させた1つのケースとなっている。つまり、生産ラインの流れを調査しても、この構造は解析できない。製品を複数の分解性の視点から調査することによって、この組み付け関係を知ることができる。製品開発段階において、この組み付け関係を生産ラインの流れからチェックすることはあっても、本質的な製品構造としてネットワーク図を作成することは少ない。このようなネットワーク図は、エンジニアリング知識の蓄積に欠かすことができない。

②構造優先関係の知識化のメリット

製品の生産ラインを変更、新設する際には、この知識がないと行えない。この知識は人の頭に入っているため、これらの業務は人依存となる。この知識がなければ製品間の構造差が整理できず、生産要件が作成できない。

【解説】

下図は一般的なアローダイヤグラムを表している。製品を構成する部品の点数が多くなると、製品全体のアローダイヤグラムが作成されることは少ない。

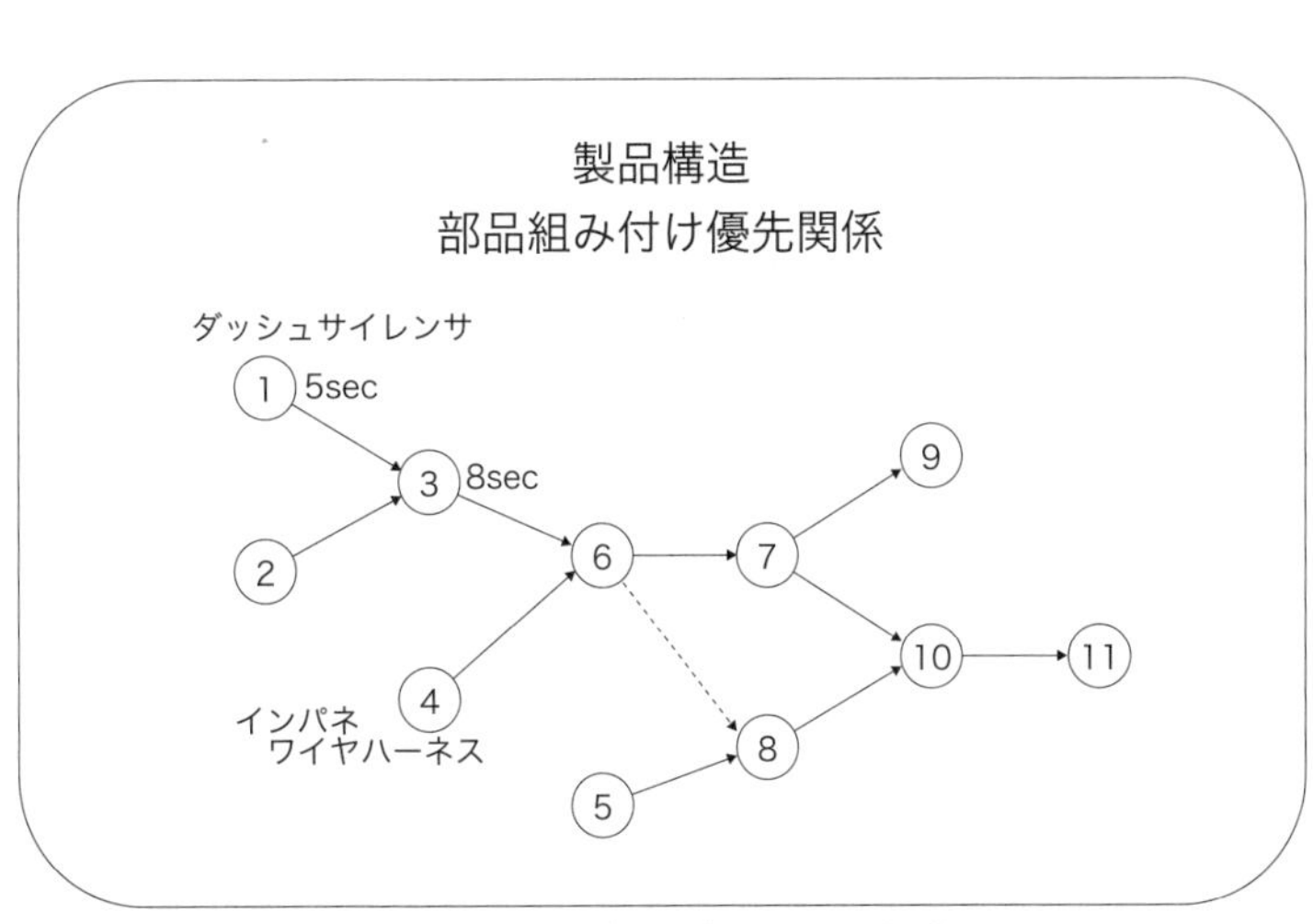

図100 アローダイヤグラムによる知識化

はとんど、生産工程（ライン）単位での部品の優先組み付け関係を作成する程度である。これは、生産ラインの変化を少なくするように製品設計が行われているために、変更となる構造だけへの対応で十分なために作成されない。しかし、生産ラインをグローバルに捉え、その中での生産ラインの標準化や、生産品目の自由度を高めようとすると生産ラインにおける工程の部品組み付け順序と製品そのものの組み付け優先関係を把握するニーズが出てくる。ニーズのないところの標準化は発想されることが少ないが、生産ライン設計の基本情報としての、これらの関係性は整理されて共有化されるべきものである。それにより気づくことも多くあるのである。

3　作業時間の標準化方法

製造業には作業時間を標準化している企業が多い。ただ、一般的すぎる作業時間テーブルを活用しているのであれば、それをやめて自社製品に特化した作業時間を標準化すべきである。

・作業時間標準化の必要性。
・自社製品に特化した作業時間定義方法。

【役割と考え方】

①作業時間標準化の必要性

作業時間はコスト計算に必須である。大きな単位ではなく一人一人の作業時間を適切に配分するためには、標準となる作業時間テーブルがなければならない。作業時間はコストであるので、製品開発段階における製造原価を見積もり、原価低減を行う際に必要なものである。一般的な時間見積もり法は生産ラインの特性（自動化レベルや作業姿勢や特殊な構造・作業）などを考慮したものではなく、あくまでも人の作業についての時間研究である。自社の製品の原価低減活動に役立つような時間見積もり方法を持つべきである。

②自社製品に特化した作業時間定義方法

自社製品に特化した作業時間を定義するには、現場で活用されている作業時間見積もり方法を検証することが必要となる。複数の生産ラインの見積もり方法は異なることが多い。また、その中から、1つの作業を定義する作業単位そのものの考え方も異なることに気づくであろう。そのためには、現場の作業手順書をデータ化し、作業単位を定義することから始める。また、

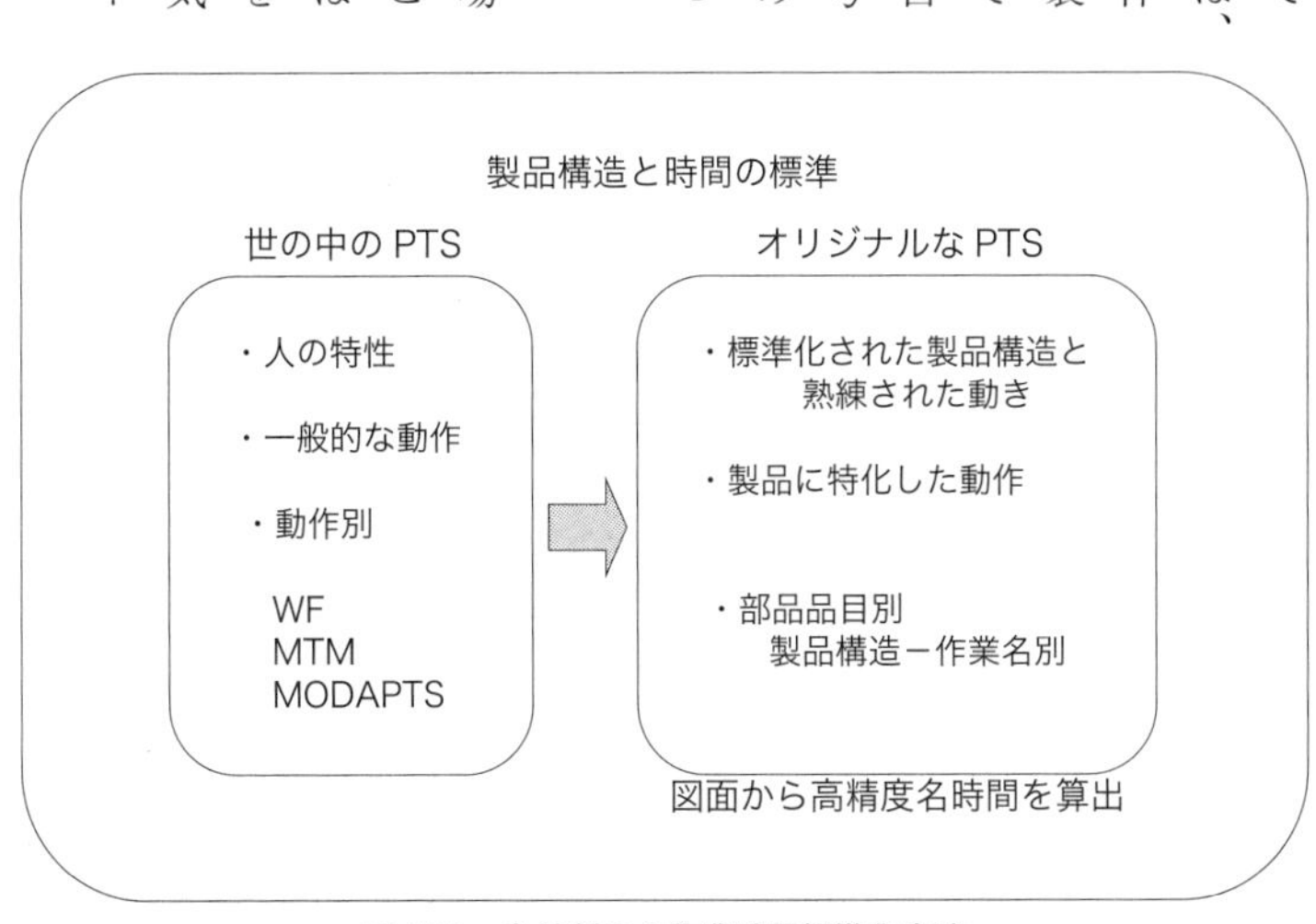

図101　自社製品の作業時間標準化方法

その作業単位は製品設計の図面段階で製品構造を照らし合わせて決まるものである。そして、その構造から作業時間が見積もれるように定義すべきである。そして、現場で運用をして精度アップを図るようにする。

【解説】

前ページの図は一般的な時間見積もり法を掲げてある。右には自社独自な作業時間見積もり方法の特徴を述べてある。世の中のＰＴＳ（Predetermined Time Standard）は一般的すぎる。そのため、一般的な作業には適用が可能であるかもしれないが、自社の製品に対しては精度が合わない場合が多い。それは、生産ラインの条件に対して見積もり方法がフィットしていないからである。同じ製品を繰り返し生産する企業では製品の構造も標準化されている。また、その製品に必要な作業も同じことが多いために、作業も熟練し、そのスピードも速い。ここに一般的な見積もり法との不一致が発生する。製品に特化した作業の集合であり、幅広い人による作業を見積もることとは異なる。この作成された見積もり方法により、図面作成段階にて作業時間が予測され、製造原価が算出できるようにすることが大切である。

4　製品と生産ラインの機能展開

製品はある目的のために開発される。製品は複数の機能から成り立っている。しかし、生産ラインとその製品機能との関係性は薄く分かりにくい。

・製品の機能と生産の機能づけ。
・製品の機能と生産工程の機能化のメリット。

【役割と考え方】

①製品の機能と生産の機能づけ

生産ラインの運営においては、品質・コストを管理する場合は、そこで発生する問題点への対策が必要である。しかし、生産ラインにおける品質問題を対策しようとしたとき、その関係工程が分散していると管理がしにくい。原因の追求も難しい。特定された原因を対策するには生産工程での対策と製品設計での対策のどちらかが最低限必要である。対策の効果を確認する際にも、機能全体としての品質とその構成としての工程品質の両方を関係づけて確認する必要がある。そのために、製品の機能と生産工程の機能を見るためには、製品の1つの機能の構成部品が生産ライン内で集約されていなければならない。

②製品の機能と生産工程の機能化のメリット

品質においては、1つの機能品質と生産ラインの部分とが一致するために、完成品の機能問題をフィードバックする対象が特定できる。機能を実現する複数の工程品質規格間の整合性も確認しやすい。製品の設計構造変化に対して、どの工程を変更する必要があるかが分かりやすくなり、製品設計での問題を早期に発見し、製品構造の修正に持ち込むことができる。コンカレント化の条件である。

【解説】

下図は自動車における機能分類を表している。製品の設計における機能分類は部品サプライヤにその構成部品が発注される。部品サプライヤではさらにその部品の構成部品に展開され、その部品の品質規格が配分される。完成品1つとその構成部品1つとの関係と同じようにサプライヤ内では1つの構成部品がさらに構成展開され、生産される。この結果の完成部品は、セットメーカに納入され、製品の中に組み込まれる。製品の機能分類が最終のセットメーカの生産ラインで機能分類ごとに加工されるのであれば、その機能単位にサプライヤからの部品納入が行われる。部品の受け入れも、品質の管理も、生産コストの管理も機能単位となり、品質と生産コストのバランスを取りやすくなる。生産コストが高い機能品質規格に対しては、製品設計での規格値の見直しや、設計構造の変更を行って部品コストと比較し、調整することができる。ここに生産ラインの機能分類化のメリットがある。

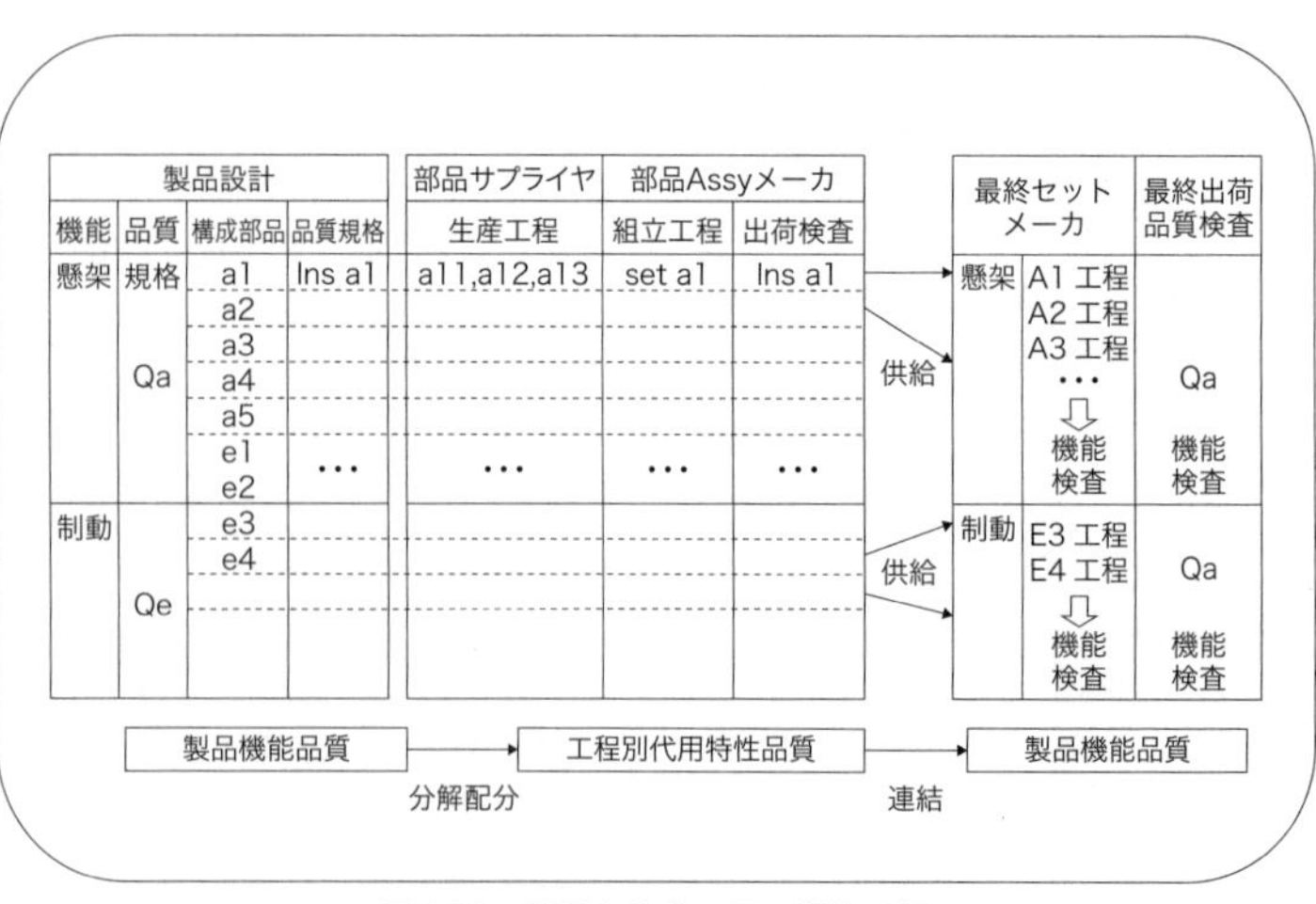

図102　製品と生産の同一機能分類

5　生産ラインの機能分類設計方法

製品の機能の分類に合わせて、生産ラインを設計することは品質管理において理想的な工程設計である。その方法とメリットを解説する。

・生産ラインの機能分類方法。
・機能分類生産ラインのメリット。

【役割と考え方】

①生産ラインの機能分類方法

製品の構造をある程度の普遍的な分類で分ける。普遍的なとは製品を長年開発していると、必ず含まれる機能がある。その機能ごとの構成部品を明確化する。機能単位での生産順番を決める。このとき、作業性や品質の確認のしやすさ（視認性のよさなど）、部品の組み付け構造優先関係（一般的な）などからの全体的な優先関係を決める。前記の優先関係を決めるにあたっては、1つの機能を複数に分割した方が順番をグループで規定しやすい場合には分割をする。それぞれの分類における順序とその中で保証する機能品質を標準として周知する。

②機能分類生産ラインのメリット

製品開発時に構造を知ると同時に生産工程を特定でき、そこでの問題を迅速に把握できることにより、生産要件を設計図面に反映する仕事に変革できる。生産順番を標準化することで、製品開発時の製品構造が標準化されていく。製品設計の効率化が図られる。製品の機能品質と生産ラインの品質管理が直結化し、生産ラインでの品質管理意識が高まる。

【解説】

下図は自動車における生産ライン分類の例である。車の機能を変速、舵取り、制動、懸架などと分類することができる。その分類には四角内の部品が属する。それらの大きな分類単位に1本の生産ラインの加工順番を定義する。それぞれの分類の後ろにはその機能品質の検査を配置する。このように、生産順番の規定に対し、製品設計の都合によって生産順番を変更しなくてはならないことがあるケースは、分類の単位で順番を入れ替える。個々の部品単位で順番を入れ替えると

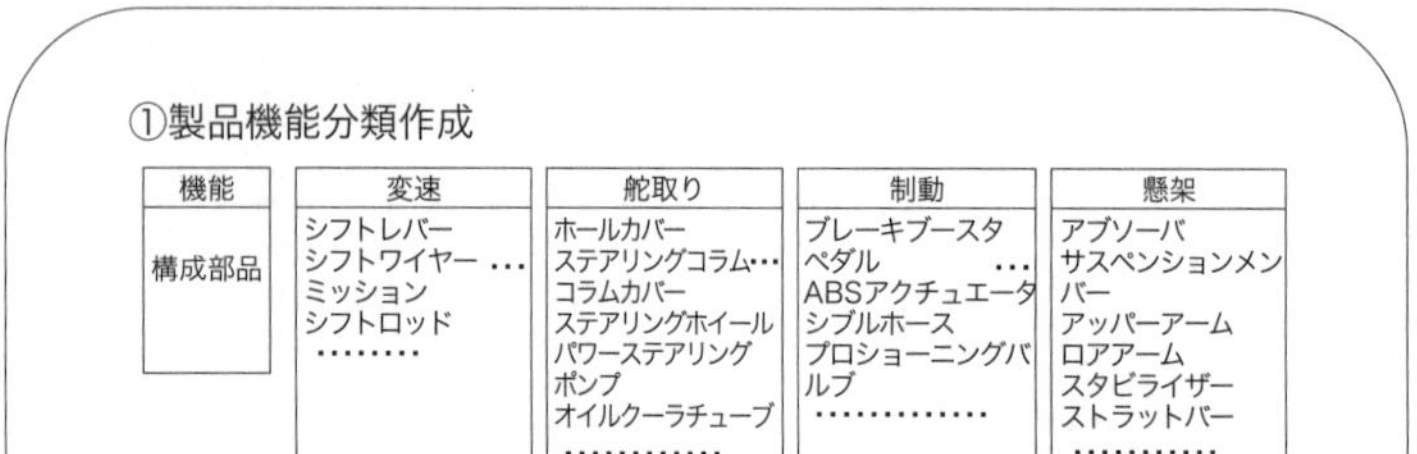

①製品機能分類作成

機能	変速	舵取り	制動	懸架
構成部品	シフトレバー シフトワイヤー … ミッション シフトロッド ………	ホールカバー ステアリングコラム… コラムカバー ステアリングホイール パワーステアリングポンプ オイルクーラチューブ …………	ブレーキブースタ ペダル … ABSアクチュエータ シブルホース プロショーニングバルブ …………	アブソーバ サスペンションメンバー アッパーアーム ロアアーム スタビライザー ストラットバー …………

②生産工程分類と検査配置

機能工程　変速 ○○ 検査 ◆　舵取り ○○○○ 検査 ◆　制動 ○○○ 検査 ◆　懸架 ○○○ 検査 ◆

③製品構造を元に修正

機能工程　変速 ○○ 検査 ◆ → 懸架 ○○○ 検査 ◆ → 制動 ○○○ 検査 ◆ → 舵取り ○○○○ 検査 ◆

(車両構造優先順序)　(車両構造優先順序)

図103　自動組立ラインの機能設計

全体として生産工程の品質意義は薄れてしまうため。しかし、生産順番の規定は製品設計の初期段階に設計と調整し、規定の順番を変更しなくてもよいようにすべきである。

6 ラインでの部品別生産順番の規定方法

生産工程における詳細工程の順番決定の考え方を決めておかないと、エンジニアによってまちまちの生産ラインが設計されることになる。管理者にとって、比較や横展開のできない、個別対応型の仕事が多くなることは問題である。

・部品の順番をつける方法。
・部品の順番をつけるメリット。

【役割と考え方】

①部品の順番をつける方法

機能分類内の部品群にラインを考えた組み付け順番をつけるには、部品の組み付け優先関係のアローダイヤグラムを作成するとよい。ここで最遅、最速を見るわけではないので作業の時間は意識しなくてよい。このアローダイヤグラムは品質の管理において、前工程の仕事をチェックできる関係を示している。構造優先関係のない順番は前工程の仕事をチェックできるポカよけにはならない。次に生産工程での工程条件を検討する。作業する姿勢の変化が少ない部品を集める。一方、作業に必要な設備や工具が同じ部品を集める。部品すべてに対し、大きくは機能分類順で、次に品質確保・作業の姿勢・設備の順で順番を決定する。これを標準の組み付け部品順序として周知徹底する。

②部品の順番をつけるメリット

製品開発時に構造優先問題を指摘できる。自由な順序では問題意識すら起こらない。設計者間で設計担当の部品が分かれている場合、基本的な構造の指針となる。指針がなければ、設計者の検討の時間が無駄になる。設備のレイアウトや仕様も標準化できる。

【解説】

下図は自動車における部品組み付け順序の例である。車の機能を変速、舵取り、制動、懸架と分類し、それをさらに部品単位に直線で並べたものだ。この順番を企業内のすべての同じ品目の製品に適用する（生産の工場やラインが異なっていてもこれらの順番を守って

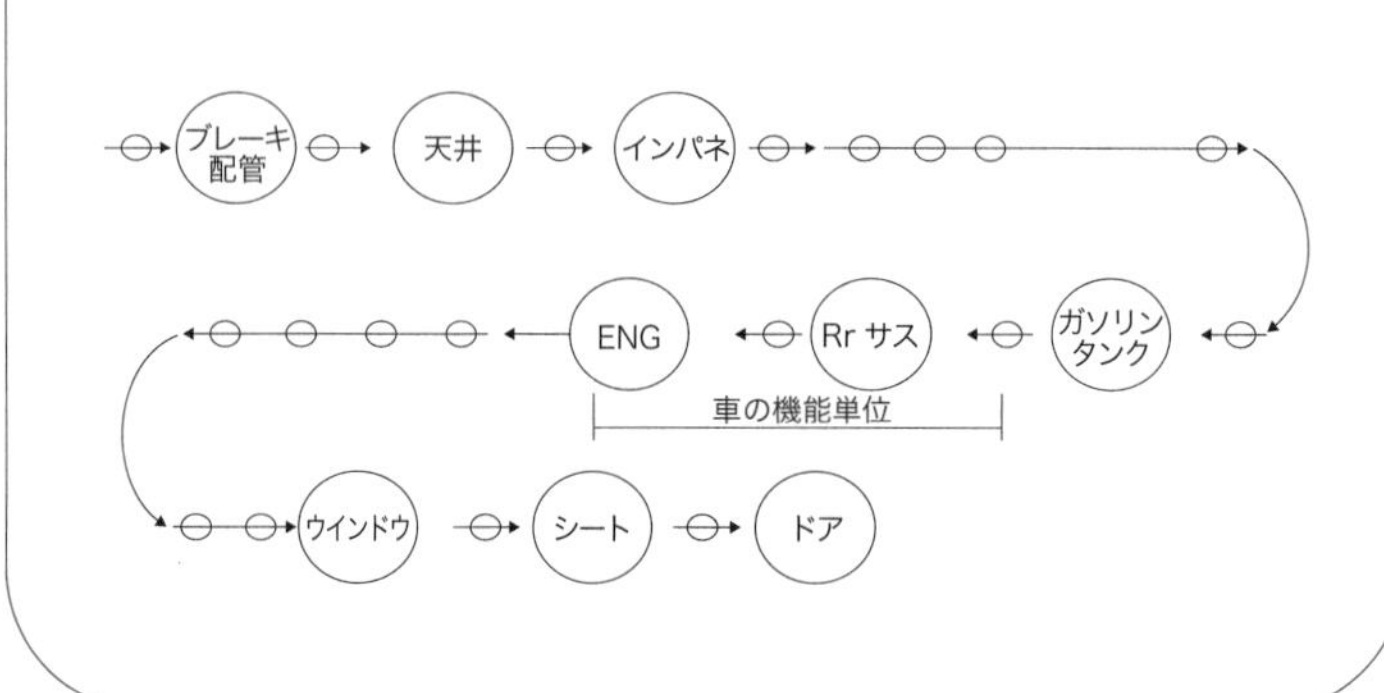

図104　基本工程フローの作成

工程設計を行う）。標準がなければエンジニアリングの方向性が定まらない。基準を1つ決めることが最も大切である。たとえ、基準を定めた後に変更をする必要があっても、理由があっての変更である。基準のないところに改善という言葉は生まれない。生産ラインの品質と生産性などだけでなく、製品開発から生産までのすべての業務にこの部品別組み付け基準は大きな効率を提供する（任意よりも規定があることで効率化が進む）。

第4章　ラインバランシングルール

1　ラインバランシング力を高める

生産ラインのラインバランシングは難問である。古くから研究されているが、実際に活用されていない。しかし、現在はコンピュータの能力が向上してきたので可能になってきている。

・ラインバランシングの問題とは。
・解決の方法。

【役割と考え方】

①ラインバランシングの問題とは

製造業のエンジニアリングでできていない領域はラインバランシングである。責任をもって現場に指示ができていない計画業務のコア・コンピタンスである。現場での品質や生産性の改善が行われていることからもこの計画業務の未完成さが分かる。本来、人の作業は人の特性があるので、現場管理の中で実施することがよいと思う。しかし、どのレベルで現場での計画が行われ、現在の生産性は理想と比較してどのレベルにあるのか分からない状態では困る。基準が不確かであるからそうなる。エンジニアリングは理想的な品質と生産性を目指す仕事である。その計画においてどのような結果であるか知りたいものである。それには、ラインバランシングを行える能力が必須である。ラインバランシングはエンジニアの研究能力不足のために現場依存している。ラインバランシングの問題をエンジニア自身が解決しようとしていないからである。難問であるからこそエンジニアが行うことが重要となる。条件次第では答えが出る。

②解決の方法

エンジニアのコア・コンピタンスとして認識することだ。生産工程を目的別に分類し、大規模問題を部分問題の組み合わせにすることから始める。目標関数、

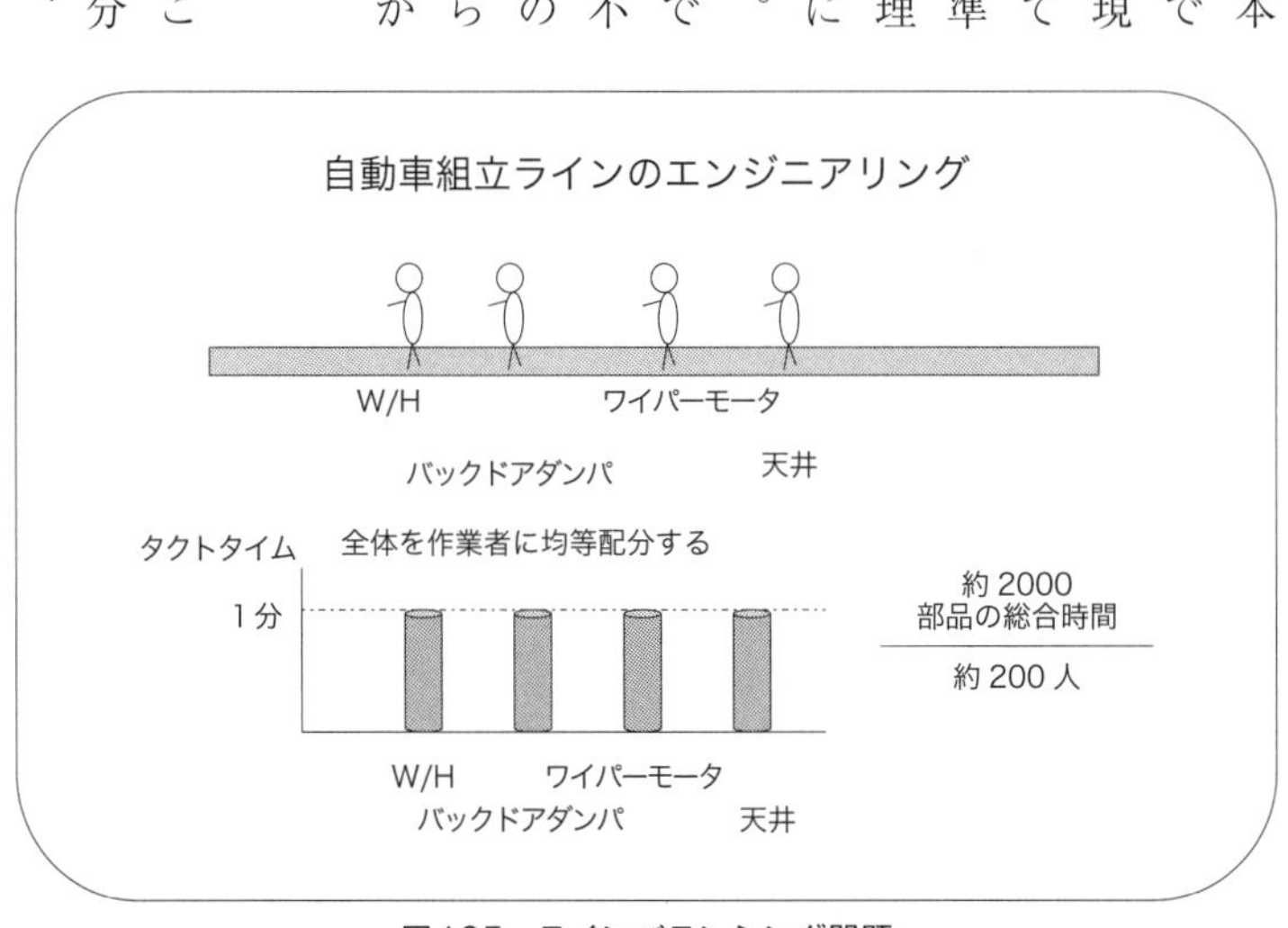

図105　ラインバランシング問題

評価をロジック化することが必要である。

【解説】

前ページの図105は自動車のラインバランシングのモデルである。全体を最適計算で行うと答えは出せない。そこに、部品組み付け順序の標準化や機能別分類で生産工程を定義することが役に立つのである。カメラ、テレビなど多品種少量を1つの生産ラインで行う場合もラインバランシングは難しい。しかし、これらの製品も品質機能分類で生産工程を分割して考えると、少ない量での組み合わせ問題を解くことになる。生産ラインの分類はもとより、生産ラインの品質や生産性に対して、エンジニアはどのような役割を果たすべきかを考えると、ラインバランシングに行き着くのである。ルールのないエンジニアリングでは成果の評価はできない。理想的ラインバランシングで設備の配置、仕様や部品の供給方法などを決定することが工程計画者の役割である。現場依存しているこの分野を解決することで工程計画のアウトプットを出すことができる。

2 ラインバランシング業務の前出し

工程計画者が（コンカレントの仕事を進めるには）、ラインバランシング業務を前出しすることが重要である。それは製品設計が完了してからでは、最適な生産ライン計画は実現できないからである。

・ラインバランシングの前出しの必要性。
・前出しする際の方法。

【役割と考え方】

①ラインバランシングの前出しの必要性

製品設計は図面の完成がアウトプットである。図面には設計の意図が含まれており、曖昧さはゼロである。生産工程は組み付けラインにおいて、部品と部品の結合工程である。設計図面にはその結合構造が作図される。この結合構造は結合作業と時間を語っている。したがって、図面に結合構造が描かれた段階で、生産工程の作業方法が確定される。設備の必要性、部品組み付け順序の遵守、品質における工程能力の満足性などについてのすべてが決まる。生産工程の品質、生産性を高めるには設計者の図面作成段階に生産工程の要件を織り込むことが重要である。このときにラインバランシングを行い、生産工程の必要な数や、設備配置の適合性などの生産能力の検討を行うことが生産ラインの工程計画である。これを行わないと生産ライン改造に無駄な投資をする図面が完成してしまう。

②前出しする際の方法

図面作成段階で必要な要素作業を決定する。要素作業を企業独自の目標関数と制約条件で最適化する計算を行う。人の配置を行う。設備の配置を確認して、マンマシンサイクルを確認する。

【解説】

下図は自動車のラインバランシングの具体例である。左のリストには図面から決定された要素作業がリストアップされている。これらを図面から読むには作業時間の見積もり法の確立が事前に必要である。時間が曖昧ではラインバランシングの意味がなくなる。この時間から製造原価も算出する。作業名と時間以外にその作業が必要な製品バリエーションなどもつかむ。これは部品の種類増を抑制する行為も兼ねて行うべきことである。部品の種類が増えてしまった後の削減活動は無駄である。サプライヤの生産も稼働しているならばなおさらである。この意味において、全種類の全作業を図面から把握するのは製品設計段階である必要性がある。すべての作業リストが完成したら、図面を押さえ込めたといえる。それを活用し、生産工程のラインバランシングを短期間で実施し、設備移設の必要性や工程長の検証を行う。

製品図面から作業をリストアップ

順序	作業名	時間	仕様
0001	ﾍｯﾄﾞﾗﾝﾌﾟｾｯﾄ	0.6	
0002	ﾍｯﾄﾞﾗﾝﾌﾟ締付	3.0	
0003	ｺﾈｸﾀｰ結合	0.8	
0004	ｴｱｺﾝﾁｭｰﾌﾞｾｯﾄ	0.5	
0005	ｴｱｺﾝﾁｭｰﾌﾞ締付	5.5	
……		……	
0400	ｲﾝﾊﾟﾈ搭載	8.5	
0401	ｲﾝﾊﾟﾈ締付け	6.5	
……		……	
1600	ｴﾝｼﾞﾝ搭載	16.0	
1601	ｴﾝｼﾞﾝﾏｳﾝﾄ締付	8.0	
2200	ｶﾞｿﾘﾝﾀﾝｸ搭載	3.5	
2201	ｶﾞｿﾘﾝﾀﾝｸ締付	5.5	
……		……	
2990	ｽﾃｱﾘﾝｸﾞﾎｲｰﾙ締付	2.5	
2991	ﾎｰﾝﾊﾟｯﾄﾞ組み付け	1.5	

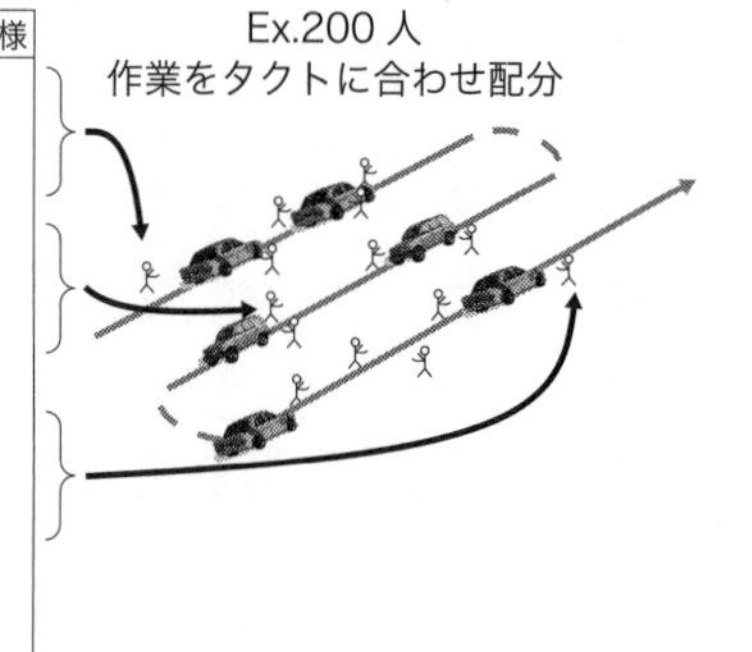

図106　ラインバランシングに必要な準備

3　人の配置を決める方法

ラインバランシングでは、最終的に設備の移設の必要性などのレイアウトに関する問題を確認するため、作業者の配置を検証する必要がある。

・作業者のレイアウト条件を含めてバランシングする。
・設備配置条件もバランシングに含める。

【役割と考え方】

①作業者のレイアウト条件を含めてバランシングする

ラインバランシングは単に作業量の配分を均等化するだけでは不十分である。作業者がスムーズに仕事ができるか、作業者の動きに無駄がないかなどレイアウトにおける問題をなくさなければならない。作業時間の均等化処理の後、レイアウトの問題を検証することは無意味である。レイアウトの問題を対策するには作業の組み合わせを修正することになり、ラインバランシングをやり直しすることになるからである。したがって、ラインバランシングで、作業者の動きや無駄が出ないようにレイアウト上問題のない解を求めるようにすることが必要である。

②設備配置条件もバランシングに含める

作業工程が確定してから設備の位置が決まる。しかし、その方法では、生産ライン内の設備の位置を極端な場合にすべて移設する解が求められてしまう。これでは、コストミニマムな工程計画ではない。したがって、設備が配置されている場所には、その作業を行う作業者を配置することを前提条件としてラインバランシングをすることが必要である。

【解説】

下図はラインに人や設備を配置する際の問題を表した例である。ラインバランシングで作業を均等化できても、下図のように作業者を配置して、一通りの作業の動きを検証してみると、二人の作業者が同じ車の部分に対して仕事をするようになってしまうことがある。このようなことを防止してラインバランシングのロジックを考えないといけない。たとえば同じ部分での仕事を組み合わせ候補から除くことなどを含めるとよい。

設備の問題は、ラインバランシングで作成された作業

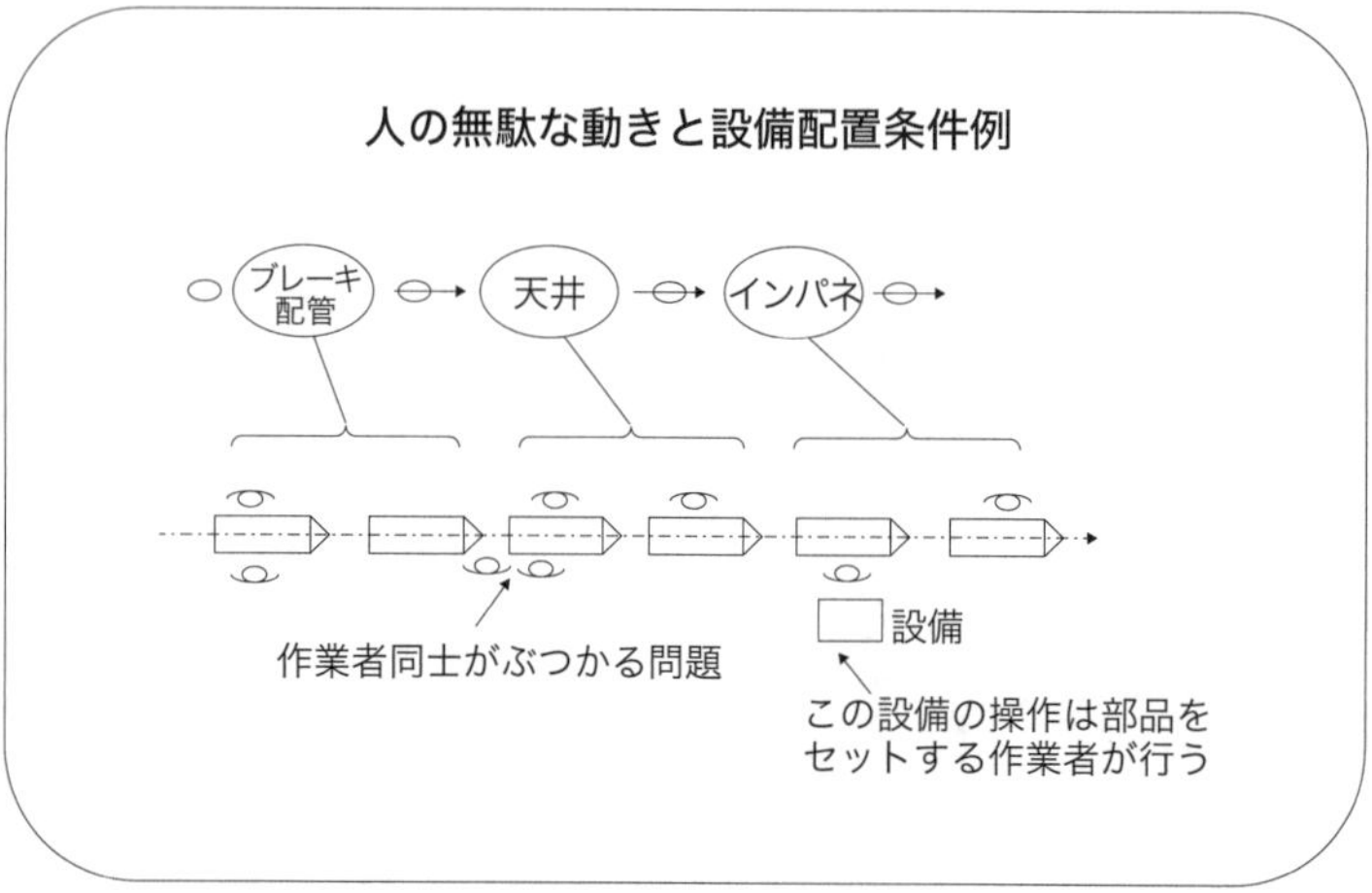

図107　設備と人の配置はバランシング条件

組み合わせに沿って、人を配置した場合、たとえば図にあるように、設備に部品をセットして作業のボタンを押すケースに問題となる。作業のボタンを押すことと部品をセットすることが別の作業者に割り付けられてしまうのは問題である。設備を動かさない条件として、その設備の場所の作業者にこれらの作業を付与する前提で行う必要がある。

4　工程計画のプロセスを標準化する

工程計画についてその考え方や着手条件、どのような情報を集めて何をアウトプットするかなど仕事のプロセスを標準化することは管理者の役割である。同じプロセスで同じ判断を行えるようにして、エンジニアリングの質を向上させる必要がある。

・仕事のプロセスの標準化。
・集めるデータとアウトプットの明確化。
・目標の設定。

【役割と考え方】

①工程計画業務の細分化と開発部署との共有

製品開発部署へ生産準備の目標や狙いを説明する。生産ラインのビジョンと現在の生産ラインの課題と解決方針や生産準備業務の日程を説明する必要がある。

②製品開発部署へ生産要件の提示

品質、コスト、生産性目標と実現方策（設計構造、生産設備、生産工程）を共有する。

③生産ライン工程計画の説明

工程計画内容（レイアウト）、品質計画内容、設備投資と目的、機能、物流計画内容の共有化が必要である。具体的に目標の設定として、品質については直行率、工程内不良件数など。コストについては部品原価低減額、製造コスト低減額などを。生産性については作業負担改善指数などを掲示することが必要である。ここでは具体的に集めるデータとアウトプットすることを決定すること。具体的には製品設計構造から部品の組み付け順序や加工を行うすべての要素作業を把握。さらに、検査規格を決定する。生産量の企画と製品の仕様、バリエーションを把握する。

【解説】

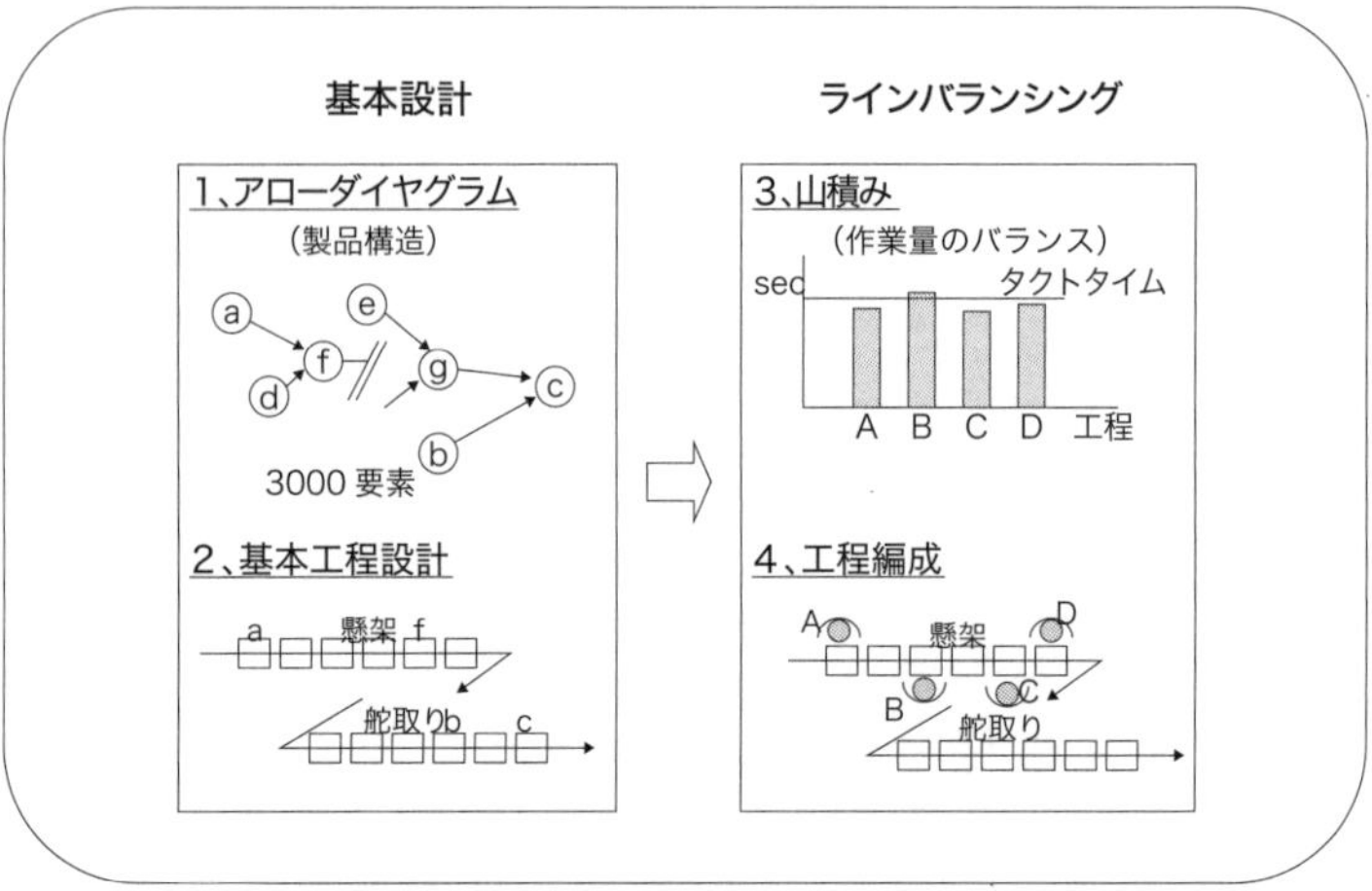

図108　人で作業の工程計画プロセス

右ページの図は自動車における工程計画業務のおおまかな流れである。製品構造から部品の組み付け優先順序を把握し、それからアローダイヤグラムを作成する。次に基本工程設計を行う。これは標準で定められて部品組み付け順序に沿ってライン上に部品単位で配置する。このときは、部品単位の組み付け作業時間になっている。次に生産タクトに合わせて、この部品単位の組み付けを作業単位に組み合わせを行う。このとき、車の右にホームポジションのある人か、左側にある人かを考えて、作業を割り振っていく。このとき、設備の操作が必要な作業もそのボタン操作時間などを、作業組み合わせに入れることを忘れてはならない。このようにして生産ラインの人の配置と設備の配置、作業の内容を決める。この工程編成が、工場と生産技術とで一致することが業務の標準化が達成できたことを意味する。

5　工程編成ルールを形式知化する

生産現場の品質や生産性は生産ラインの作業や管理で向上させること以上に、製品開発、生産準備の中での品質、生産性向上対策を行わなければ大きな効果は得られない。それには工程編成をルール化することである。

- 品質、生産性の現場依存の問題。
- 工程編成ルールと品質、生産性の関係。

【役割と考え方】

①品質、生産性の現場依存の問題

工程編成は品質の考え方、生産性の考え方の上で作成できるものである。この考え方が生産現場と生産技術で不一致だと製品開発の検討に問題が発生する。多くの製造業ではこの工程編成は現場で行われている。現場依存から脱却し、考え方の標準化を図ることが大切である。生産現場を知るとは、その運営ルールを知ることであり、そのルールからエンジニアリングで行うべきことを見つけ出し、技術の仕事と現場の仕事を整理することである。現場の力だけでは、国際的な競争に勝つことはできない。エンジニアリングの力の差がものづくりの力の差である。

②工程編成ルールと品質、生産性の関係

作業工程や作業の組み合わせにはいくつもの代替案がある。しかし、最適な案を選択する際に要求されるのは、品質の観点では作業のスペース、視認性、結果確認性、検査のしやすさなどの要素を重点にすること

主なルールの例

・製品の流れてくる前から後ろに向かって作業する
・他の人が補助できるように作業するゾーンは２つとする
・歩行距離は短くする
・工具の持ち替えをなくす
・作業者同士が邪魔にならないようにする
・製品が異なっても同じ作業を行う
・作業負担は基準以下
・二人協調作業としない
……

図109　工程編成のルール化

である。生産性には、歩行時間、無駄な手や体の動き、組み付けのしやすさ、姿勢の良し悪し、重量の負担度、工程間での負荷バランス、待ち時間などが大きく影響する。これらの難しい計画業務こそ、エンジニアリングの対象である。

【解説】

流れる生産ラインでの工程編成ルールの一例である。製品の大きさは冷蔵庫くらいのものを想像すると分かりやすい。製品の流れに向かうと、ラインの流れと人の動きは相対的に近づく方向となるので、歩行時間が短くなる。ゾーンが2つとは、ラインで仕事が遅れた場合に、一人の遅れを監督者が手伝いやすいように、標準作業として2つの立ち位置となるように組み合わせる。製品が異なっても同じ作業とは、複数の商品やモデルの異なる製品を混合生産する際には、同じ部品あるいは同じような部品（作業や工具が同じになること）を一人の作業者に割り当てると、作業者の仕事はシンプルとなり、技能の習得もしやすい。いつも同じことをどの製品にも行うのでスキルが向上し、品質も安定する。二人協調作業とは1つの運搬を二人で行うというような作業で、常に二人の作業が同じ進度で揃っている必要がある。進度合わせのために、待ち時間が発生し、生産性が低下する。

6　作業姿勢条件の整理

作業の姿勢（かがみ、上を向くなど）が悪いと当然品質は不安定となる。そのために、生産工程で姿勢をよくするために作業台などの高さを調整し、最良の姿勢にしている。

・流れる生産ラインでの作業高さ調整。
・課題。

【役割と考え方】

①流れる生産ラインでの作業高さ調整

生産ラインでは、駆動方式がチェーンコンベアであると、製品搬送面の高さは固定的となる（固定的とは一度設置すると、高さの変更には設備改造が必要となるという意味だ）。AGVなどの台車方式での搬送ラインの場合は、個々の台車に昇降機構を装備する必要があり、設備コストがアップする。自動車メーカのラインにも、このような方式が採用されているケースがある。しかし、全体投資と効果を考えると、AGVの台車に昇降機構を持たせることは現在の技術では高コストである。周辺の作業台（人が立つ台）の高さをそれぞれ適切に設定する方が得策である。工程編成において、このような作業姿勢をよくするために、どのような作業組み合わせにすれば、作業台の高さの種類が少なくできるかを考えることが投資ミニマムとして必要である。また、逆に、既存の作業高さを変更しないでもよい、作業の組み合わせを考えることも可能である。

②工程編成の自動化

工程編成における、これらの条件を手で組み合わせることは不可能であり、ICTを活用したラインバランシングシステムを開発することが必要である。

【解説】

自動車の連続コンベアで作業の高さを変化させないとそれぞれの作業に最適な姿勢が実現できない。下図はその最適な姿勢を実現するために必要な作業高さをプロットしたものである。できるだけ、変化回数は少なく、工程編成のルールを守りつつ算出した結果である。このような検討行為はエンジニアリングの仕事であり、生産現場に品質確保のできる生産ラインの工程計画をアウトプットするためのものである。人手作業のやりやすさと生産工程の品質と生産性をよくするために、組立の生産技術が行うべき仕事はこのように課題が山積されている。設備を主体とする自動化ラインでも、同じである。そのような生産ラインのエンジニアは品質と生産性と投資が最良になる計画をすることが仕事である。

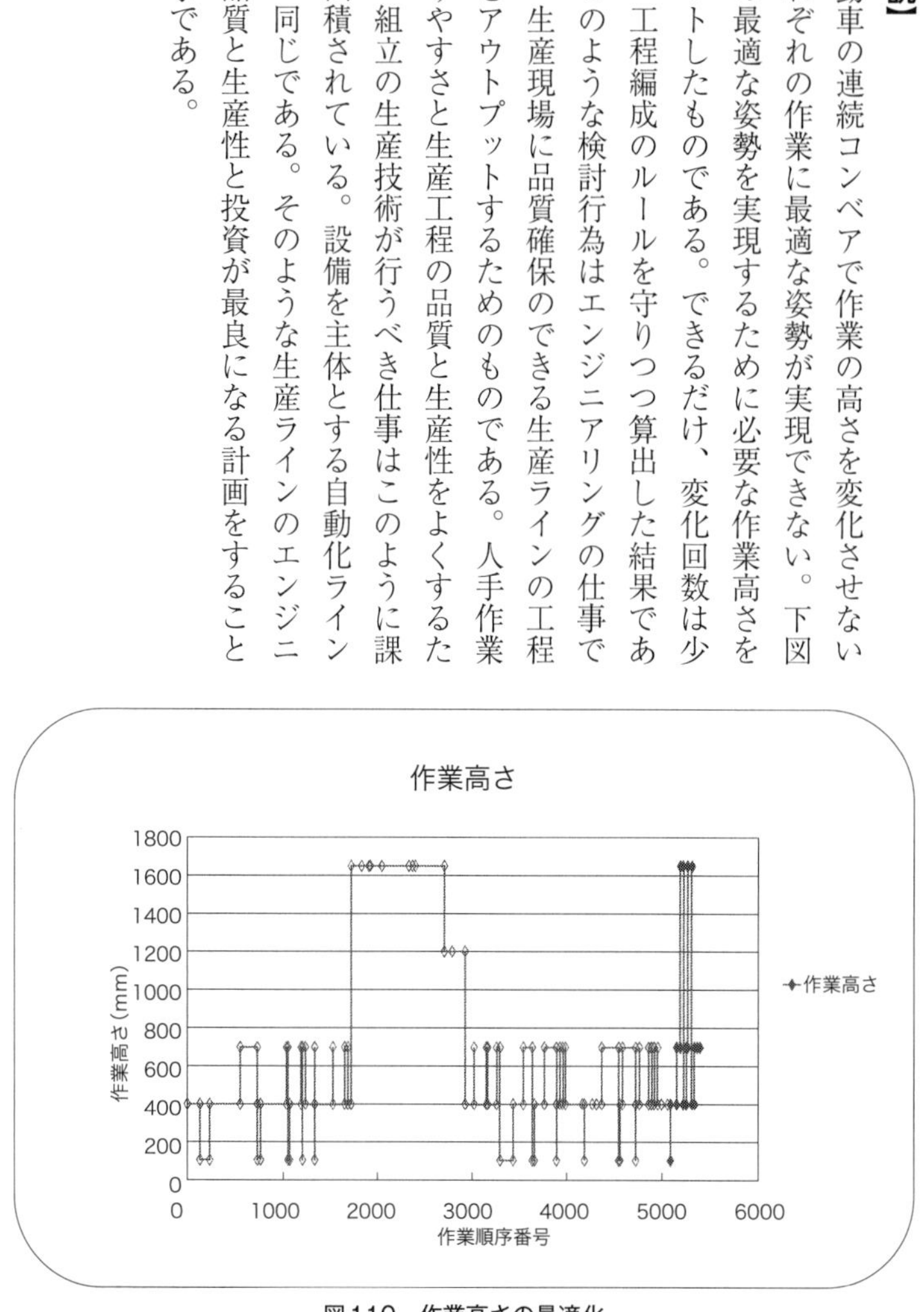

図110　作業高さの最適化

7 タクトより大きい作業時間の配分

生産ラインのタクトよりも大きな作業時間を必要とする仕事をどのように作業者に配分するかについては、ルール化が必要である。複数の製品が同じライン上を流れることを前提に考える必要もある。

・品質確保の基本的な考え方。
・タクトより大きい作業の配分ルール。

【役割と考え方】

①品質確保の同じ基本的な考え方

部品は、その組み付け作業をすべて作業者が行うことが品質確保の点で守るべきことである。しかし、生産タクトに比べて部品を組み終えるのに必要な作業時間が長い場合、どこで作業分割をするかのルール化をしないと自己流な工程編成ができる。

②タクトより大きい作業の配分ルール

たとえば1つの部品を製品本体に組み付けることを考えてみる。その部品はボルト3本締め付け、配線を2箇所結合すると本体に組み付け完了するものとする。ボルト3本に12秒、配線結合に12秒かかるとする。タクトは15秒とする。ボルトと配線を組み合わせる作業案、ボルトだけの案、配線だけを行う作業とする案の3つがある。この場合、ボルトだけ、あるいは配線だけの作業工程を1つずつ設定するのがよい。要は複数の種類の作業を組み合わせないことだ。意味を持った作業工程定義を行うことである。ボルトを締める工程にはボルト締め付けの作業を必ず配分するようにする。作業工程がボルトと配線の両方の作業になっていると、他の製品との混合生産時に、その工程の意義が不明確となり、思想のない工程作りとなる。

【解説】

自動車のワイヤーハーネス（電気配線）は車の前から後ろまでつながっていて、この部品を生産タクト内で完全に組み付けることができない。そこで、次のような作業分割ルールを考えるとよい。1つの部品を誰もが分かりやすいところで分割をする。たとえば、車なら必ず、ドア、リアシートの部分などがある。フロントドアに沿ったところで分割し、リアドアで分割し、リアシート部分で分割することをルールとする。この

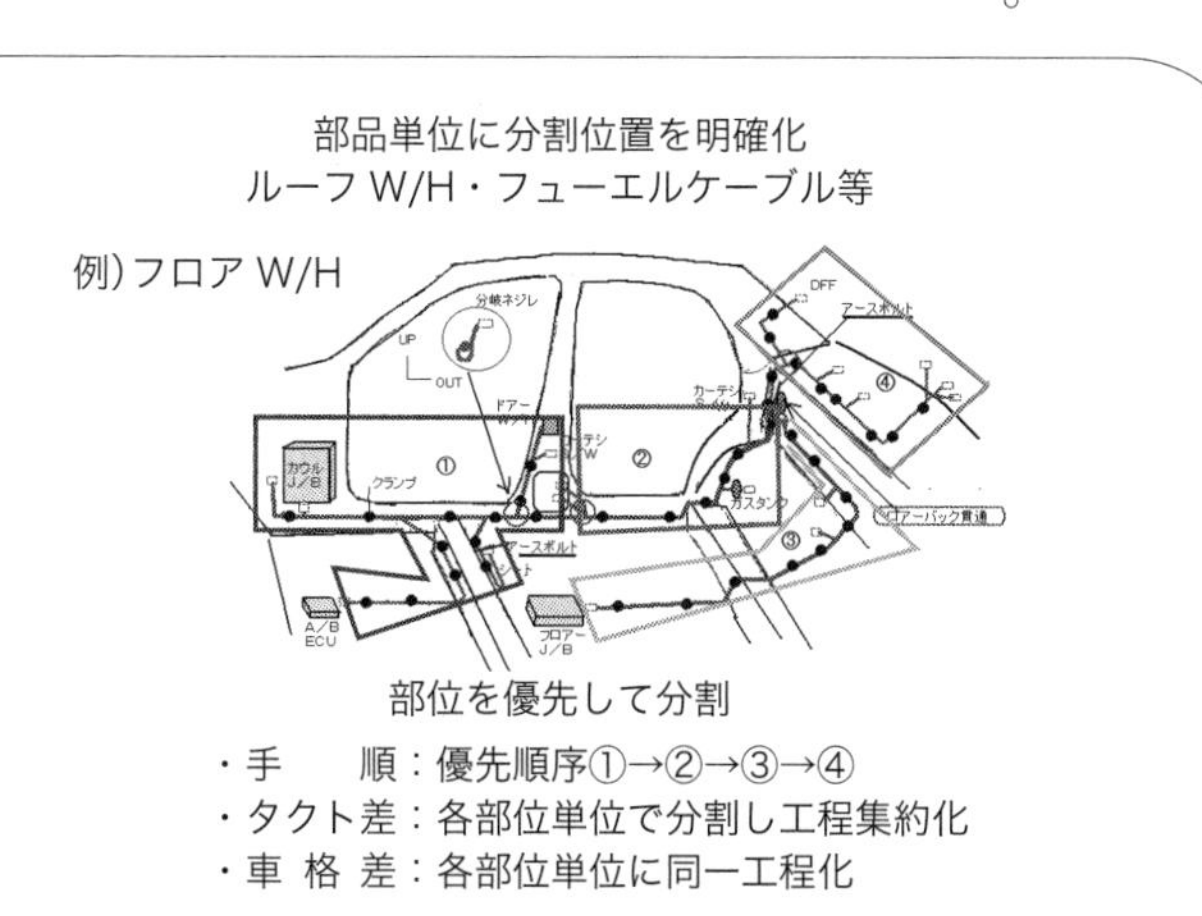

図111　作業分割の決め方の例

ようにすると、複数の製品を生産する際に、フロント部分での配線固定クリップの位置と数を同じにするという生産要件が規定されていくことになる。配線工程でクリップの位置と数が同じになれば、すべての製品に対して、この作業をする人は同じ作業を同じ時間だけすればよいことになる。製品構造に対する生産要件は、このように、生産の作業の研究に入り込まなければ見つけることが難しい。工程編成を簡単に行えるようにするには、このような生産要件を作る必要性が生まれる。それには生産技術者が現場任せにしている工程編成をエンジニアのコア・コンピタンスと認識することから始めることができる。

8　条件が多ければ工程編成は容易になる

工程編成を合理的に行うには人の頭の中や、現場の常識、習慣となっている曖昧性の中からできるだけ多くの明確な条件を見つけてルール化する必要がある。

・現場での工程編成時の習慣をヒアリングする。
・習慣の意味を科学的に立証する。

【役割と考え方】

①現場での工程編成時の習慣をヒアリングする

自動車の生産現場にヒアリングすると、次のようなことを聞くことができる。油の付着した部品と内装部品は同じ作業者では行わない（内装品への汚れ付着）。同じ部分につける部品を同じ作業者で行う（歩行時間の短縮）。大きな部品は同じ作業者では行わない（部品を置く場所がない）。難易度の高い仕事だからこの作業者で行っている（人の技能）。小さなクリップはまとめて同じ作業者が繰り返し行う（同じ仕事による効率性）などがある。以上、5つの例はどれも工程編成を行う人の考えであり、他の人に公開されているものではない。理由を聞くと答えてもらえるようなノウハウである。

②習慣の意味を科学的に立証する

このようなことに対して生産技術では科学的な根拠を考えることをすべきである。それぞれの部品には特徴がある。たとえば常に油付着、同じ部分につく、大きい、難しい、小さな部品で数が多いなどである。これらを部品ごとに属性として記録すれば、誰でもこの

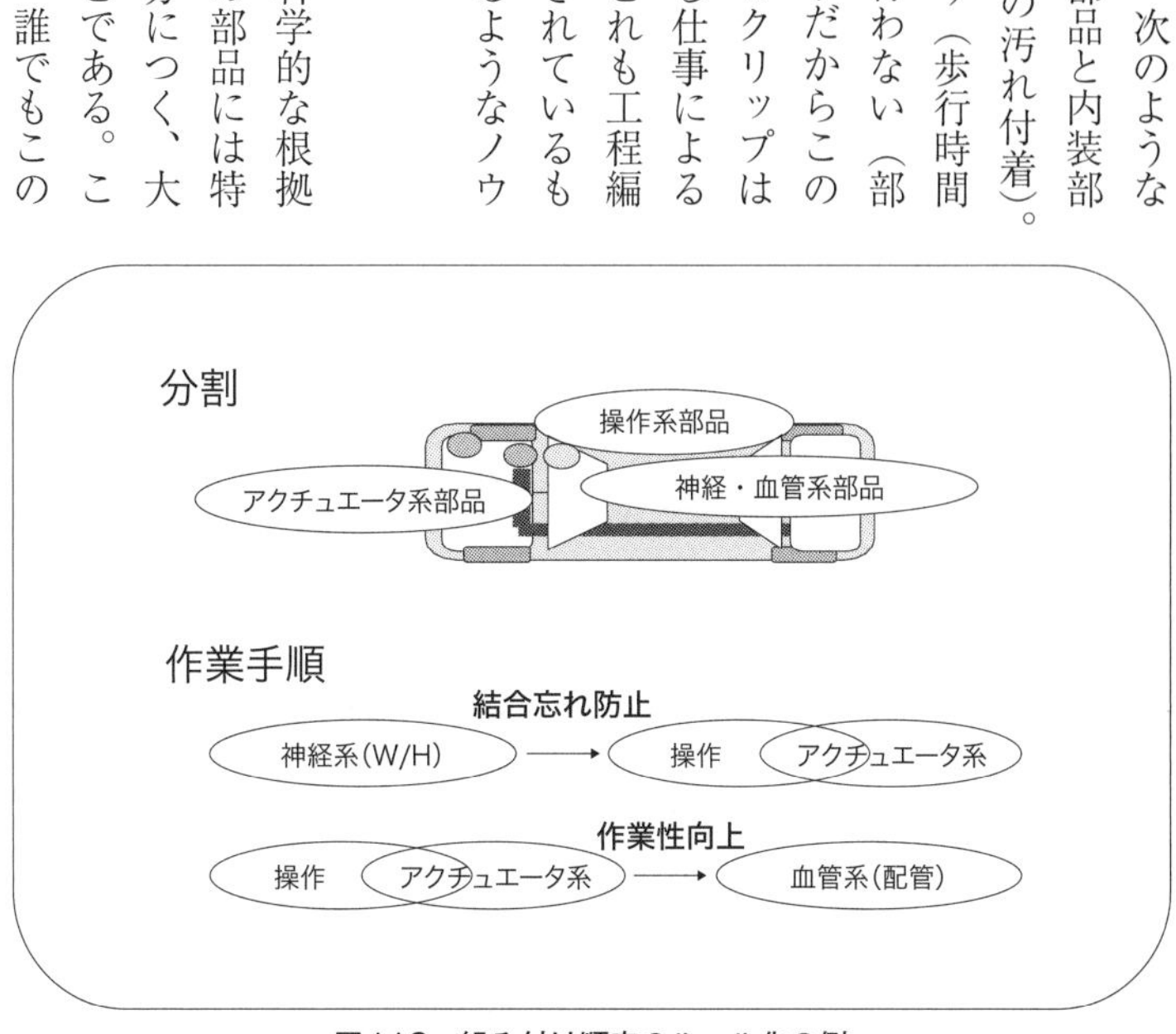

図112　組み付け順序のルール化の例

特徴を忘れずに計画できるようになる。そして、組み合わせの制約条件ができる。

【解説】

自動車の部品には、配線の他にパイプ類も多い。配線や配管には先端にアクチュエータが接続される。前ページの図は、このアクチュエータと配線、配管の順番はどのようにあるべきかを示している。配線とアクチュエータとでは配線が先に組み付けられた後にスイッチやモータなどのアクチュエータを接続する方がよい。それは、アクチュエータをつけた（どこかに固定する）後に配線をつけていくと、配線を敷設する仕事とアクチュエータと接続する仕事がばらばらな工程で行われてしまうからだ。アクチュエータをつける作業は配線と接続して初めて部品としての組み付け作業が終わるというルール化が必要である。配管とアクチュエータは逆のルールがよい。配管が先についていると、アクチュエータをつける際に、配管とのつなぎ口の位置合わせや本体の固定作業ができなくなるからである。アクチュエータを先につけておき、配管をつける方が作業性がよいので、このルール化が必要である。

9　数の多い結合部品の編成ルール

1つの部品を固定する際に、多くのボルトやビスを使って固定する必要がある。このとき、すべての締結を生産タクト内で行えない場合の工程編成をルール化する。

・工程編成ルールを見つけるための姿勢。
・多くの締結部を持つ部品のルール化。

【役割と考え方】

①工程編成ルールを見つけるための姿勢

部品には多くの締め付けや嵌合などを行わないと固定できない部品がある。しかしすべての作業を一人で完了できないことが常であるならば、その分割ルールを定義しなくてはいけない。

②多くの締結部を持つ部品のルール化

分割ルールを明確にすると、その分割ごとに締め付けの本数などを固定化するニーズが生まれる。たとえば、おおよそ、10本の締め付けが常にある部品はこの場合は5本ごとに作業者を別々にする。別の製品や仕様では全部で12本の締め付けとすると、6本ずつに分けることにするか、5本と7本に分けるかが選択できる。しかし、どの製品でも10本にすれば、どの作業者はどの製品に対しても同じ数の締め付けを行うだけでよいシンプルな作業とすることができる。そのとき、この部品のどこからどこまでを5本で締めるかも合わせて決めておくことで、生産要件が定義できる。製品を生産工程と関係づけて見る目を養うことが必要である。製品だけ見ていても、生産ラインの要件を生み出すことはできない。このように製品と生産ラインを対応させることは品質管理においても価値があることである。

【解説】

これは生産要件を構築するのに分かりやすい例である。この一枚のボードはクリップをたくさん打ち込んで固定する部品である。これも生産タクト内ではすべてを完了させることができないために、作業者を二人に分割する必要がある。センターラインを中心に左右の仕事を分割する。これは自分の作業の範囲を分かりやすくするために部品の中に区分け線を設けている。左右のクリップの数が違うことに気づく。これを一人で行う場合や中途半端な分割で行うと左右の数の差は問題視されない。左右のクリップを同じにして、二人の作業のバランスを取りたいと考える。次にどちらが先に組み付けを行うかを考えないといけない。最初に部品をセットし、クリップを打つ人の側に、組み付け基準穴が設定されなければならない。これにより、この部品の基準の位置と副基準の位置を定義することになる。このように、この部品のトータルと左右のクリップの数と位置、基準穴と副基準の位置が規定できるこ

例)ラッゲージドアトリム

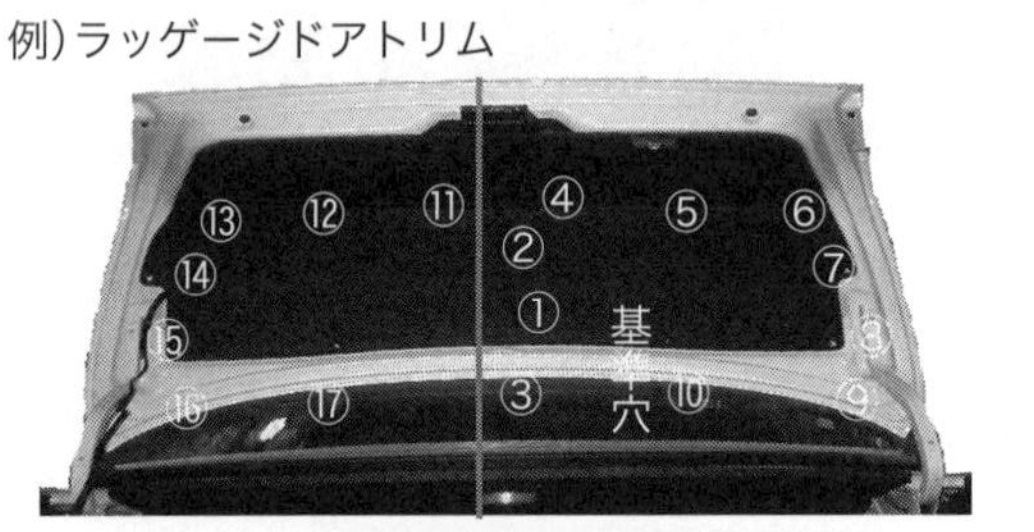

部位を優先して分割

・手順　　：優先順序①→②→③…⑰
・タクト差：各部位単位で分割も工程集約化
・車格差　：各部位単位に同一工程化

図113　作業を分割するルール化

となる。

10 製品混流ラインの編成方法

ラインバランシングの目標は製品時間を作業者に均等に配分することである。しかし、複数の製品を混流生産する場合には、さらに複雑な編成ルールを規定する必要がある。

- ・ラインバランシングの目標。
- ・目標と制約。

【役割と考え方】

①ラインバランシングの目標

作業工程の数がミニマムになるのが目標である。これは最少の作業者数で製品を完成させることができる作業組み合わせを作成することである。この目標を達成できる組み合わせの中で、全員に均等な負荷となる組み合わせを選択することであり、多少の不均等があっても人数が少なければよい工程編成である。全員に均等になるような複数の製品の構造が設計されていないことが多いので、ロスミニマム化を考えることになる。

②目標と制約

製品が混合して流れるラインで考えてみる。たとえば、10人の固定的な作業者が配置されていて、そのラインに2種類の製品を流す場合で説明をする。この場合、それぞれで答えを出すと、1つの製品に対するミニマムな作業者数と他の製品に対するミニマムな作業者数は異なる。このときの制約は次のようにするとよい。作業者数の多い製品ではなく、製品時間の少ない(作業者数の少なくて済む製品)製品が流れてきたときだけ、ある特定の作業者は仕事をしない。他の人は2つの製品に対し、同じ時間の仕事をいつも行う。ここで仕事のない特定の作業者には他のライン作業を付与する。このようにすべての作業者に均等に配分する。ここでの考え方はうまく均等化できない場合は、製品による時間の差をどこかの工程に集約して見える化しておくことである。問題を顕在化し、よい対策案検討を継続させることである。

【解説】

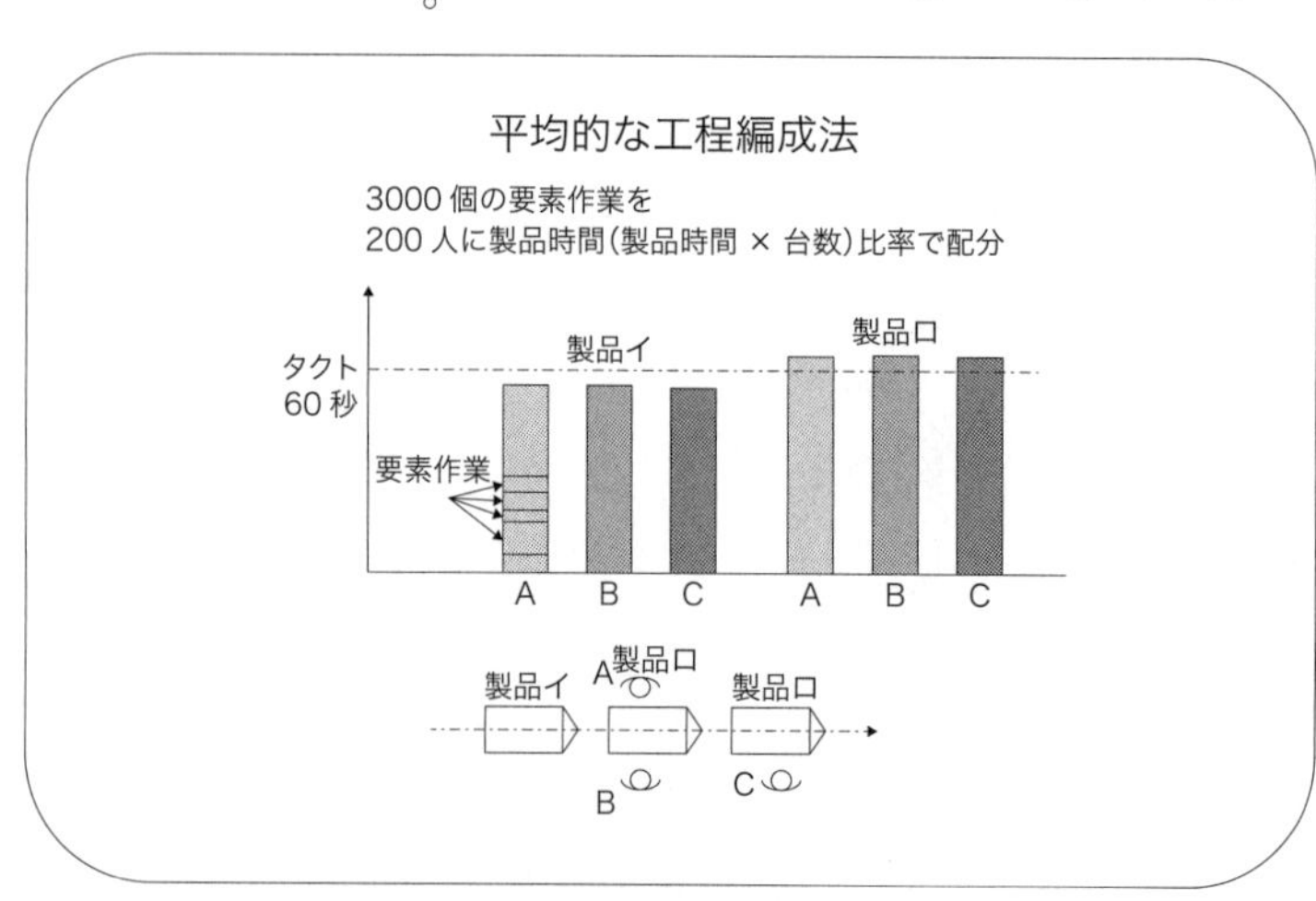

図114　製品の建立生産時の編成ルール

・目標関数。
・制約条件。

作業者はA、B、Cの3人。ここに2つの製品イと製品ロを生産するものとする。ここでは、均等にこだわった考え方を説明する。この生産ラインでは、製品イとロが1：2の割合で生産することになっている。製品時間は製品イの時間に生産台数を掛け算したものと製品ロの時間に生産台数を掛け算したものがトータルの製品時間である。生産ラインの稼働時間でトータルの製品時間を割り算すると必要な作業者数が求まる。これとの差が実際の組み合わせの無駄である。作業の組み合わせはこの数から多くなる。図では、製品イの作業を行う3人はそれぞれ作業量が同じで生産タクトより若干低い。一方、製品ロの作業を行う場合でも作業量は製品イより多いが均等である。この方法は製品イロの生産比率についてのものとなる。生産比率が変化すれば、作業の組み合わせを変更しなければ生産性を維持できない。

11　ラインバランシングのICT化

工程編成は条件ができても、ハンドでの組み合わせは大変である。部品点数が10点を超えるくらいでも、膨大な組み合わせ候補の中から最適な組み合わせを求めることは困難である。

【役割と考え方】

①目標関数

ラインバランシングの目標を何にするかはどこまで工程計画を自動化するかに依存する。しかし、レイアウトとの成立性を目標にしなければ、手戻りが発生する。たとえば、製造コストを目標にするならば、作業人数をミニマムにすることを目標関数とするとよい。作業人員をミニマムにするには総作業時間を目標関数とする組み合わせを見つけ、その理論的な作業者数に対し、ラインバランシングで得られた作業者数が近ければよい。

②制約条件

制約条件には多くのことが考えられる。これは製品や加工内容などにより企業によって異なるものである。製品には、組み付け構造優先関係や品質制約が考えられる。生産ラインにおいての制約としては、設備、スペース、作業性などがある。いずれにしても、工程計画の考え方が標準化され

No	区分	名称	概要
1	前提	タクトタイム	各工程での作業開始時間を守る
2		サイクルタイム	車型別の各工程作業終了時間を守る
3		スタート位置	作業をスタート位置から開始し同じ頃に戻る
4		作業位置	右 / センタ / 左作業などで立ち位置を区分する
5		作業特性	ライン条件と作業性を区分する
6		設備指定	設備指定作業を指定工程に割り当てる
7		工程指定	工程指定作業を指定工程に割り当てる
8	車両	構造優先	優先指定作業の相対作業順番を守る
9	品質	機能品質	各々分類作業のグループ化を守る
10			工順指定作業の相対作業順番を守る
11		作業セット	セット作業のグループ化を守る
12		協調作業	協調作業の作業同期(開始終了時刻)を守る
13	生産性	同一工程	同一作業は同一工程に割り当てる
14			同一作業は同一手順に割り当てる
15		作業流れ	作業位置前から昇順の手順を守る
16		作業干渉	同一位置干渉を回避する
17			作業時間バラツキを見込んで作業干渉を回避する
18			
19		近傍干渉	近傍位置干渉を回避する
20			作業時間バラツキを見込んで作業干渉を回避する
21			
22		製品工数差	各工程ごとに工数差を少に割り当てる
23	エルゴ	作業姿勢	作業高さを工程高さに合わせる
24	物流	部品供給	部品荷姿によるラインサイド間口を考慮する

図115　流れる生産ラインでの制約一覧

ていないとこれらの制約はつくれない。ゆえに、ラインバランシングのＩＣＴ化には工程計画や工程編成についてのルールを整備し、運営することが先に必要である。前ページの図は自動車における制約条件を示している。

12　技能の集約化による変化への対応

生産ラインは需要量の変化により工程も人も変化するものである。生産ラインの作業品質を高めるには、この工程変化と人の変化に強い工程編成を行う必要がある。

・変化に強い工程の編成とは。
・技能集約とは。

【役割と考え方】

①変化に強い工程の編成とは

人手による生産ラインは需要変化の影響を受ける。たとえば生産量の増減は作業者の増減で調整を行う。このとき、工程の作業者が変更になり、熟練度も異なることが品質、生産性に問題を起こす。また作業者の増減には、作業の組み合わせ（工程編成）の変更が伴う。人の変更で熟練度が変化したうえで作業の内容も変化する。このことは品質と生産性の維持を難しくする。したがって、人手による生産ラインは需要の変動に対して工夫が必要になる。人が変更になっても品質が変化しないようにすることを考えることが必要である。

②技能集約を行う

一人の作業者が多くの種類の仕事をする場合は、そのための育成・訓練が必要である。しかし、このような多能工の育成には時間がかかる。したがって、複数の連続した工程の作業を同じものにすることが1つの答えである。たとえば、工具による締め付けを行う部品を連続化し、そこで働く作業者は皆、締め付け作業を行うなどである。これにより、人の増減の影響や、作業組み合わせの変化も少ない工程編成ができる。さらに、同じ加工の連続であるために、その品質検査設備も1台で多くの品質検査ができ、また、検査機器も導入しやすい。

【解説】

作業者はA、B、Cの3人。左図の生産ラインでは、A、B、Cの3人はともに、作業時間山積み表ではネ

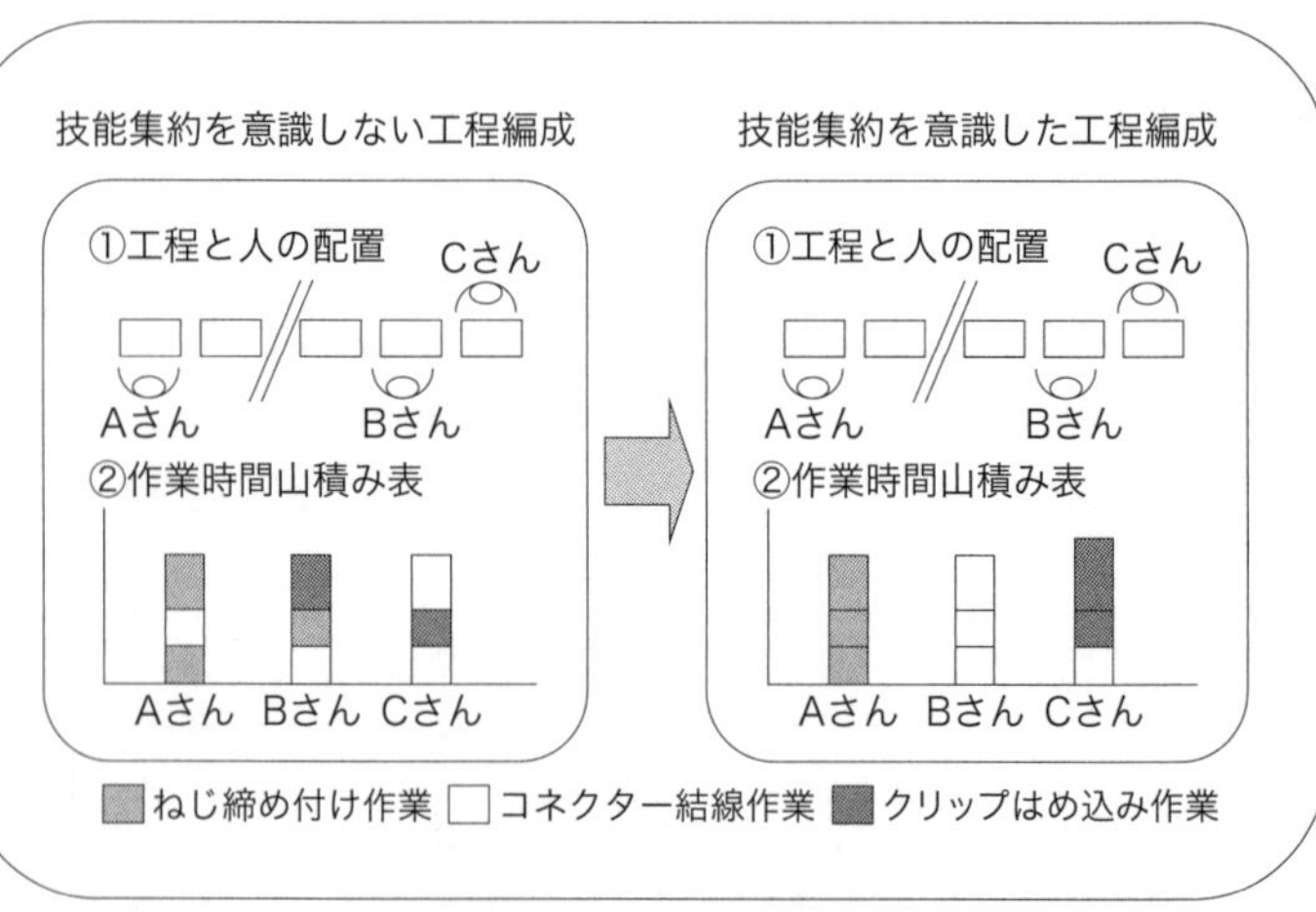

図116 同一技能要素の集約化

ジ締め付け作業、コネクター結線作業、クリップはめ込み作業を行うことになっている。この場合、A、B、Cの3人は多能工でなければならない。しかし、このような技量の作業者は少ない。生産ラインを右図のように、それぞれの専門作業に集約すると覚える作業の種類は減る。作業の習熟も早くなる。生産工程をネジ締め付け5人、続いてコネクター結線を8人、続いてクリップはめ込み作業を6人でと集約した工程編成ができれば、生産量の減少に対応して、作業者数を減らし、一人の作業量を増やす場合でも、同じ技量の仕事を各作業者に配分しやすくなる。このようなルールが作られるとよい。

13　作業の変更ルールを決める

生産ラインでの日常業務として、作業の組み合わせを変更することが多い。これは、生産量の変動対応だけでなく、生産性などの改善のためにも実施される。しかし、この変更についてもルール化を行わないと、改善結果が崩され、蓄積されない。

- ・作業の組み合わせのルール化。
- ・改善の蓄積を行う。

【役割と考え方】

①作業の組み合わせのルール化

生産ラインでは1秒1秒の改善ニーズから、作業の習熟に合わせて作業の組み合わせが変更される。生産ラインの生産性が向上する仕組みを現場が運営している。このとき、どのような考え方で作業組み合わせを行うかはすでに述べてきた多くの制約条件をもってしてもまだまだ組み合わせの自由度が高い。改善のために行ったアイデアは、他の人により崩されることは避けなければならない。いったん作成した作業手順はその結果の作業手順だけからその組み合わせ時に配慮したことを読み取ることができない。このことを解決することが必要である。

②改善の蓄積を行う

生産性のレベルは、作業手順書に表れている。その作業手順書の作成時に考えたことをメモすることである。改善には作業の組み合わせ以外にも道具や周辺の部品の置き方などいろいろなものがある。多くの条件により改善が実現し、結果として作業手順書に書かれるのである。したがって、この条件を記

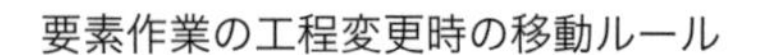

<工程変化の影響を最小にするための工程編成ルール>

①2つの要素作業間に品質管理上のしばり情報をセットする
②2つの要素作業間に作業優先関係のしばり情報をセットする
③自由度のある誰でもできる作業を明確化し、自由作業の情報をセットする
④上記以外の作業を③より移動優先度の低い低自由度作業の情報をセットする

<定義の説明>　<定義の使い方>

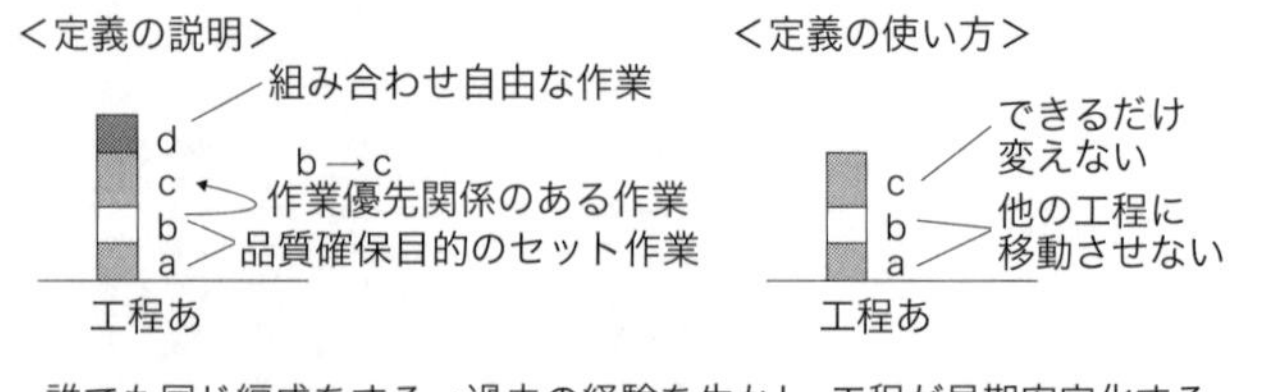

誰でも同じ編成をする→過去の経験を生かし、工程が早期安定化する

図117　改善の蓄積とルール化

録し、崩したくない作業組み合わせや条件は崩せないようにすることが必要である。このことを人間系で運用するとミスや忘れもあり困難なことである。ここにICT化の必要性がある。

【解説】

作業のしばりとは複数の作業を順序も含めてひと塊として取り扱うことである。この塊に品質確保や生産性確保の条件が埋まっている。しかし、その具体的な説明はされず暗黙知となっている。セットとはこれらの作業組み合わせの業務がICT化された場合に、複数の作業の関係をデジタル的な記号を用いて登録することを意味する。このように、生産現場では、第三者に分からない知識が存在し、その改善知識を生み出した原因も共有されない。現場の作業手順書には結果だけが順番で書かれているが、知識として記述すべきである。また、改善知識の発生原因は設備計画や製品構造に起因していることも多く、開発プロセスへのフィードバックが必要である。

コラム　大手重工業の製造部門事例

この企業の製品は設計から納品まで2年という製造リードタイムであった。製品が大型なため、簡単には移動できず、各加工エリアに台車などで運搬を行いながら加工生産する方式であった。ここでの問題は現場の製造がどのように進捗しているのかが分からないということであった。現場では、現場監督が指揮し、昼夜2交代勤務であった。常昼勤の生産技術部門の長は2年間という長いリードタイムの中での今日現在の進捗が知りたいことであった。

これまで、現場に任せてきたが、現場に聞かなければ進捗も分からないようでは、やり方の良否が不明であり、またもっと短期間に生産できるのではないかとの推察も持っていたからであった。製品がいかに長期間にわたり加工されるものであっても、機械はその加工能力が定量的に明確である。一方、不明確なことは、人による作業である。大型な製品であっても、人の作業のスピードはほぼ同じであるので製品を製造する人手作業の要素をリストアップすれば、全体量が分かる。しかし、現場の作業管理に任せると、もっと大きな作業の単位で管理しがちになる。それは人の手足の動作を基本とした要素作業単位では膨大な量の作業数となり管理が面倒だからである。この場合に考えることは、人手作業の品質管理は難しい。人の手作業、動作の1つひとつはその人の意思で行われる。その作業には人であることにより決定される標準的な作業要素があり、その要素が品質管理の単位でもあることだ。この面倒な膨大となる作業要素の管理の必要性をまさにエンジニアリング対象として認識したのであった。結局、現場は、日々の作業の細分化を行い、その作業ごとに守るべき品質を定義するようになった。このことにより、必要な品質を担保する作業に必要な時間を決めることとなり、細かい作業管理が全体のリードタイムの削減に貢献することを生産技術、製造部門は理解したのであった。今は、緻密な管理がIT技術を利用して進んでいることだろう。

第4部

品質エンジニアリング改革

第1章　新時代の品質マネジメント

1　品質問題の構造的な複雑さの原因

近年の製造業における品質問題は構造的な要因により対策が難しくなっている。部品の共通化により品質問題となる対象の製品数が膨大になっている事例も発生している。品質問題の特徴としては左記がある。

- 製品の使い方による問題が多い。
- 経年変化による問題が多い。
- 対策が不十分で再発、横展不足。

【役割と考え方】

①問題となる対象の製品数が大量化

自動車などは以前より大量生産のためにリコールの仕組みがあり、品質問題の対象となる製品も大量であった。しかし、今日、製品そのものよりも、その構成部品による問題が1つの製造メーカを越えて広範囲な品質問題となるケースが見られる。これは、電池などの例を示すまでもなく、部品が共通使用される傾向が強く、部品メーカの責任が大きくなったことを示している。

②製品の使い方による問題が多い

機能が豊富になり、その結果、予想外の使われ方による問題が発生している。システム的な機能では人の操作の可能性を網羅しつくされないことによる問題が出ている。

③経年変化による問題が多い

30年も前に生産された製品が劣化などにより問題を発生させている。製造側として、どのような対策を講じていくかは難しいものである。保証期間をすぎたものは責任がないというわけにもいかない。誰が、どこで、何を使っているかが分かる仕組みが必要である。

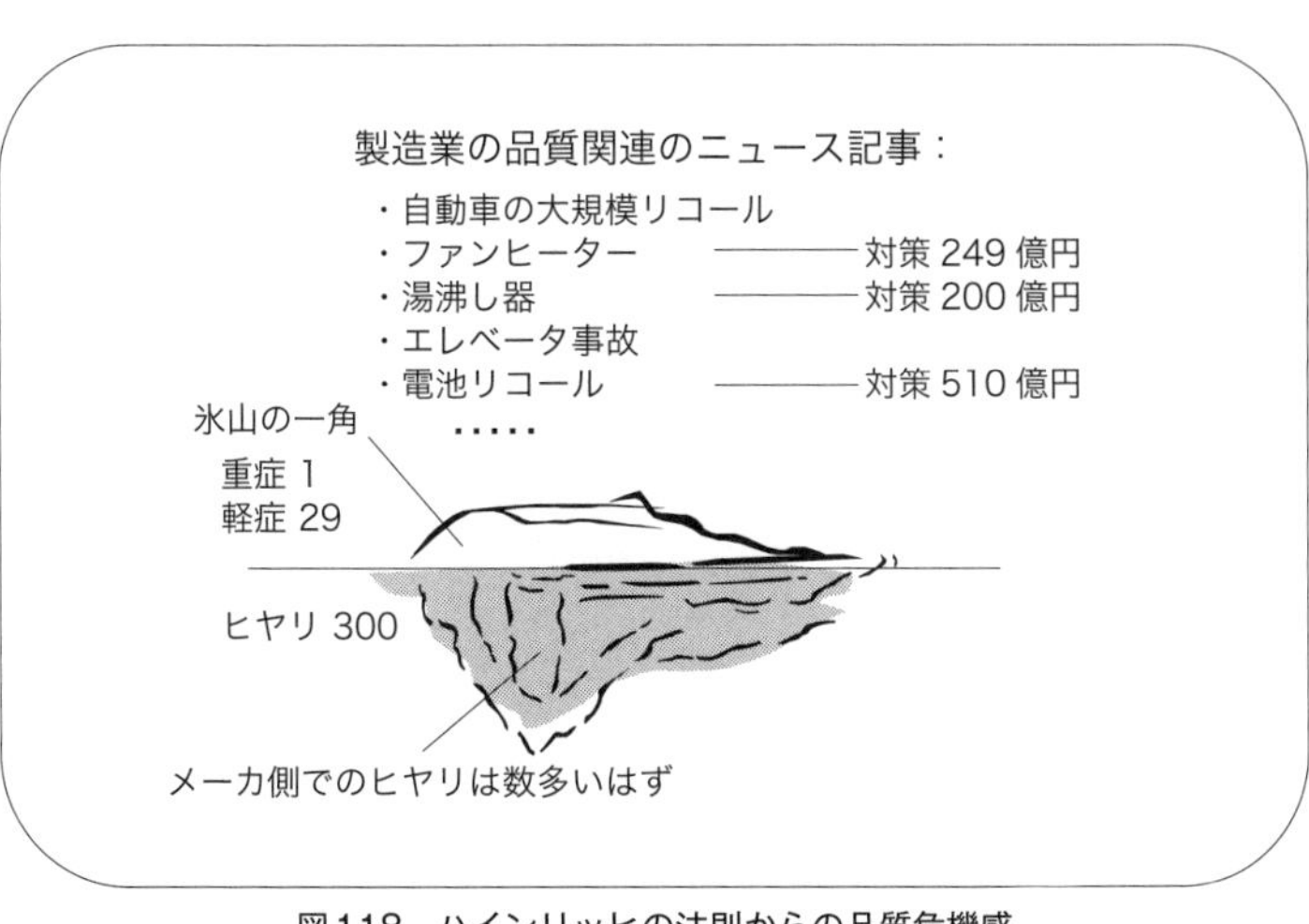

図118　ハインリッヒの法則からの品質危機感

④対策不十分、横展不足

他社の問題を自分の製品の問題として認識できない感度の低さや、原因追究の甘さが露呈している。

【解説】

安全に関するハインリッヒの法則がある。水面下のヒヤリハットがそのうち、大きな重大事故につながる危険性を訴え、ヒヤリハットを大切にした未然防止活動の重要性を唱えたものである。品質問題も同じである。工程内に発生している散発不具合は、その対策を怠っていると、より大きな品質問題となる可能性がある。事故も品質問題もともに、人そのものの考え方のミスや間違った行動により発生するものである。このミスや行動は完全にすべての人について防止できるものではないので、そこにマネジメントが必要になる。この品質改革に生産関係者はもっと意識を強く働かせる必要がある。発生した品質問題の特性には経営者や管理者の意識の程度が現れているものでもある。

2　複雑なSCMに技術的に踏み込む

自動車も電機も系列が崩れ、セットメーカとサプライヤとの関係がオープンになってきている。その中でも次の問題はより複雑化し、対応が必要である。

- ・コスト低減と品質問題。
- ・サプライヤの事業規模拡大と品質問題。

【役割と考え方】

①コスト低減と品質問題

コストを下げようとすると、新しい技術導入をして生産性を高めるか、材料変更、薄肉化、部品の一体化などの技術的な方法がある。一方、生産拠点を海外にシフトして安価な労働力でコストダウンを行うが品質を維持することが大切である。加工方法変更や設計変更などは、従来にない方法である場合は実験、評価を綿密に行わないと問題が出る。製品における設計標準は長年の経験の上でルール化されており、そのルール化の中で多くの製品を市場に投入した安心のあるものである。これを変更する場合には、管理者は大きな注意を払って進める必要がある。さらに、ルールを変更したものは、よりしっかりとした設計確認、試作確認、実験、評価、市場モニタリングが必要である。

②サプライヤの事業規模拡大と品質問題

部品メーカにおいては、多くのセットメーカから発注を受けることになり、生産量が増加する。この増加

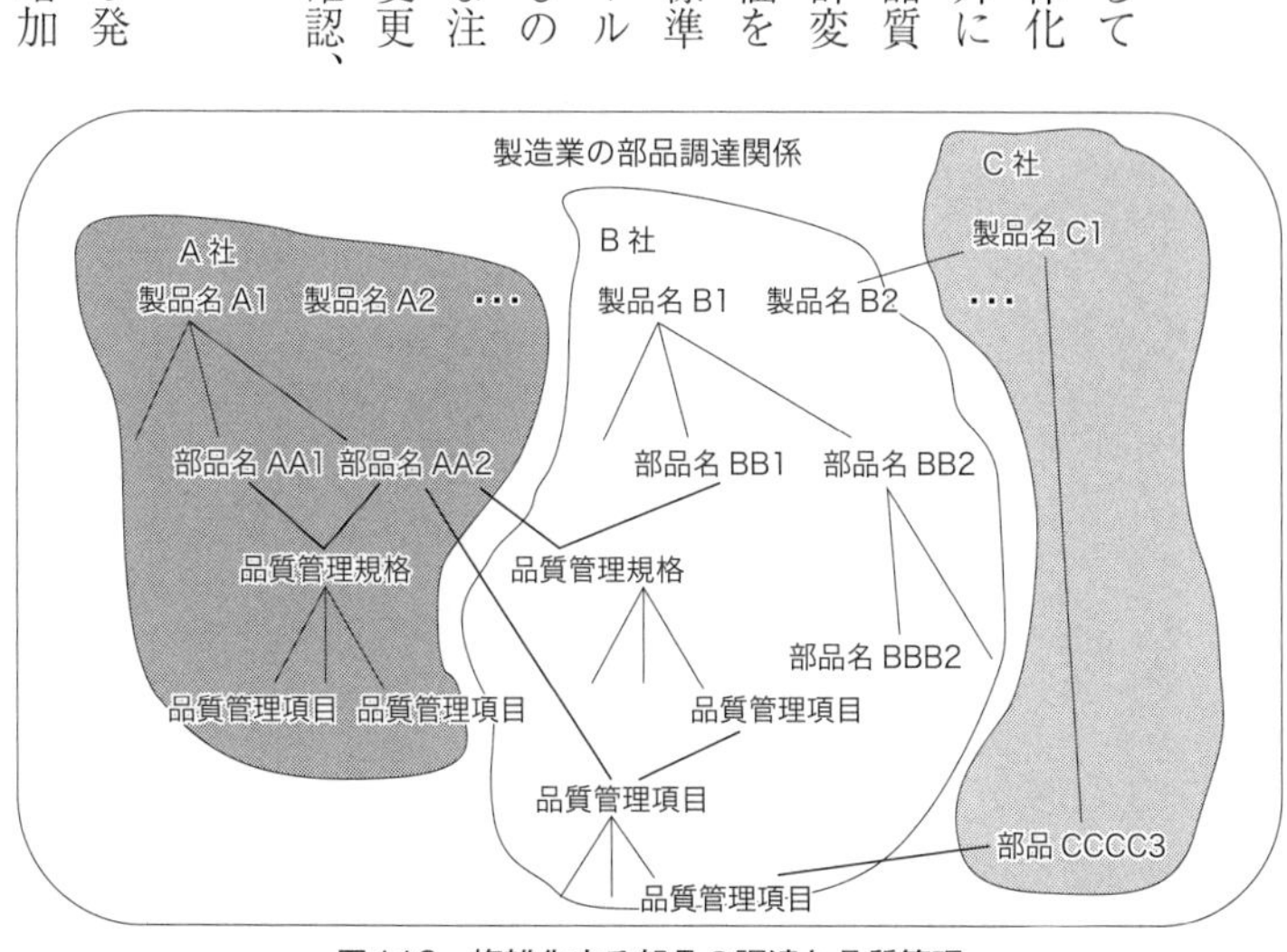

図119　複雑化する部品の調達と品質管理

に見合う品質管理が実施されないといけない。生産量の増加はコストダウンにつながるが、生産量の増加に見合う品質管理レベルを行うことによるコストアップを認識しなければならない。

【解説】

前ページの図のように製品の製造メーカA、B、Cがあるとする。各社の製品はその構成部品の一部において、同じサプライヤの構成部品を採用していることが多い。図において、部品名AA2はA社とB社に共通した部品であり、B社では部品名BB1にあたる。同じ部品でも会社が異なると呼び名や品番が違うことがある。スルーな管理が難しい。同じ部品であっても、A社が要求する品質規格とB社が要求する品質規格が異なる場合がある。実際には、どちらか先に発注した企業側の品質規格で生産され、その規格を他社が採用することになる。製品メーカからするとコストの安い部品を採用することは、その部品の品質規格を前提に設計することになり、かつ、製品に品質問題が出ても、自社ニーズで部品の品質規格を変更できない悩みがある。

3　品質の問題解決には仕組みの見直しが必要

今日の複雑化する部品供給関係においては、それを前提とした品質管理の仕組みを必要としている。

・品質の責任者の配置。
・品質管理の仕組みと生産実態との一致。

【役割と考え方】

①品質の責任者を開発から生産まで一貫配置する

一般的に品質の責任者は企業においては品質保証部などの名称がついていることが多い。一方、工場には品質管理部がそれぞれその責任を負っている。品質保証部は品質問題の解決と対策を実施するが、未然防止も役割の1つである。工場は生産工程での品質管理を行うが、それだけではなく、製品設計段階に踏み込んだ品質確保を行う必要がある。品質はエンジニアリングの結果指標である。設計から生産に至る間で最後まで責任を持つ責任者を配置する必要がある。それは最終組立の長である。製品ごとに責任者を配置し、品質エンジニアリングのマネジメントを実施することである。

②品質管理の仕組みを生産実態に一致させる

品質管理というと、品質問題を解決し、再発防止を生産工程内で行うことに視点が向きすぎている。生産拠点は海外にもある、そこで働く人の知識、技能も差がある。サプライヤの関係も複雑化している中で、今の品質管理の仕組みに漏れがないかを再検討する必要がある。よいものしか入荷しないとの前提条件は、いったん忘れて考えることが必要である。

【解説】

グローバルな共通品質を実現するために何をすべきかを考えることだ。これまでのような生産拠点単位の改善の仕組みではなく、全体の底上げができる仕組みを導入することが必要だ。設計を支援する品質設計支援ツールを考えることも要求される。設計は人で行われる。そこをワンランクアップさせる仕組みが必要となる。生産工程においては、現場自身が運営しやすい品質維持、向上活動を支援する仕組みを取り入れることを忘れてはならない。ルーズな品質管理では、毎日不良品を出荷しているのと同じである。これらの仕組みを体系的に、そして隠ぺいされないように構築し、市場の問題解決のスピードアップを図ることに重点を置くべきだ。

品質に関する大きな問題認識

1、全体	設計・生産の国際分業化が急速に進行 グローバルな品質問題が経営問題
2、設計	調達・決済のIT化は進んだ 品質設計手法は依然として経験依存
3、製造	リスクマネジメントが叫ばれる中、 現場向きの仕組みがない (生産規模の拡大に対し、品質管理が追いつかず)
4、サービス	お客様のトラブルや、苦情が 社内に届かず、対策展開ルーズ

図120　品質の仕組みの問題点

4　新しい品質マネジメントの仕組み

今日的な品質マネジメントとはＩＳＯ９００１でもその必要性が管理面で述べられている。ここでは、その実現においてエンジニアリング面でも行うべきことがある。

・設計フェーズにおいての仕組み。
・生産フェーズにおいての仕組み。

【役割と考え方】

①設計フェーズにおいての仕組み

設計段階では品質設計が行えることが必要である。これは設計の能力そのものともいえる正しく設計できる力のことである。従来は設計要領書や設計マニュアルとして紙にそのルールが書かれていた。これらのルールは先輩諸氏の失敗例などから制定されたものである。世間、あるいは企業内でも品質に関してのミスはたくさんある。これらのことがエンジニア全員の知識となっているかを反省することが重要である。設計行為そのものを支援する仕組みはＩＣＴを活用して構築することが必要である。知識の共有化とミス防止のためである。

②生産フェーズにおいての仕組み

生産フェーズでは品質問題の未然防止の方法を考えるべきである。品質解析手法は一般的になっているが、生産工程内で品質不良を作らない手法は未熟である。製品は多くの工程を経て完成する。この多くの工程の関係において、品質目標の整合性があるかが大切である。自工程の能力があっても、前工程の能力がなければ問題である。そのような問題解決力が最終工程の組立工程設計者には必要である。

【解説】

品質設計と品質管理はお互いに関係がある。設計の考え方の上にその管理点が定義される。しかし、この定義のレベルが生産工程の能力内でなければならない。このような知識を持って設計ができる能力が必要である。一方、生産側は品質管理を設計の意図を理解して実行しなければならない。それぞれの部品の役割や管理点を知り、それを管理する必要がある。製品もシステム化している。品質管理もシス

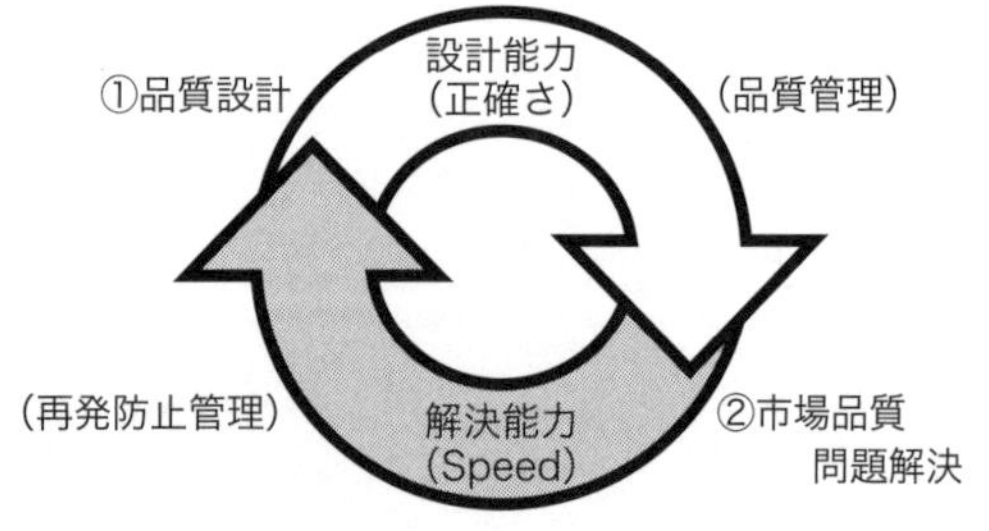

図121　エンジニアリングマネジメントシステム要件

テム的に行わないと漏れが起こる。市場問題についても、その解決能力はスピードであり、そのためには、設計の意図と生産工程の意図を共有することである。お互いをチェックし、理解ミスは再発防止として設計や生産工程に反映するエンジニアリングが必要である。

5　品質マネジメント対象と役割

製品開発段階を含めた品質マネジメントの対象は広く捉える必要がある。品質の責任者はその広い対象をマネジメントする方法を身につける必要がある。

・開発フェーズのマネジメント。
・生産フェーズのマネジメント。

【役割と考え方】

①開発フェーズのマネジメント

開発フェーズのマネジメントは、まず、製品の機能と実現技術の評価をすることから始まる。そのためには、現状の機能と実現できている品質レベルについての知識が必須であるし、また、その実現に際し、設計的な配慮と生産工程の条件、製品検査の方法までを知っている必要がある。これらは、一人で把握できる領域を超えているため、その機能を果たす組織が存在していることが前提となる。

一般的な組織は、これらの設計、生産、市場の機能と品質規格と工程能力などが別々な管理下にある。このことを改めないとトータルな品質マネジメントにはならない。

②生産フェーズのマネジメント

生産フェーズは製品を生産するのに必要な工程、設備、人などを包括的に監督する役割の組織が必要である。一般的には、固有技術分野ごと（鋳造、加工、組み付けなど）に品質管理は分けられている。しかし、品質は工程能力差をバランスよく調整する機能が必要で、これにより品質コストをミニマムにする生産工程運用や設計要件が定義される。大くくりな組織でなければ品質エンジニアリングは難しい。これはラージ組立の長が行うべきである。

【解説】

品質管理の対象は、製品設計・サプライヤ・生産ライン・市場である。それぞれ、品質計画、品質管理、市場品質問題解決、再発防止管理を連携して行わなけ

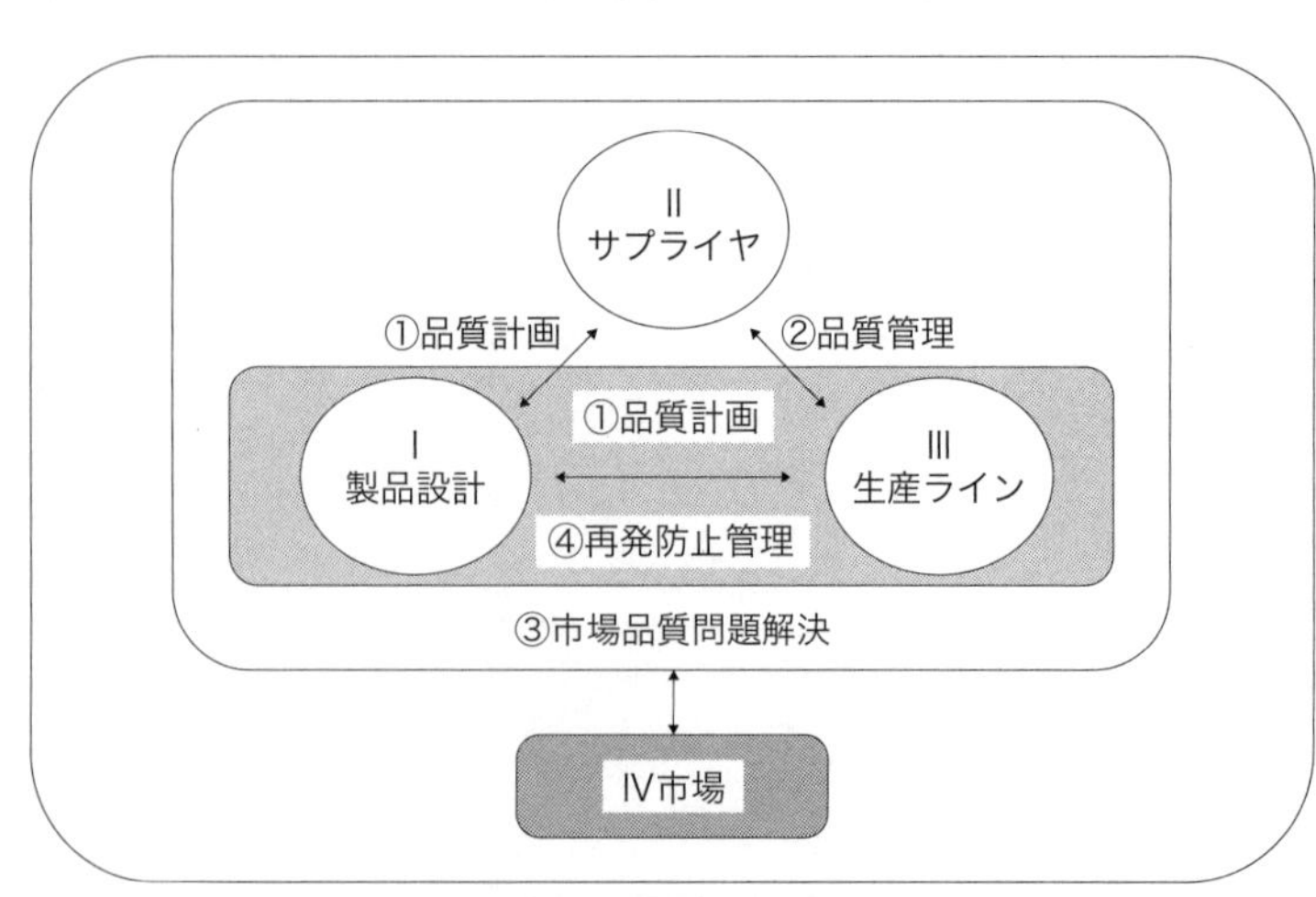

図122　品質管理対象と役割

ればならない。これらの組織に共通していることは、製品の発揮したい機能を実現することである。そのために、それぞれの組織に、その部分的責任が割り当てられている。それぞれの組織はそれぞれの目標管理を行う。しかし、組織を横断的に考えて、合理的な責任の配分を行い、低コストで品質のよい設計と生産を行うマネジメントが実施されなければならない。そのような品質マネジメントを実現することが特に今日的なニーズである。

6　品質改革の具体的なポイント

製品品質問題に対する市場のニーズには社内の課題対応と社外を含めた課題の対応が要求として挙げられる。

・社内の改革に対する要求。
・社外を含めた要求。

【役割と考え方】

①社内の改革に対する要求

・市場品質問題の迅速な原因究明と解決。
・品質問題が流出しない品質管理。

・品質問題の再発防止（未然防止）。
・品質問題が出ない生産工程の設計。
・品質問題が出ない製品設計など。

②社外を含めた要求

・市場品質問題の迅速な原因究明と解決。
・品質問題が流出しない品質管理とセットメーカによる受け入れ品質管理。
・品質問題が再発しないセットメーカとサプライヤとの品質管理のネットワーク実現。
・品質問題が出ないサプライヤにおける生産工程の設計とセットメーカにおける生産工程の設計との同期化・整合化。
・品質問題が出ないセットメーカとサプライヤとの品質設計のプロセス構築。

【解説】

生産工程での工程能力を知らずに製品の設計はできない。与えられた品質規格を実現できるライン設計をするのが生産技術であるとの解釈は間違っ

品質管理のポイント

・社内でのニーズ

1、生産工程の工程能力を踏まえて製品設計
→製品設計ミスの防止と設計能力が向上
2、設計者間での設計品質の合意と共有
→やり直しの無駄がなくなる
3、各生産工程が製品品質を意識
→品質管理がオープン化しアクションが早い
4、品質管理のノウハウが蓄積
→設計者、作業者が代わっても品質維持が可能
5、グローバルに品質管理を見える化できる
→同一品質をグローバルに実現可能

・社外とのニーズ

1、サプライヤとの品質管理ネットワークを構築
→市場問題発生時の迅速な解決が可能
2、各サプライヤが製品品質を意識
→企業間での設計を整合

図123　品質改革のニーズ

たアンバランスな設計を生む。そのため、設計と生産技術、工場は綿密な打ち合わせの上で、確信の持てる設計構造を図面化する責任がある。その過程の中で、生産工程の各工程の目標品質が共有化でき、仮に前工程から不良品が流出しても、責任工程の特定が迅速化し、対策を早く取れる。問題発生時に責任工程を探すような品質管理では、仕組みが不十分であると認識すべきである。このような活動を繰り返すと品質管理のノウハウが各部署に共通なものとして蓄積される。このことにより、グローバルな品質を均一的に実現できる。サプライヤでも同じであり、セットメーカも自社の内製と同じつもりでサプライヤの品質計画と管理を行うことが重要である。

第2章　品質知識の共有

1　工程知識の共有化

経験豊富なエンジニアほどノウハウが多く優秀だと思われた時代ではなくなってきたのかもしれない。知識はＩＣＴ化で誰にでも公平に提供できる時代となった。製品設計における工程知識の共有化は品質改革の第一歩である。

・生産工程の知識習得。
・工程能力の知識習得。

【役割と考え方】

①生産工程の知識習得

製品設計をする際に、生産工程の知識を必要とする。生産工程の知識とはどの部品がどこでどのように加工、組み付けされているかである。工程の順序とその加工方法をベースに設計をしないと、生産できない設計をしてしまうことになる。これらを知るには生産ラインを見て歩くことが必要である。生産ラインには材料や部品のハンドリングなど、生産効率を高める工夫（設備や物の置き方など）が施されている。加工だけでなく周辺の状態を理解しておく必要がある。そこにも品質保証のための生産要件が存在しているからだ。

②工程能力の知識習得

工程の能力（統計的なバラツキのレベル）を知っている必要がある。これらについては、生産ラインの管理者や品質管理者から情報を得ないと集まらない。生産現場は工程能力を維持するために、何を行っているかを知ることが大切である。ワークの位置決めの方法や仕上げ加工あるいは手直しの有無などの工夫や手間を理解しておくことは、設計時の配慮事項として役に立つ。

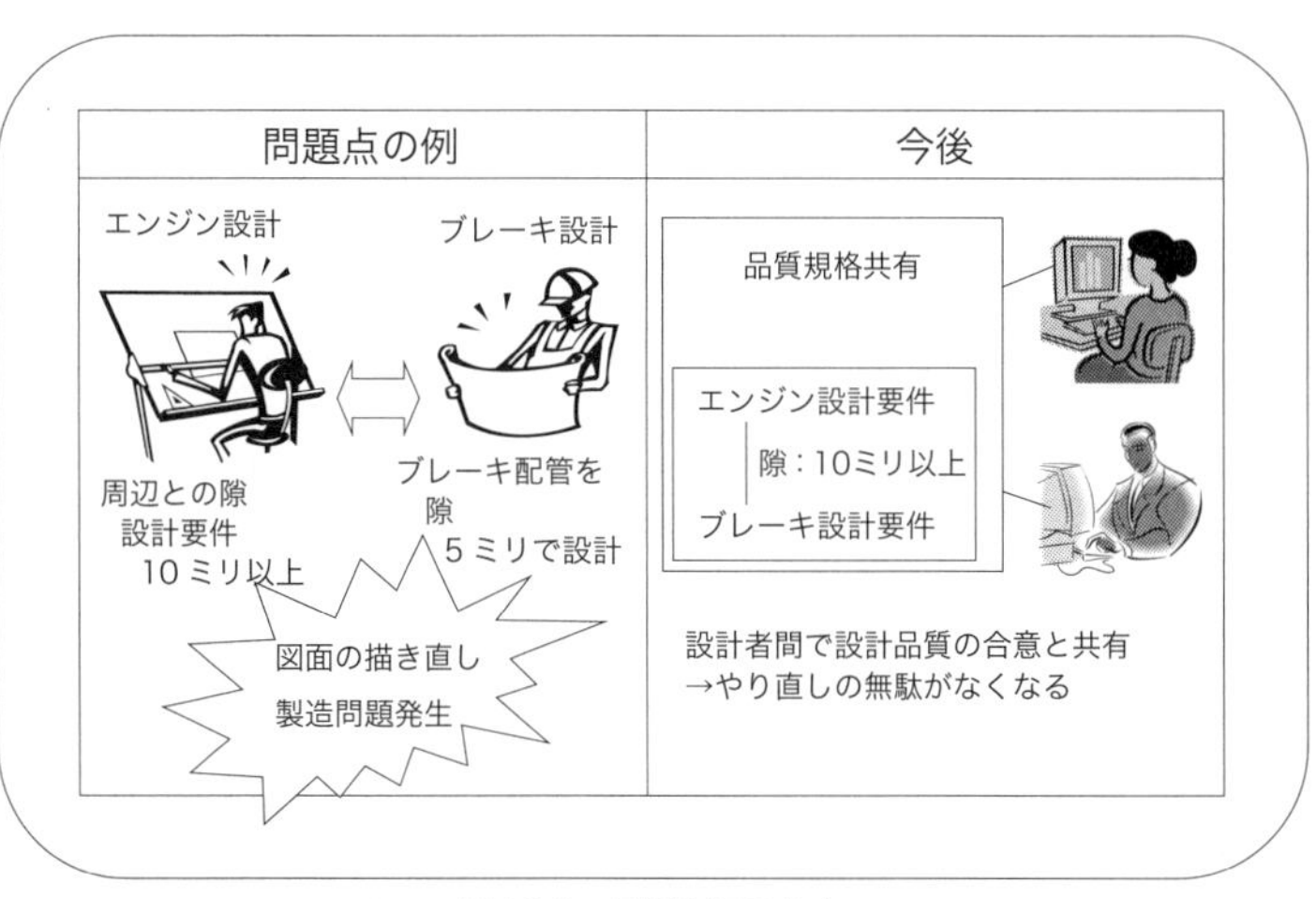

図124　品質企画の共有

【解説】

生産工程順序やその工程能力を知った上で、製品設計を行うことは基礎知識として最低限必要とされることである。しかし、製品設計の問題は、設計者同士の正しい設計成立性が保持されているかであり、それぞれの設計者が自分勝手な設計をしていては品質のよい設計は完成しない。設計者にはある品質を実現するために考えたシナリオがある。このシナリオが正しいことが前提である。このシナリオには周辺部品の品質規格があるレベルにあるはずであるとの知識が含まれている。このシナリオは設計者の頭の中に留まり、後工程などに情報伝達されることは少ない。多くの設計ミスは個人的な判断の結果である。設計図面を出図してミスを指摘される無駄をなくすためには、まず、この品質シナリオを共有することが必要である。これが設計者の最初のアウトプットと位置づけることである。あくまでも図面は最終アウトプットにしかすぎない。プロセス管理を重要視すべきである。設計者同士の積極的なコミュニケーションが必要である。

2　工程要件提示を積極的に行う

製品設計者の工程知識を知る姿勢に期待するだけでは品質設計は実現できない。この実現には、生産側からの積極的な情報伝達が必要である。

・生産工程の知識伝達。
・工程能力の知識伝達。

【役割と考え方】

①生産工程の知識伝達

製品設計者に工程の知識を正確に伝達しないといけない。製品の生産工程は多くの生産ラインにある可能性がある。それぞれの生産ラインの関係者が正しい工程知識を伝達する必要がある。しかし、生産ラインは常に変化している。そのため、設計者には原則を伝達し、基本を理解してもらうことが肝要である。各生産ラインは標準工程を定義しておく必要がある。生産ラインが複数あり、まちまちの工程順序では、製品設計は設計のすべもなく、設計者の都合で部品の加工順序を決めていかざるを得ない。

②工程能力の知識伝達

工程の能力の伝達は事実を正確に伝えることである。どのような設備の調整や条件設定で、どのくらいの品質レベルにあるかを生産ラインは把握していないといけない。さらには、どのような条件設定が最良の品質レベルを出すかを確認しておく必要がある。工程能力の数値化（把握）は難しい。生産ラインにおける精度測定は抜き取りで行われることが多く、さらには、製品立ち上げ時点だけの確認で終わっていることもある。問題がなければ測定されないという風土はなくすべきである。

【解説】

製品設計における品質シナリオの決定は、工程能力の確認があって初めて決定できるものである。しかし、製品設計者がこの確認をしないあるいは、生産側がこの工程能力の確認をしなかった場合には、仕事のやり直しや設計図面の修正などの無駄が発生する。このような無駄を発生させないためには、生産側からの工程能力データの提供が先に必要である。生産側のデータは意外と少なく、生産ラインで問題が発生した場合に集中的にデータ採取が行われ解析するくらいに留まっている。設計における品質設計シナリオが共有化されておれば、そのシナリオの確認を実際のラインをモニタリングすることでチェックする必要がある。これらは工程能力の程度によって頻度は異なるものの、日常点検の1つとして品質モニタリングが行われていることが大切である。このような品質モニタリングはいつでも設計者が見られる状態にしておくことが間違いのない設計を行うのに必要な条件である。

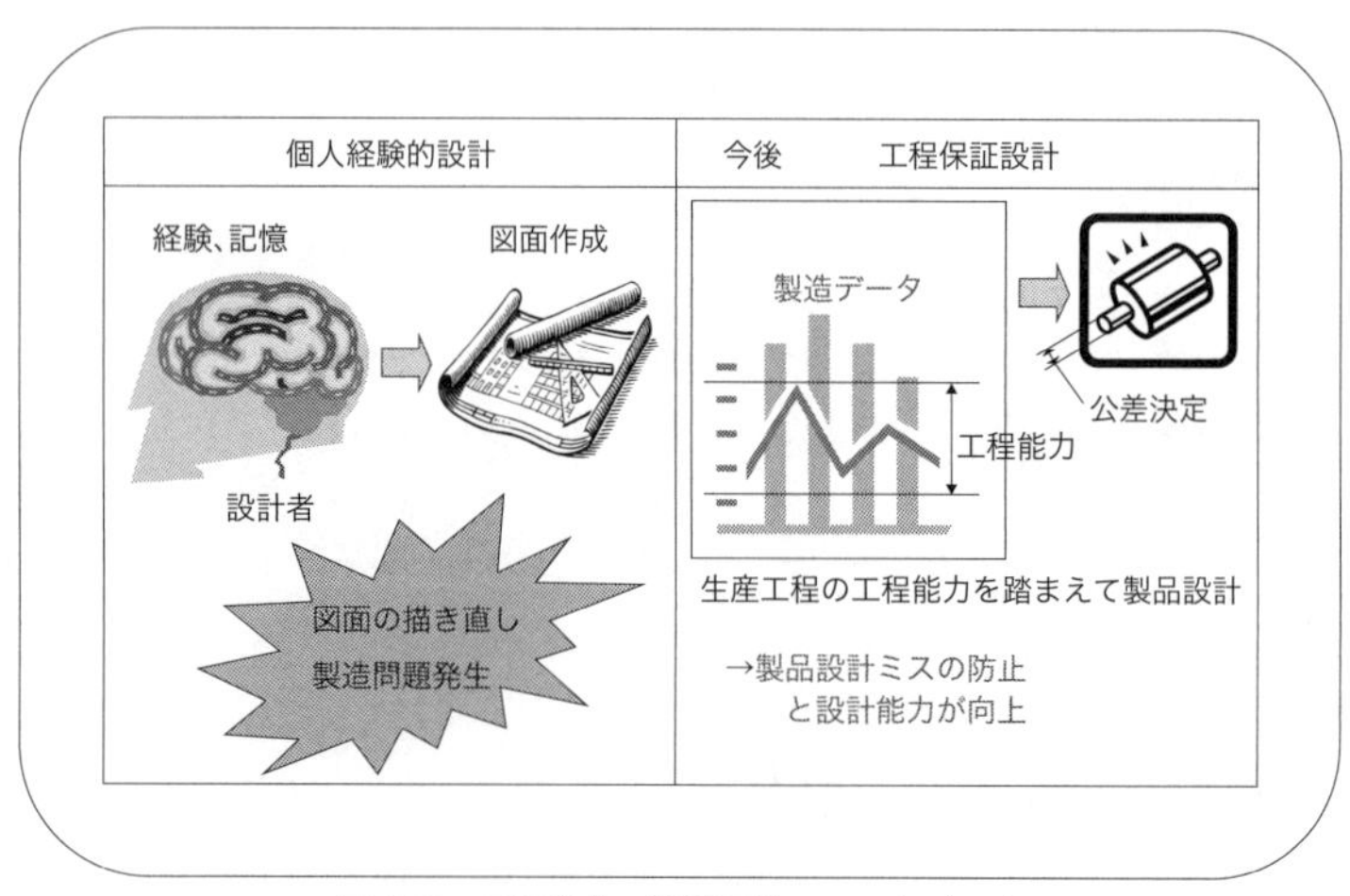

図125　工程能力の設計要件フィードバック

3　グローバル品質の見える化

日本の製造業は海外で生産拠点を多く持つ。海外では材料や部品の調達は現地で行われることが多く、国内のものとは品質も異なる。さらにそこで働いている人も管理者も異なる。このような中でも、よい品質を維持するにはどうすべきか？

・海外生産拠点の品質の見える化。
・品質管理手法の統一化。

【役割と考え方】

①海外生産拠点の品質の見える化

品質管理は生産拠点ごとに独立して運営されていることが多い。それは海外などの現地事業に即した管理に任せておくことで、最終的な製品品質が確保されればよいと考えているからだ。しかし、製品品質の結果だけではなく、その工程途中における品質レベルがどのような状態であるかをウォッチする必要がある。現地の材料や、部品などの違いにより国内と比べてどのような差があるかを知ることは、部品調達先を決定する際にも重要なことである。結果として、製品に問題がないからその調達されている部品は問題がないと考えるのは危険である。生産工程の中も同じであり、その工程途中での品質を国内と比較することも重要である。

②品質管理手法の統一化

人や管理者の違いも品質レベルに影響を与える。製品品質の差の原因を知るには、品質管理の仕組みや方法を同じにすることが先に必要である。異なる仕組みや方法で得られた品質調査結果からは品質管理手法の差によるものか、材料、仕入先の物の精度の差によるものなのかが区分けができないからである。

【解説】

グローバルな生産拠点で品質の管理手法が異なることが見受けられる。品質の結果記録も定性的であり、合格、不合格で記録されていることが多い。この定性的な記録は品質管理そのものを進歩させることにつながらない。日本国内からグローバルな生産拠点の品質を確認する際にも現地の検査結果を信頼するしかないが、定性的であると不安が残る。品質管理は完成した品質の問題だけではなく、工程内における品質状況を把握したい。生産ラインもプロセスを管理することが

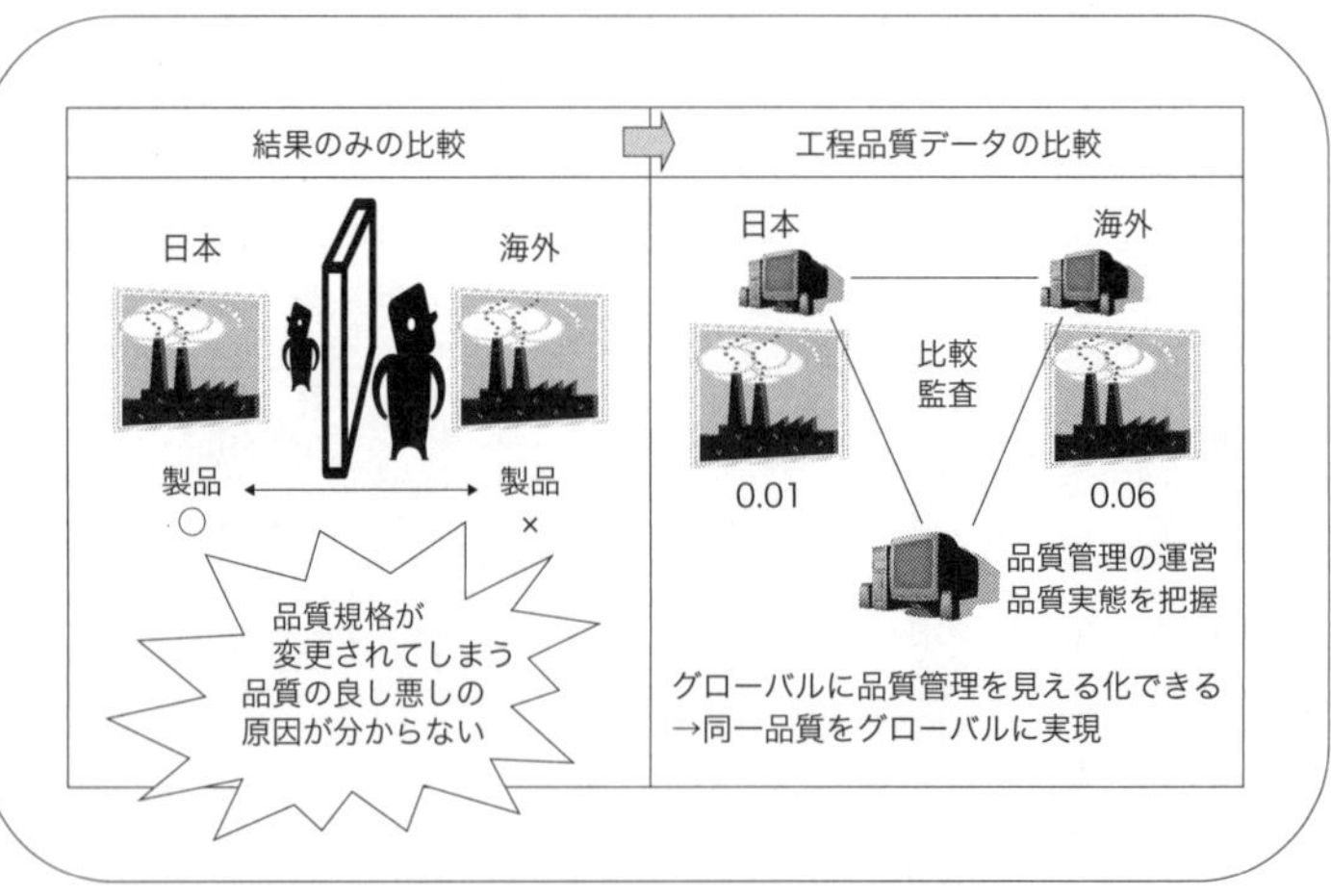

図126　グローバルな工程品質の確保

できなくては、グローバルによい品質を実現できない。同じ品質管理の仕組み（定量的な）をグローバルな生産ラインに備えることで、生産拠点の品質の工程内変化や完成品品質の変化をウォッチすることができる。日常点検の1つとして品質モニタリングが行われていることが大切である。海外の生産ラインでも品質モニタリングが行われ、いつでも設計者が見られる状態にしておくことも大切である。

4　工程間品質コミュニケーションの実現

品質は工程で作られる。自工程でよい品質が作られるためには前工程がよい品質のものを流してこないといけない。工程の前後関係には次の理解が生産現場に必要である。

・自工程の品質目標の認識。
・自工程の品質に必要な条件の明確化。

【役割と考え方】

①自工程の品質目標の認識

自工程が果たすべき品質保証の内容を掲示しておく必要がある。その品質保証が製品の機能としてどのような役割を担っているかを皆が認識しておかなければならない。これにより、生産工程が加工や作業を行う目的から製品として工程の意義を認識でき、やりがいが生まれる。自工程が後工程に対して品質保証する内容を明確化することにより、後工程からの監査機能を発揮させる。

②自工程の品質に必要な条件の明確化

一方、自工程の品質を確保するためには、前工程で保証していないといけない条件がある。これらの条件が明確にできない工程は、自工程品質を保証できない。必ず、前工程に定量的に保証させる条件を掲示する。

生産工程は品質のチェーンでつながっている。このチェーンが切れることはない。後工程になればなるほど、自工程の管理のための管理スパンが深くなる。

【解説】

製造現場で働く人は品質を作っている。しかし、働く人にその作業や加工の役割を理解させる活動は不足している。作業している人は、同じことを繰り返し行っているために感性が高く、前工程のちょっとした変化に気づいていることも多い。しかし、その気づきは手作業などの場合、ちょっとしたコツで対策されてしまう。生産ラインで働く人は生産量に追われている。し

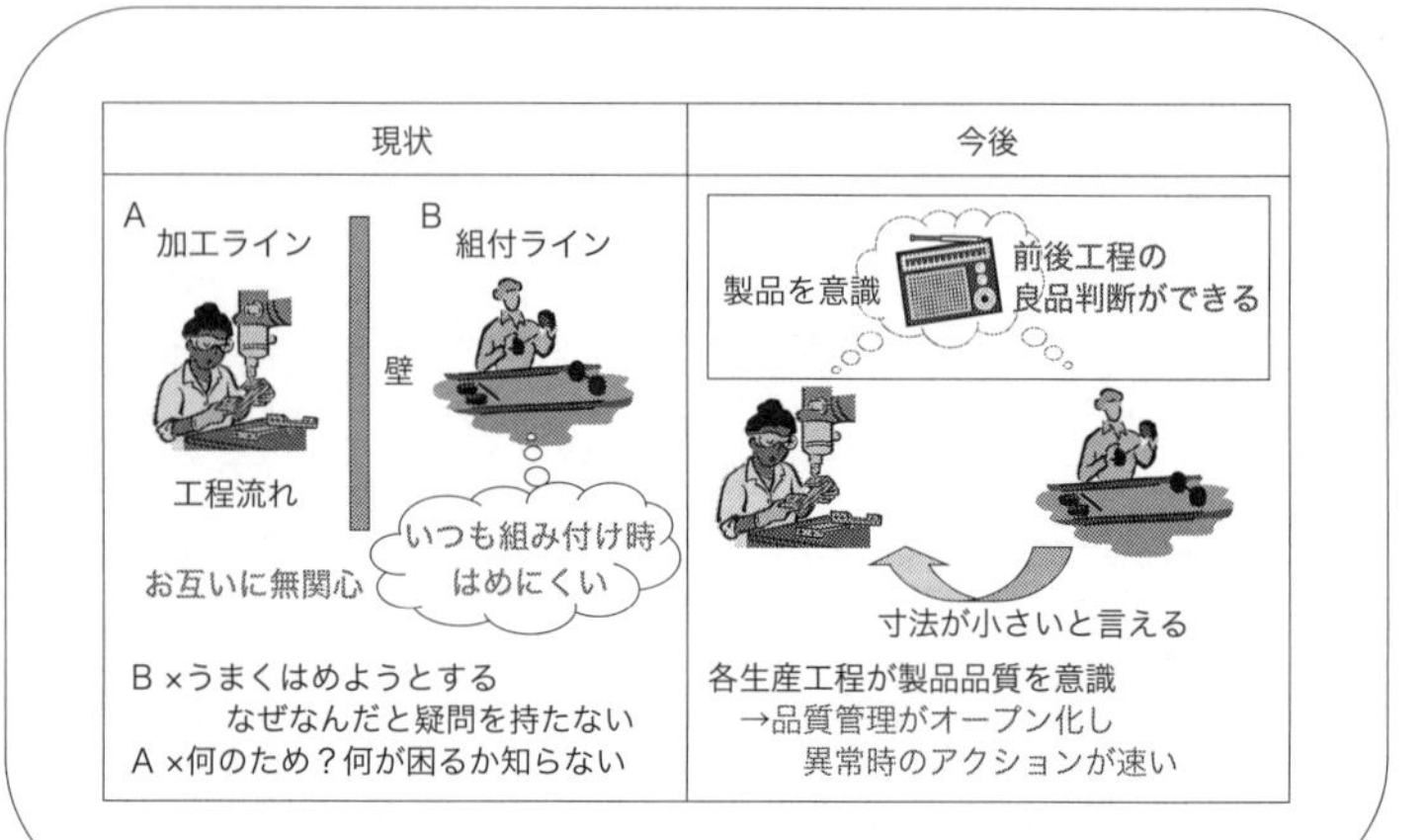

図127　工程間品質コミュニケーションの実現

たがって、なんとか作業ができれば仕事が完了したと考えがちである。だんだんとこの気づきは普通の状態として認識され消えていく。生産現場にはこの前後工程の品質保証を掲示し、自らの気づきを前工程や、あるいは心配を後工程に連絡する品質のコミュニケーションが行われていないといけない。

5　品質管理のノウハウを蓄積する

品質管理は人によって行われる。この管理手法は長い間にわたり企業内に積み上げられた成果である。しかし、手法は組織変更があっても維持されるが、日々の問題と対策は消えていく。それには次のことを実行するとよい。

・品質管理手法と結果を蓄積する。
・品質問題の要因解析結果を蓄積する。

【役割と考え方】

①品質管理手法と結果を蓄積する

品質管理手法はマニュアルとして紙に書かれていることが多い。紙に書かれると皆が日々見ることはなくなる。また、品質管理結果も紙であることが多く、品質管理の手法と結果が対応して蓄積されていない。これにより、どのような品質管理でどのような結果が出ているかなど長期的な変化を捉えられない。たとえば抜き取り検査の頻度を変更したとき、生産工程の工程を変更したときの品質結果への影響が分からなくなるため、品質管理と生産工程管理の重要な関係性が認識されない。

②品質問題の要因解析結果を蓄積する

ＱＣ活動などに各企業は取り組むが、その要因解析は多くの時間をかけた成果である。しかし、これらは当事者内での知識に留まるだけでなく、その結果は紙として保管されることが多い。品質は知識なので、このような解析結果を常に蓄積し続けて、積み上げていくことが大切である。大切なのは、たとえば特性要因図である。このデータは製造業の大きな財産である。

【解説】

製造現場の技能伝承の問題は今日始まったものではなく、企業にとっては人事異動時にも少なからず問題となる。

知識は人事異動とともに組織から取り除かれていくものである。

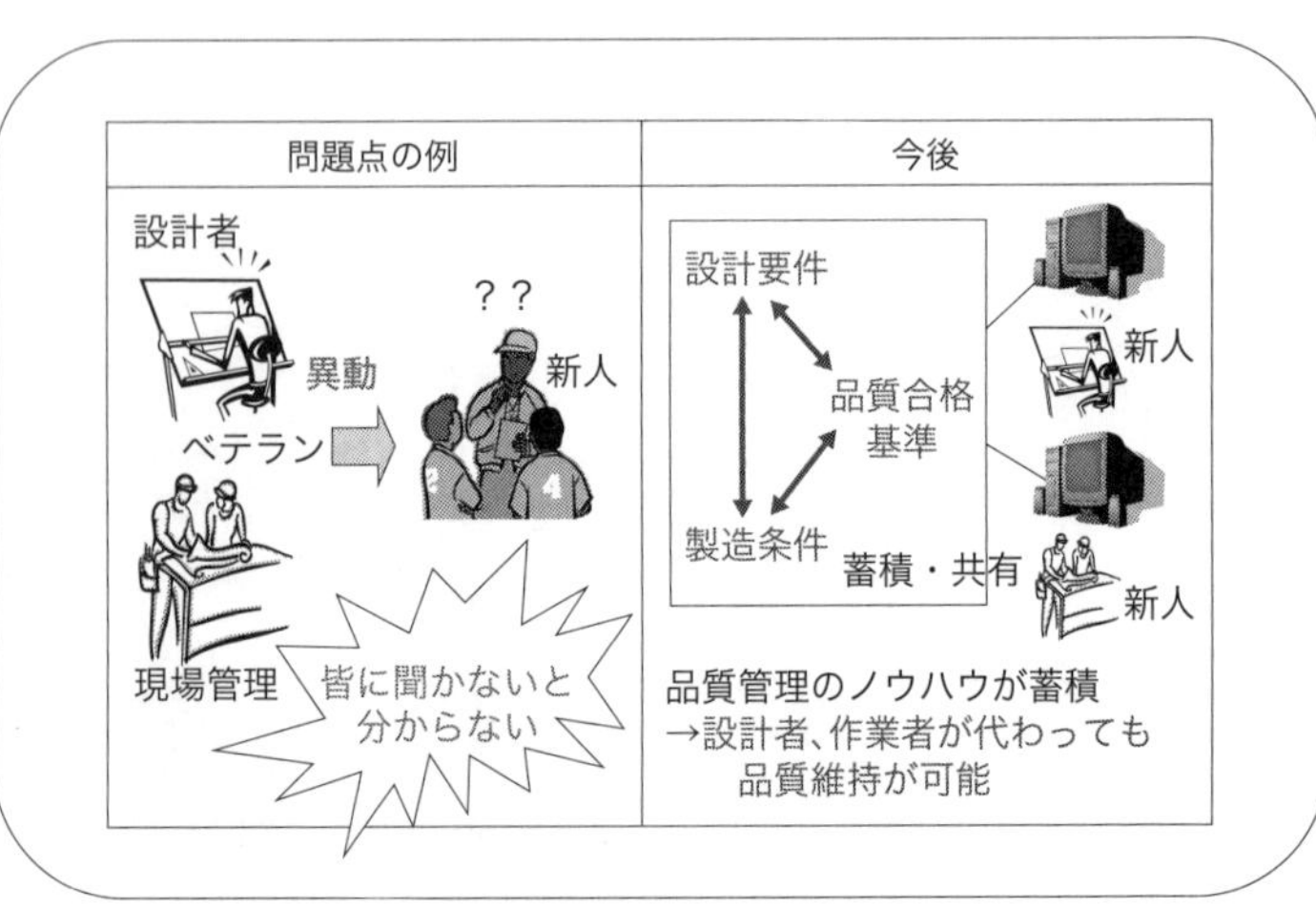

図128　品質管理ノウハウの蓄積

生産現場においても、同じく生産工程のノウハウや知識、品質管理の知識などはベテランの頭にだけある。どのような管理者に変更となっても、あるいはどのような作業者に変更しても、品質や生産性は常に前のよい状態が継続されなければならない。それには、製品の品質目標やそれを実現するための製造条件、品質合格基準などを生産工程と関連させて蓄積しなくてはならない。このようなことの実現にＩＣＴは活用されるべきである。

6 市場品質問題の迅速な解決方法

市場で発生した品質問題の解決は大変遅いと世間は考えている。なぜ、そのように遅くなるかは理由がいくつかあるが、中でも次のことができているかが大切である。

・品質計画の体系的運用。
・品質情報システムの構築。

【役割と考え方】

①品質計画の体系的運用

品質の計画では、製品開発時、新しい機能を商品化するとき、その品質目標を定める。定めた品質目標を実現するために、どのような機構でその品質を実現するかを検討する。この際に、各構成部分に品質の目標を配分する。ＦＭＥＡで心配点を列挙し、対策をする。試作においては、製品の評価項目を定め、試験や実験を行う。これらの品質目標やＦＭＥＡや製品の評価項目との関連性を持つ物同士を整理することで、市場での問題の要因を解決しやすくすることができる。

②品質情報システムの構築

品質は企業の生命線である。この分野の情報化への取り組みは遅れている。品質の企画、計画、管理、市場の問題などに対し、製品設計、生産技術者、生産現場だけでなく、販売、サービスあるいはサプライヤに至るまで、幅広く多くの組織や企業が関係している。ここに、ＩＣＴを活用して、初めて品質マネジメントが実行されているといえる。

【解説】

お客様からの品質問題は、車の場合、まず販売店に入る。ここで把握された問題は、メーカに伝達される。しかし、メーカでは、その問題の原因と思われること

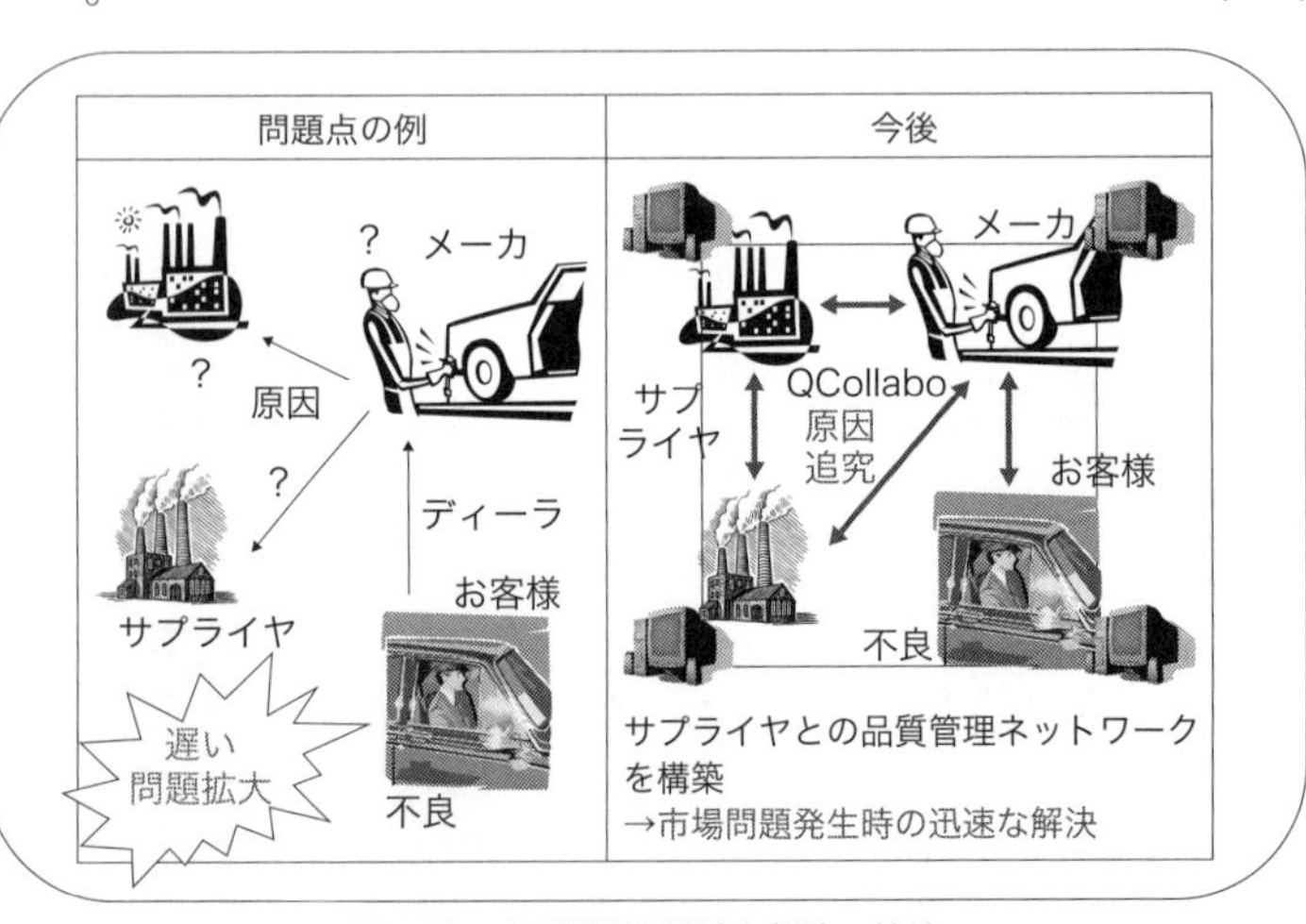

図129　市場問題の迅速な解決　社外

を推定し、その組織に伝達される。伝達された情報は原因が特定されるまで、関係組織で調査を続ける。この間の進行状況などはなかなか社内でもオープンには扱われないことが多い。このような関係組織や企業とICTを活用した情報システムを構築すると以下のメリットがある。

・多くの有識者で共有することで、原因追究が迅速化
・製品設計にフィードバックできる
・品質知識が蓄積・成長する
・品質不良がオープン化し、組織に隠蔽されない
・全体コストを考えた品質確保の製品設計、工程設計となる
・エンジニアリングの工数削減

7 開発段階での品質規格の共有

品質を体系的に運用するにあたり、重要なことは、開発段階での品質企画・計画時でのコミュニケーションの方法である。

・設計者の品質計画内容のオープン化。
・組織、工程全体の品質目標合意。

【役割と考え方】

①設計者の品質計画内容のオープン化

設計者は製品企画の段階より、どのような機能をどんな方法で実現するかについて検討を始める。そして、その方法を複数のアイデアから選択する際には、その品質確保性とコストなどの定量的な試算を行う。しかし、このようなアイデア比較を設計組織内では意見を交換するが、生産技術や工場などとは意見を交換しないことが多い。このことが品質という工程、組織スルーな性格を生み出している。設計者は頭の中で考えたアイデアを社内の設計、生産関係者へ提供し、アイデア選択のミスをなくし、別なアイデアを受け入れる柔軟な姿勢を持つことが重要となる。

②組織、工程全体の品質目標合意

設計者は選択したアイデアにおいて、考えた品質企画の正しさを確認するために、その実現の品質確保シナリオを情報化して関係組織に提供をすることが必要である。この品質確保シナリオは、どの部品をどのよ

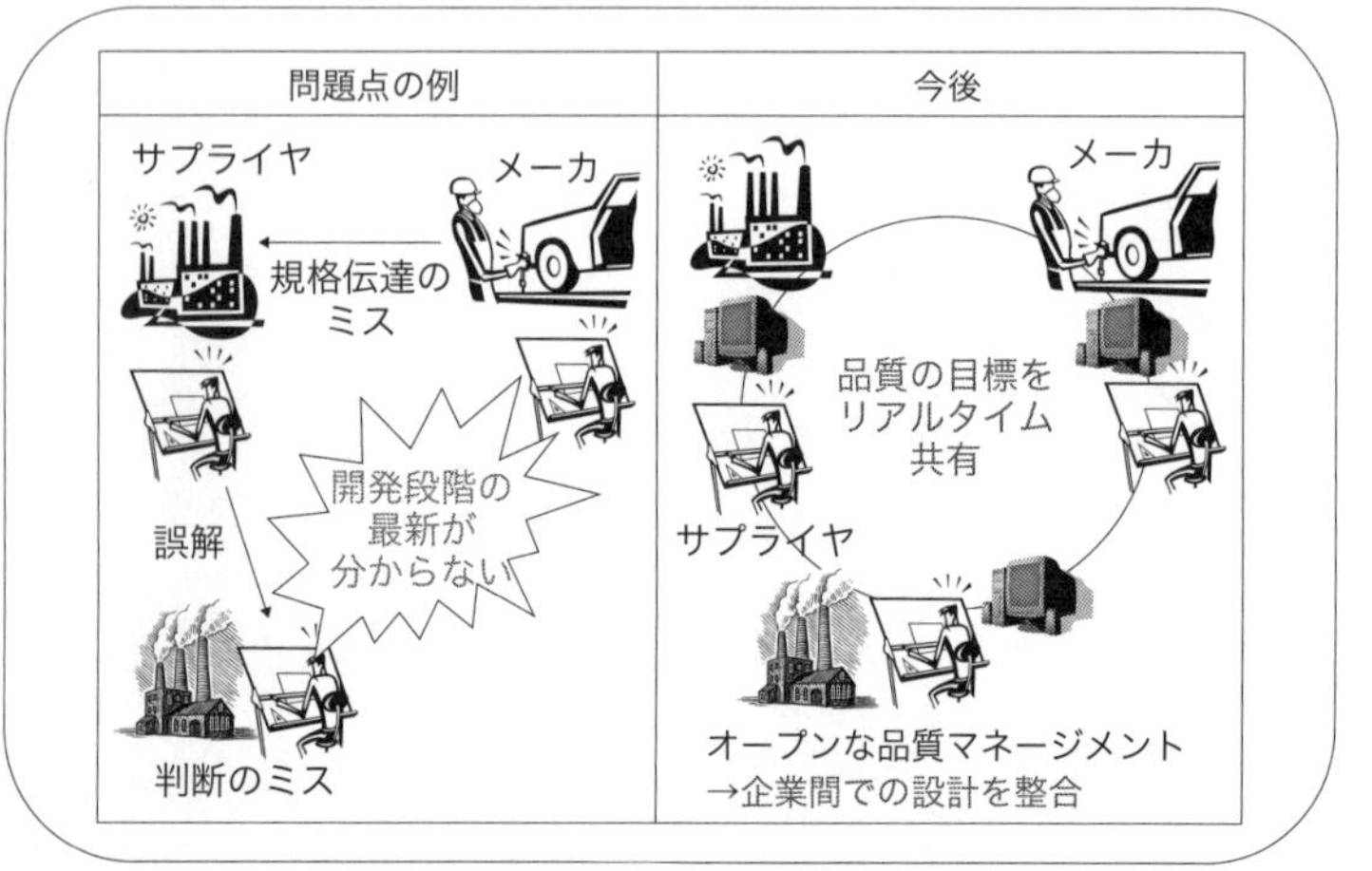

図130　開発段階での品質規格共有

うな品質目標とし、全体としての製品品質目標を達成させるために公差を記述したものである。このシナリオについて、生産側はそれぞれの工程能力との比較判断を行い、目標値の合意と生産ラインでのその実現性を合意決定する。このとき、生産技術の開発テーマが登録される。あるいは、各工程目標の難易度により、合理的な工程ごとの品質目標値を合意するようにする。

【解説】

開発段階では社内設計者だけでなくサプライヤとも品質の規格を共有する必要がある。開発段階では、設計者もその実現方法で悩んでおり、たびたび設計の変更が行われる。この際に、変更内容が正確に迅速に関係者に伝達されないことが多い。設計変更前の品質シナリオで生産工程の設計を行ってしまう無駄も発生する。設計の品質シナリオは同時に伝達される必要があるためにＩＣＴが活用されることになる。一度作成された品質関係シナリオはその後具体的に設計図として出図される。このとき、このシナリオは図面とセットの関係で蓄積をする。また、生産を開始すると、各工程で品質規格に対する実際の品質データが収集される。このデータも品質シナリオとセットで蓄積をしていく。このように図面と品質シナリオ、実際の品質データをセットで蓄積を行うと、次の設計の際にこれらを参照して、効率的な設計を行うことができる。

8　現場の品質問題をフィードフォワード

品質計画は体系的に行う一方で、製造現場からの品質実績をフィードフォワードすることが必要である。

・生産技術の正しさの確認。
・設計の正しさの確認。

【役割と考え方】

①生産技術の正しさの確認

品質シナリオとして合意したことが生産技術として正しく設計できているかの結果を生産技術は知るようにしなければならない。品質シナリオを合意する過程で前提とした製造現場の工程能力の判断とその中での議論や知見が正しかったかを確認する必要がある。新しい生産技術開発の結果を定量的に確認することも重要だ。あるいは目標を達成できていない要因を解析し、開発のレベルを向上させることにつなげていく。ＰＤＣＡを行うとよい。品質問題があるならば、その原因は、生産技術にあるのか、製品設計そのものにあるのかを特定し、再発防止につなげる。生産技術の生産要件として、標準が正しいか、あるいは見直すことが必要かの重要なデータとする。このフィードフォワードにより標準の改廃を実施する。

②設計の正しさの確認

生産技術からのフィードフォワードに対して、設計要件の見直しを実施する。新しい機能が自社の生産ラインでどのレベルに品質保証されているか。設計者自身が不安に思っていたFMEAの結果を把握し、次回の設計に反映させる。品質問題が生産技術の計画と生産ラインの実力を踏まえても解決が難しいと認識されるものは新しい実現アイデアを考える。

【解説】

製品の目標性能を生産ラインで実現できていれば、設計・生産技術を含めての技術力が高いことを表している。しかし、生産ラインには何らかの品質問題が発生し、解決を迫られることが多い。これらの解決をしていくことつまり、生産ライン↓生産技術↓製品設計に再発防止を行っていくことを逆進的なエンジニアリングと呼ぶことにしている。この逆進的エンジニアリングでは、品質問題が発生した真の原因を突きとめ、

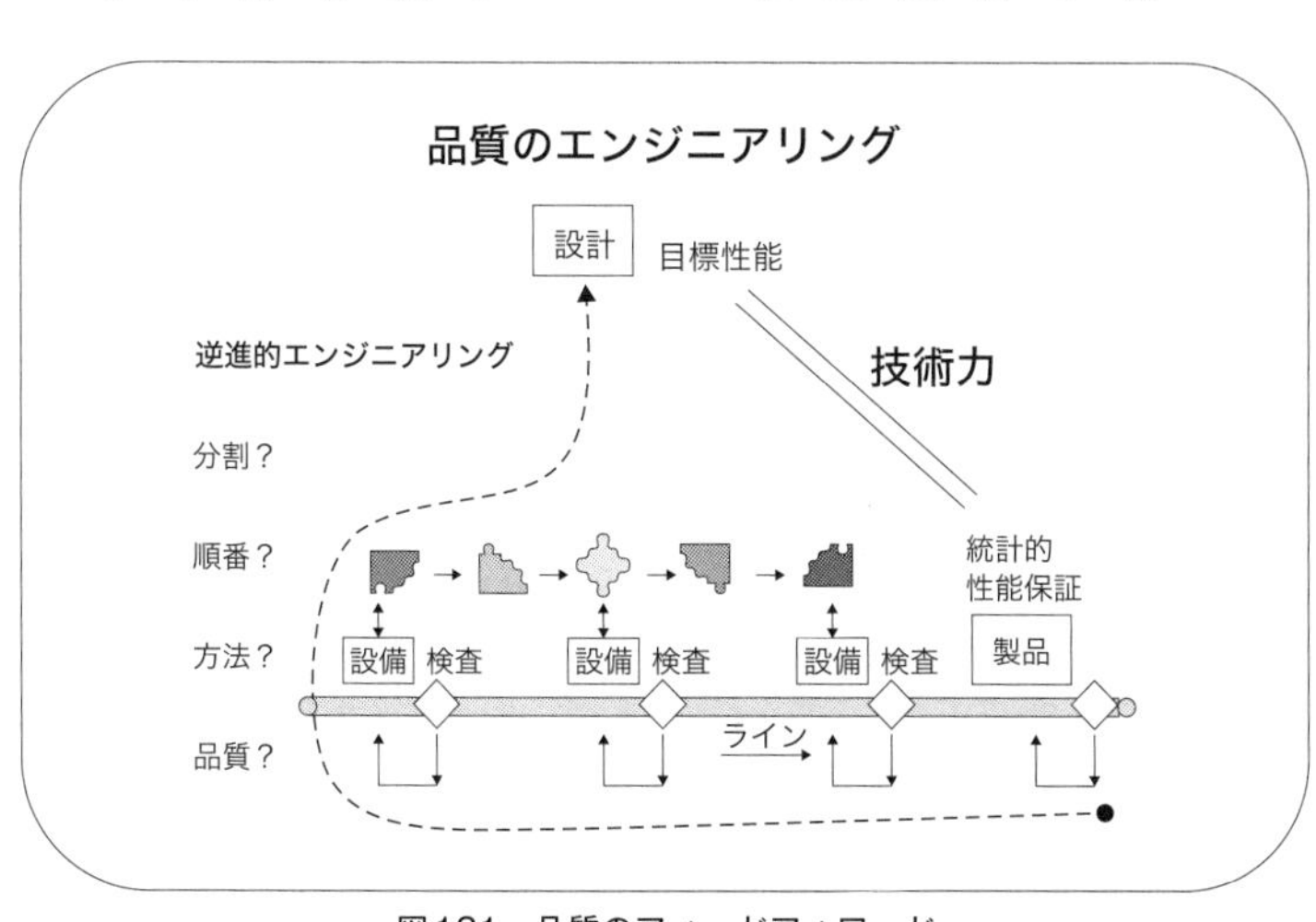

図131　品質のフィードフォワード

その結果として、生産、生産技術、製品設計の技術課題を解決するアクションを行うことである。このアクションは自工程の利益だけを考えては真の対策が行われない。全体として品質・コストなどの指標が向上するように品質シナリオやその品質目標値配分を見直しすることが必要である。これらの検討結果は、品質実績システムに事例として蓄積され、同時に標準を修正することを行う。

第3章　品質管理範囲の拡大

1　工程単位の品質管理は甘い

品質の流出防止などを考えるとこれまでの工程単位の品質管理では不足である。品質は工程で作り込むが、製造と検査の機能は別の組織にしないと甘くなりがちだからだ。

- 自工程検査の甘さ。
- 監査機能の強化。

【役割と考え方】

①自工程検査の甘さ

合意した品質シナリオの中で自工程の作業や加工について、その品質を保証することは当然であるが、ここに、人による品質管理の甘さがある。自工程の品質を管理しようとすると、その工程における作業や加工の確からしさを保証する必要があるが、その保証方法は人による目視やチェックに依存していることが多い。一方、機械での加工の場合でも、その加工条件設定は正しいのか、あるいは加工後の精度はよいかのチェックも人に依存しているケースもある。設備での自動検査をしても、最後は別手段で抜き取り検査をしないと不安である。要するに加工は自工程で責任を持っていると言いつつも、検査は人によることが多いために、品質問題が後工程に流れてしまう可能性は否定できない。

②監査機能の強化

人や組織の問題から、自工程検査は自組織に対する判断の甘さを排除すること。監査機能を他の工程や組織に任せることが自工程の品質を保証することにつながる。管理監督者は自工程のお客様を認識し、積極的に不満を指摘してもらうような仕組みの構築に努めなければならない。

【解説】

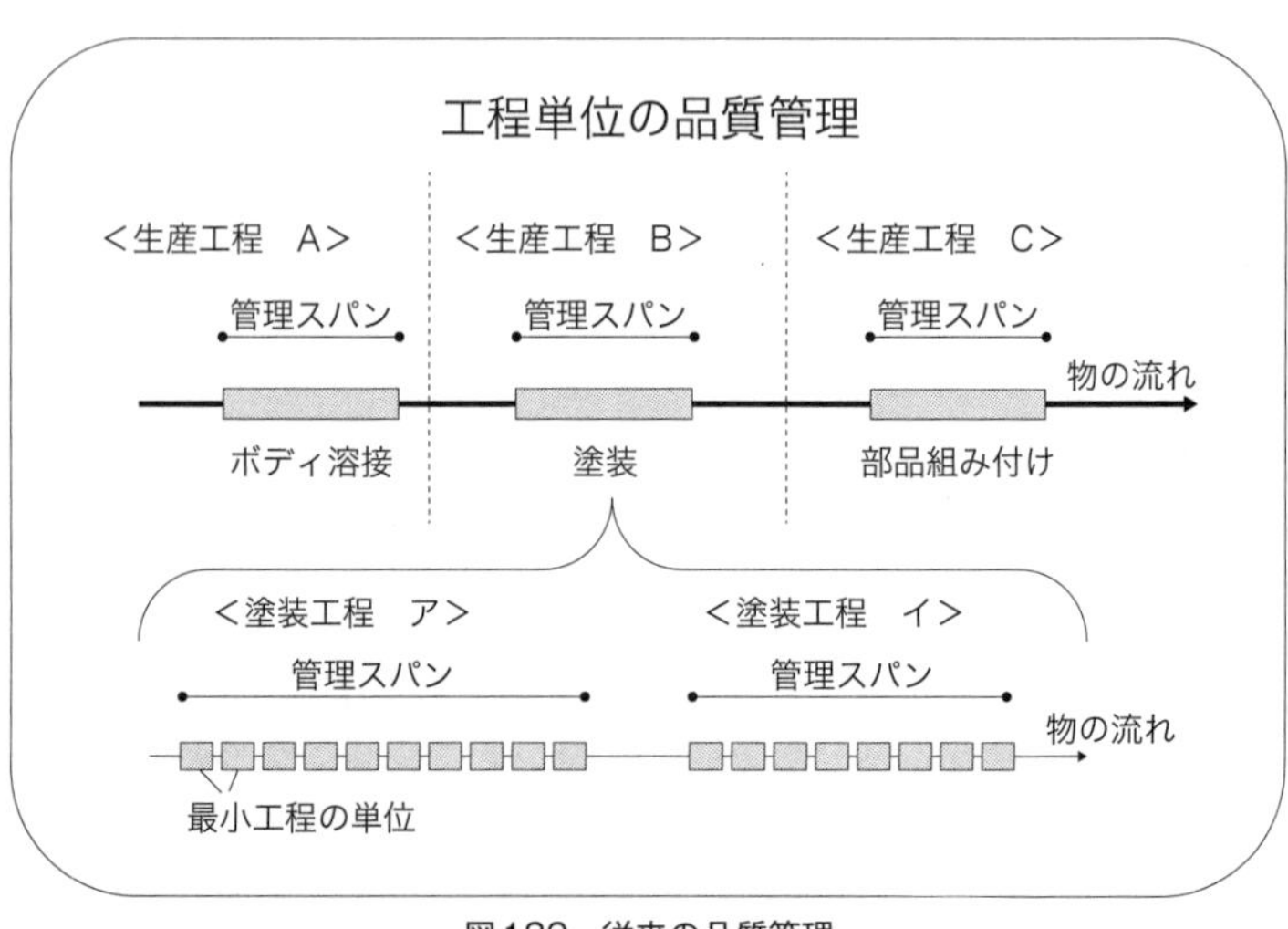

図132　従来の品質管理

前ページの図は工程単位の品質管理を表したものである。各生産工程A、B、Cはそれぞれの工程だけを管理スパンとしている。当然、それぞれの工程には明確に定められた品質管理項目がある。しかし、この図の例のように、溶接、塗装、組み付けとそれぞれの工程の技術分野が異なると、その技術分野に入り込んでの品質をウォッチすることはしない。これは異なる技術分野の組織には言いにくいとか、人で構成される組織や人そのものからくるコミュニケーションの問題でもある。他部署には上司を通じて苦情を言わねば受け入れられないなどおかしな風土があったりする。その際には間接的な品質管理部に報告を行い、品質管理部から異なる工程の検査を実施するといった組織の転がし方をすることもある。このような、間接的な管理は調査業務や報告業務が無駄なだけではなく、品質問題解決も遅くなる。

2 後工程は前工程の品質監査役

自工程品質保証のお客様（後工程）と仕入先（前工程）を押さえ、品質監査のライン内ネットワークをしっかりと行わないと、人による問題を解決できない。

- 工程間品質管理の実現。
- ICT活用。

【役割と考え方】

①工程間品質管理とは

合意した品質シナリオの中でサプライヤが自工程の作業や加工について、その品質保証のために後工程に検査をしてもらっている。これを仕入先の受け入れ監査と呼ぶ。同じセットメーカで自工程の作業や加工で保証すべきことが正しくできているかを監査してもらうために、後工程をお客様と認識し監査してもらうことにするとよい。すると、生産ラインの中で、自工程の作業や加工を中心とした品質保証項目のチェーンがつながる。生産ラインの中では、これらのチェーンが途切れることなくつながっている。エンジニアリングの中での品質計画が生産工程を貫いてつながっていることを認識すべきである。

②ICT化の必要性

仕入先、自工程、お客様（後工程）の生産場所あるいは位置は自工程の直前や直後だけではなく、遠く離れていることも多い。このように、場所や組織を飛び

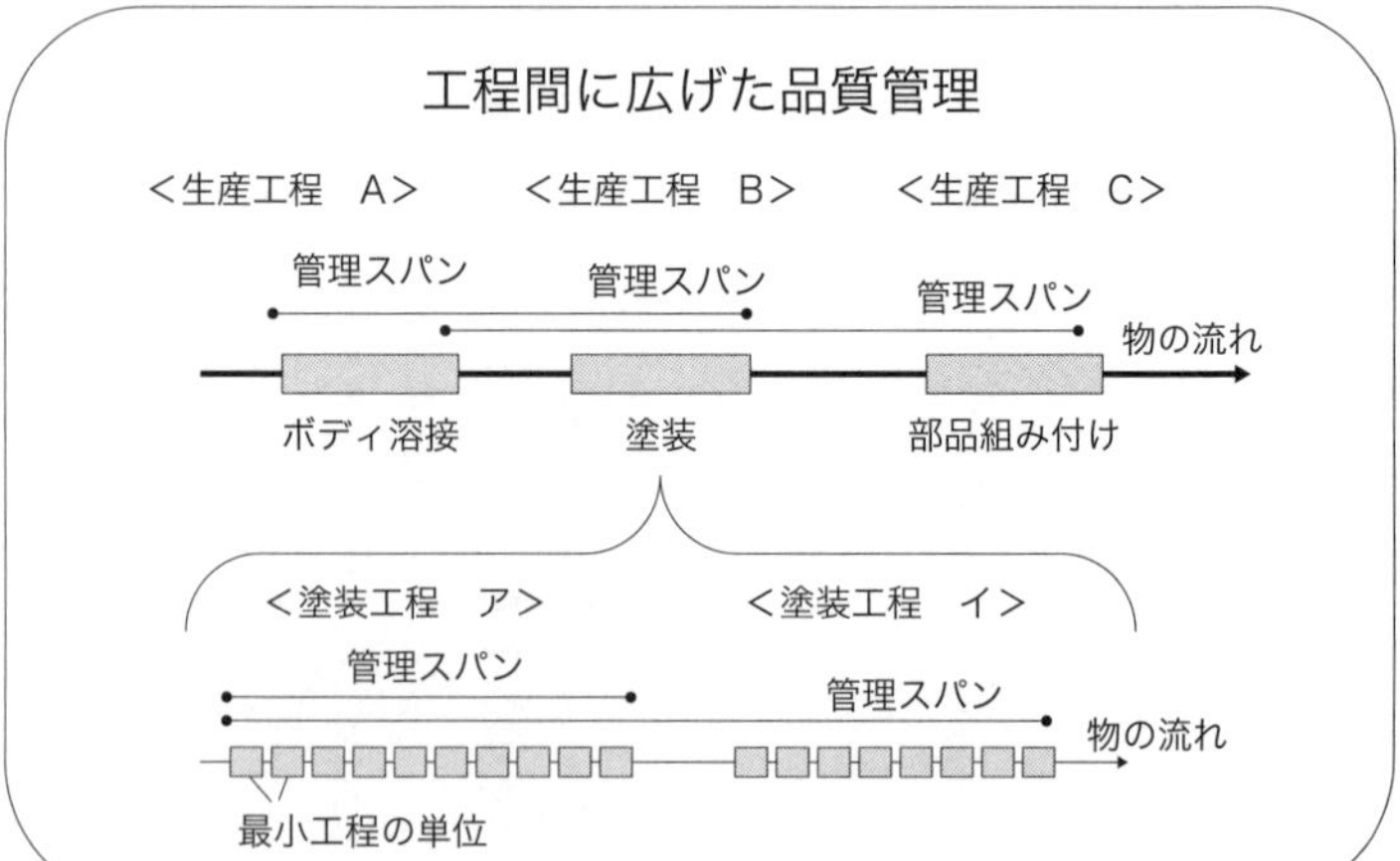

工程間に広げた品質管理

＜生産工程　A＞
＜生産工程　B＞
＜生産工程　C＞
管理スパン
管理スパン
管理スパン
物の流れ
ボディ溶接
塗装
部品組み付け
＜塗装工程　ア＞
＜塗装工程　イ＞
管理スパン
管理スパン
物の流れ
最小工程の単位

図133　後工程は前工程の監査役

越えて品質コミュニケーションを行うには、どうしてもICTの活用が不可欠なのである。ICTの利用により、正しく受け入れ検査や完成検査が行われているかなどで品質マネジメントの運営度が把握できる。また、どのチェーンの品質問題なのか、自工程はどの仕入先、お客様とコミュニケーションを取ればよいかが明確になる。

【解説】

前ページの図は工程間に広げた品質管理を表したものである。各生産工程A、B、Cはそれぞれの工程だけを管理スパンとしているのではなく、自工程に品質チェーンとして関係した前工程を管理スパンに含めている。たとえば、塗装品質の確保には溶接やプレス品質の保証が必要である。部品の組み付け品質の確保には同じく、溶接・プレス・塗装などの前工程の品質保証が必要である。したがって、自工程から見て、自工程品質を確保するのに必要な前工程品質を監査対象にした運営を行っていくことになる。生産現場の生産性は、これらの品質コミュニケーションの構築により悪いものを早期に発見し、迅速に伝達し、問題の拡大を防止することが可能となる。不良品を後工程まで流し、手直しをするより直後の後工程監査の方がフィードバックは効率的である。

3　品質管理をサプライヤまで広げる

自社内だけでなく、サプライヤへの品質のチェーンを拡大し、自社の生産工程と認識することが必要である。よい品質だけが納品される認識では、品質マネジメントとしては不足している。

・サプライヤへの品質マネジメント。

【役割と考え方】

①サプライヤへの品質マネジメントの必要性

サプライヤは製品開発段階でセットメーカに参画するケースが増加してきた。そのため、サプライヤ自身の生産性や品質に関するコミュニケーションもスムーズになってきた。製品開発段階での品質企画や計画の中で、品質シナリオの検討にも参加することも重要であり、そのことが品質設計に寄与している。しかしながら、計画された品質規格に基づき、各サプライヤで部品の生産工程に規格が細部展開されているかは把握しにくい。部品の発注仕様書の中に、守るべき品質規格が図面として提出されることになるが、実際の生産フェーズになると、この規格を守るだけが目的で、実際のセットメーカにおける完成品の品質への役割意識が薄れていく。生産現場では製品設計の品質シナリオは伝達されることはなく、客先ニーズも分からない。セットメーカにおいても前工程、自工程、後工程間での品質チェーンを重要視して認識されないと、コストの陰で品質が見落とされる可能性もある。セットメーカでの品質問題の解析においても、サプライヤが品質保証している品質管理の情報があれば、対策も迅速となる。

【解説】

次ページの図は工程間に広げた品質管理をサプライヤへ展開した例を示している。物の流れは、太線のようにシンプルであるが、品質のチェーンはサプライヤの生産工程途中の加工がセットメーカの部品Aの組み付けに影響するなど、複雑なものとなる。このような関係の複雑さが、品質問題解析を困難にしているのであるが、実際は、この図に示す、品質のチェーン（破線）すらセットメーカには把握しにくいのである。セットメーカの品質チェーンを把握するには、セットメーカにコンタクトし、その工場、ライン、加工工程などを入手しなければならない。しかし、セットメーカの部品Aの組み付け品質はこの図に示すように、複数の前工程が存在するため、これらのすべてを調査しないと、解析すらできないのである。品質のチェーンをセットメーカとサプライヤをピンポイントで結びつけなければ、迅速な対応が行われない。そのためにサプライチェーンマネジメントの品質版をＩＣＴで構築する必要がある。

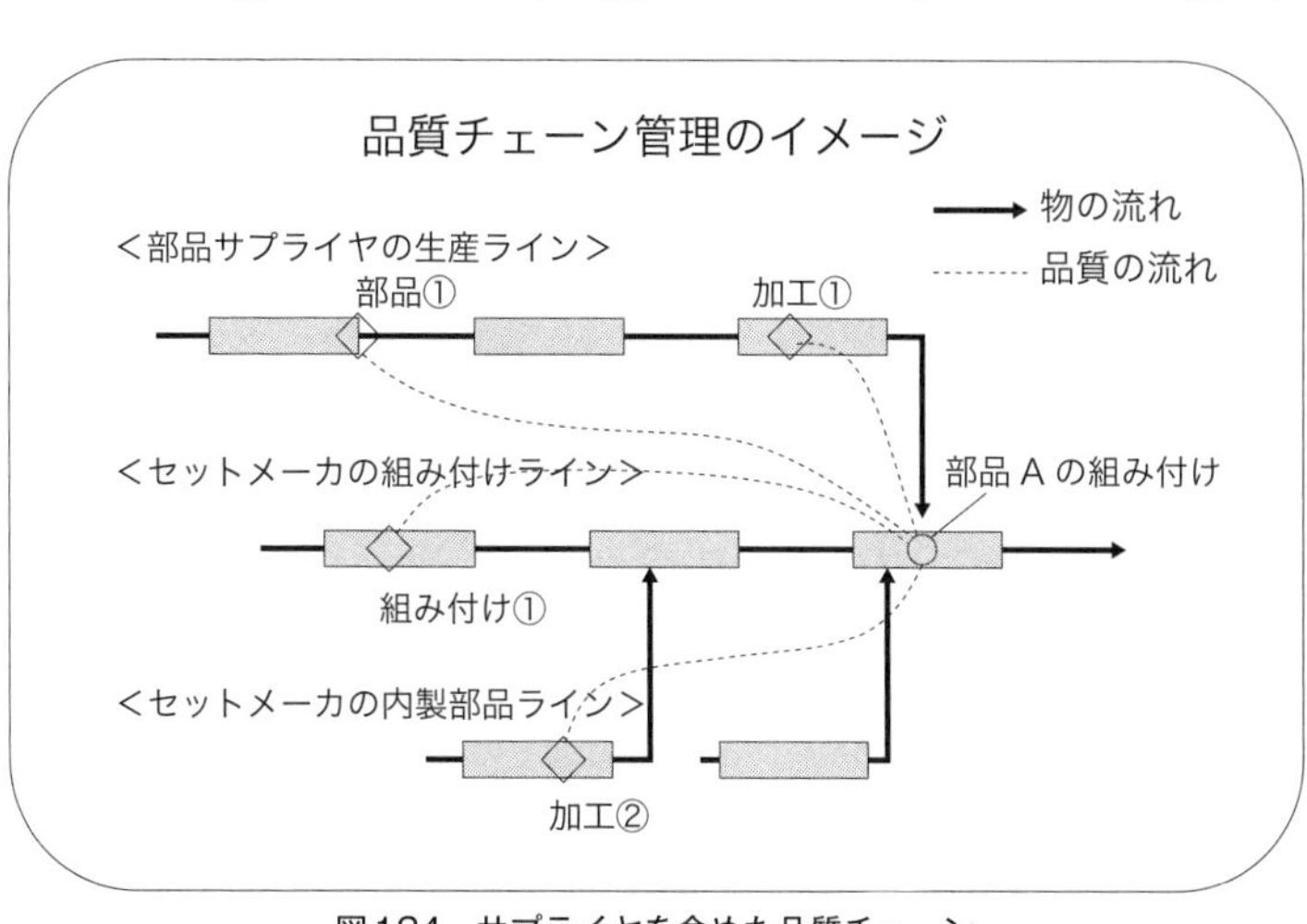

図134　サプライヤを含めた品質チェーン

4　ＱＣ工程表を大切にする

今日ＱＣ工程表を作り運営することを怠っていると思われることが散見される。ＱＣ工程表は生産ライン管理の基本である。改めてその考え方の基本に立ち返る必要がある。

・工程ごとに、品質規格、検査法、検査基準、標準書類を記述する方法。
・ＱＣ工程表の心。

【役割と考え方】

①ＱＣ工程表の記述内容

製品においてその製品機能を保証するために、すべての品質管理項目を記述する。工程順序に沿って、品質管理項目を並べ直し、工程ごとに保証すべき品質管理項目を明確にうたう。それぞれの品質管理項目について、その管理点を明確に記述する。管理点とは管理項目と品質特性を、管理方法として検査方法とその基準類を記述することである。これらの管理点を工程ごとに掲示し、運用する。その検査結果を記録し、異常を認識する。

②ＱＣ工程表の心

ＱＣ工程表は品質を各工程に知らしめ、管理点を明確化し、その管理手法を標準化し品質保証をするためのツールである。製品の品質目標は複数の工程の作業や加工で実現される。1つの工程から見ると製品の複数の品質目標に関係していることが多い。そのため、工程の品質管理を漏れなく記述していることで、その工程の意義を明確化するものである。

【解説】

下図はQC工程表の一般的なものを表している。部品点数が多い製品は品質管理項目も多くなり、ボリュームも大きなものとなる。自社内の生産ラインを対象とし、サプライヤの品質管理項目は含まれない。このため、自工程と前後工程にある品質のチェーンは記述することはできない。作業工程が変更になるとその作業工程がQC工程表を維持することになり、メンテナンスが必要であることから、ICT化する必要がある。

5 新しいQC工程表の活用

品質管理のレベルアップのために、自工程と前後工

Q100	QC工程表		シリンダ加工		
	工程名称	管理点		管理方法	
		管理項目	品質特性	検査方法	基準類
1	外形加工	全長	±0.05	マイクロ	マニュアル1
2	端末研削	外径	±0.01	マイクロ	基準書#101
3	フランジ削り	幅	±0.1	ノギス	基準書#102
4	穴あけ	ピッチ	±0.02	マイクロ	基準書#103

変更	年月日	変更内容	変更者名	承認	調査	作成
				年	月	日

図135 QC工程表の例

程の品質のチェーンをＱＣ工程表の心は残したまま、記述するニーズがある。

・品質のチェーンとは。
・新しいＱＣ工程表の心。

【役割と考え方】

①品質のチェーンとは

前述した通りで、製品の機能からそれぞれの品質目標が決定される。1つの品質目標はその実現整合性を確保して、複数の生産工程の品質管理項目に配分される。配分された1つの品質管理項目は、さらに複数の生産工程の品質管理項目に配分される。以降、その工程の深さに合わせて品質管理項目は階層的にブレークダウンされていく。これらの品質管理項目間には、階層のレベルを越えた品質チェーンがつながっている。自工程の1つの品質管理項目は前工程の複数の品質管理項目とつながり、また、後工程の複数の品質管理項目とつながる。

②新しいＱＣ工程表の心

新しいＱＣ工程表はこれらの品質チェーンについて自工程を中心に置き、その自工程品質を確保するための条件を前工程の品質管理項目として記述する。このことで、自工程の品質を確保するための条件を監査しながら、自工程品質を維持することを自工程の仕事とする。一方、自工程のお客様はどの工程であるかを意識し、後工程から監査されることを意識し、自工程の加工に責任を持たせることにある。工程の品質管理を漏れなく記述し、その工程の意義と品質のチェーンを明確化しているものである。

【解説】

下図は筆者の提唱する新しいQC工程表を表している。自社内の生産ラインだけでなく、サプライヤの品質管理項目も含まれることになる（自工程の加工だけを対象としていない）。自工程品質管理項目のチェーンだけでなく、自工程で監査しないと後工程では検査できないことも、前工程品質の監査として検査する項目として行うことも謳っている。後工程とは直後の工程であるだけでなく、自工程の加工内容が、自工程以降の後工程のどのような品質保証の条件になっているかを記述する。逆に自工程が品質を確保するには、前工程に要求する条件がある。これらを記述する。このとき、前工程とは直前の工程であるとは限らない。この仕組みの運用にはICTが必須となる。このことにより、双方において品質管理規格が共有され、その数値データとともに工程の状況が明らかにされることになる。

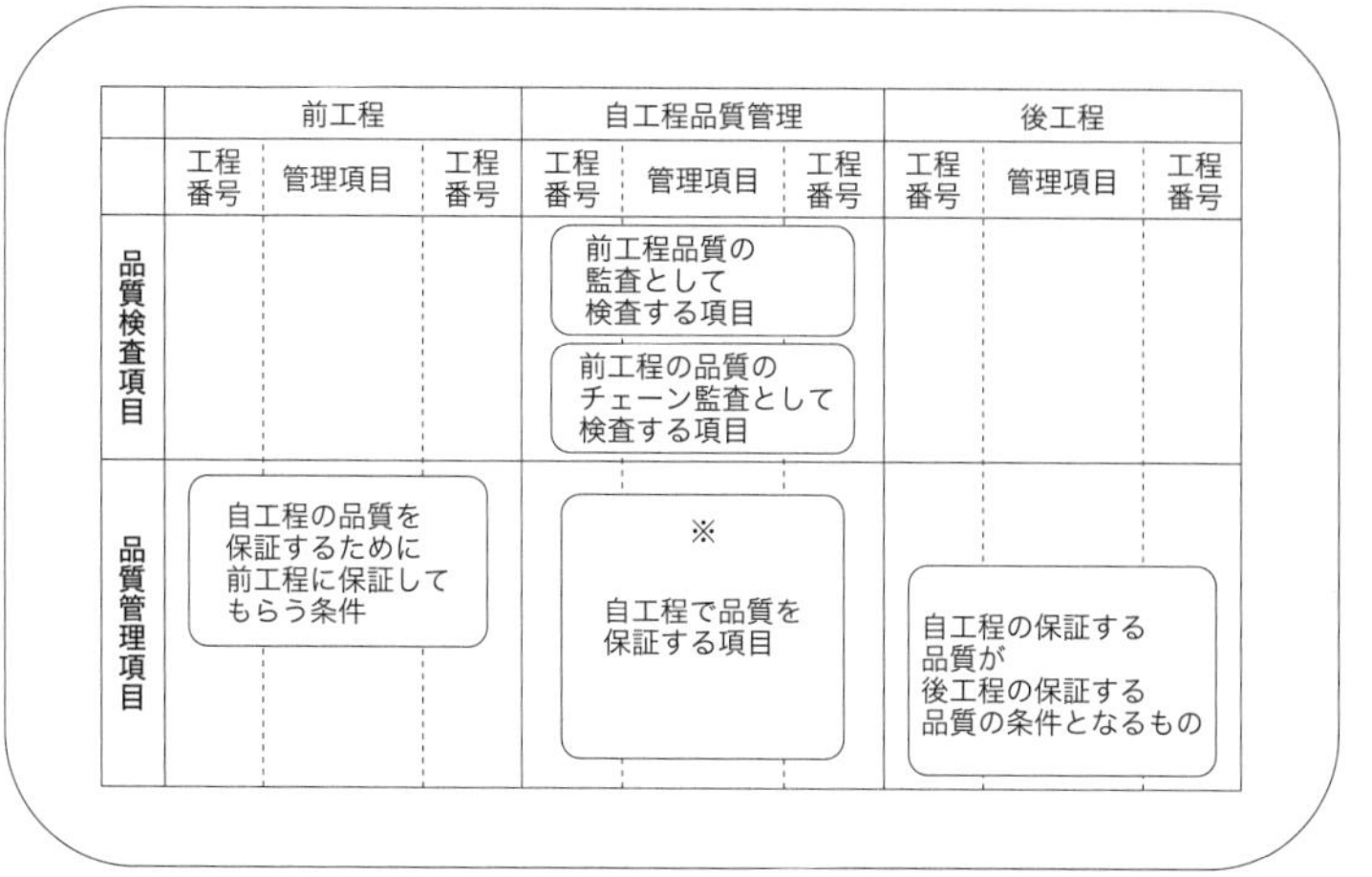

	前工程			自工程品質管理			後工程		
	工程番号	管理項目	工程番号	工程番号	管理項目	工程番号	工程番号	管理項目	工程番号
品質検査項目					前工程品質の監査として検査する項目 前工程の品質のチェーン監査として検査する項目				
品質管理項目		自工程の品質を保証するために前工程に保証してもらう条件			※ 自工程で品質を保証する項目			自工程の保証する品質が後工程の保証する品質の条件となるもの	

図136　品質チェーン管理の帳票例

6　製品、品質、工程の関係を整理する

市場問題や工程内問題の解決力をつけるには、ます、どの部品や工程がその問題に関係しているかを迅速に把握できないといけない。そのために次が必要となる。

・組織ごとに保有されている基本情報の整理。
・基本情報の共有化。

【役割と考え方】

①組織ごとに保有されている基本情報の整理

品質問題が発生したときの調査業務を想像すると次のようなステップとなる。問題の現象が発生する可能性のある工程や部品を考える。このとき、すべてが抽出できないといけない。それぞれの工程や部品に対し調査を実施する。このとき内製工程か外注かを調査する。部品の場合はどのサプライヤか調査する。その工程を管理する組織に連絡し説明を行う。内製工程の場合、工程管理をする組織に連絡し説明を行う。説明を聞いた者は関係した細部工程を網羅して調査する。調査の際はその細部工程の前工程を順にさかのぼって原因の工程を特定する。そして、その真の原因を解析する。これらのことはサプライヤのケースでも行われる。以上において、事前に整理をしておけば迅速な調査に役立

つ情報がたくさんある。製品と品質機能、品質機能を構成する部品群、品質機能の品質目標、その品質目標のブレークダウンとその工程、その工程で品質確保するための前工程とその品質管理項目、それぞれの品質管理項目のさらに前工程とその品質管理項目。かつ、これまでの品質問題の現象と真の問題とそこにたどり着く品質シナリオ。この辿り着く品質シナリオはいわゆる特性要因図にあたる。

②基本情報の共有化

新しいQC工程表に製品情報（部品表）を付け加えたICTによる共有化は、その目的から鑑みて必要なことである。

【解説】

下図は製品の構成が品質と加工工程にどのように展開されるかをイメージしたものである。この中で、製品を機能別に定義する意味が重要であることが理解できる。品質を製造業の業務分類とすることで、製品機能はどのような構成部品であるかを表現でき、その機

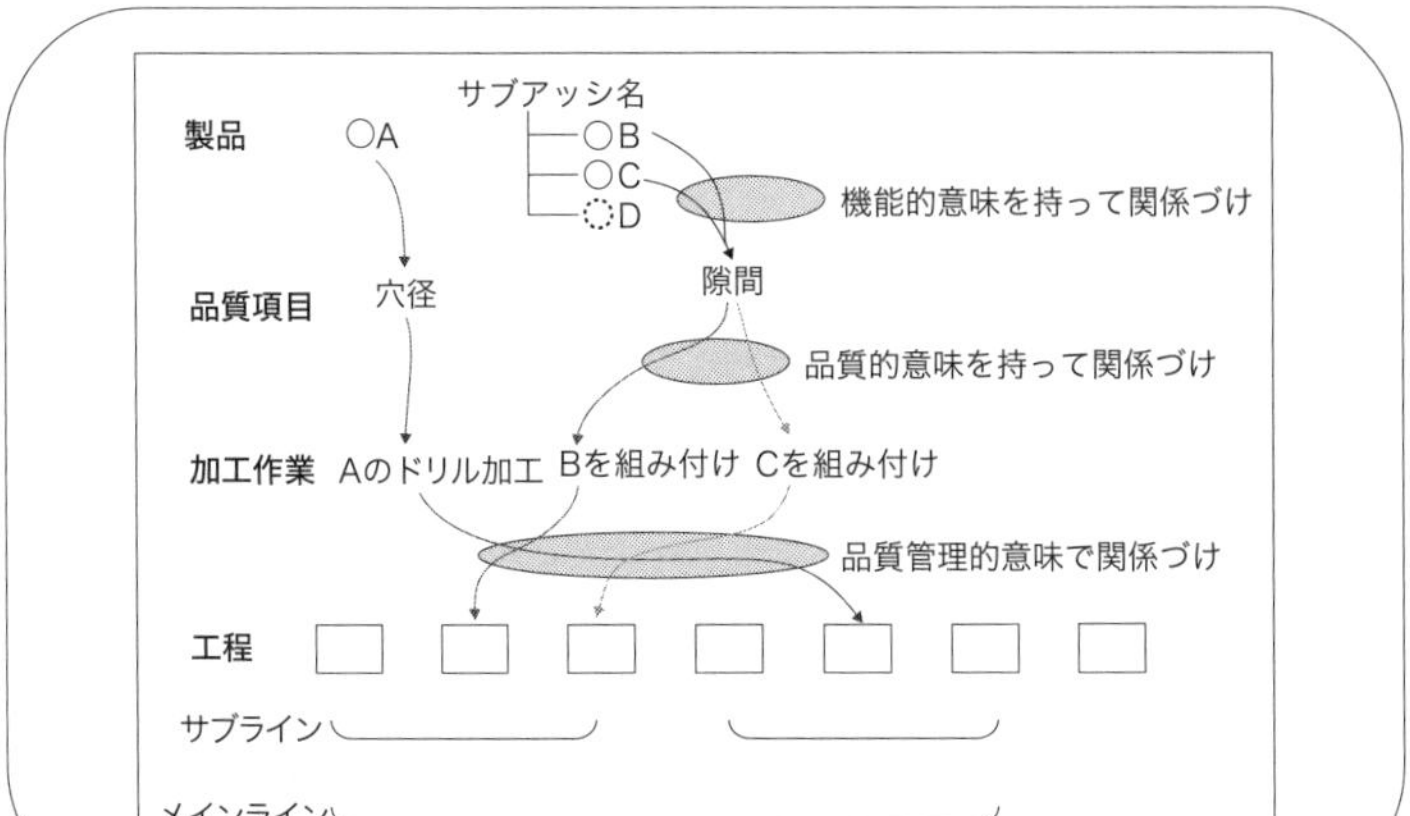

図137　製品、品質、工程の関係

能の実現のために、どのような品質目標となっているかが分かる。さらにそれらの品質目標を実現するには組立の生産ラインを品質機能単位に分類すると製品機能と品質管理と工程管理が直接的に結びつくことが分かる。

7 市場問題の伝達を迅速化する

市場問題や工程内問題の解決力をつけるには、品質の基本情報の整理の他に、エンジニアリングのコミュニケーションが大切である。

・複雑なコミュニケーションの現状。
・コミュニケーションのICT化の価値。

【役割と考え方】

①複雑なコミュニケーションの現状

品質問題が発生したときの調査業務は人と人とのコミュニケーションで行われる。このコミュニケーションは一人の問題発見から始まり、その人から次の複数の組織の複数の人に伝達される。伝達された問題はさらに次の組織に伝達されることになる。このように一種の伝言ゲームのように実施され、問題を伝達された側は問題を発見した人に、正確さの確認と現象の確認やその他の情報を得ようとする。しかし、これらのコミュニケーションが繰り返されても、関係者にすべて同じ情報が伝達されるわけではない。このことが、問題解決の遅れの原因となっている。

②コミュニケーションのＩＣＴ化の価値

決まったことを伝達していくのであれば、双方の情報は共通であり、正確さの確認や再問い合わせ、補足した情報の付加は行われる必要がない。しかし、原因究明のためになされる情報伝達は原因の推定を付け加えたり、現象のさらなる説明を付加したりして、情報が膨らんでいく。これらの膨らんでいくことをリアルタイムに関係者が全員共有できないと余分な調査や問い合わせ、応答工数が至る所で発生する。関係組織で行われるこれらの工数を合計すると膨大な工数になる。正しく、リアルタイム、迅速、同一性を確保してコミュニケーションを支援するためにはＩＣＴの活用が必要である。

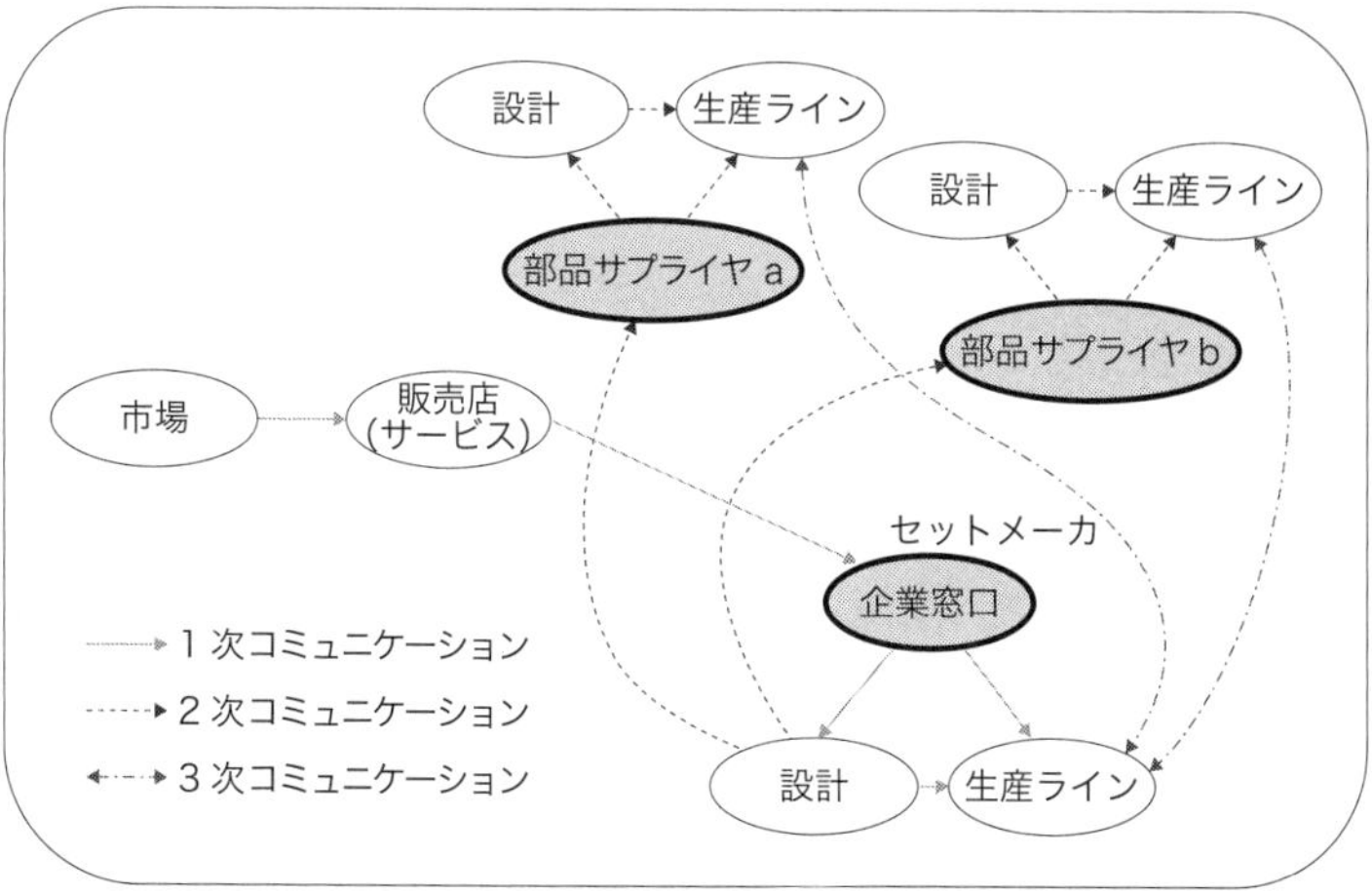

図138　複雑な市場品質問題の伝達

【解説】

前ページの図は市場で発生した品質問題がどのようなルートで情報伝達されるかを描いたものである。市場の問題は製品の販売店にて把握される。その後製品を製造している企業の窓口に情報が伝達される。伝達された情報は関係しそうな組織に伝達される。ここまでが初動（1次）のコミュニケーションである。伝達された情報に基づいて、専門部署がチェックした結果、サプライヤの部品の問題である可能性があれば、サプライヤへ伝達される。セットメーカからサプライヤへ情報が移ることを2次のコミュニケーションと呼んでいる。サプライヤで生産工程を調査し、そのことがセットメーカの生産工程と関係し、該当の品質問題を起こしたかどうかを確認するコミュニケーション（3次）がある。最終的な問題が解決するまで、これらのコミュニケーションが行われ、再発防止が実行される。どのコミュニケーションも組織の窓口を通して行われる。このため、適切でない組織への連絡により原因の究明が遅くなる。新QC工程表の価値がここにある。

8 品質のサプライヤチェーンの構築

市場問題や工程内問題の解決力をつけるには、サプライヤの品質チェーンを手の内に入れることが肝要である。

・品質のサプライヤチェーン（ＱＣＭＳ）とは。
（ＱＣＭＳ：クオリティチェーンマネジメントシステム）
・ＱＣＭＳの価値。

【役割と考え方】

①品質のサプライヤチェーン（ＱＣＭＳ）とは

部品の調達ルートのチェーンと同じように、品質についてもサプライヤチェーンがある。このことは、品質のチェーンとして既述したが、このチェーンをサプライヤについても適用した考え方である。製品の部品生産はサプライヤが担っており、製品機能とその実現における部品の品質管理項目には当然関連性がある。サプライヤの品質管理は品質管理規格をセットメーカで承認することで、両社の合意がなされている。しかし、これらの承認結果はセットメーカの設計や生産サイドの関係者が入手しやすい状態ではない。紙での合意となっている。このことが、迅速な品質問題解決のネックとなっている。

②ＱＣＭＳの価値

ＱＣＭＳの価値は繰り返し製品モデルが変更となる製品開発での品質計画の業務のリピート性を高める。同じような設計であれば、その構成部品に求める品質管理項目も同じであることが多い。それによって、生産工程でのＱＣ工程表の内容もリピートされ、品質管理そのものも変更がなくなる。たとえ、わずかな品質規格の変更であっても、生産工程ではQC工程表を修正し、かつ、生産工程が保証できる能力があるかを確認しなければならない。このように仕事のリピート化によるミスの防止が図れることがその価値である。

【解説】

下図は製造業の完成品に必要な品質管理規格を1次サプライヤから2次のサプライヤに部品発注を通して、品質規格のブレークダウンが行われている関係を表現している。各サプライヤでは、要求された部品の品質規格を守るために、構成部品の品質規格を付け加え、自社の部品の品質規格を付加する。このような関係において、品質の整合性を確認している。生産においては、この関係性を常に見えるようにし、品質管理における自工程の役割を前工程の条件と後工程へ保証することを意識することが大切である。これらのチェーンの1つを勝手に削除したり規格の変更はできないものである。

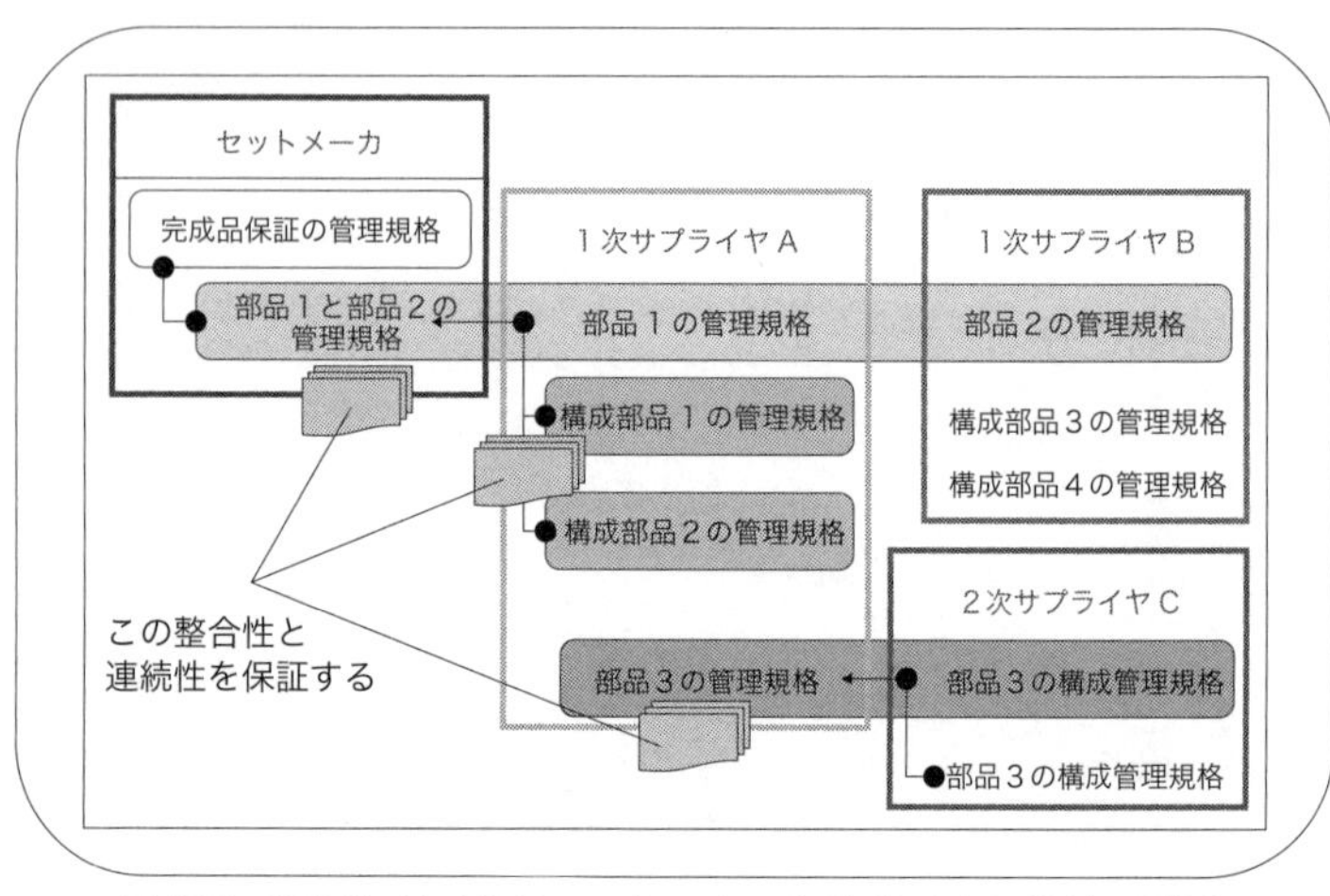

図139　QCMS（クオリティーチェーンマネジメントシステム）の概念

9　サプライヤ間でのコミュニケーション

現在、品質計画や問題解決はセットメーカを中心として品質コミュニケーションを行っている。しかし、製品開発業務のアウトソーシングが進み、サプライヤに主体性を求める企業もある。このような場合もＱＣＭＳは活用できる。

・横のコミュニケーションとは。
・横のコミュニケーションのメリットとは。

【役割と考え方】

①横のコミュニケーションとは

セットメーカを中心とした部品発注関係におけるＱＣＭＳではなく、製品内で隣接する部品に対し、サプライヤ同士がコミュニケーションした方がスムーズな場合もある。隣同士の部品の品質管理規格の実現などにおいて、お互いの生産ラインの工程能力を基に規格の調整を行い、コストが安く、品質の確保ができるようにすることである。

②横のコミュニケーションのメリットとは

ＱＣＭＳの活用により、横のコミュニケーションを行えるようになると自社の部品と関係のある（物理的に接触している設計構造）部品間における品質基準の取り方がお互いに把握できるようになる。実現したい品質管理に対し、基準の取り方が他方の部品にとって不適切など設計上の問題を発見し、対策することができる。試作品になった後、目標となる品質規格が実現できていないことを発見し、生産設備を改造することを回避できる。セットメーカからは、製品として保証したい品質はこれらのサプライヤには伝達されない。セットメーカが部品すべての品質管理項目を記述することはなく、多くはサプライヤで部品の品質のために独自に決めていることが多い。このことから部品間の整合問題が発生するのである。これらは、ＱＣＭＳを行うことで対策できる。

【解説】

下図では部品の調達関係以外にコミュニケーションを取るべき新しい品質関係を示している。これらの調整は本来行われなければならないが、ここは手をつけられていない部分である。セットメーカからは情報が

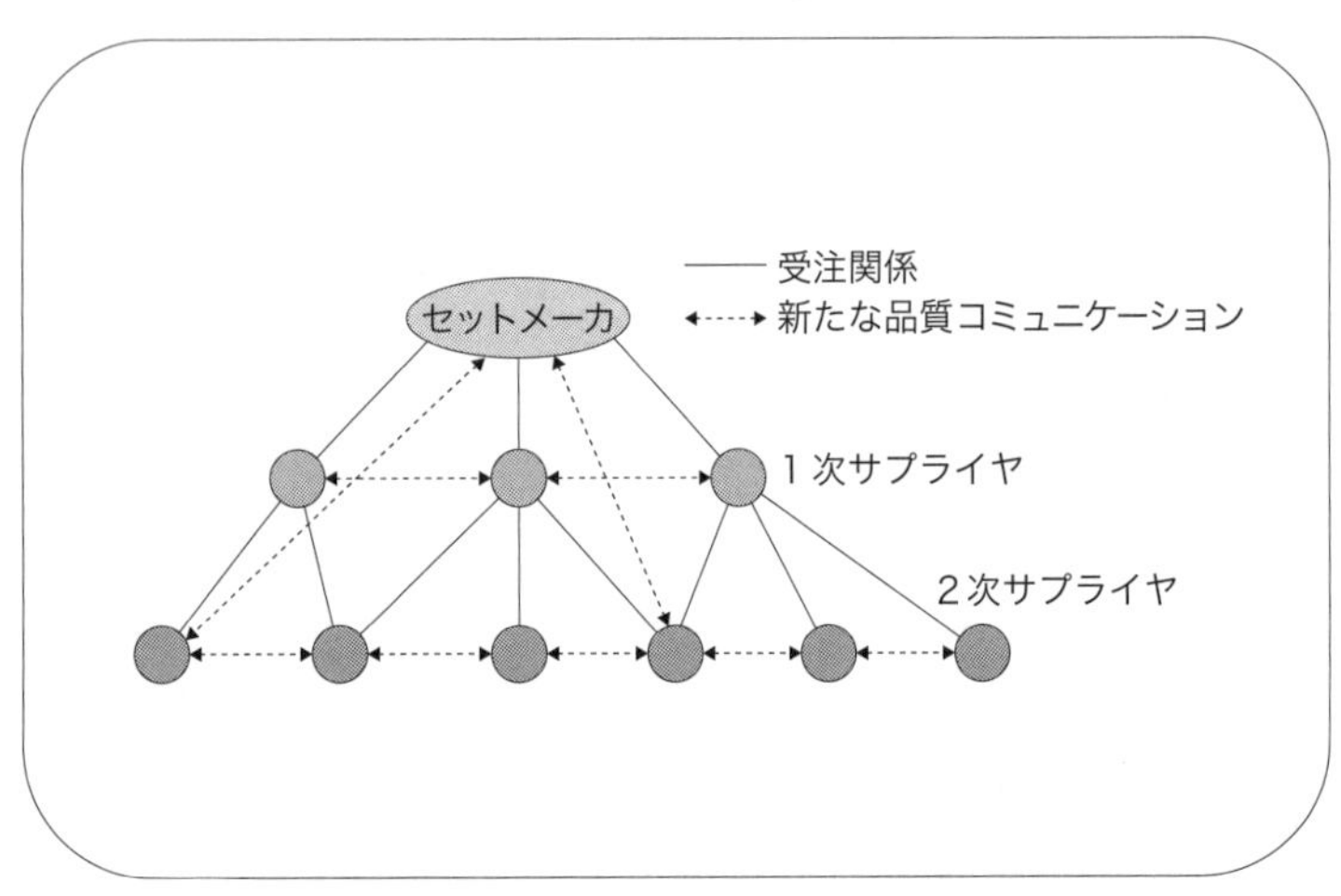

図140　新たな品質コミュニケーション

提供されていない。この関係を人間系で実現しようとするには開発段階で、すべてのサプライヤを集合させ、同期設計をする必要がある。さらに、生産工程の順番に従って、その品質管理項目の整合性を確認していく必要がある。このように設計段階で確認のできていない品質項目がたくさんあることを認識することが大切である。これらのコミュニケーションの良さが製品そのものの良さであり、製品開発プロセスも無駄なく進行することができる。

コラム

大手自動車メーカ事例

自動車メーカの品質管理はその複雑性から多くの苦労によってハイレベルに実現されていた。また、QCサークルに始まりTQMに至るなど、その取り組みは大きな組織全体のマネジメント手法の改善に取り組んできていた。生産量も海外生産の比率が大きくなり、国内の品質管理レベルをどのように海外工場に移植するのかを検討していた。生産量も数倍に高まり、従来の品質管理レベルでは発生するであろう不良数の絶対値が大きくなってしまうことが予想された。1桁高いレベルの品質管理をする必要があったのである。自動車の製品品質は仕入先の部品や内製部品、最終組立工程の品質など多部品、多工程に関係する複雑さを持っている。タクト1分で生産するラインを見て感動する見学者は多いが、たとえば最終組立ラインでの直行率95％以上の品質管理をどのように行っているかについてはきっと当事者しかその苦労を知らないだろうと思う。最終組立の直行率はその前工程すべての仕事の成果である。この企業では自工程完結、良品条件という言葉が飛びかっていた。ユニットの鋳鍛造、ボディの溶接塗装、最終組立のそれぞれの細部工程についての役割の再確認と品質の完成と次工程への流出防止、そして、その中での良品条件の明確化を必死で行っていた。良品条件を突き詰めていくと、曖昧なことが多く見つかった。特に前工程と自工程との品質関係が未定義なことが多くあった。最終製品検査から考えて、その構成する部品や加工工程の保証すべき品質が決まってくるが、それぞれの工程で管理されている品質項目とその目標値、その管理方法において整合性のないことが見つかったのである。このことから、社内全体でいろいろな場において自工程完結、良品条件が常に問いかけられることとなったのである。設計的にもロバスト設計、生産技術的には定量評価法の確立、サプライチェーンには品質管理データが流れる仕組みになっていったのである。この企業の強さは、どこかの部署が良い取り組みを行うと一斉に全社展開されること、また、そのスピードが速いこと、まさにチームワークの高さであった。あえてチームワークと掛け声を発することもなく、正しいことに全員が向かっていく企業風土は、14年間の製造業のコンサルタントを経験してもこれまで見当たらないほどのものと感じた。これは長期にわたる人材育成の成果であり、一朝一夕には成し得ない企業の財産であると思った。

第5部

製造エンジニアリングのＩＣＴ

第1章　ＩＣＴ化の狙いと現状

1　エンジニアリングＩＣＴとは

パソコンの普及は、今や家庭の中にまで入っている。しかし、いち早く導入した企業でも、部品の発注処理や在庫管理などの事務的な業務にＩＣＴを活用しているにすぎない。これからはエンジニアリングの生産性を向上させるために活用する必要がある。

・エンジニアリングの定義。
・エンジニアリングのシステム化。

【役割と考え方】

①エンジニアリングの定義

エンジニアリングは、博物学の科学技術版である。博物学における分類に組み合わせと創造を加えたものである。自然における動植物などのようにいったん分類されてしまうと進化の時間が長大なため、新種発見時にメンテナンスを行うスピードで十分である。それでも、まだまだ新種が発見されて、このことを職業にしている方もいる。しかし、技術は日進月歩であり、地球上のどこで、どのような新技術が生まれているかが把握できない。これにより、分類整理自身、改廃が多すぎて現実的な動機・価値がないかもしれない。企業の中だけで考えると、使われている技術分野は狭く、かつ同業他社などの情報などを得ながら技術開発を行っている。したがって、企業内における技術分類整理は大変価値があるはずである。

②エンジニアリングのシステム化

エンジニアリングのシステム化の目的は分類整理したものを効率的に組み合わせ活用し、創造性を高めることを支援することである。そのためには当たり前のことは自動化して生産性をあげ、考える仕事を支援するシステムを構築すべきである。

●エンジニアリング≒博物学（自然科学）

科学技術的な活動

採集、同定、分類

（蓄積、マッチング、検索）

考えるという行為を支援すること

（ナレッジ、自動化）

＝エンジニアリングシステム

図141　ものづくりエンジニアリングとICT

【解説】

前ページの図は博物学とエンジニアリングは大変似ていることを表している。博物学による採集は、エンジニアリングでの事例収集である。博物学による同定は、エンジニアリングでの類似性の検討である。博物学による分類は、エンジニアリングによる技術整理である。これらはＩＣＴにおけるデータベースへの事例蓄積であり、類似性はマッチング処理であり、分類は検索である。このように、エンジニアリングの仕事はＩＣＴで支援できる。さらに、同じことはロジックを開発し自動化する。同じようなことは半自動化するなど、エンジニアリングの生産性を高めることが十分可能である。

2　エンジニアリングの質を向上させる

製造業における製品などの品質問題は人のミスによるものも多くある。これらに対し、仕事のプロセスを見直し、仕事の品質を高める努力をする必要がある。

・20年前の仕事のやり方。
・これからの仕事のやり方。

【役割と考え方】

①20年前の仕事のやり方

20年、あるいは30年前は多くのマニュアルに沿って仕事を推進していた。製品開発のスピードも今よりもゆっくりしていた。それは市場のニーズが多様化する前でもあり、投入した製品は長い期間は売れていた。したがって、設計も生産技術も周辺企業も皆同じようなリズムで仕事ができていた。マニュアル類も仕事の結果を見て、標準化する時間的余裕もあった。新人もマニュアルに沿って教育し、ＯＪＴで成長を確認できていた。相対的に見て、現在よりも標準を基にした質のよい仕事をしていた。

②これからの仕事のやり方

現在は、商品開発競争時代であり、短期開発を競っている。いち早く市場へ投入できた方が勝ちである。また、投入した商品も長続きしないことから、市場を刺激するように頻繁にモデルチェンジが行われている。技術の進歩も早く、短期開発であり、結果確認する間もなく、次の開発業務に従事している。このため、標準類の改廃も不十分であるばかりか、標準も見ないで

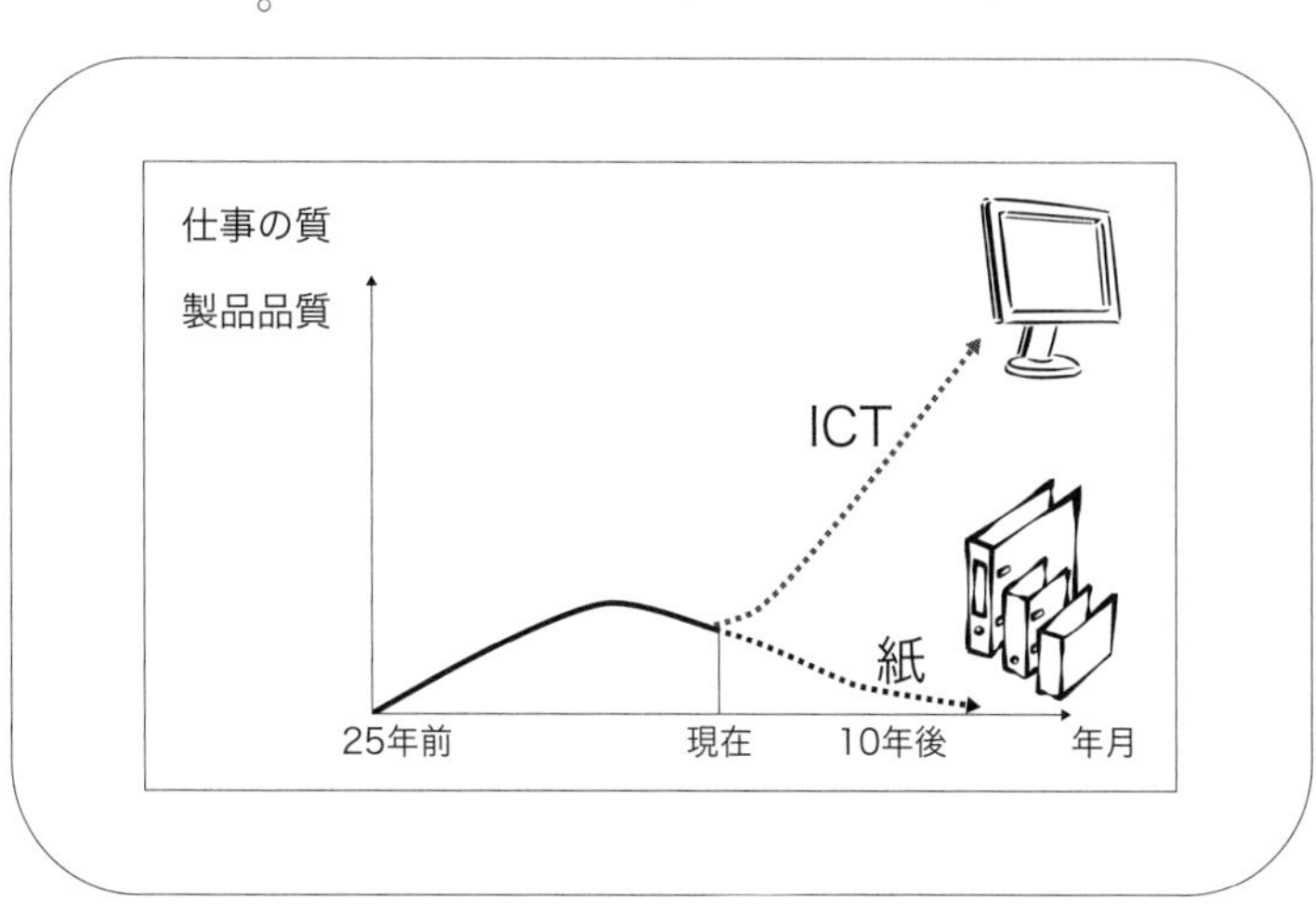

図142　懸念される仕事の質低下

仕事をするエンジニアが多い。今後のエンジニアリングは今日のスピードに適した標準化の仕組みを構築する必要がある。分類整理したものを効率的に検索し、組み合わせ活用し、類似性を確認しながら、考えることにＩＣＴを活用することである。

【解説】

前ページの図では仕事の質が低下していることを警鐘している。これからも同じように紙による仕事が行われることでますます、仕事の質がスピード競争でおろそかになる。仕事の品質が良ければ、製品の品質が良いのである。仕事の品質と効率性を両立すべきである。ここにＩＣＴの活用目的がある。

3　ＩＣＴを活用した標準化の推進

人による仕事は考え方、手続きや方法もまちまちであることが多い。特にエンジニアの仕事は個人に依存している。仕事の質を向上するには標準化を推進することが基本である。

・仕事の質を継続改善する。
・標準化にＩＣＴを活用する。

【役割と考え方】

①仕事の質を継続改善する

仕事の質を改善すること、それ自身が仕事だといえる。しかし、仕事の質を改善するには粘り強い継続性が大切である。人の仕事はスタイルが異なっているが、誰でも同じような品質の仕事ができるように標準化を行うことも重要だ。生産ラインで標準作業を行うことと同じである。しかし、エンジニアはこの標準を守ることに執念を向けない。それは個人の仕事の結果が直接、製品の品質問題となることが少ないからである。しかし、近年の労働力の流動化や少子化による労働人口の減少に対し、生産性を高めるには、標準化の価値を改めて認識し、生産ラインと同じように遵守することが必要である。

②標準化にＩＣＴを活用する

エンジニアの仕事の標準化には仕事の進め方と標準の考え方の２つが必要である。この２つの標準化を推進するための道具としてＩＣＴが適用できる。仕事の進め方は手続きをコンピュータのガイダンスに沿って行うようにすればよい。標準の考え方は、エンジニア

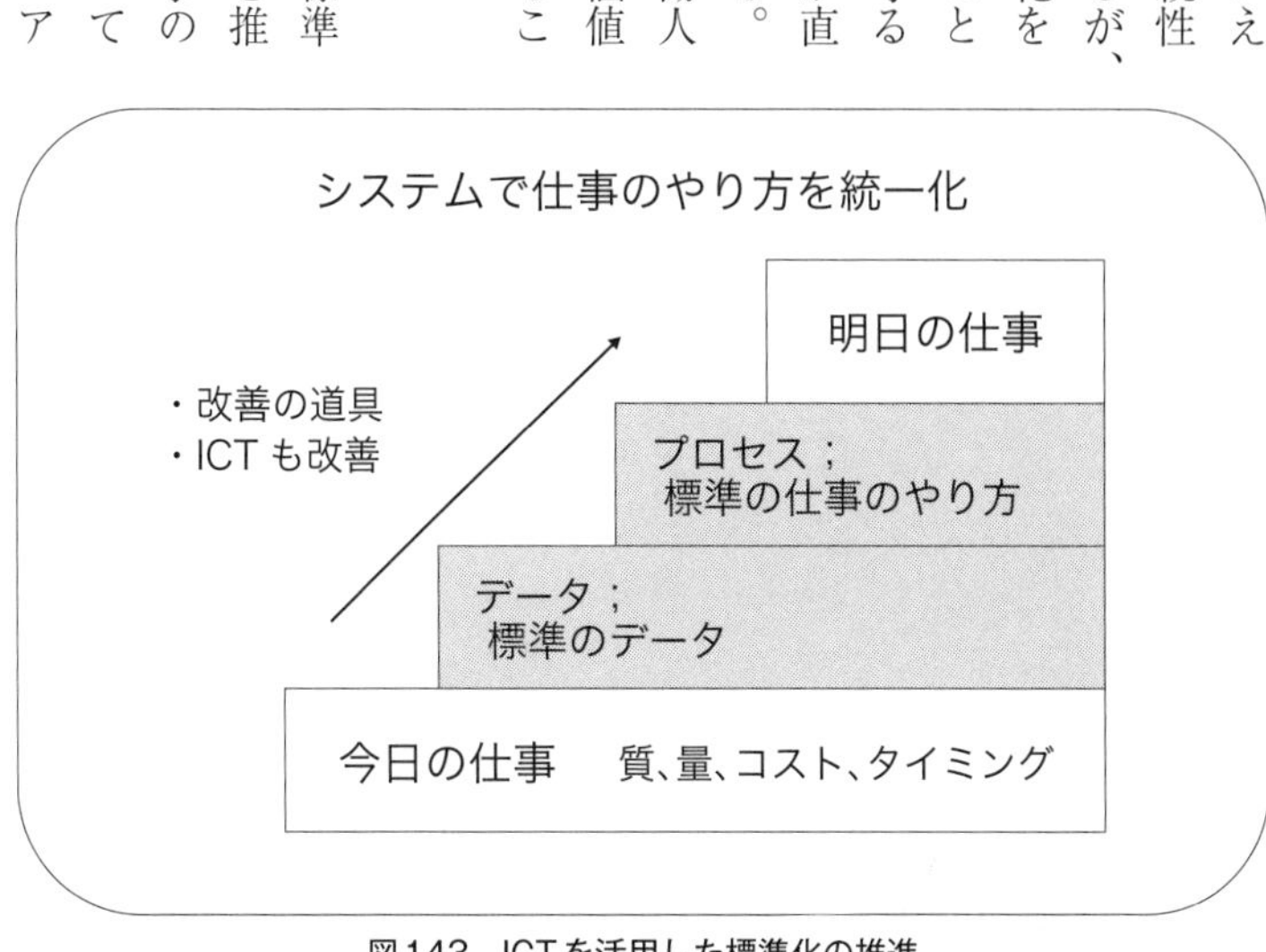

図143　ICTを活用した標準化の推進

の課題と解決結果を事例として蓄積をし、その特徴を整理することでよい。多くの事例に共通の考え方を求めることである。このとき、これらの多くの事例と特徴の整理結果と共通の考え方を検索できるようにシステムを構築する。

【解説】

毎日仕事のやり方を改善する風土が必要である。前ページの図では仕事の質を向上するには標準の仕事のプロセスと標準のデータが必要であることを表している。エンジニアが固有技術で行う仕事を、ICTを活用することでプロセスと考え方を共有化し、手法の同一化を進めていくことがポイントである。このように、毎日仕事を向上させていくには、ツールであるICTシステムも、仕事の改善と歩調を合わせ、同期して機能向上させていかねばならない。このことが行われないことが多い。ICTを活用して仕事を継続改善するには、ICTそのものも継続改善する必要がある。エンジニア自ら必要なICT化を推進すべきである。

4　品質マネジメントへの活用

今日的な品質マネジメントとはISO9001でもその必要性が述べられている。管理監督者は、エンジニアリングにおいてもICTが必要であることの認識が不足している。

・設計フェーズにおいての仕組み。
・生産フェーズにおいての仕組み。

【役割と考え方】

①設計フェーズにおいての仕組み

設計段階では品質設計が行えることが必要となる。これは設計の能力そのものともいえる。正しく設計できる力である。従来は、設計要領書や設計マニュアルとして紙にそのルールが書かれていた。これらルールは先輩諸氏の失敗例などから制定されたものである。世間、あるいは企業内でも品質に関してのミスはたくさんある。これらのことがエンジニア全員の知識となっているかを反省することが重要である。設計行為そのものを支援する仕組みをＩＣＴを活用して構築することが必要である。これを活用し知識の共有化とミス防止を実施するようにすべきである。

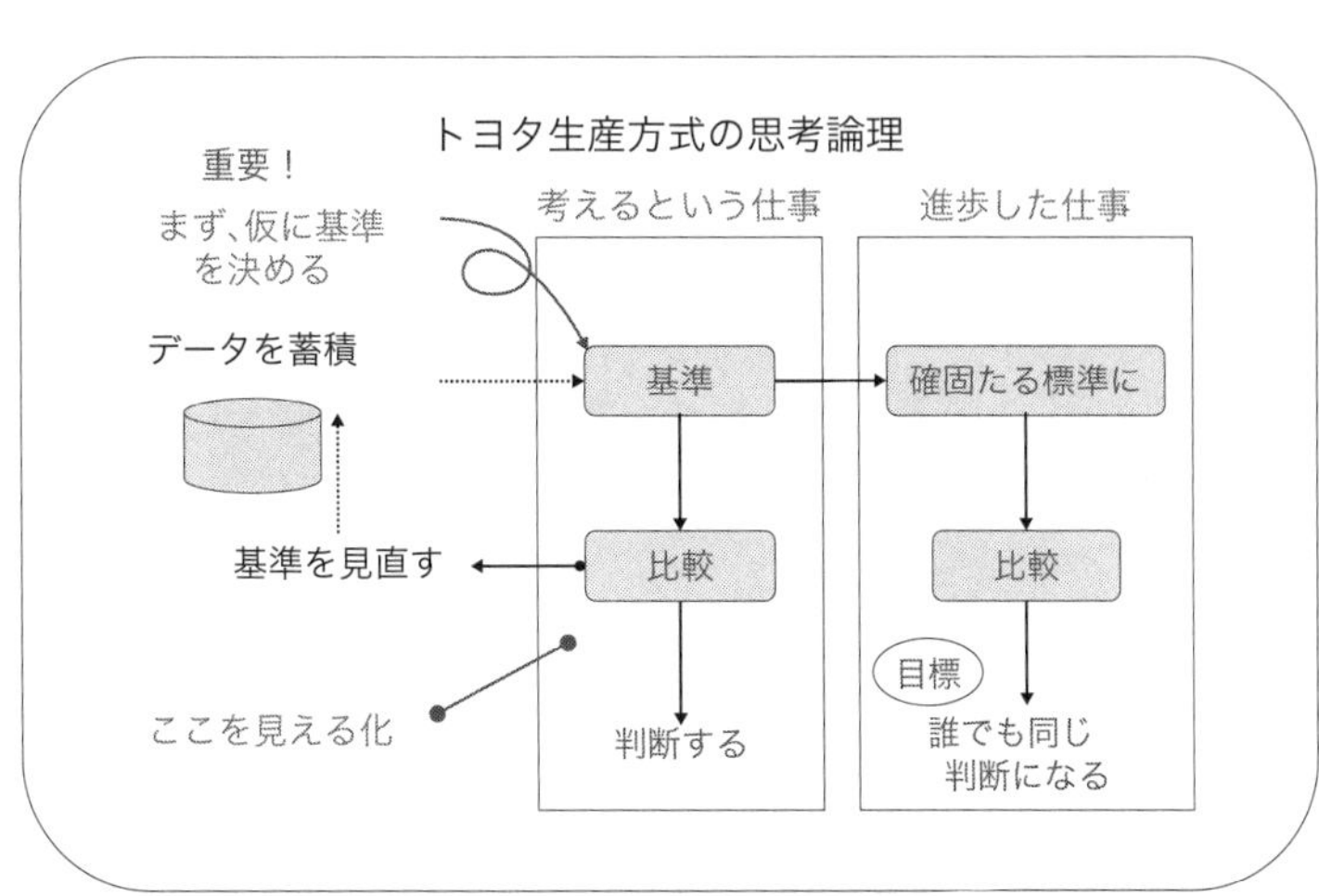

図144　エンジニアリングの改善

②**生産フェーズにおいての仕組み**

生産フェーズでは品質問題の未然防止の方法を考えるべきである。品質解析手法は一般的になっているが、生産工程内で品質不良を作らない手法は未熟である。製品は多くの工程を経て完成する。この多くの工程の関係において、品質目標の整合性があるかが大切である。自工程の能力があっても、前工程の能力がなければ問題である。そのような問題解決力がエンジニアに必要である。

【解説】

考える仕事は比較することである。トヨタ生産方式においては基準と比較することである。基準を作るには多くの事例研究が必要であり、そのためにはデータを蓄積しておかなければならない。基準と比較し、その結果を共有することを見える化という。この状態が考え方の相違点を明らかにする。そこで、基準の考え方と意見を異にするエンジニアは基準を変更することを提案する。この変更をこれまでの基準を作り上げていたデータ（事例）と比較することで、考え方の違いを認識し、より納得性のある基準を作ることができる。このような基準の改廃を継続すると、より確かな結論を求めることができ、少しずつ確固たる標準が制定される。これによりエンジニアの仕事の質は高まる。

5　製造業はＩＣＴを活用できていない

世の中にパソコンが普及して30年。製造業にもパソコンやＬＡＮが整備された。しかし、製造業においてどれだけの貢献をしているか疑問である。現在の活用の用途は次の通りである。

・部品の調達、会計などの事務的分野。
・ＣＡＤを中心とした業務分野。

【役割と考え方】

①部品の調達、会計などの事務的分野

必要で、簡単なことは先に行われる。その例としては、部品表やその発注処理、経理処理などは、いわゆるＯＡ化と呼ばれ、どの製造企業でもシステム化されている。これは、基本的なルールはどの企業でも共通であること、それにより、システム化も容易だからである。製造業においては、これらの仕事以外にエンジニアリングや製造現場の仕事などがあるが、これらに対してのＩＣＴ化は遅れている。エンジニアリングや製造現場の仕事は日本的なものづくりの方法が採用されており、海外でもそのような分野のソフトウエアは開発されにくい。一般化が難しいのである。

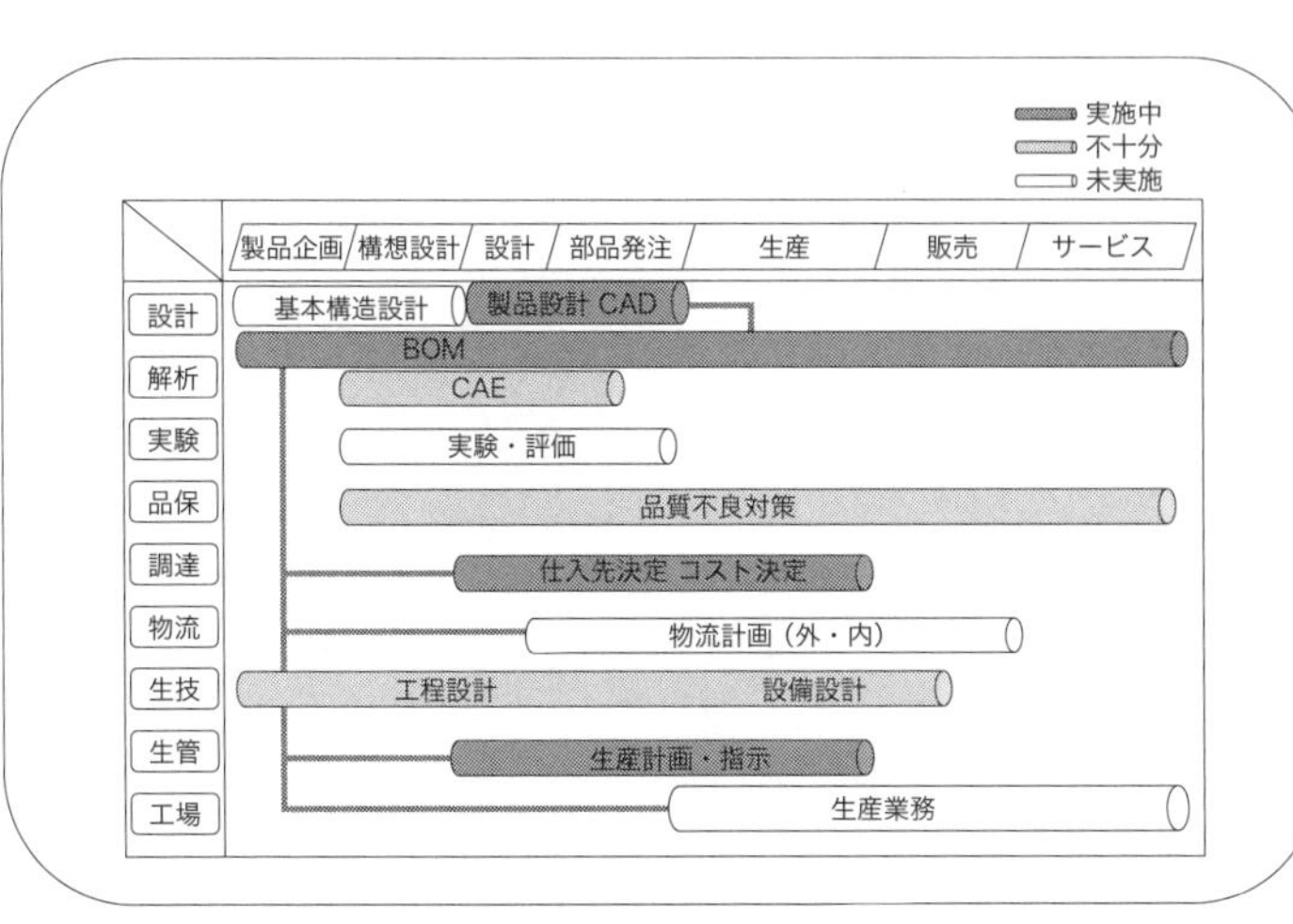

図145　自動車のICT適用分野

②CADを中心とした業務分野

CADは2次元から3次元に機能が進歩し、それを契機に採用が進んできた。しかし、これはモデリング業務を対象としたもので、エンジニアの思考支援のツールとしては十分でない。設計業務、製造業務そのものを支援するICT化を製造業は望んでいる。

【解説】

製品設計においては開発段階でCADを活用している。しかし、販売やサービスでは活用がされていない。CADも部品表（BOM）、CAEと連携し、活用が進められているが、データそのものの直接的な連携は難しい（設計変更に対するハンド処理が避けられないなど）。実験や品質、あるいは生産ラインの計画系に対してのICT化は進んでいない。生産計画など、データで生産指示を流す必要のある分野に導入されているだけである。一般的に製造業のICT化は企業に共通した分野に留まり、論理的な考え方を伴う、その考え方が企業間でまちまちであるような分野では進んでいない。

6　エンジニアリングの業務フローのICT化

個々の業務にはCADなどのICTが活用されているが、エンジニアリングの質と生産性を高めるには業務フローに活用しないといけない。その分野には次のものがある。

・CADモデルと部品構成の活用。
・品質計画実験・評価、生産への活用。

【役割と考え方】

①CADモデルと部品構成の活用

製造業においては、部品表と図面が組織に共通の基本情報である。これらの情報が一元管理されていることを実現することが望まれる。設計段階は変更が多く発生する。したがって、変更を伝達するシステムが重要である。CADモデルの変更と部品表の変更を連携させることが必要となる。これらの変更をエンジニアリングの計画データとの連携で実現することだ。このことにより、製品開発と生産技術の仕事の多くが同期化される。エンジニアリングの仕事の進捗も可視化することができ、細かいフォローも実現できる。

②品質計画実験・評価、生産への活用

製品開発の基本情報とは別に、エンジニアリングの基本情報として品質がある。この品質のデジタル化は、多くのエンジニアに必要であり、製造業の重要な共有すべき情報である。設計、生産において、品質目標を共有化し、生産工程や生産設備の計画、生産ラインにおける品質管理に活用していくことなど1つの業務フローとしてICT化を推進していく必要がある。

【解説】

下図は製品設計者と生産技術者のそれぞれの開発業務における既存のシステムを表したものである。製品開発においては、設計上の問題有無や、生産が可能であるかどうかが重要であり、その検討に多くの時間をかけている。この検討業務をシステム化したいとのニーズは強いが、開発段階であるため、常に進みつつある製品設計のタイミングをうまく捉えて効率的に運用する必要がある。設計変更に伴う無駄をどのように最小にするかということと、設計変更をいかに伝達するかがシステム化のポイントである。設計と生産技術者のコミュニケーションの迅速化と判断の正確さをＩＣＴで実現できるように考えることである。いまだに多くの分野のＩＣＴ適用が遅れている。製造業の製品開発のスピードアップと仕事の正確さには、今後も多くの分野でのシステム化が行われるものと思う。

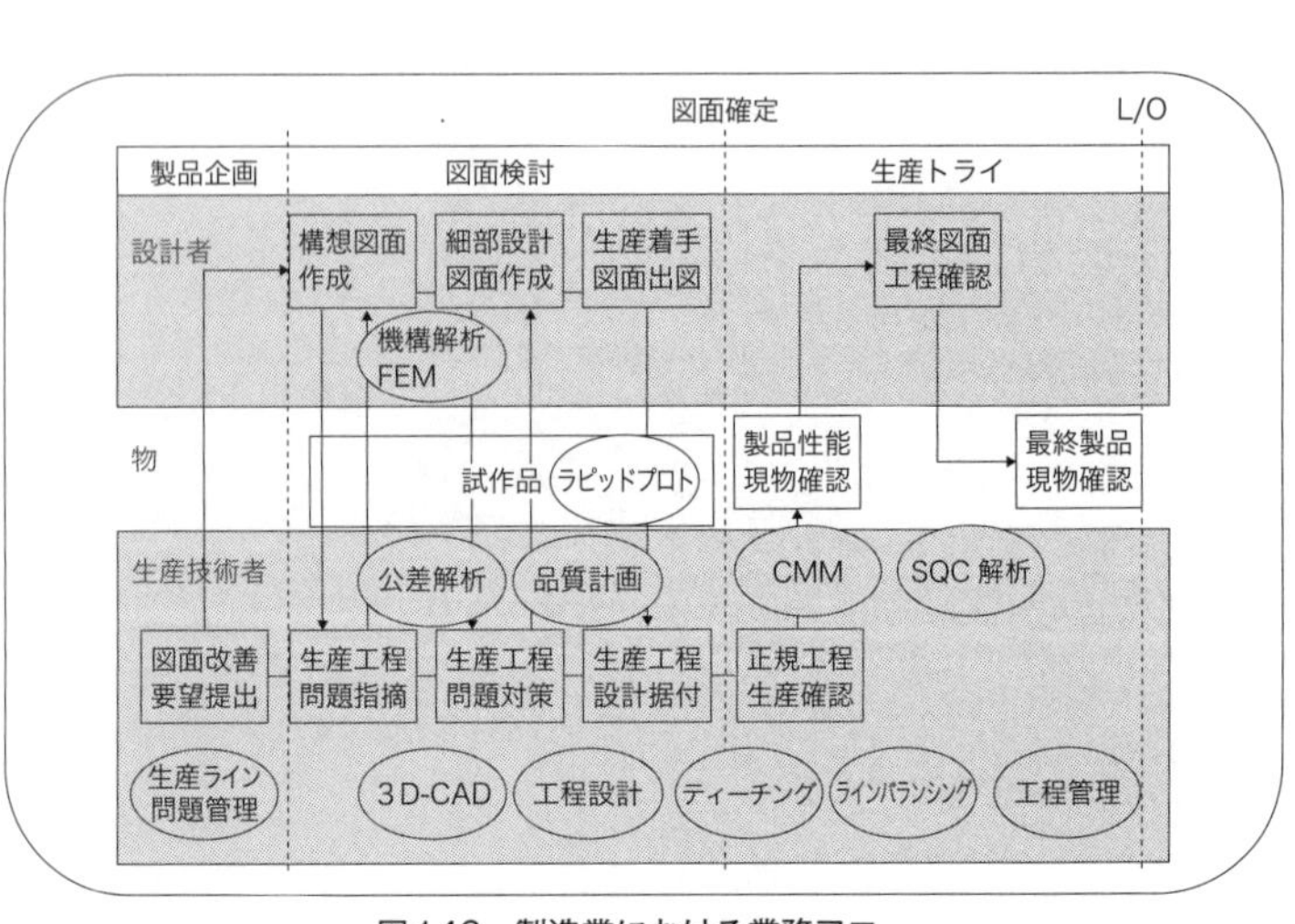

図146　製造業における業務フロー

第2章　エンジニアリング知識の蓄積には何が必要か

1　エンジニアは過去の振り返りの無駄をする

エンジニアはそれまで身につけた知識を共有させることができていない。少子高齢化の時代、多くの知識を持ったベテランがいなくなり、その伝承に苦労している。そこで、次のような対応が必要である。

- ・経験を知識にする。
- ・知識をＩＣＴ化する。

【役割と考え方】

①経験を知識にする

かつてベテランは、多くの経験則に基づき、直面する問題に対して解決方法を見出していた。しかし、最近では多くの異なる組織で幅広い知識を身につけるために、直面する問題に対して解決ができるほどの経験をせずに異動することが行われている。多くの経験とはエンジニアリングにおける隣同士の経験であり、全く離れた経験は避けた方がよい。エンジニアの経験を知識にするには、ある程度の経験を持つエンジニアでないと難しい。しかし、経験を知識化するには異論も重要である。多くのエンジニアによって論理的に経験を整理し続けることが重要である。仕事の標準化と同じく、継続的な知識の改廃を行うことが必要である。

②知識をＩＣＴ化する

　知識をＩＣＴ化するには、経験を整理することが必要である。多くの異なる評価メジャーをその時代の環境において重みをつけることが多い。したがって、知識は改廃されるものであり、改廃を共有化するためにＩＣＴ化を実施する。ＩＣＴ化時には、知識だけでなく、その決定された事例（経験）と評価メジャーと結

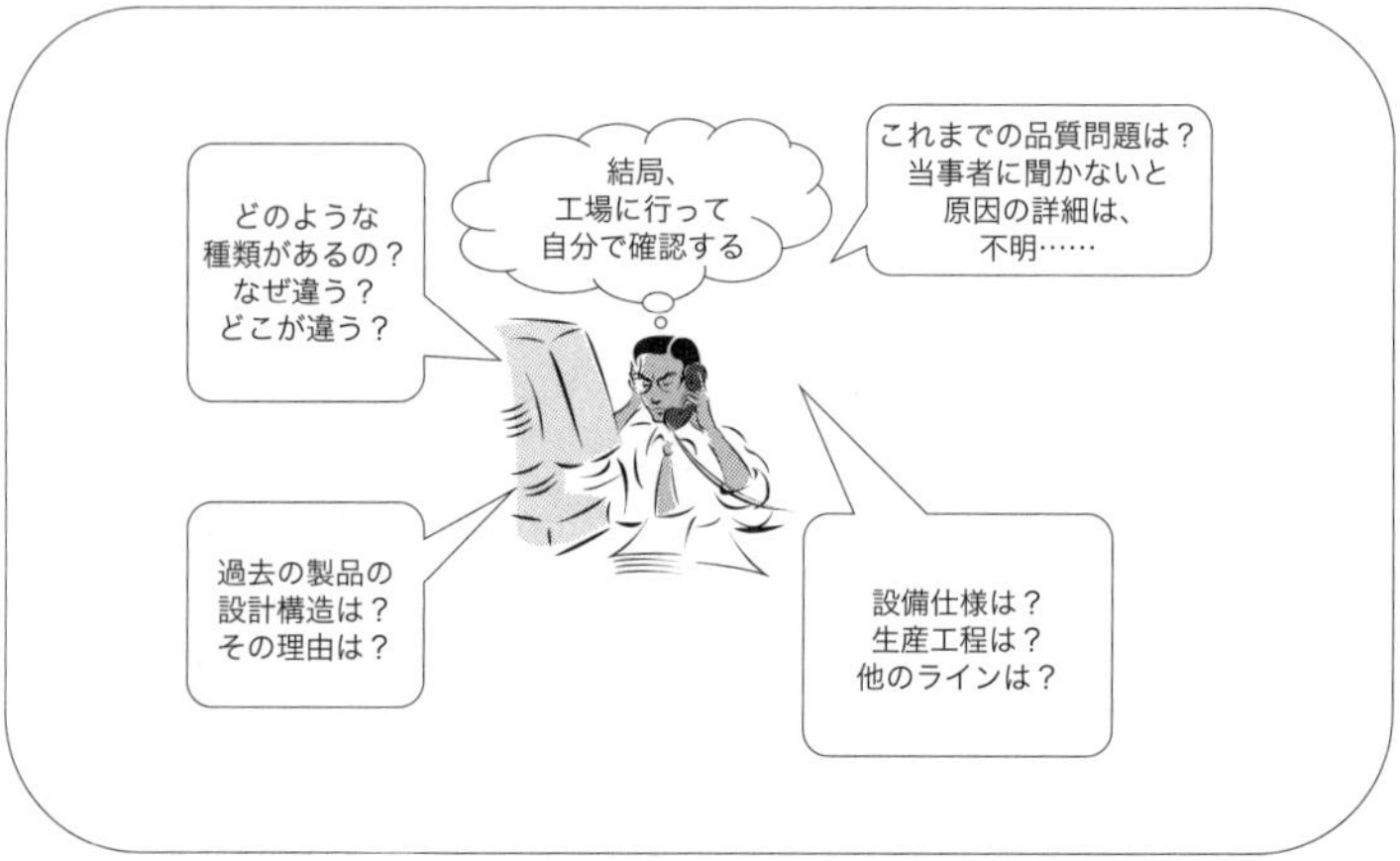

図147　エンジニアの無駄な調査

果も同時に蓄積し、改廃に役立てることを考えておくとよい。

【解説】

製品設計者も生産ラインの設計者であっても、設計の条件を知らないと設計に着手できない。製品設計であれば、類似製品の過去の設計構造や品質問題を把握し再発防止を図らないといけない。生産ラインの設計者であれば、そのラインにある設備の仕様や加工精度などを知らないといけない。しかし、これらのことは、製品や生産ラインのように結果としてのものしかないことが多い。その計画を行った理由や、設計時に考えた論理などはすべて、設計者自身の頭の中に留まり、記録がないことが多い。そのために、後任の設計者は、過去の設計思想を理解するために現場へ行き製品を手にするのである。調べることに時間を費やし、考えることに時間が費やされていないのである。

2　人事異動とともに技術知識は異動し廃棄

人事異動とともにその組織は知識を無駄にしている。エンジニアの異動に備えてそのエンジニアが生み出した知恵を蓄積していく仕組みが必要である。

・エンジニアリングの性質を理解する。
・知恵のコンピュータ化を進める。

【役割と考え方】

①エンジニアリングの性質の理解

エンジニアリングは知識の組み合わせと判断である。知識はそれぞれの経験により取得されるものである。しかし、その知識と判断は各種の報告書において、網羅的に記述されることはない。多くの場合、説明や理解の容易な断片的な報告となる。知識の多さと整理の仕方、その整理を行う上での分類・判断指標とその重みなどは、ほとんどエンジニアの頭の中に入っているものである。

②知識のコンピュータ化を進める

知識をＩＣＴ化する順序は以下のようにする。

・事例の蓄積をする。
・蓄積された事例を技術的な視点で分類をする。
・分類された事例に対し判断指標を定義し評価を行う。
・評価が最良の事例を技術標準とする。
・技術標準、その理由、事例の関連性を記録説明しつつ蓄積し、共有化する。

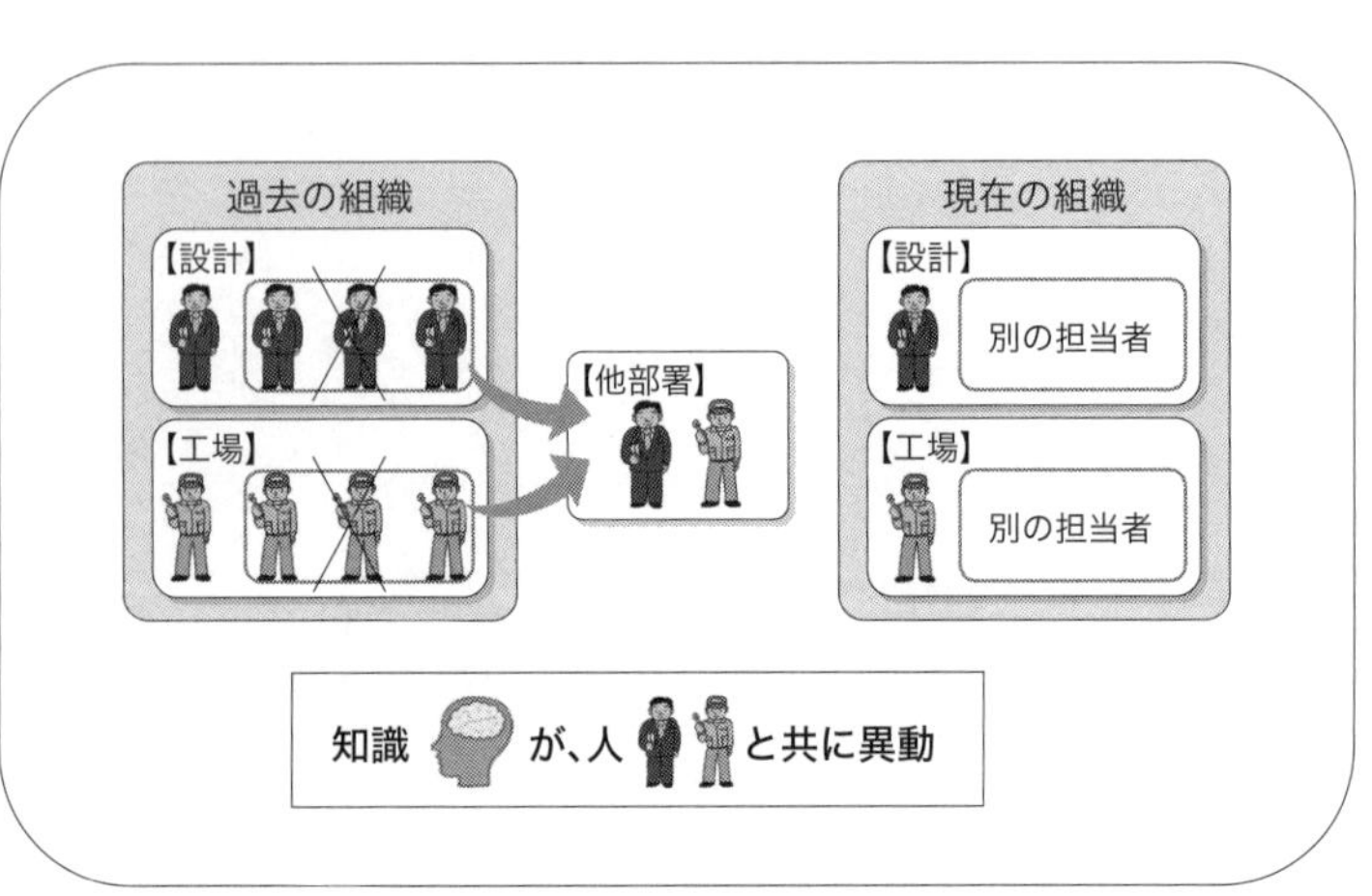

図148　組織異動と共に破棄される知識

・共有化されたデータに対し異なる事例と判断を登録する。
・登録されたデータを標準化検討組織で見直す。
・見直し結果を共有化する。

【解説】

製品開発や生産ラインの立ち上げなどにおいて、その製品ごとにプロジェクトチームが編成されて、業務を行うことが多い。しかし、このチームのメンバーは人事異動などで、変更になることが多い。エンジニアのノウハウの多くは頭の中に入ったままで表出化されないことが多い。そのために、新しいプロジェクトチームは本来過去のチームよりも多くの経験や知識を保有しているはずであるが、そのようにならない。ここに、ホワイトカラーの生産性が向上しない理由がある。同じことを繰り返し行っている生産ラインは改善が進む。しかし、同じことを繰り返し行っているようで、人により方法や判断がまちまちであることを認めてしまっているために、エンジニアリングは進歩しないのである。人によって行うエンジニアリングは、ＩＣＴ化を実現しなければ進歩は難しい。

3　エンジニアリングの生産性向上は帳票化で

エンジニアリングは個人の能力に依存している。そのために業務の中で判断を間違うこともある。この判断ミスをなくすことが必要である。そのためには、まず仕事を帳票化させ、内容の標準化を図ることから始める。

・生産性向上と判断ミス。
・判断ミスの防止。

【役割と考え方】

①生産性向上と判断ミス

生産性の向上には、同じやり方を行うプロセスの標準化が必要である。プロセスの標準化には、どのようなインプットに対し、どのようなアウトプットをするかが明確になっていることが前提となる。そのためには、インプットとアウトプットを帳票化する。そして、この中で意思決定した判断を記述していく。つまり、標準のデータを活用することが大切である。

②判断ミスの防止

人の判断ミスは防止できない。そのためには、関係者に発生したミスを迅速に知らしめ、エンジニアに類似事例がないかを想像させることが必要である。

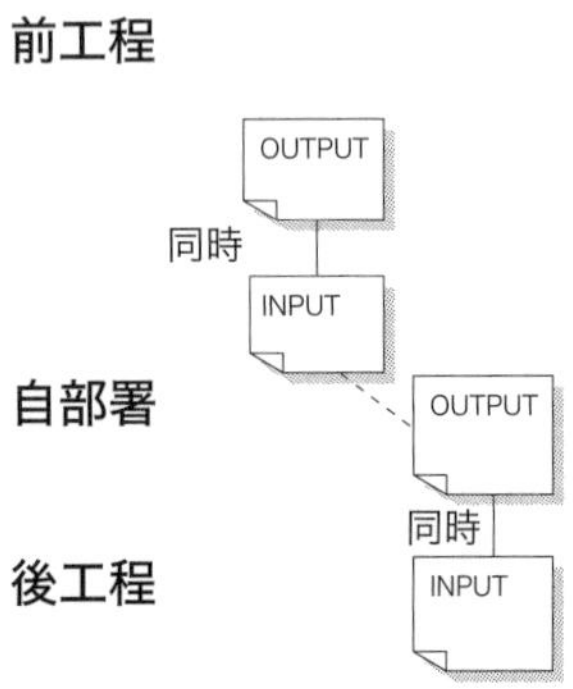

前工程
自部署
後工程

OUTPUT
同時
INPUT
OUTPUT
同時
INPUT

①自部署のアウトプットを帳票化する
②帳票内は表のイメージとする
③帳票内にはアウトプットの前提条件を記入する
④アウトプットへ至る考え方を記入する
⑤前提条件を自部署のインプット帳票として作成する
⑥この運用を自部署にある業務全体について開発プロセスの細分化と一致させて作成する
⑦これをハンドで自部署にて運用する
⑧この取り組みを前後工程へ横展する

図149　帳票化の進め方

ミスの事例を理解し、同じような失敗が進行していないかをタイムリーに考える仕組みを組織内に構築することが求められる。この事例を知識のデータベースに蓄積し、プロセスの標準や判断の標準と絶えず比較し、過去の問題の再発防止ができる仕組みを構築する。これらの組織的な仕組みとＩＣＴを車の両輪として運営を任せられる責任のある部署を配置することを考えるべきである。

【解説】

製品設計において、いくつかの製品を並行して開発することがある。あるいは、製品を立ち上げた後、すぐに次の開発に着手することがある。仕事のやり方がまちまちになる原因である。かつては、製品の立ち上げ後に、時間をかけて結果の整理を行い、次の製品開発へのミスの再発防止や課題対応を申し送りしていたが、近年の開発リードタイムの短縮化の中では、これらはもっと短いサイクルで行わないといけなくなっている。開発途中で発生した問題点や課題などは帳票の中に記述しながらアウトプットしていくことが必要である。他の製品開発者へ迅速に伝達し、対応を共有化していく必要がある。開発リードタイムの短縮化の中でも、従来と同じ企業内のＰＤＣＡの仕組みを回していくためには、エンジニアリングの業務を帳票により可視化させ、インプットとアウトプットを明確化し、その中での課題や再発防止を共有することが必要である。そのために第1ステップとして帳票化をすべきである。ＩＣＴ化の前提でもある。

第3章　製品開発プロセスのICT化

1　製品開発エンジニアリングのシステム化

製品開発のエンジニアリングは品質とコストのせめぎあいである。このために必要な支援システムを構築し、その目標達成手法を確立し、その手法を進化させていかなければ競争に勝てない。

・エンジニアリングシステムに必要な機能の整理。
・エンジニアリングシステムの開発主体。

【役割と考え方】

①エンジニアリングシステムに必要な機能の整理

エンジニアリングシステムの基本データとしては部品表と図面がある。そのため、システムとしてはＢＯＭとＣＡＤの活用が必要となる。エンジニアリングシステムの中心は品質計画の機能である。

品質は商品機能の目標であり、コストはその実現のメジャーであるからだ。各設計者あるいは生産ライン設計者に共通な品質を組織全体で検討するためのシステムを構築することが必要である。

②エンジニアリングシステムの開発主体

エンジニアリングシステムの開発主体はエンジニア自身である。今日、ホストコンピュータは分散化した。機能が分散化しても連携ができるようになっている。したがって、情報システム部門はリーダとはなり得ない。エンジニア自ら生産性向上に対し、責任をもって成し遂げることであり、現場を見直し、機能を整理できるのはエンジニア自身である。製品の品質を計画して関係組織との整合性を図るには多くのトレードオフを行わないといけない。少しずつ、考え方の標準化を進めていき、ＩＣＴの機能改善も継続性が必要である。

【解説】

下図は品質計画を支援するために存在するシステ

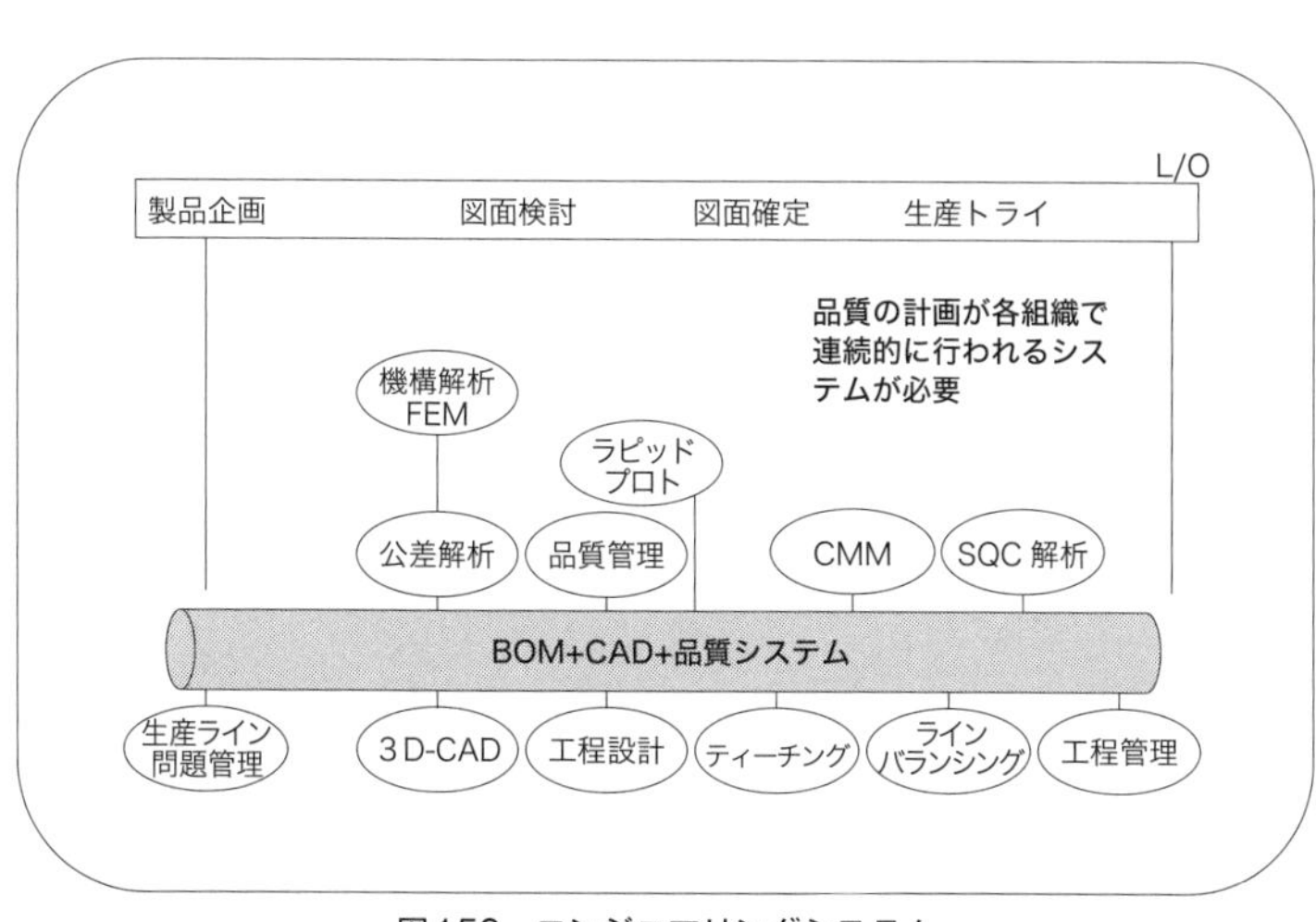

図150　エンジニアリングシステム

ムを示している。生産ラインや市場における品質問題が把握できていないと開発着手はしてはいけない。その上で、製品の企画が行われる。設計が具体化すると3ＤＣＡＤが活用される。ＣＡＤ活用までの期間に品質企画の支援システムが必要であると考える。しかし、そのようなシステムはない。いったん、ＣＡＤで形状が作られると、詳細の品質計画が行われ、その生産工程計画に移っていく。前後の工程の良品条件をつなげていくことを支援するのがエンジニアリングシステムである。コストは、その複数のアイデアに対し、加減算することになる。原価企画の目標に対し、開発のいかなるときでも総原価が求まり、その分析ができることが必要である。

2 ＱＣＭＳの構築が重要

品質管理は、セットメーカだけで行っていては不十分である。部品のサプライヤも品質管理に必死である。しかし、近年の問題はその隙間で発生している。

・品質管理の近年の問題点。
・品質管理の基礎からの徹底。

【役割と考え方】

①品質管理の近年の問題点

品質管理の問題点は生産量の拡大に対してセットメーカもサプライヤもその管理手法が追いついていないことによる。設計から生産までの品質管理手法の改善がいる。もう1つは人間系での仕事のミスである。さらに、一番の近年の問題点は耐久性や経年変化などによる問題である。たとえば十数年前の製品が問題となっている。このことから製品は販売後に何かの問題が発生すると思わないといけない。お客様の長期間での使用上の問題を先読みすることにわれわれは慣れていない。

②品質管理の基礎からの徹底

製品設計の際には、どのような心配があるかを調べるためにFMEAをやることになっている企業は多い。しかし、定着している企業は少ない。どのようなよいことであっても、定着化させなければ成果は出ない。品質企画・計画・管理を正しく定着させるにはミスのある人間系を支援するコンピュータシステムが必要である。特に、品質は製品全体として

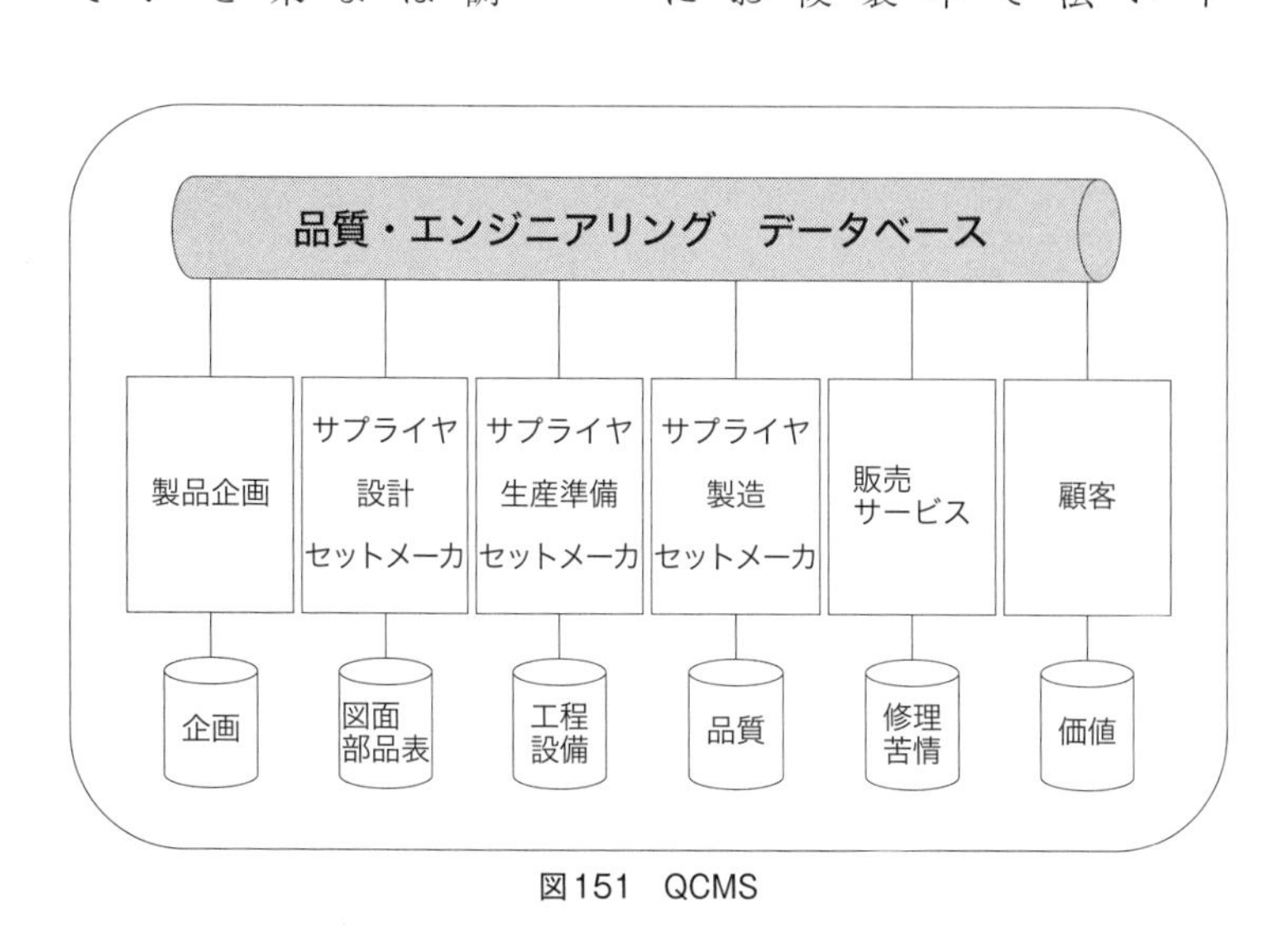

図151　QCMS

の保証であるので、サプライヤまで巻き込んだQCMSが必要となる。

【解説】

PLMという言葉があるが、その中心は品質であると考える。品質に関するデータを製品の企画から顧客までの間で保有し続け、いわゆる製品のカルテ（人の医療カルテと同じ）に記述し続けなければならない。部品も部品の中間集合であるサブアッシー部品のどこか一部が問題となれば、製品機能の問題が発生する。耐久性や経時変化などの問題は、顧客のデータを収集しないと原因はつかめない。再発防止設計もできない。そのような問題を起こさせないことも設計の大きな理念であるはずである。このような長期にわたる品質履歴は、生産工程でも記録されるべきである。設計や生産工程が耐久性や経時変化に与える影響を認識するには、顧客問題に意識を向けなくてはいけない。顧客問題を処理することだけで精一杯では進歩がない。その原因を追究できる製品開発の仕組みがあるはずだ。前ページの図のような仕組みが出来上がって初めて、QCMSが定着化したといえる。

3　部品表と図面を連携させる

部品表と図面管理は製造業のエンジニアリングにとって重要なシステムである。しかし、これらはうまく連携できていない。

- ・連携時の課題。
- ・部品表と図面の連携要件。

【役割と考え方】

①連携時の課題

図面は2次元の紙で保管されていることがまだ多い。このような場合は紙をスキャナで取りイメージファイルとし、それぞれのファイルに部品表と同じ品番をつけて保存する。3次元ＣＡＤのデータの場合もファイル名に品番をつけて保存することが多い。どちらの場合でも品番だけでは検索しにくいので品名を付与する。ここにある問題は、品名の付与ルールである。どの企業でも製品の部品に品名をつけるが、それが標準化されていない場合が多い。品名を自由に付与させると似て非なる品名が氾濫する。このことが部品表と図面を連携させるときに大きな問題となる。もう1つの大きな問題は、部品表と図面のどちらにも変更が加わることである。特に、製品の開発段階では問題である。

②部品表と図面の連携要件

品名の付与方法を標準化し、運用する機能・変更を表出化し、的確に伝達する機能と部品構成と設計をパターン化し、流用する機能などが必要である。調達単位と図面の作成単位が異なるため、この処理が介在しなければならない。

【解説】

図面と部品表は図のように製品開発段階も生産開始後も別々に管理されていることが多い。特に、図面は紙での保管が多く、製品の設計変更に対しては新旧の差し替えを行っている。部品表の変更とそれを説明した図面には、それぞれを一致させる変更番号が付与され、対をなしている。このような連携不足は次のような問題を持っている。開発段階は変更が多すぎて、生産ライン設計のデータとは独立なシステムとなり、後工程とのデータ連携が不可能となる。後工程は部品表と図面の変化を問い合わせや自身で確認する無駄がある（変更内容は設計者が知っている。設計者が変更内容をデジタル化すれば、企業全体が効率化する）。自部署に無関係な設計の変更まで無関係と確認する必要がある。このような処理を自動化することもできない。生産開始後では、日常的なハンドでの差し替え業務が発生し付加価値が低い。また、変更の把握ミスの可能性が高い。

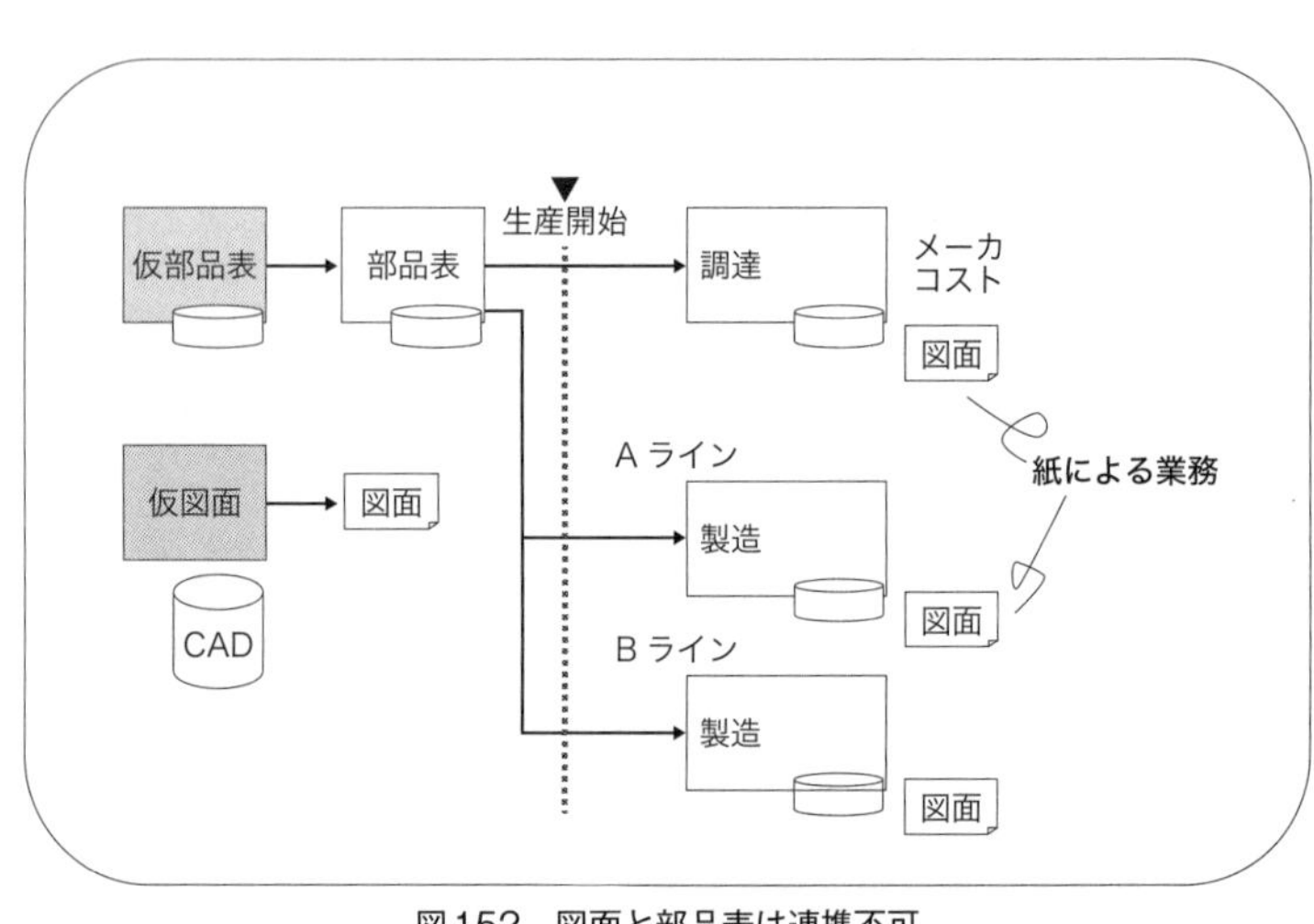

図152　図面と部品表は連携不可

4　品名付与方法を標準化する

古くから同じ製品設計を継続している製造業では、製品の構成部品名がばらばらになっていることが多い。これではＩＣＴ化が進まない。

・品名付与の標準化の必要性。
・機能と部位で品名を定義する。

【役割と考え方】

①品名付与の標準化の必要性

品名とは私たちの氏名と同じである。品名を聞くだけで、その部品の形を脳裏に描くことができる。また、その部品の機能や大きさなども分かる。しかし、このような品名が企業内で統一的でないと、エンジニアリングだけでなく、部署間のコミュニケーションさえ損なわれてしまう。品名が異なると品番だけで検索することが必要であるが、そんなに多くの品番を覚えることもできない。したがって、なんとなく分かる品名となんとなく分かる品番を組み合わせて、部品を特定していることになる。市場においては、すでにこの曖昧なままの品名や品番体系で調達、生産が行われているために、この体系を見直すことができないのである。

②機能と部位で品名を定義する

品名付与はその部品の機能とその部品が製品内でつく位置（部位）でルール化するとよい。生産工程では位置の呼称が重要である。部品のサブアッシーも機能であれば命名しやすいし、誰でも役割が連想しやすい。また、どこにつくかを表していることで、座標値以外での検索方法が可能となる。

【解説】

品名に対するニーズは組織によって違いがあるものである。設計者は部品の他への流用性もあり、機能だけを表現する名称を付与する。しかし、ときには場所を表す名称を付け加える。生産ラインでは、どこに何をいくつどのようにが指示されることが必要である。このとき、どこにの情報は製品開発プロセスでは、３ＤＣＡＤのデータからの座標でしか表現がされない。そのために、コミュニケーション時には何らかの場所の言葉を付け加えて行われている。品名にどこにを付加することは標準品などのことを

製品設計者	生産ライン
①機能 部品の目的を表す。 ・バンパー ②場所 同じ機能であるが取り付ける位置が違う。 あるいは２つ以上取り付けて１つの目的を達成する。 ・フロント、リヤなど	①機能 部品の目的を知り、その品質目標を理解するため。 ②場所 すべての部品に取り付ける位置の分かる説明が品名に必要（数に関係しない）。

・設計者は他の部品と区別できればよいと考える。
・生産ラインはどこに組み付けるのかを示す位置名称が欲しい。

図153　品名の定義要求の差

考えると問題がある。そのために、この場所を表す情報を品名の属性情報として付加することが望まれる。場所を表す情報を属性に入れることは、製品を機能で分類することに付け加える価値のある分類である。エンジニアリングのキーとなる情報にはこの2つが必要である。

5　設計変更内容をデジタル化する

製品の開発段階だけでなく生産段階でも設計の変更は行われる。今日、部品表も図面もコンピュータ化され、紙図のような設計変更内容の伝達に対し、サービス精神が欠如したようなシステムとなっている。

・設計変更内容のデジタル化の必要性。
・デジタル化の内容。

【役割と考え方】

①設計変更内容のデジタル化の必要性

設計変更は伝達すべき相手に的確に伝達されるまでは設計者の責任である。コンピュータ化がこの責任をルーズにさせていることを管理者は認識し、変更伝達を適切に行うことを主張する必要がある。手描きの部品表や図面の場合は、必ず△記号を用い、その変更部分を分かりやすく理由とともに伝達できていた。これがコンピュータ化されると、この目的を理解せずに入力などの手間を回避することに頭が向きすぎている。ICTは人の思考を支援するものである。その目的から、情報を受け取った人の仕事に無駄をさせることは情報の発信者が避ける責任がある。一人が多くの人のために、データを投入することで多くの人の生産性があがる。この視点でICT化を進めることを忘れてはならない。

②デジタル化の内容

変更内容を伝達するには、変更前と変更後をその部分だけを表示して違いを示すことである。どこが変わったかを伝達される側が探すのでは企業へ与えるロスは大きい。このように変更前と後を対比して伝達できるようにICT化時の仕様に含めておく。図面と部品表が同時に変わることも差の部分のみを一緒に伝達できるようにするとよい。

【解説】

下図は部品表と図面に対して設計の変更を行うと

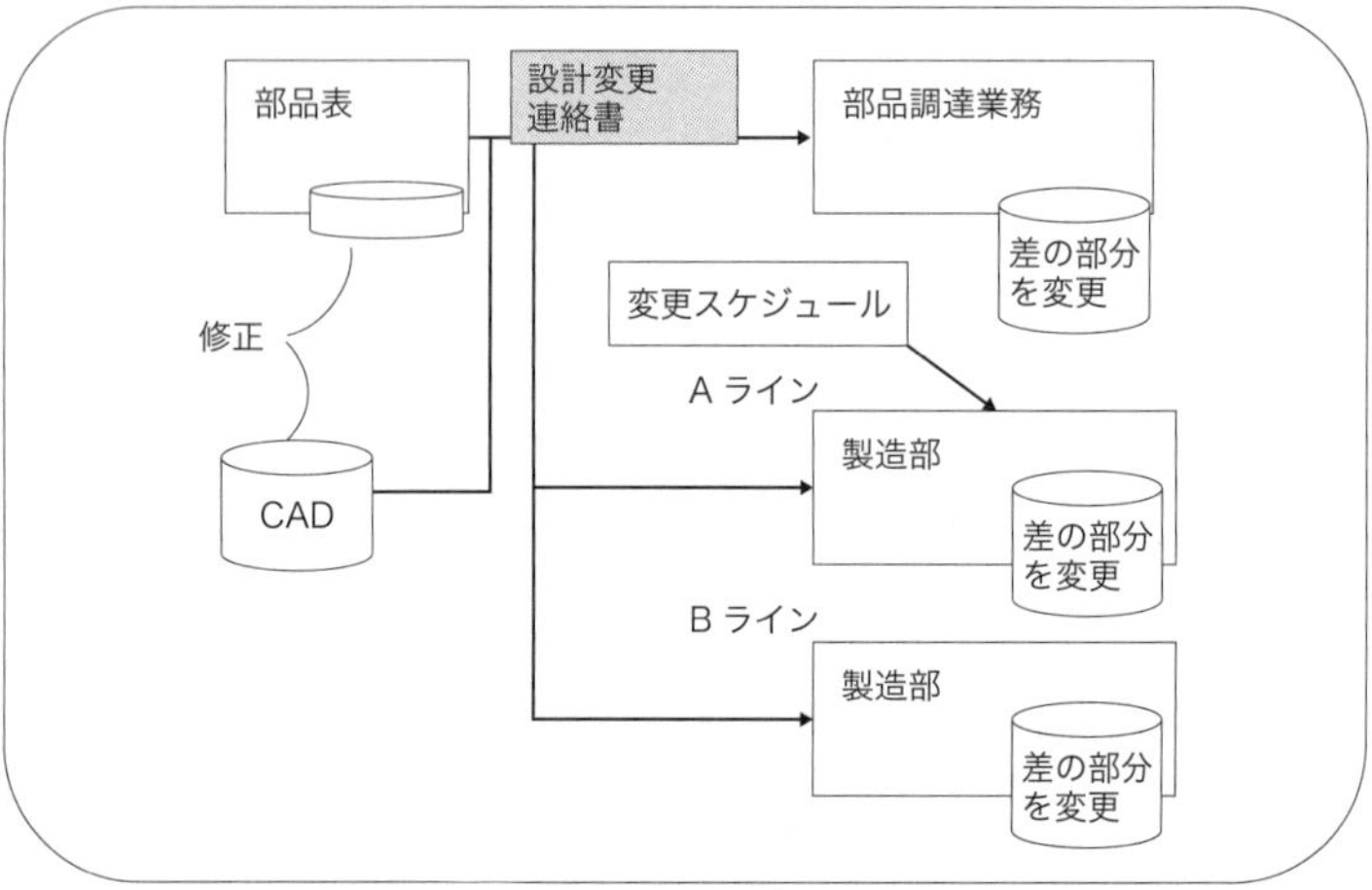

図154　設計変更の伝達

きの流れを説明している。設計者はすべてを知っているが、その部分のみしか表現しない。その表現には設計変更連絡書などに記入されるが、その記述内容が不足しているために、多くの部署より問い合わせが入るものである。たとえば、部品を調達する部署では、いつその部品を工場に納めたらよいかなどである。これらのときにも必ず品名を確認して、品番を伝える。生産ラインが複数あれば、同じ設計変更連絡書が配付され、それぞれのラインにその内容を理解し段取りを組む人が必要である。ここでも、重複した業務が発生している。品名についても、その品名が統一的であれば、品名だけで処理できるはずであるが、品名が標準化されていないと、部品表だけでなく、図面を確認し、双方の言っている品名が同じものを示しているかを確認する必要がある。このような技術的なコミュニケーションの効率化のために品名を標準化するためのＩＣＴは存在する価値がある。

6　設計をリピート化し種類を減らす

部品表と図面だけを設計の結果と思わずに、それらを活用して次の製品設計に役立てるように考えないと、エンジニアの生産性は向上しない。もっと有効にリピート活用することを考えるべきである。

- 設計手法の変革は標準化から。
- 標準化にＩＣＴを活用するための機能。

【役割と考え方】

①設計手法の変革は標準化から

製品設計者は設計そのものにオリジナリティを出したいと思っている。確かに新しい商品ならば、機能としてはオリジナルなものであるが、その部分は製品全体の一部でしかない。大半の設計部分は、かつて誰かが考えた構造を模倣することで行われている。そのリピート化が甘いと生産性は向上しない。製品を大きく機能で分類した場合に、その分類ごとに製品設計の構造に似たものがある。作成された図面は製品の生産のために使うだけでなく、設計そのものを効率化するために活用することがポイントである。設計業務を帳票に置き換え、何をどのように設計するかを検討し、部分プロセスを標準化すると同時に、標準の設計を採用するような仕組みを構築することを目指す必要がある。

②標準化にＩＣＴを活用するための機能

標準化を支援する仕組みはＩＣＴを活用する方法

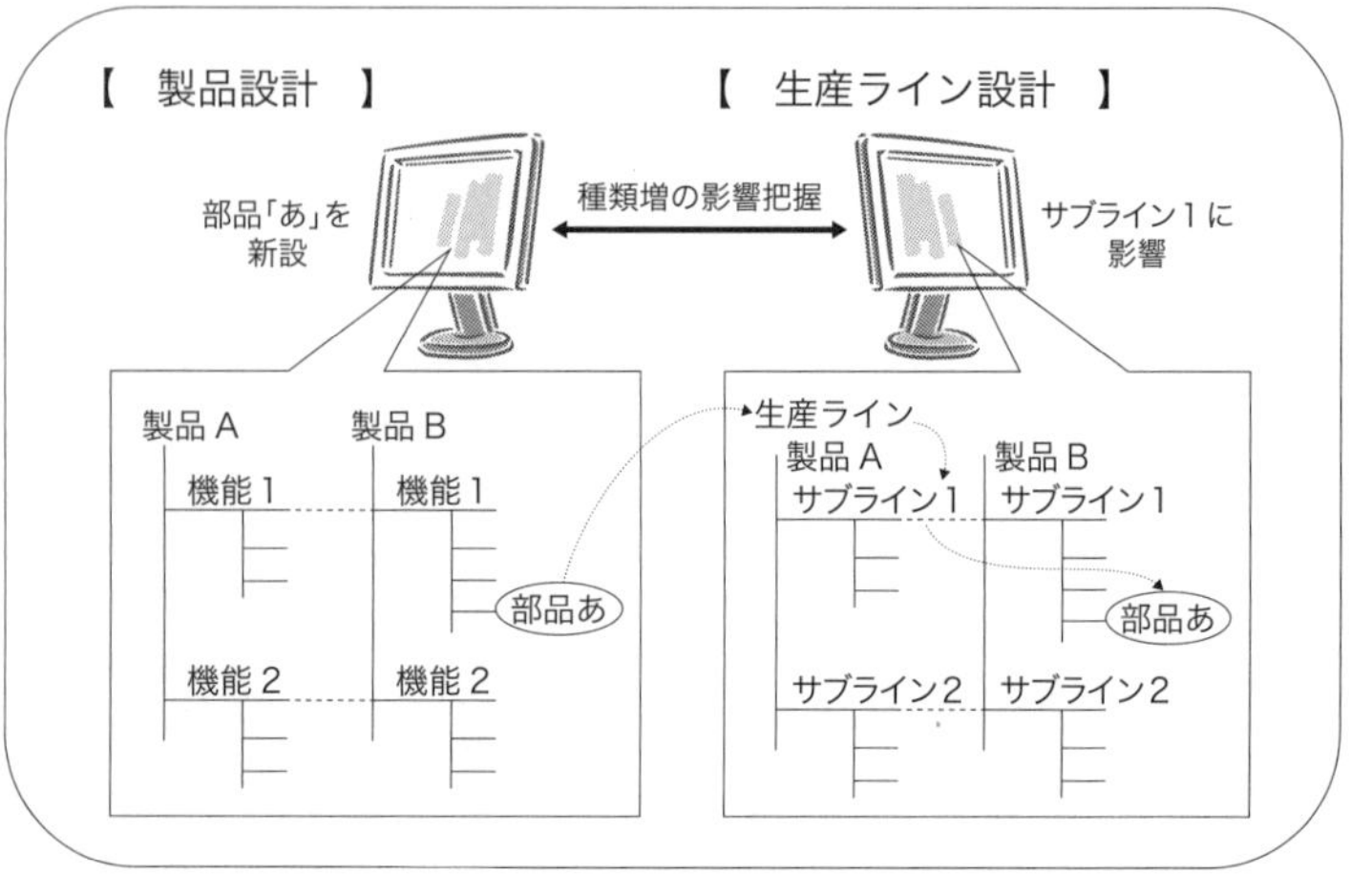

図155 種類増の影響把握システム

がベストである。そのＩＣＴに必要な機能は次の通りである。
・機能単位の検索機能。
・検索結果の３Ｄモデル表示と部品リスト表示。
・部品構成の標準化支援機能（機能単位の標準部品リスト）。
・同一機能の横並び一覧表示機能。
・標準採否記録機能と不採用理由の登録機能。

【解説】

製品設計をリピート化するニーズは設計だけではない。生産ラインの設計においても、製品設計が標準化されれば、生産ラインも標準化されていく。しかし、生産ラインが標準化されないと、製品設計も標準化が進まない関係がある。生産ラインによって、設計への要求事項が異なっていると、設計者はどちらか一方の要求事項を採用するしかない。設計者からも生産ラインの標準化のニーズがあり、同じように生産技術者からも製品設計の標準化ニーズがある。このような関係を利用し継続的に両方の標準化が進んでいくような支援システムを構築するとよい。右ページの図では、製品Ｂを設計している担当者が、部品「あ」が、生産ラインのどこに影響があるかを把握し、その影響を調整することで、製品設計と生産ライン設計の標準化が進む種類増の影響把握システムの概要を示している。

7　製造エンジニアは4つのICT化を実施

製品設計、製造に関する領域のICT化は進んでいない。これは、その領域をエンジニア自身が改革していないからである。4つのICT化が必要である。

【役割と考え方】

①製品開発のICT化

製品設計はICTを活用して合理化することである。製造業においてここのICT化はすべての基本であり、この分野なくしては生産性の向上は望めない。

②生産ライン設計のICT化

生産ラインは、1つの品種だけを生産することは少なく、多品種少量生産が多い。したがって、この生産ラインへの新製品投入条件を明確にし、製品開発プロセスにおいて、生産設計を織り込んでいくスピードが必要である。その目的でICT化を実施する。

③生産ライン運営のICT化

生産ライン運営は需要変動に対し、生産性の高い運用を支援することを目的とする。人海戦術的な運営では無駄も多く、品質管理も不確かである。確かな品質はその生産ラインの適切な運用の上で初めて実現できるもので、問題点を上流の設計工程へフィードバックすることもその目的の1つである。

④SCMのICT化

セットメーカはサプライヤからの部品品質のおかげで製品の生産が行われている。しかし、その品質は企業間で網の目のようなネットワークとなっている。サプライヤまで包含した仮想的な製造ラインを考えて品質の見える化を行わないと、正しい生産性は実現されない。

【解説】

下図は、４つのＩＣＴ化を示している。この中で、今日実施されているものは製品開発プロセスと製造ＳＣＭである。残りの生産ライン設計と運営はあまり例がない。製造ＳＣＭについても部品調達系であり、エンジニアリングではない。品質なども対象となってはいない。この４つのＩＣＴ化が実現されると、大きな意味での製品設計から製造までのＰＤＣＡが回るようになる。ＳＣＭを品質まで考えることで、全体最適な製造エンジニアリングシステムとなる。両端矢印はそれぞれの連携関係がある業務である。たとえば、製品開発は生産ライン設計要件を満

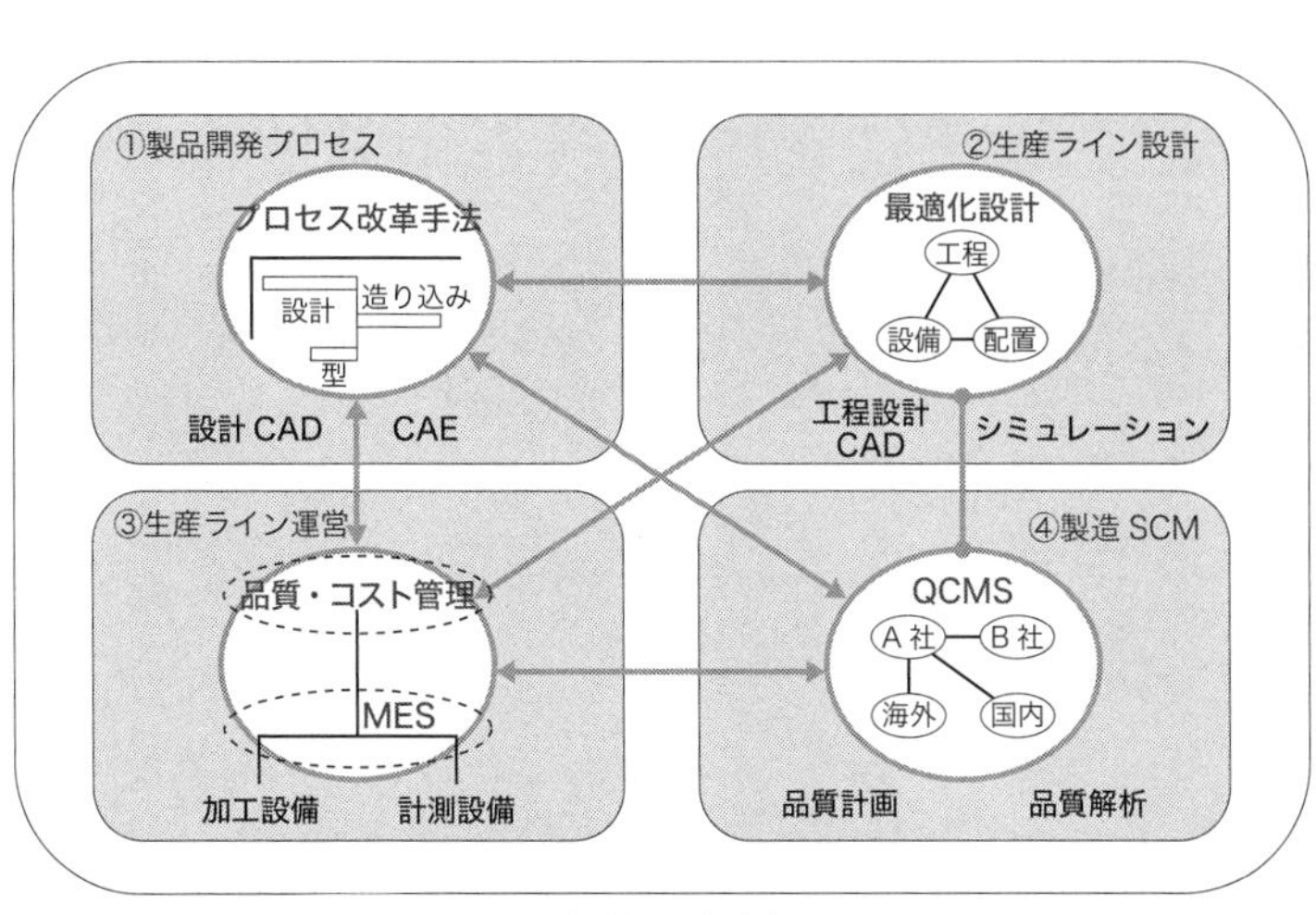

図156　種類増の影響把握システム

たし、生産ライン運営での問題点を解決しなければならない。また、サプライヤの生産性も考慮しなければならない。これらは、多くの製造業ではいまだにハンドで行われているエンジニアリング業務である。

8　エンジニアリングーICTの継続的改善

情報システムは効果が出なければただの箱である。箱を作るだけが目的でないのは当然であるが、いったん導入したシステムも改善を継続しないとただの箱になる。

・ICTの継続的な改善とは。
・どこからICT化すべきか。

【役割と考え方】

①ICTの継続的な改善とは

エンジニアリングは暗黙知の仕事といわれる。確かにそのような傾向はあるものの、定型的な仕事も多い。しかし、事務的な業務とは異なり、判断思考が通り一遍ではない。また、技術の進歩も早く、判断もコストや品質、環境、安全などで変化していくものである。多くの見方もあり、その企業の中での総意として意思決定されるものでないといけない。ベテランだけの意思決定は知識が古すぎることもある。したがって、標準的な考え方や仕事のプロセスも絶えず評価を継続し、問題点を直しながら進歩させる必要がある。人が考え出すものは常に改善を必要とするものである。

②どこからＩＣＴ化すべきか？

帳票からＩＣＴ化すべきである。帳票はその企業内で定義されたものであり、必要十分であるはずである。また、この部分のシステム化は容易であるのでシステム投資も安価である。エンジニアリング現場で定着化が早く、抵抗も少ない。仕様の作成、討議に無駄な時間を必要としないメリットもある。

【解説】

下図はシステム化の成長発展例である。当初は左下の漏れのない作業を支援するために、情報システムを生産ラインに投入した。このシステムは単に作業項目を管理するだけのものであった。それが、その内部データを解析することで、作業時間の標準化を決めることになり、標準時間システムにつながっ

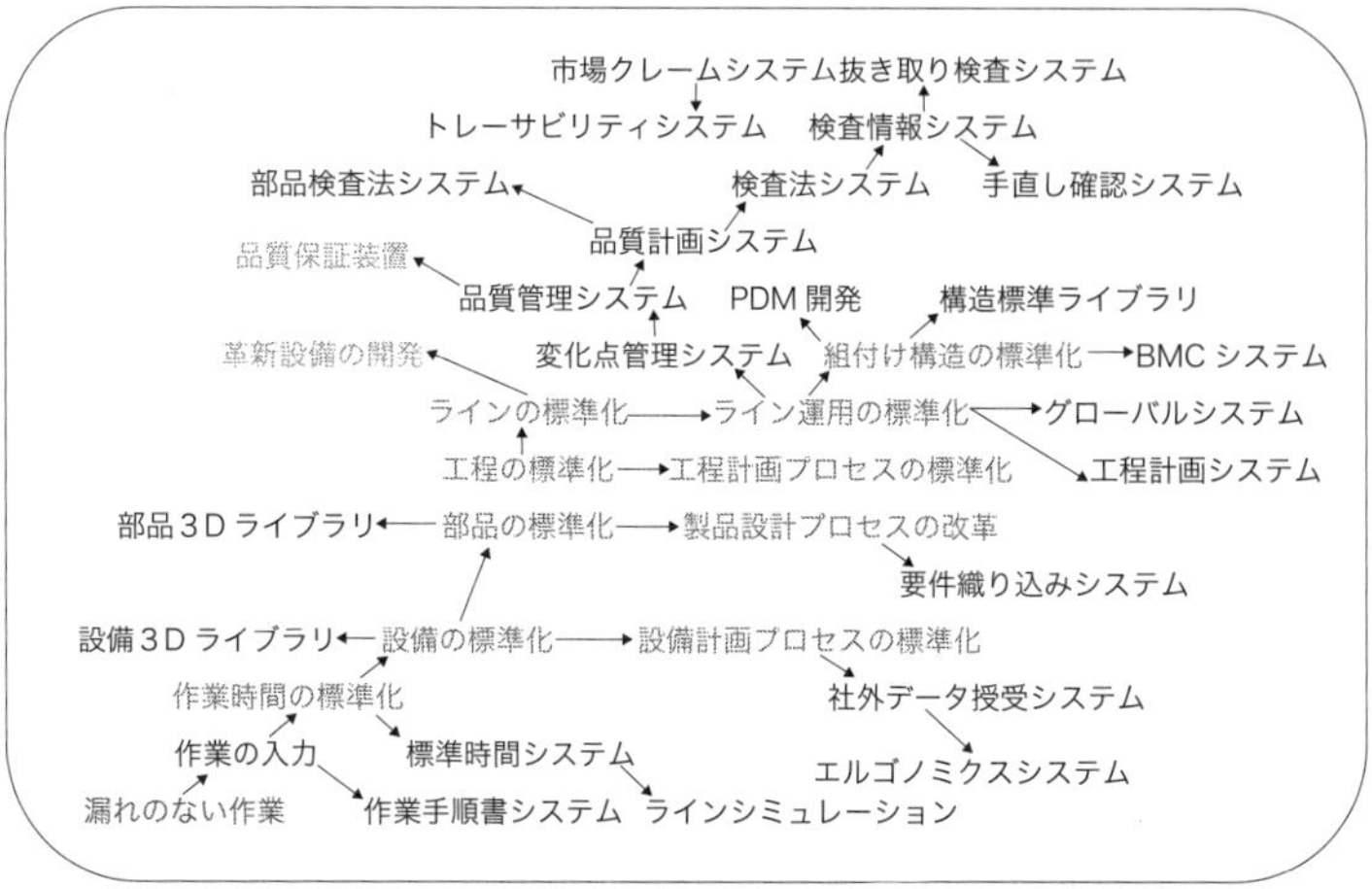

図157　ICTドリブンな業務改革とシステム継続開発

た。作業をどのように組み合わせていくかなどの課題が生まれ、生産工程計画のシステム化や生産ラインの標準化などに発展した。工程計画から品質計画に発展し、生産ラインの現場管理に使う。製品検査結果の蓄積解析を行うシステムにも発展していった。これは、生産ラインにおいての基本情報は作業あるいは加工であることに着目したことで、その結果が品質と結びつくことになったのである。

このように、最初のスタートが重要である。小さく産んで大きく育てるのがよい。

9 重要なのはシステムではなくデータ

最近はソフトウエアが氾濫している。コンセプトばかり先行し、実力のないものもある。海外のソフトウエアがよいと思ってはいけない。そこで、管理者やユーザは次を参考にするとよい。

・ソフトウエアをどうやって選ぶか？
・ソフトウエアよりもデータが大切である。

【役割と考え方】

①ソフトウエアをどうやって選ぶか？

企業の生産性向上を継続的に実施していくためには、パッケージソフトの選択は避けるべきである。短期間に使い、その後、いいものが出てきたら買い換えるつもりであるならばパッケージを勧める。

しかし、継続的なエンジニアリング業務の改善をするにはその機能を向上させなければならない。業務のプロセスも変化する。その意味ではソフトウエアは自社開発すべきである。

②ソフトウエアよりもデータが大切である。

蓄積されたデータは多くの標準を生み出してきたはずである。データと標準データはエンジニアリングシステムの貴重な財産で、企業の未来に受け継いでいかなければならないものである。データの構造はソフトウエアの処理の効率性から本来の構造とは異なる形になることが多い。そのために複数のシステムの連携性が問題となるのである。これらを解決するのは容易なことではない。それは全体がどうあるべきかの整理が一朝一夕にはできないからである。最初は難しい、複雑な処理や開発に投資をかけず、貴重なデータを蓄積することに重点を置き、そのデータから標準化を推進した方が効果的であり効率的である。

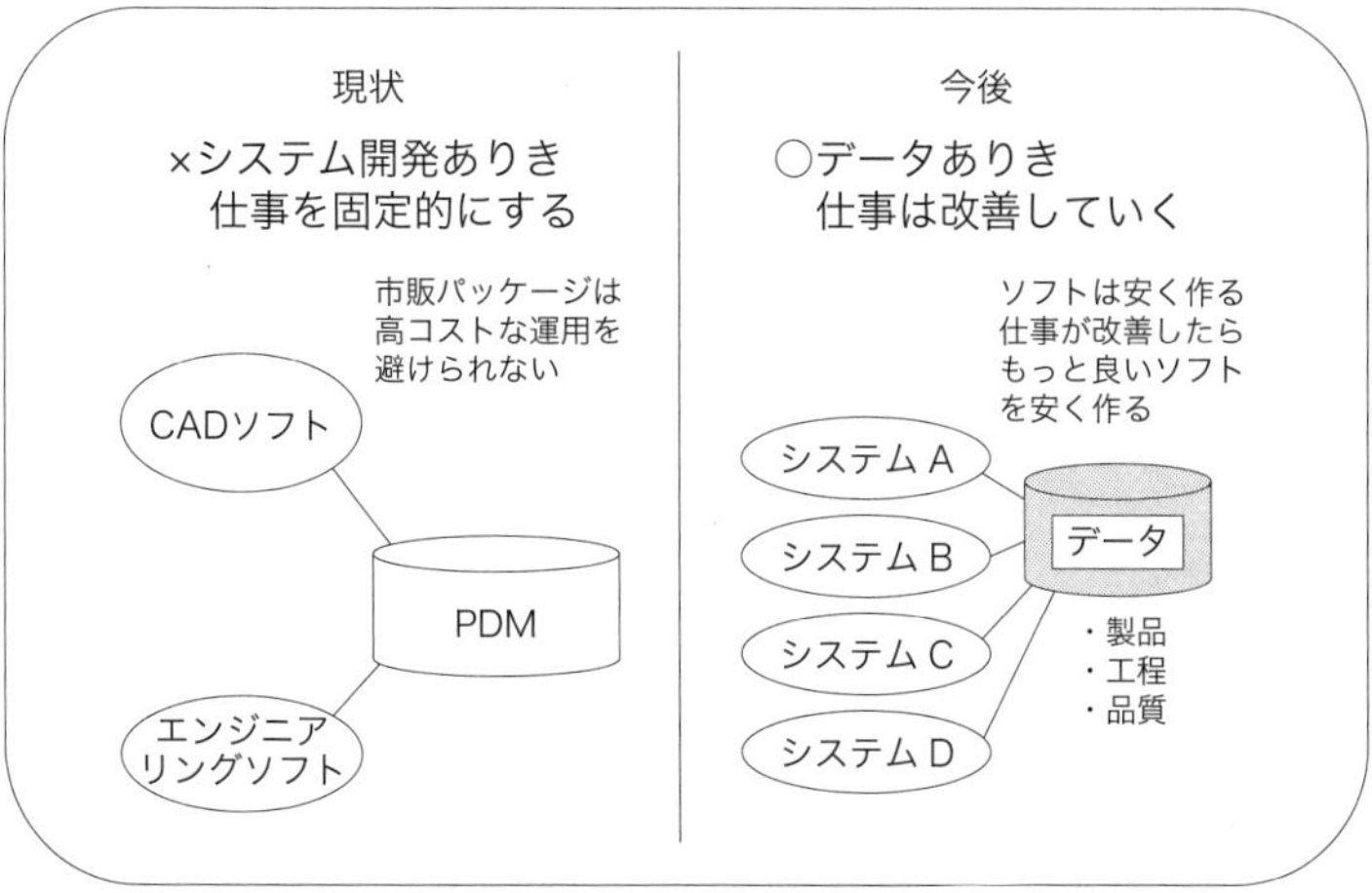

図158　システムは使い捨てる

【解説】

前ページの図はシステムの構築のスタイルを示したものである。図の左側は、あるシステムベンダーの中で発売されるパッケージソフトを導入していくもので、データの保管先自身もパッケージソフトである。このようにすると、製造企業の仕事の仕組みがパッケージソフトに飲み込まれてしまい、そのベンダーの開発に依存した改善しかできなくなってしまう。改造するのも高コストである。図の右側は自前主義のシステム構築スタイルである。企業の判断で開発を継続し、業務プロセスの変え方も自由である。データだけが重要と考えるとあまり手の込んだシステムを開発する意義を考えなくなる。よってスリムな仕様で開発をすることにある。結果として低コストになる。今日のソフトウエア開発の高コストはいろいろな問題を含んでいる。本来、ソフトはもっと安価に作れるはずである。

10　3DCADの本質的活用

近年、製造業において3DCADシステムが活用されている。これを活用する利点は多いが、十分ではない。

・3DCADシステムの導入目的。
・効果的に活用するポイント。

【役割と考え方】

①3DCADシステムの導入目的

・製品形状のビジュアルな認識
・形状モデルの蓄積と再利用

②効果的に活用するポイント

製品開発期間の短縮について、製品の構成部品が多く、その設計間での設計ミス（形状的な干渉）が課題である場合に効果的である。これは、製品形状のビジュアルな認識により干渉問題などの発見がしやすい（自動検出では接触部が余分に検出される）からである。繰り返し同じような製品を設計することが多く、従来の設計を修正あるいは参考にして製品設計を行う場合に効果的である。これは、形状モデルの蓄積と再利用による。形状モデルによる後工程業務の効率化、自動化形状モデルを生産ラインの3Dモデルに投入することで製品とは別に、生産ラインの設計に活用することができる。これは、既存の生産ラインとの干渉を見つけることで生産ライン

1、製品開発のコラボレーションによる、開発コストの低減

・作りにくい製品設計をタイムリーに回避
・部品、設備の流用化による投資削減

2、エンジニアリングの科学的マネジメントによる
経営資源の全体最適化（マキシマイズ）

・指標の細分化による業務の見える化と業務改革推進
・人材育成とワークシェアリングの実現

3、計画データの蓄積・再利用によるホワイトカラーの生産性向上

・製品構造・工程設計意図のデータによる再発掘・調査の全廃
・ノウハウの蓄積・標準化と改廃の継続性確保
（製品、工程表、設備、仕事のやり方など）

図159　3D設計によるパラダイムチェンジ

の改造箇所を自動で検出することや、生産ラインの設計モデルに投入することで、生産ライン設計のミスを発見することができる。生産加工機のティーチング位置の初期設定に活用し正しい位置を３次元座標で定義する際の効率化などを図るのにもよい。

【解説】

３Ｄ設計による企業の設計業務やその後工程の活用で、企業の業務を大きく改革することができる。製品開発での効率性だけに活用が留まらずに、製品の設計品質を向上するためや、部品、設備の流用化や標準化によるコストや設備投資削減にどのように活用するかも考えることはもちろんである。エンジニアリングの仕事は進捗が分かりにくい。３Ｄ設計を通して、業務プロセスを細分化定義し、エンジニアリングの生産性指標を策定することは必須だ。また、単純な作業と考える仕事に分け、より低コストに業務を変化させることも大切な事項である。設計意図や設備計画意図の蓄積を図り、エンジニアの調査業務を廃止することに注力しよう。意図とは、設備に対し、ワーク（製品や部品）をどのような位置関係で位置決めをするか、その位置決め精度はどのようなシナリオを考え、設備設計したかを記述することである。これらは、エンジニアの頭にだけ残し、いつか消えてしまうものである。

11　図面検討を自動化すること

本来設計の図面は完全であるべきものだ。しかし、人間が作成するものなのでミスはつきものでもある。ところが、多くの図面からミスを漏れなく発見するのは難しい。わずかな問題を発見するために工数をかけるのは無駄である。

・図面検討を自動化する理由とは。
・自動化するためのポイント。

【役割と考え方】

①図面検討を自動化する理由とは

図面を検討する目的には2つの視点がある。設計図面の検図の目的についてであるが、2次元の図面で作成する場合は、設計者は重要な部分の断面図を作成し自ら確認をしつつ設計を行っていた。検図する側も、そのポイントは見つけやすかった。しかし、3D設計になると、アウトプットは3Dモデルになる。検図する側はポイントとなる断面を切り、問題探しを行わなければならない。設計の質にますます依存している。生産要件など後工程での問題有無を確認する必要がある。しかも、後工程のニーズは生産工程ごとに異なり、また多くの要件がある。このように生産要件に合致しているのかを確認する作業も多くの工数がかかるのである。コンカレントに業務が行われているならば、開発段階の多くのフェーズで要件の確認作業が行われる。大変無駄な工数をかけているのである。

②自動化するためのポイント

検討の目的と方法を決める。たとえば、チェックリストを用意し、その確認を行うことが挙げられる。このためには、考え方の標準化が進められていること。考え方の標準化は設計の要件内に包含させる。その要件を設計として採用したかどうかをCADに記録する仕組みを持たせる。タイプをコード化し、その中からの選択設計とする。

【解説】

3D設計により、設計そのものより、モデル化や図面検討などの業務が大きな工数負担となっている。3Dモデルによる効果もあるが、2Dと同等以下の工数で設計そのものが完了することが必要である。要件織り込みの図面検討の自動化は難しいが、目標としなければならない。生産ラインや製品の問題点にはその現象と原因がある。この現実の対策を標準化することが理想であるが、現象と原因をそのまま事例として蓄積することが望ましい。現象は3Dモデルで動きも含めてデータ化しておかなければならない。そのとき原因もデジタル的に記述しておくとよい。重要なことは、これらの事例蓄積が紙では不足し、検索不可であるために、標準化の視点が生まれず、進まないのである。要件も図面も3Dモデル

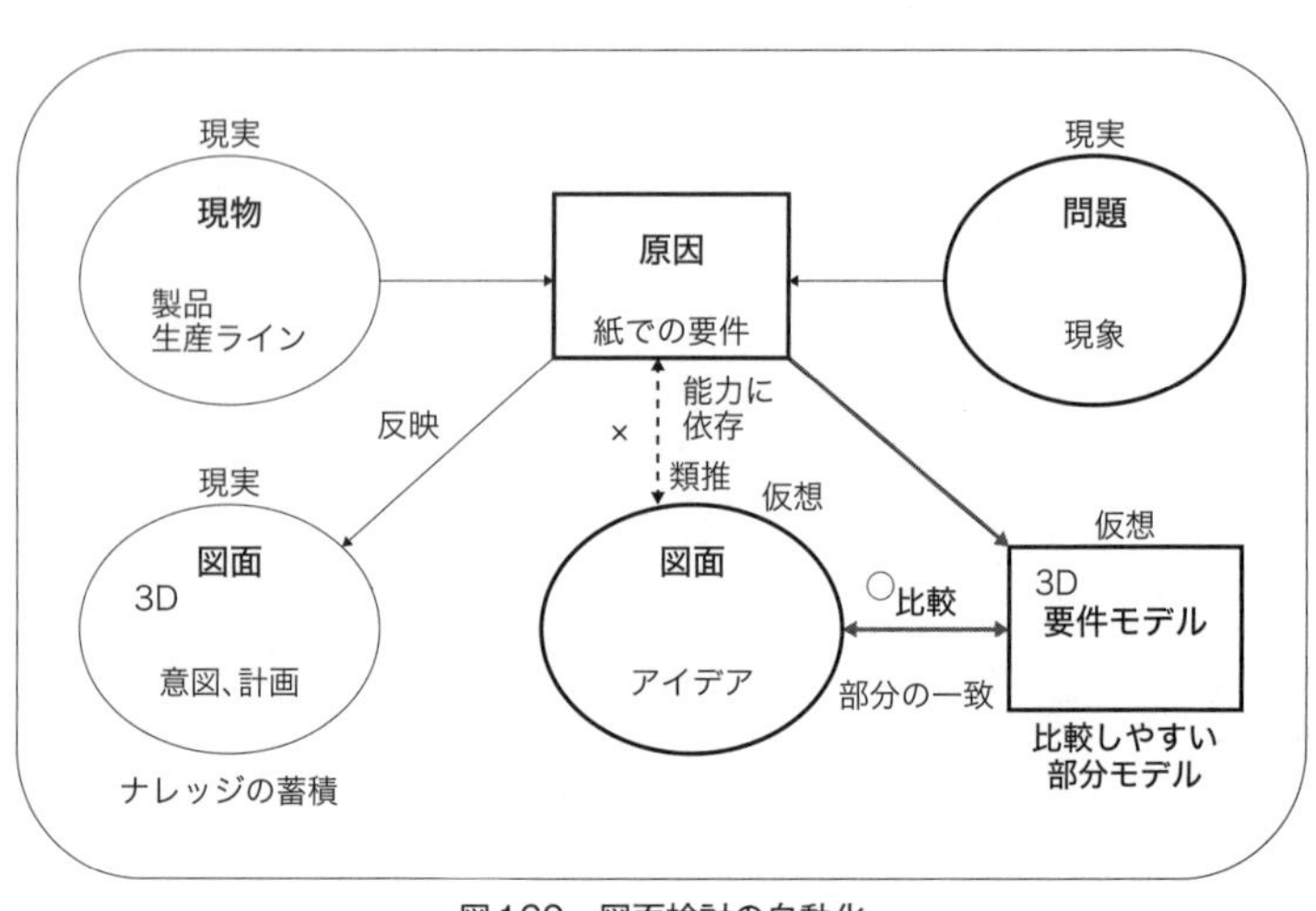

図160　図面検討の自動化

なら、コンピュータによる自動化も考えられる。

12　3D活用と組織の役割変化の認識

エンジニアリングに3Dを活用するとよい点が多いといわれるが、仕事の変化を認識し、組織の役割を見直す必要がある。

・製品開発プロセスでの仕事の変化。
・変化に対応する組織の考え方。

【役割と考え方】

①製品開発プロセスでの仕事の変化

3D化により設計工数は増加する。2次元の図に作図する行為と3Dで設計することには大きな差がある。前者は基本設計を紙に描く仕事である。後者は基本設計と詳細形状作成をミックスしたものである。本来の設計と形状を描く仕事を切り離しておくことが必要である。生産要件の織り込みには形状を描く仕事も含まれる。たとえば、コーナーRの大きさなどはプレス型設計の生産技術にそのニーズがある。2次元の図には明記されていないため、生産技術側で設計の確認を取りながら決めていたものである。しかし、3D化によりこのコーナーRはモデリングに織り込む必要が出てくる。

②変化に対応する組織の考え方

製品設計業務とは、どこを3D化して行うかを定めることである。3D化になっても、断面で設計者が考えることは変わらない。断面でなければ、技術的なコミュニケーションも取れない。3Dのイメージでは説明がしにくいのである。したがって、基本断面を作成することを設計の業務とする。3Dのモデル化は設計者のアシスタントの仕事とする。モデル化はもはや作業である。しかし、その結果のモデルを検証し、剛性などの検討を行うのは設計者の仕事である。また、生産技術からの要求に対するR付けはアシスタントの仕事である。その確認は設計者の仕事である。設計の業務は大きく2つの仕事に分割することになる。

【解説】

3D設計の良さは、ノウハウでの仕事が中心であるエンジニアリングの中からオペレータ的な仕事を抜き出し、かつ、定型的な仕事へ変化させ、質の向

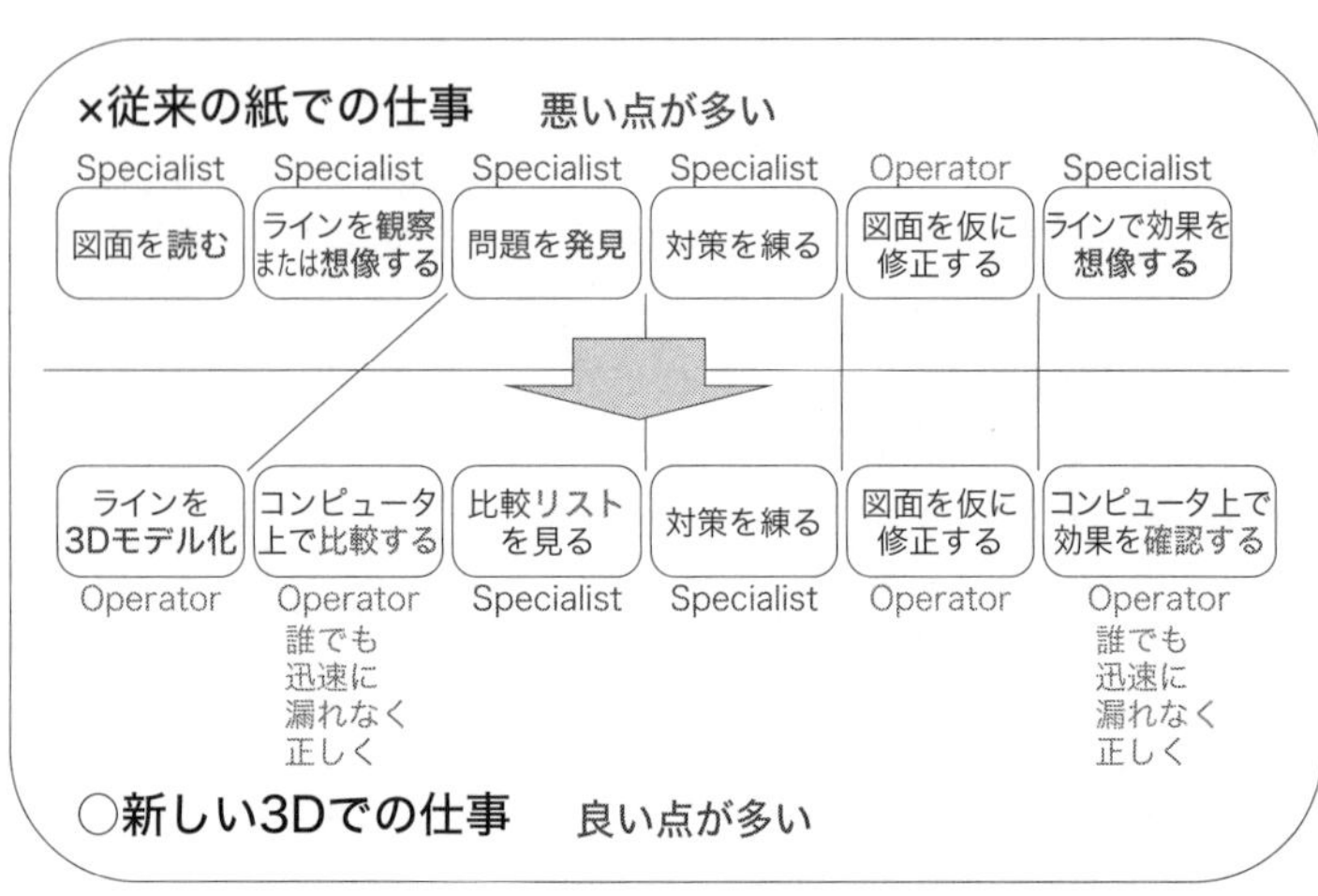

図161　3Dモデル活用の変化

上が図れることにある。前ページの図で、Operatorと記載のある仕事が定型的な仕事となる分であり、3Dモデル活用の前より定型的な仕事を増やせていることが分かる。これまでエンジニアが想像しながら行っていた仕事が仮想的に具現化されるため、仕事の中身がすでに表現されているリストやモデルから、他のリストやモデルとの比較をする仕事に変化する。課題に対して考える仕事も残るが、オペレータが過去の事例からの類推提案をエンジニアに行うこともできる。3Dモデルは作成に工数がかかるため、それ以上の3Dモデル活用用途を考えないと効果が出ない。

13　3D化で解決することとICTの本質

3Dモデルでの製品開発はエンジニアリングの仕事の初歩である。設計者の計画を可視化させたもので、その結果で認識された課題を解決することが本質である。

- ・仕事の推進課題を構築。
- ・本質的なICTの活用領域。

【役割と考え方】

①仕事の推進課題を構築

図面の検討をすることにより設計の問題や、生産技術の問題を認識することができる。設計問題の発生要因の分析をすることもできる。生産側から3Dモデルを見ると、頻繁にミスのある設計箇所や部品などがクローズアップされる。つまり、3D化により簡単にこれまでのミスが減らせるものと、減らせないものに区分される。また、その原因も具体的な問題点の数で分析することができる。同様に生産問題の発生要因の分析も行うことができる。生産側での考え方や、生産ラインがまちまちであるために要件が確立できずに、製品設計にやり直しをさせていることを認識することができる。これは、多くの関係者が多面的な検討が可能になることで、問題の指摘も多くなり、意見も多く出る。しかし、どのような設計構造を提案するかの整理不足を課題として認識することが重要である。

②本質的なICTの活用領域

3Dモデルは技術検討には便利なツールである。しかし、その3Dモデルが作成される前に技術的な合意が完了し、モデルの修正を不要にしなくてはい

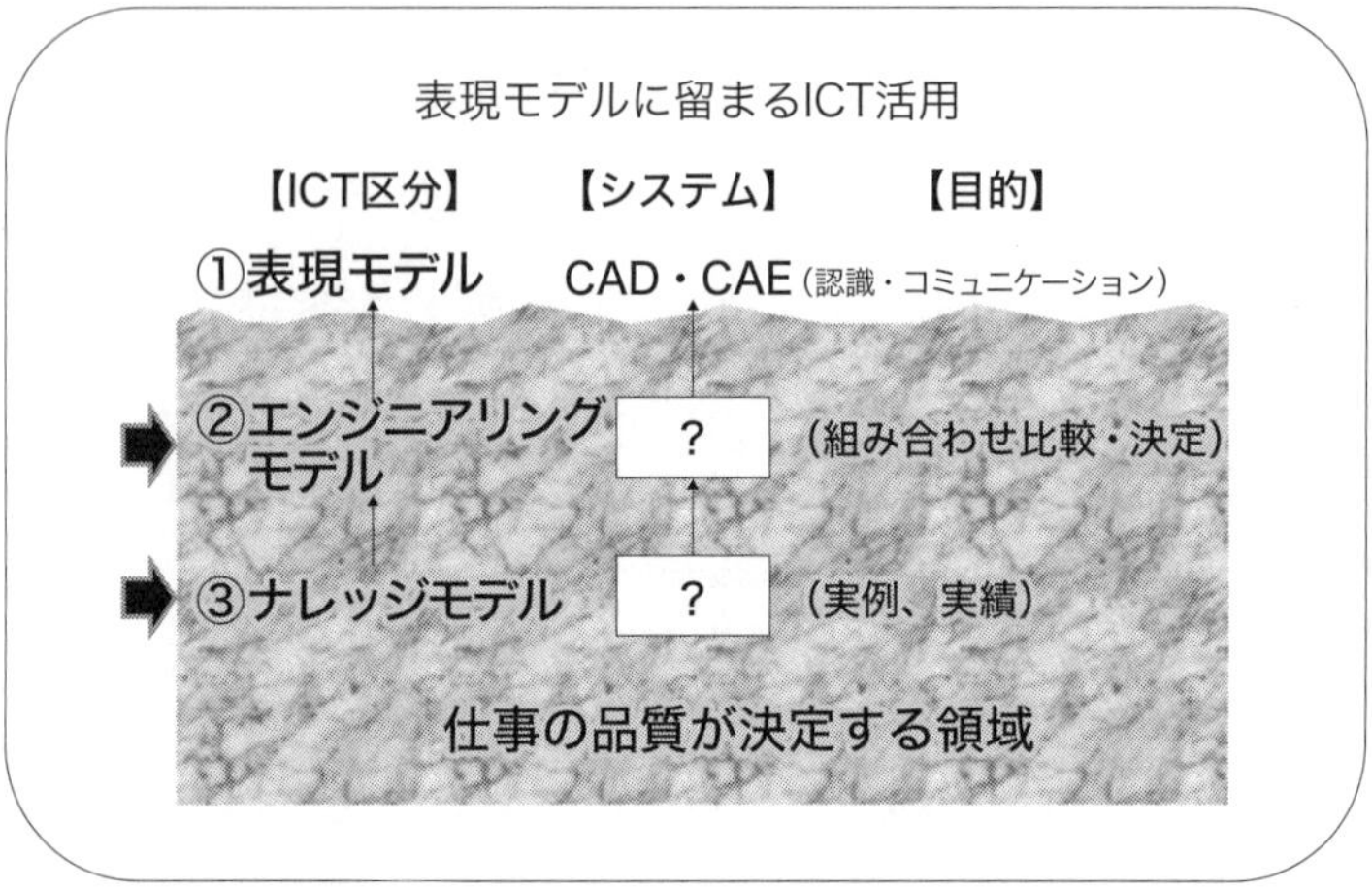

表現モデルに留まるICT活用

【ICT区分】 【システム】 【目的】

①表現モデル CAD・CAE (認識・コミュニケーション)

②エンジニアリングモデル ? (組み合わせ比較・決定)

③ナレッジモデル ? (実例、実績)

仕事の品質が決定する領域

図162 低いICTの活用領域

けない。このような領域にＩＣＴの活用を広める必要がある。

【解説】

ＩＣＴ区分としてはＣＡＤやＣＡＥは表現モデルと位置づけられる。これは他の人とコミュニケーションを取る場合に、理解を助け、誤解のないように進めるために現物に近いものでの会話の基準となる役割である。この表現モデルができる前に、知識の組み合わせ比較・決定のできるエンジニアリングモデルや実例などのナレッジモデルが必要となる。そもそも、これらのエンジニアリングとナレッジモデルの結果が表現モデルである。そこで表現モデルに行き着く前のエンジニアリングモデルによって、計画の良否が判断されることが必要である。この領域にＩＣＴが活用されることが必須となる。表現モデルを作るのに時間をかけて、そのモデル検討から、手戻りをして、エンジニアリングモデルを検討するのが現在のＩＣＴのレベルである。

14　グローバル生産を意識したシステム構築

グローバルな生産活動の展開には、グローバルなシステムの構築が必要となる。しかし、生産工場の運営は現地主体であり、日本国内との仕組みが不統一で問題がある。

・製造業における生産問題。
・グローバルな共有と競争。

【役割と考え方】

①製造業における生産問題

製造業の経営層の立場からの問題認識は次のようである。

・海外の生産ラインの実績を国内工場と比較し、問題を認識。
・品質、生産性、コストの関係把握と分析。
・品質、生産性、コスト変化の把握。
・安全、労務関係の状況。

一方、エンジニアの立場からの問題認識は次のようになる。

・生産ラインの稼働率、直行率。
・具体的な設備トラブルや品質問題の現象と原因。
・品質、生産性、コストの改善推移とその取り組みと効果。

②グローバルな共有と競争

生産拠点は競争させなければならない。そのためには、工場管理の各指標を共通にし、その事実を共有することである。異なる指標でそれぞれの拠点が管理されているのは、同じ企業とはいえない。同じ企業意識での生産活動を実施するためには、工場管理の各指標を見比べることで、各拠点が弱みと強みを認識できる。その上に立った諸施策を実施する必要がある。また、他拠点のよい活動を真似することで、より効率的な工場管理活動が推進できる。拠点の独自性を維持しながらも、他拠点の成功事例を素直に受け入れることで、底上げを効率化し、各拠点でも達成できないことに取り組み、それに専念することが大切である。

【解説】

日本に本社があり、海外事業体とICT化を行っている分野は、およそ図のような状況にある。CAD、CAE、BOMが共通のシステムとして製造業では運用されていることが多いと思う。また、調達、物流、生産計画なども同じシステムが活用されている企業が多い。しかし、品質や生産運用となると、現場的な要素が強く、システムが活用されていないか、もしくはそれぞれが自由に構築をしている分野である。一方、企業の外に目を向けると、セットメーカに部品を納める部品サプライヤや、製品のお客様との接点において、ICTを活用できている企業は少ない。今後は、グローバルな製造業では、工場管理の支援をするシステムやサプライヤ、製品の顧客などを視点に入れたシステム化が行われるべきである。

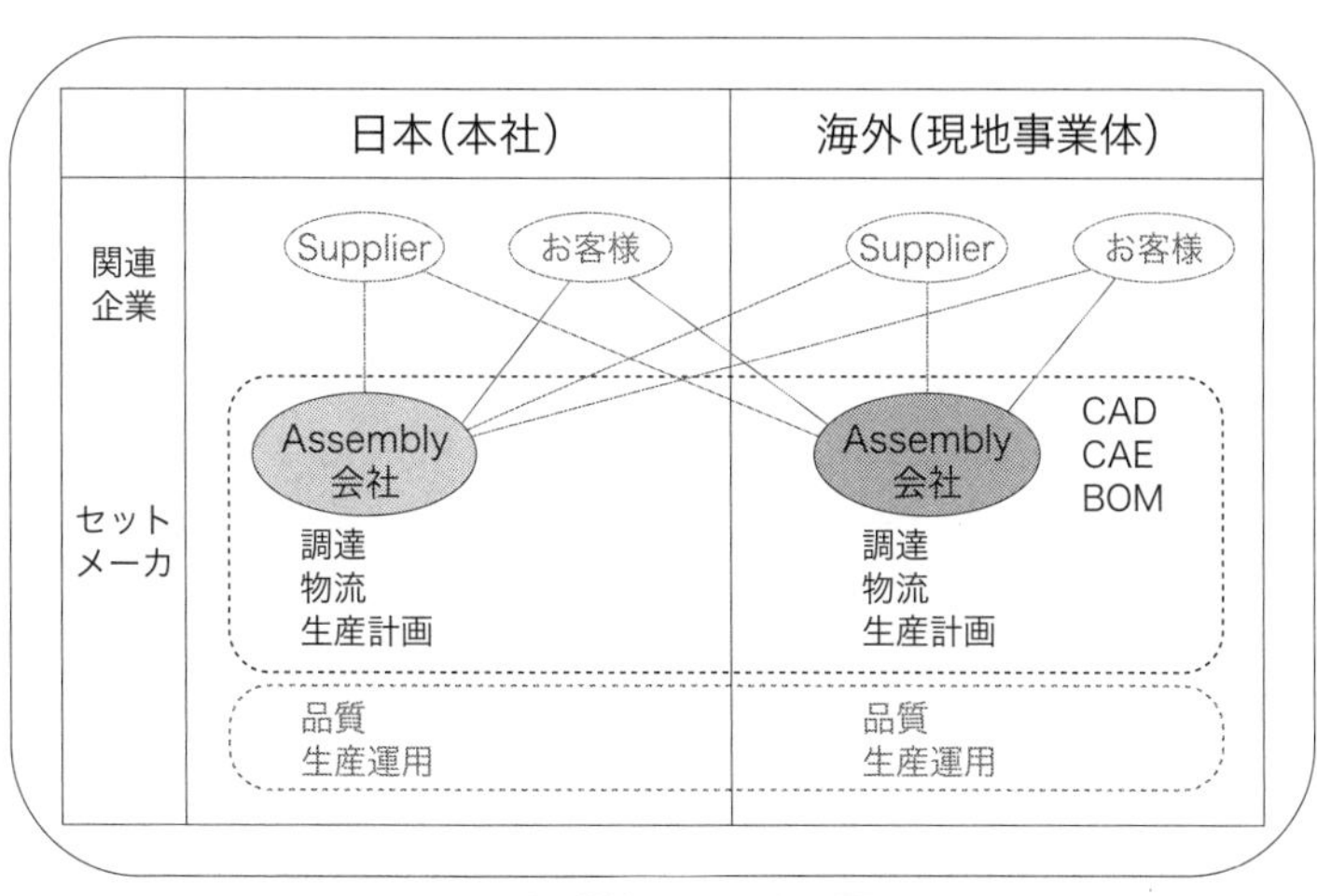

図163　遅れているICT分野

15　ICTはエンジニアの道具である

製造業のICT化において、情報システム部門の役割は大きい。しかし、その役割を果たせる人材は少ない。それは次の取り組みがされていないからである。

・多能工の育成。
・ICTは人材の育成の1つのカリキュラム。

【役割と考え方】

①多能工の育成

多能工といえば生産現場の作業者だけのことではない。1つのことしかできないのでは、企業の非効率性が高まるばかりである。技術部門もシステム部門も多能工化する人材育成が必要である。製造業におけるシステム企画は現場をこれからどうすべきかを考えることで決まる。この仕事はエンジニア自身の責任であり、自らシステム構築できるように育成することが望まれる。一方、製造業におけるシステム部門は、エンジニアリングの現場を経験して現場知識や課題認識を持っていなければ、社内のリーダを務められない。システム部門にも多能工化を目的とした人材育成が必要である。今日、システムはシステム部門だけのものではなくなったことの認識が経営者、管理者、当事者たちに欠けているのである。

②ＩＣＴは人材の育成の１つのカリキュラム

ＩＣＴ化の必要知識は何か？　それは、業務改革マインドである。情報システムの特別な用語ではない。それはシステム会社内で使えばよく、システム会社もユーザの言葉で会話できる能力が必要だ。ＩＣＴは紙と鉛筆になった。紙と鉛筆には説明はいらない。それよりも何を書くかに興味がある。同じようにＩＣＴで何をやるかを考えることが本質である。ＩＣＴ技術だけを知る人材ではなく、ＩＣＴで何をやるかを考える人が企業に必要な人材である。ＩＣＴは１つの教育カリキュラムである。皆が理解し、特別扱いをしない知識である。

【解説】

製造業の設計エンジニアにどのようなＩＣＴ化を期待するか？　あるいは何が問題かをヒアリングした結果である。本来の設計という分野をいかにアシストしていないかが推察される。このように道具を

- 構造基本設計を支援する道具が欲しい
- モデリングに工数がかかる
- 協調設計ができない
- 設計変更を簡単に伝えられない
- マネジメントのやり方が難しい
- 類似設計を参照する方法がない
- バージョン管理と設計変更管理
- 評価システムとの連携
- 評価標準の共有化方法
- 共通部分の変更影響の把握方法
- BOMとの連携方法
- コスト、重量見積もり機能との連携　　　など

図164　エンジニアの不満

導入することが目的化し、その道具の能力評価も活用方法も未検討なことが多い。各社が使っているから使うのではなく、そのツールが本質的な業務改革になるかを見極めることが重要である。製品設計過程で技術の組み合わせや意思決定を行う業務で活用されなければならない。CADモデル作成の前のプロセスで活用できるシステムを考えることが重要だ。ここに掲げられている苦情ともいえる要望は、CADシステムに対するものであり、どれも本来あるべき本質機能である。この機能がなくして何ゆえにエンジニアリングの生産性が高まるのかが疑問でもある。製品設計における進捗管理も大変難しい問題であるが、ICTは本来マネジメントツールである。そのマネジメントに貢献できる機能とは何かをCADシステムの中に実現することも重要である。

16　ICTの効果と問題を理解すること

製造業の製品開発業務へのICT適用は急速に進んできた。しかし、ICT化は進んだがその中での問題を理解し、対策を行わないといけない。

・ICT化の効果の把握。
・ICT化の問題点。

【役割と考え方】

①次のＩＣＴ効果を把握すること

リピート化、データ流用による効率化、仕事の定量化、プロセスの改革、エンジニアリング業務の見える化、課題の構築、遠隔地とのコミュニケーション、プロセスと判断の標準化、標準化による仕事の質向上、製品開発期間短縮などの効果測定を行う。

②次のＩＣＴ化による問題点を対策すること

データの責任部署や精度不安、人間的コミュニケーション能力の欠如、情報過多による重点思考が不足する、不要なデータが氾濫する、情報待ちの姿勢が生まれる、データ投入を仕事と勘違いする、管理だけの部署が増えることに対し反省と対策をする。

【解説】

ＩＣＴは現在なくてはならない道具となっている。エンジニアリングの能力は技術のコミュニケーション力である。比較と評価が論理的に行える能力が必要である。そのためには多くの経験（多くの蓄積されたケース）を参照し、的確な判断をすることが必

投資、セキュリティ以外で

○データ再利用による定型業務の効率化

×考える仕事へのICT化が遅れている

○仕事が緻密、定量的

×技術マネージメントが難しくなった

○他部門とのコミュニケーションが向上

×情報を取りに行かなくなった

図165　ICT化の効果と問題点

要である。定型業務へのICT化の多くは、できるところにICTを適用したにすぎない。考える仕事への支援は少ない。エンジニアの組織の管理者は、エンジニアが的確な判断をしているかを指導する役目がある。そのためには、ICTにもエンジニアリングのマネジメントを支援する機能が必要である。ICT化だけに依存すると人との技術的なコミュニケーションを避ける人も出てくる。仕事の基本は人と人の会話である。判断のアシストであるICTによる技術コミュニケーションと、意思決定に必要な人のコミュニケーションの2つを使える人材を育成することが大切である。

17　3Dモデル化の価値を正しく認識

今日CADによって3D設計を行う企業が増えてきた。この価値は何かについて自社の設計、生産プロセスの中で考えてみることが必要である。

- ・CADによる3D設計の価値。
- ・製品検査のデジタルな原器。

【役割と考え方】

①CADによる3D設計の価値

設計とは基本的な構造を考える行為である。基本構造の考案で大きな意味での設計は終わっている。

この基本設計を検討するのに3DCADは必要であるとはいえない。基本構造設計は2次元のCADで十分である。ここは断面を主体として基本設計が検討される。あるいはポンチ絵も使われる。この2D図から3Dモデル化はもはや設計という領域ではない。それは、モデル化作業と呼ぶような仕事である。ここにはRをどうするかなどの検討業務は少し残るが、大半の検討は標準化できていれば、それほど悩むことはない。この3Dモデル化に工数がかかる。工数をかけてもなおモデル化する意味は、形状理解の曖昧性をなくすことにある。物理的初歩的な干渉問題の発見には効果がある。たとえば、型設計において3Dモデルの活用などが行われるが、このとき、実際にはプレスにおけるスプリングバックを見込むので、型設計の形状と実際の設計者の3Dモデルとは一致しない。

②製品検査のデジタルな原器

どんな製品や部品にも面がある。これまでの検査

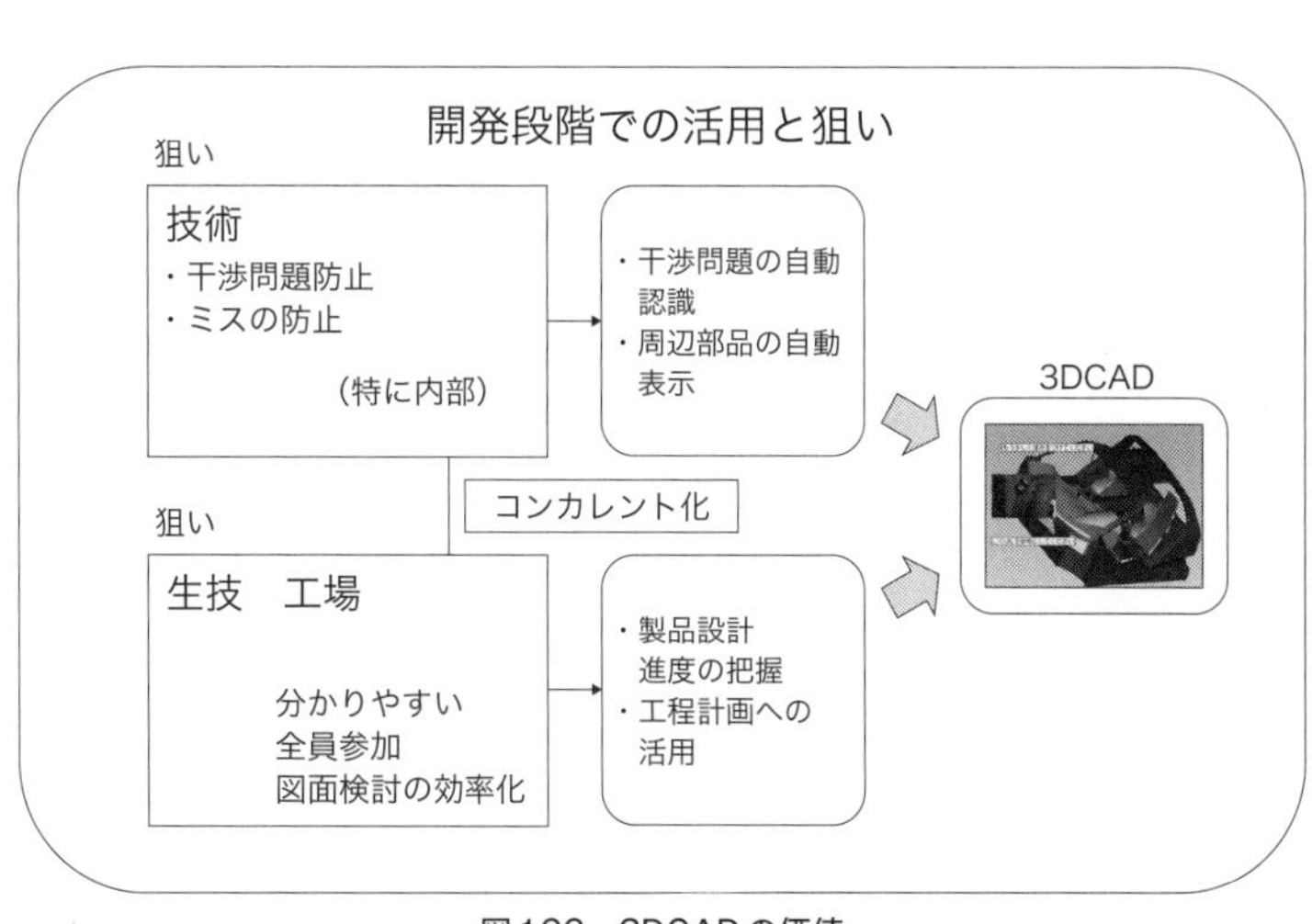

図166　3DCADの価値

ではある特定の部分の品質を計測しているが、3Dモデルは最終的にどこの部分でも設計の指示値を表している。したがって全体形状の検査としての原器の役割が大きい。

【解説】

前ページの図は3DCAD採用の価値を表したものである。製品設計者は2次元CADでよいと考えていた。それは設計から考えると余分な時間を費やして3Dモデルを作るのには反対であるからだ。しかし、設計者間での設計ミスの認識を自動化するには3Dしか選択肢がない。一方、生産技術や工場は最終的な形を認識するのには3Dモデルが直感的な理解によいために、ワイヤーモデルに面を張り、3Dモデルを作成し、製品の生産性検討を行っていた。しかし、本来の3Dモデルではなく、生産側のニーズで作成した設計保証のないモデルであった。そのため、生産側から設計に対し、3DCADの活用を求めることになるのは、自然の流れである。3D化により設計側はミスが減り、生産側は設計の開発進度をデータで現物のように確認ができる。これにより、タイミングよく、生産用件の織り込みができ、コンカレント化の条件ができた。

第４章　製造現場のＩＣＴ化と価値

１　エンジニアリングのＩＣＴ化は現場から

エンジニアリングの支援システムは導入例が少ない。これは、難しいところから手をつけようとするからである。簡単なところを的確にシステム化すれば、後は簡単に発展していくものである。

・製造現場のシステム化が第一歩。

【役割と考え方】

①製造現場のシステム化が第一歩

製造現場の現状を把握せずしてエンジニアリングは不可能である。しかし、現場を見ようともせずに設計する新人もいる。情報化そのものはうがった見方をすると現場へ行かなくなるから駄目だとの管理者も時々見かける。しかし、生産現場を見ただけでは分からないこともたくさんある。情報を先につかみ、現場で確認するスタイルが効率的なエンジニアリングとなる。生産現場は製品を生産するための運営が行われている。部品や材料を運ぶ仕事やそれを発注、受け入れる仕事がある。生産ラインの作業者に仕事を指示することや、その作業者の仕事を検査すること、あるいは完成部品や製品を検査する仕事など多岐にわたっている。そのために、製造業のすべての基礎データが存在しているのが現場である。生産現場のこれらのデータをデジタル化することは、製造業における多くの経営指標と関連することになる。生産現場には多くの標準化された帳票がある。これらの帳票をシステム化し、データ入力の重複を避けるだけでも効率は高まる。また、経営指標の基礎データも収集することができる。これらの基礎データ内の品質や設備故障などは、製品設計や生産ライン設計者の設計結果の良否を表す貴重なフィードバックデータでもある。

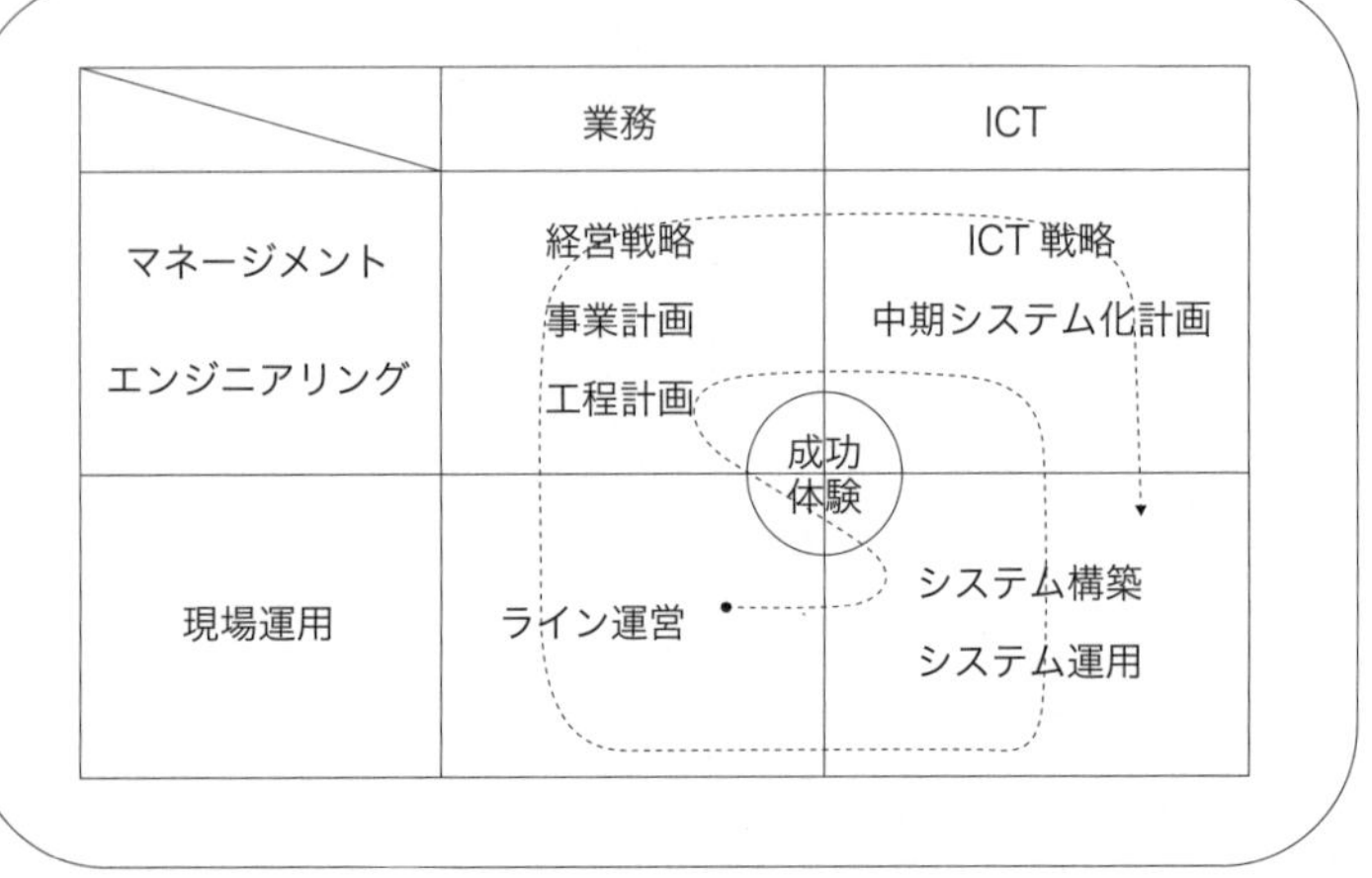

図167　ICTドリブンな経営へシフト

【解説】

前ページの図は現場運用のシステム化がどのように成長し、経営戦略と結びついていくかを表している。エンジニアリングシステムの開発は、生産現場の運営を支援するシステムの構築からスタートさせる。ここでの現場の成功体験が重要である。それにより次から次へと現場運営のシステム化を進めていく。図の破線のように成長させていく。品質や生産性などのデータが各生産ラインから集まり、集約して企業の指標と関連させていく。これらの現場のデータから、新たな戦略を導き出し、生産現場を運営するのである。現場のデータから策定された戦略はその目標と結果の評価が定量的に比較でき、どこに目標達成上の問題があるかも把握しやすくなる。このように継続的なシステム構築にはシステム担当の粘り強い業務改革意識が必要である。

2　生産ライン運用のＩＣＴ化

生産ラインには生産管理システムが導入されているところは多いが、工程管理や品質管理のシステム化は遅れている。

・工程管理システムとは。
・品質管理システムとは。

【役割と考え方】

①工程管理システムとは

工程管理システムとは市場の需要変動に対応する仕組みである。加工や作業の内容を蓄積したデータベースがその中心である。これらのデータに作業者や設備名が関連し、生産計画に従って、誰をどの工程に配置するかを検討するシステムである。また、設備も人の代わりと考えると分かりやすい。工程管理システムはたとえば、生産ラインの組長が活用するものである。この役割は、製品を生産するためにすべての作業や加工を漏れなく保管し、生産量に合わせて、その作業や加工を配分する機能である。この配分機能が自動化されると生産性の高い管理が行えるようになる。

②品質管理システムとは

製品で保障されなければならない品質をすべて蓄積したデータベースが中心である。工程管理システムと密接に関連し、工程や作業が守るべき品質管理

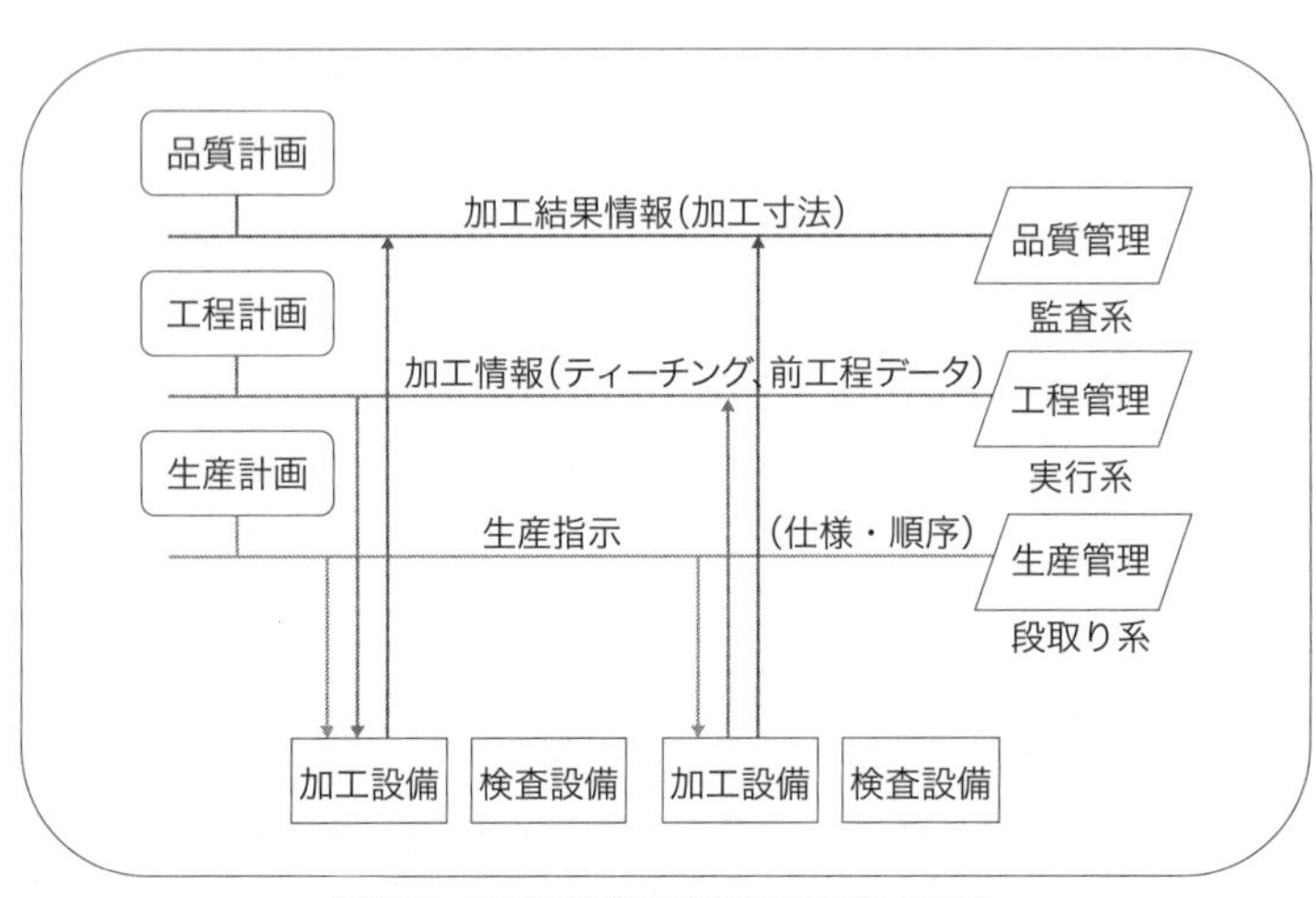

図168　現状の生産工場にあるICTシステム

項目を漏れなく管理するものである。統計的な解析機能も必要であるが、品質問題の原因を解析し、再発防止を支援する機能が重要である。このシステムは企業全体で活用されるべきもので、生産ラインだけではなく、設計や管理者がウォッチすることを意識して構築することを求められる。

【解説】

前ページの図は生産ラインに大きく、生産管理システムと工程管理システムと品質管理システムの3つが必要であることを表したものである。それぞれのシステムは計画系と実行系の2つがあり、それぞれが計画と実績で対応させるべきものである。生産計画のデータはラインの加工設備などに送られる。加工設備からは加工結果データが品質管理システムに送られて、品質管理項目の規格と比較される。工程計画からは加工設備へのティーチングでのデータが送信されて、加工設備はその指示で加工する。これらのシステムを工場内に敷設できると、製品に関する貴重なデータが上位者に見える化できる。

3　現場の仕事をＩＣＴで支援する

製造業の現場にはＩＣＴが活用されていない。部品の管理などの部分でＲＦＩＤなどが使われてはいるが、あくまでも在庫低減を目的としているため、現場業務のコストダウンにつながるものではない。

・現場の仕事のＩＣＴ化の目的。
・ＩＣＴ化の対象分野。

【役割と考え方】

①現場の仕事のＩＣＴ化の目的

現場の組織は大きな工場であると数百から数千人が働いている。製造業の社員の多くは現場（工場）で働いている。この多くの人が働く現場には多くの無駄があると思うことが大切だ。現場は物を生産し、管理し、組織的にも無駄なく機能していることの確認をどのように行っているかを再考するとよい。アウトプットである生産量や品質が目標通りであるからといって、その生産プロセスが最適であるわけではない。一方、生産技術や設計者は現場の事実を知らないでいる。それは、生産量や品質の結果だけが報告され、そのプロセスにある問題点などが表面に浮かび上がっていないからだ。

②ＩＣＴ化の対象分野

現場にＩＣＴを導入する目的はプロセスの見える化である。生産量と品質の最終結果ではなく、そこに至る生産工程や組織的な運営状況（生産計画や指示、生産管理や品質管理など）を見える化することである。このプロセスの見える化は生産行為そのものの見える化である。プロセスの見える化により、継続的な改善や変化に対する対応力を持つことができる。

【解説】

生産ラインにおけるＩＣＴの活用は主に生産計画とラインへの生産指示に留まっている。下図において、上位から生産ラインの生産設備に生産の指示を流すことがメインであり、下位から設備故障の原因や加工条件とその品質結果、ラインストップの原因、品質不良の原因などを上位に送るシステムは少ない。生産プロセスの途中で、このような情報をその計画部署や管理部署に渡すことは、その問題解決に有益である。現場の多くの問題点は、その場の対策で終わりになり、原点に立ち返って対策を行うことは難しい。それは、現場には、その役割をする人材や工数を与えられていないからである。いつ発生するか分からないこれらのプロセス問題については恒常的な対策部署を組織化できない。問題の発生防止はそれぞれの現場が行うこととし、問題の解決もその組織で行うこととされているのである。しかし、これらのプロセス問題を適切な組織に伝達することによ

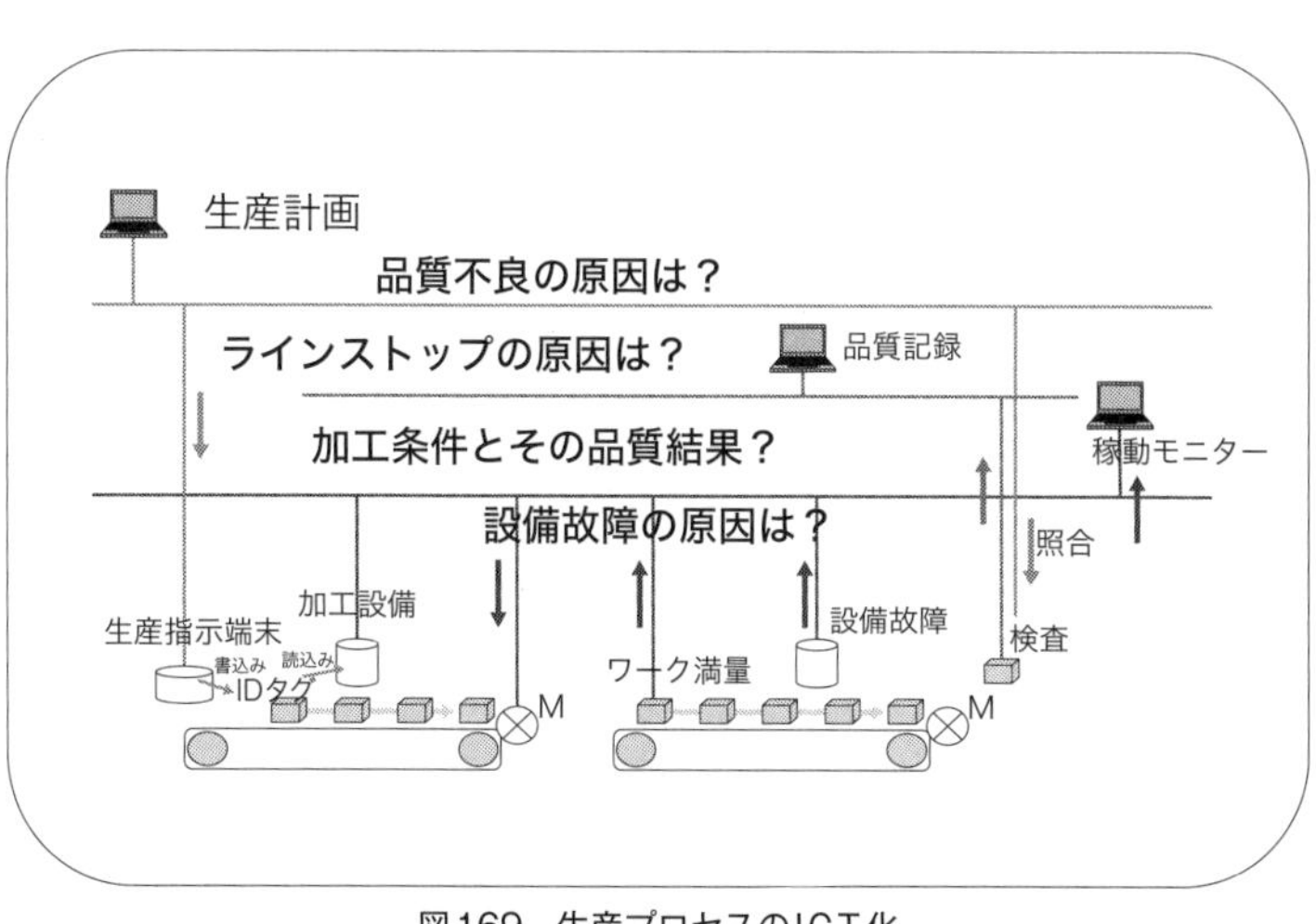

図169　生産プロセスのICT化

り、逃げずに根源的な対策を講じることができる。ここに現場のＩＣＴ化の目的がある。問題を隠さない組織にするにはＩＣＴ化がよいのである。

4　現場とエンジニアのコミュニケーション

現場とエンジニアは、製品が製造ラインで立ち上がると途端にコミュニケーションが不足してくる。それは、エンジニアは製品の立ち上げまでが役割であり、一方、現場は生産するのが役割だと徹するからである。

・現場の問題を把握する目的。
・現場の問題を把握する仕組み。

【役割と考え方】

①現場の問題を把握する目的

現場の問題には分かりやすい問題と分かりにくい問題がある。品質や設備の故障やケガなどは分かりやすい問題であるが、現場組織内や組織間における仕事の手続きなどの問題やその仕事そのものの付加価値の有無などは分かりにくい。近年、製品開発のリードタイム短縮の取り組みが行われ製品の設計から生産開始までの間の仕事のプロセスに改革が行われた。同じように、生産プロセスにおいても、生産ラインのプロセスとその運用プロセスに多くの分かりにくい問題が存在しているはずである。人が集まり、分担が行われれば、必ず無駄が発生することを管理者は認識し、組織間の仕事の課題構築に努めなければならない。

②現場の問題を把握する仕組み

現場の問題を把握するには、現場組織の仕事の質や価値を考えることが必要である。当たり前のように行われている仕事も、第三者が見ると価値に疑問を持つことが多い。現場の問題を把握するには、たとえば、1つの工場内すべての組織の情報のインプットとアウトプットを整理することである。この整理結果から中間の部分を減らせないかを考えることから始める。

【解説】

問題には生産工程内におけるプロセスの問題と、生産計画業務を担う組織間における仕事のプロセスの問題がある。前者は生産設備とその間、物を介在

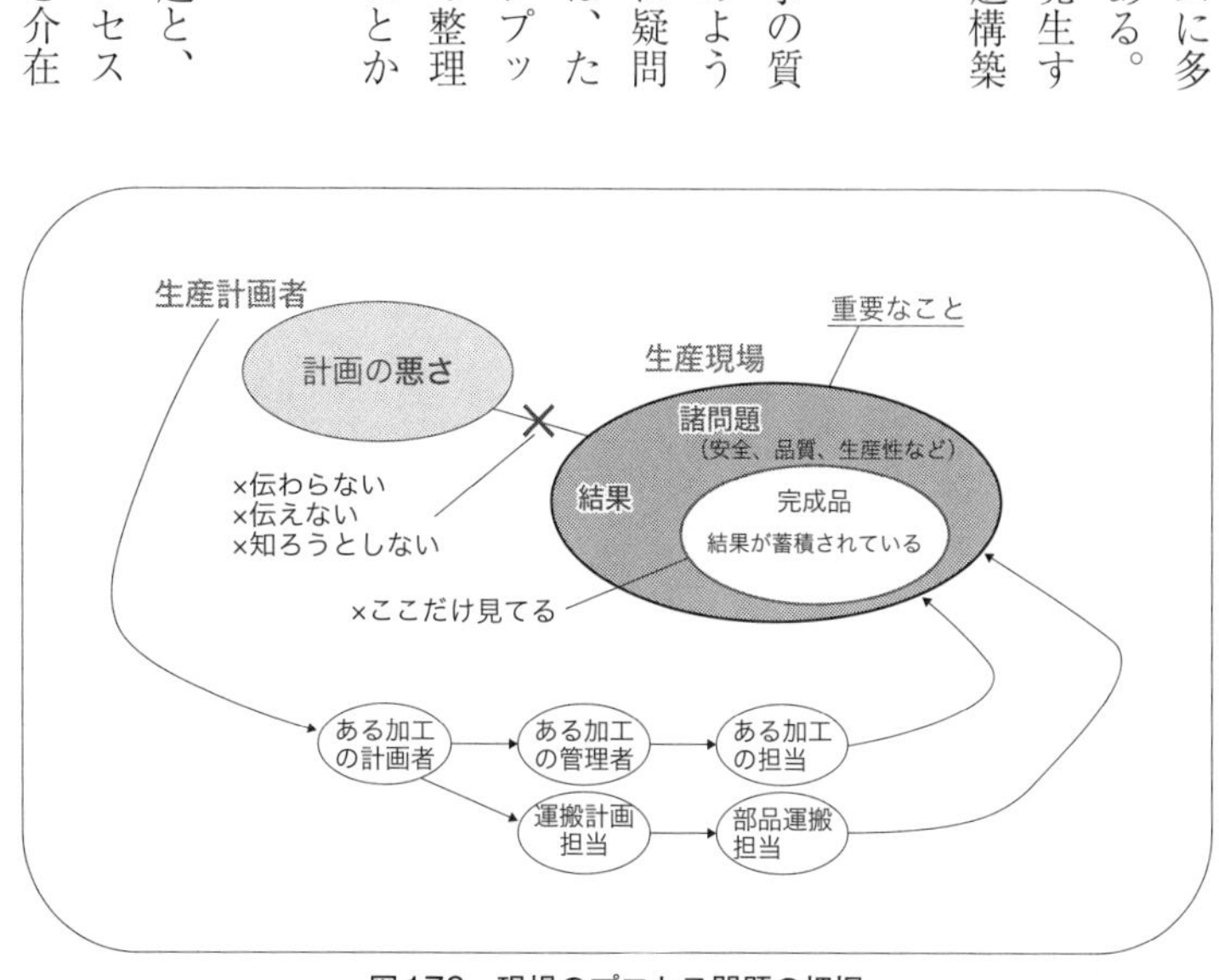

図170　現場のプロセス問題の把握

して仕事を行うプロセスである。後者は人と人の間で情報を伝達して行うプロセスである。物を介在して仕事を行うプロセスには品質問題や生産ショートなどの見える形での問題が認識される。しかし、その間で物を介在する中にも問題が多くある。一方、人と人の間で情報を伝えるプロセスでは、物としての問題に至るまでは人の手続きであり、分かりにくい。現場の問題は完成品の陰にあり、それを知りたいと思う人だけが知ることができるのである。

5 現場のＩＣＴ化から品質経営の実現

製造業で現場に関わる仕事を行っている人の数は多い。製品開発でのエンジニアリングの質向上と同じく、その現場におけるプロセス（物と人）の２つの仕事の質をよくしないと、製品の品質はよくならない。

・仕事の質向上にＩＣＴを活用。
・ＩＣＴ化により経営目標につなぐ。

【役割と考え方】

①仕事の質向上にＩＣＴを活用

現場は、何を、いくつ、いつまでに、どのように作るかを計画することと実際に加工するという２

つを運営する独立した組織である。現場は市場の需要変動に伴い、何を、いくつ、いつまでに、どのように作るかを変化させないといけない。この変更を合理的に行えるような仕組みになっているかをチェックすることを求められている。製品の大きさや複雑さにも違いはあるが、この変更を行うのも人である。仕事の質を維持するには人のミスを防止できる仕組みが必要であり、ここへＩＣＴの適用を行うことは有意義である。

②ＩＣＴ化により経営目標につなぐ

経営目標通りに達成できたかだけを捉えていると大きな問題に気づかない。たとえば、その日の出来高だけをウォッチしている場合がある。目標達成がどのようなプロセスでなされたのかを精査することがなされていない。そのプロセスがよければ継続できる力があることを表している。一方、プロセスに多くの手戻りや、臨時の増員が行われているとその目標達成は価値がない。したがって、目標に対し、

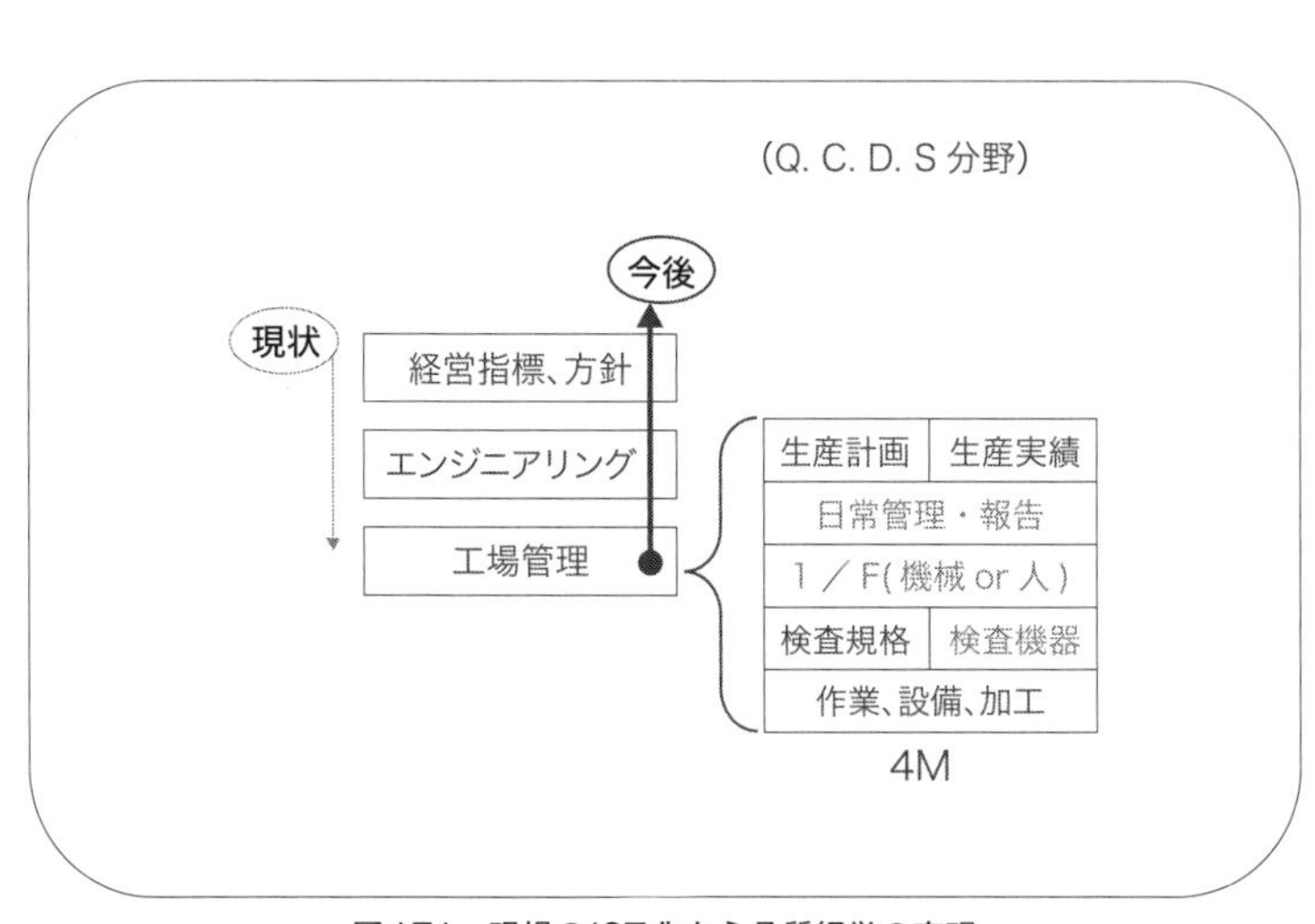

図171　現場のICT化から品質経営の実現

プロセスを表出化し、そこでの問題を解決しつつ、目標を達成するオープンな報告の場と仕組みを作ることが重要である。

【解説】

工場の生産計画と実績、日常管理とその内容や品質管理とその内容、作業や設備の運転状況などの工場の日々の姿をデジタルで集めることが必要である。紙での報告にすると間に人の手が加わり、丸められた結果の報告になりがちである。工場では頻繁に起こることは解決されやすいが、一方で、散発するものは大変難しい。過去の状況に正しくさかのぼり、その原因が特定しやすくなる仕組みも必要である。４Ｍ管理もしっかり行う必要がある。しかし、大切なことは管理した中での問題の解決や、管理によって発見される問題認識と根本解決を図ることである。管理水準を定めて運営するのではなく、管理水準を高めていく運用を行うことが大切となる。そのとき、組織別の管理水準目標にギャップがあり、自組織の課題が認識できる。正しく課題を認識するには管理が正しく定量的に把握できていることが前提である。そのためには、現場の基礎データが自然に収集できるＩＣＴ化が必要である。経営目標に都合のよいありきたりなデータを集めても課題は見つからない。現場から経営課題をクリアにしていくことである。

6　エンジニアリングのＰＤＣＡの支援

エンジニアの仕事は計画業務である。製品の設計や生産ラインの設計も計画業務であり、計画後の結果を知る時間が与えられないものである。これではＰＤＣＡが回らない。

・大きなＰＤＣＡを回す。
・価値のあるＩＣＴを実現するポイント。

【役割と考え方】

①大きなＰＤＣＡを回す

エンジニアにとってＰＤまでは仕事そのものとして定義されている。しかし、ＣＡについては部分的でしか行えない。製品設計と生産ライン設計の結果として、生産ラインや市場での製品にどのような問題があるかを積極的に取りにいくのは難しい。それは、情報を取る相手が広がり、取る情報も部分的になるために、ＣＡにつながる問題を認識できないからである。情報を取るだけの仕組み（ＩＣＴ）を導入しても、決してそのＩＣＴは活用されない。そのＩＣＴでどのような成果を生み出したいかを考えて、ＩＣＴ化を推進する必要がある。

②価値のあるＩＣＴを実現するポイント

ＩＣＴはその導入組織だけの目的で導入しても効果は少ない。結局、投資対効果はペイしない。組織を縦断すること。ＩＣＴは情報伝達と自動化による生産性向上を活かし、仕事のＰＤＣＡを支援する継続性のある仕組みと考えることである。組織や人が変化しても生き続ける仕組みとして構築することを考えよ。したがって、構築するＩＣＴがＰＤＣＡとしてサイクルを回すことができる仕様になっているか、そのサイクルの情報の継続性、連続性があるかがポイントである。

【解説】

工場の生産ラインの計画は製品を生産できるラインを設計する目的だけではなく、生産ラインでの現状課題を解決することも配慮される。工程計画者は仕事の結果の確認を行い、工程計画の中で設計ミスがなかったかを知る必要がある。結果は生産ラインの稼働の中で把握できるはずであるが、工程計画者が考えた目的を直接的に把握することは難しい。そこで、工程計画者は、その目的の効果を把握するために、取得しやすい実績データを取ることを現場に求めることになる。現場はそのためだけにそのデータを取り工程計画者に提出する。しかし、工程計画の対象はラインあるいは工場全体であり、そのようなデータは取ることができない。部分のデータしか取れない。このように、工程計画の目的は現状課題から立脚し、対策され、その結果を現場のＫＰＩと

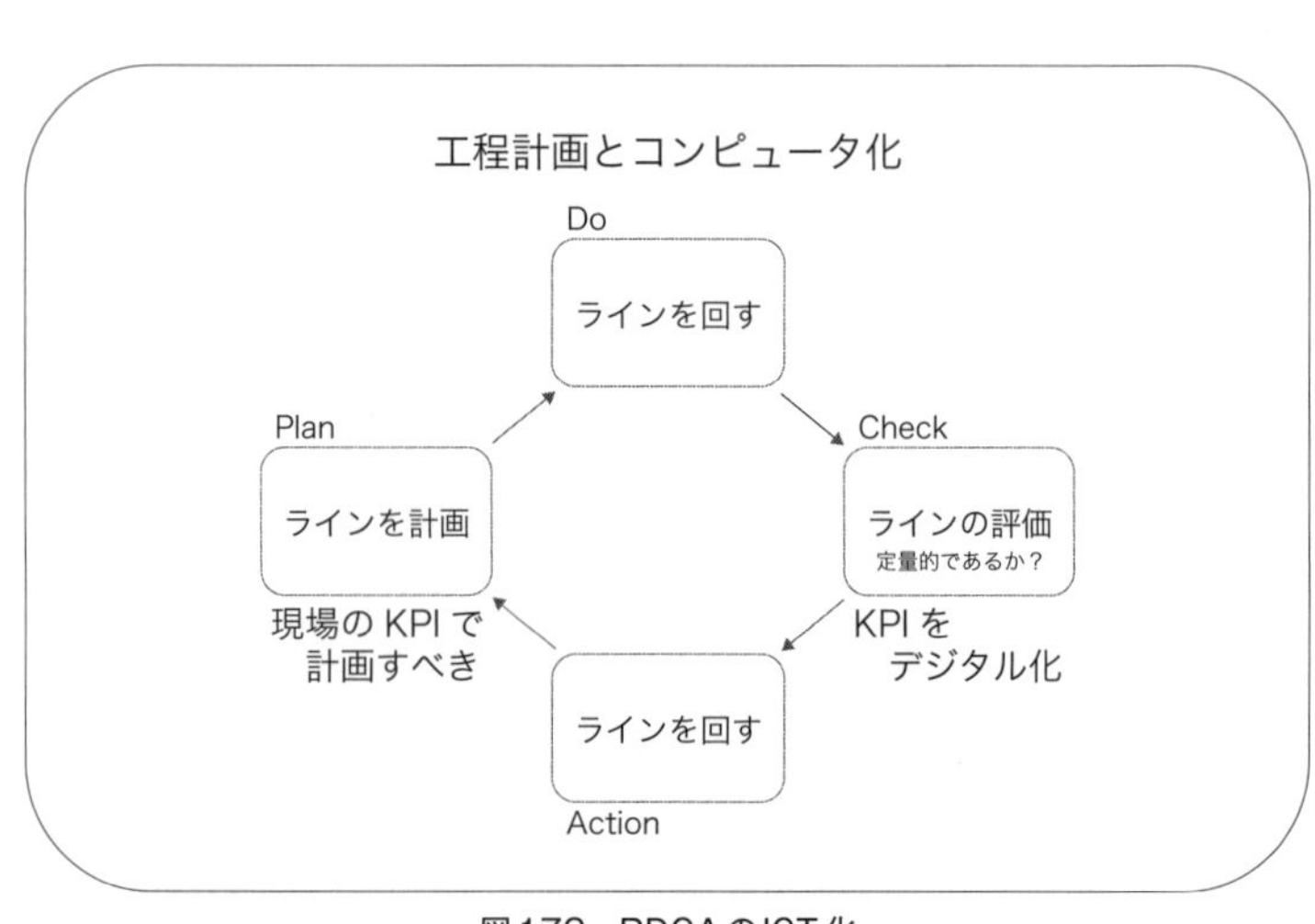

図172　PDCAのICT化

して把握でき、問題を解決し、現場のKPIでモニタリングすることであるが、それができていないことが多い。このことに対し、管理者は仮説を立て、現状を把握するよう対策を求められている。

7　現場のICT化の進め方

現場にICTを導入することは難しい。しかし、そこをためらっていると競争に負けることになる。難しいところを手がけた企業が競争に打ち勝っていく。

・現場のICT化が進まない理由。

【役割と考え方】

①現場のICT化が進まない理由

データ入力の工数問題がある。これが1番の問題である。現場で運用している書類や帳票を見ると、何のために記録をしているか推察できないものもある。一方、重要なところにレ点を記入しているだけのものもある。結果、指標だけの無駄なものである。一方、現場にデータ入力をさせる前に、技術的に自動入力の実現方法を真剣に考えてみることも重要である。データ入力の目的について説得力のない話が多いのである。データを入力する側はその結果が、入力した組織に効果が出るものでないと理解を示さないものである。そのためには会社としての必要性の説明と、本来記録することが行われていなければならないことを放置していたことも説明する必要がある。ＩＣＴ化は手段である。目的の理解ができれば、進んでいく。進まないのは、目的がまだ不明瞭であるからだ。管理者はマネージャーとしてその目的の明瞭化に努力することを心がけるとよい。しかし、このようなことを推進するリーダが現場にいない。これは、企業にとって大きな問題である。ＩｏＴだと言われても進まないのはこのような状態に組織をおいてきたからである。業務の改革を行うリーダが不在であることを意味している。仕事のプロセスを改革するにはＩＣＴは必然である。プロセス改革者のいない生産ラインの製品は品質が心配である。

【解説】

　現場には多くのマニュアルや標準書などがある。それらは紙のものが多い。まずこの紙をなくすことである。この紙をなくすのに理由はいらない。現場の管理業務はもっとやるべきことがいっぱいある。

1、まずはデジタル化←紙
2、用語の統一
3、計算式の統一
4、考え方、ルールの統一
5、評価指標の統一
6、製品設計とライン設計の関連づけ
7、製品開発と生産準備の同期化
8、仕事のルール化と改廃組織運営

図173　現場のICT化プロセス

しかし、できることしか行われていない。それは時間の制約があるからだ。エンジニアのように自由に時間をコントロールできないからだ。そのために許された時間でレポートを作成している。しかし、これからの現場は、結果管理ではなくプロセス管理にする必要がある。もっとやるべきことをしっかり行うとの意識になると、効率的に現場管理をしたくなるはずである。やるべきことの認識が不足していると、与えられた時間でやれることだけをやる体質になる。現場でやるべきことを行うために、まずやれていることを効率化する必要がある。ここをスタートできたら川の流れのように進んでいくものである。現場組織の仕事の改廃や新規の組織化に行き着くまでＩＣＴ化を進めていくべきだ。

8　現場のデータを活用する

現場はエンジニアにとって反省材料の山である。現場の１つの部品や短い時間の１つの作業もすべて、製品設計の結果であり、生産技術の結果である。そのつもりで生産ラインを日々観察する必要がある。

・現場にデータがない理由。

【役割と考え方】

①現場にデータがない理由

プロセス管理ができていないからである。完成品に至る生産プロセスの管理ができていないとプロセス管理のデータを収集する必要性がない。仕事のやり方が昔から同じであることは自慢にならない。何も進歩していないと公言しているようなものだからだ。人が行う仕事は変化して当たり前である。特にICT時代の今日、仕事のやり方が変化していないのであれば、すでに遅れている。仕事は変化している。ならば、そこにはプロセスのデータがあるはずである。結果のみの管理であることも問題である。○、×管理である。完成品が○、×であることで生産高を評価しているだけの生産運営ではいけない。もはや数字で品質結果が記録されていなければ、品質不良の解析も対策もできない。○や×での記録をやめ、問題解決のための記録方法に変更すべきである。改善意欲がないことも要因である。これは製造業にとっ

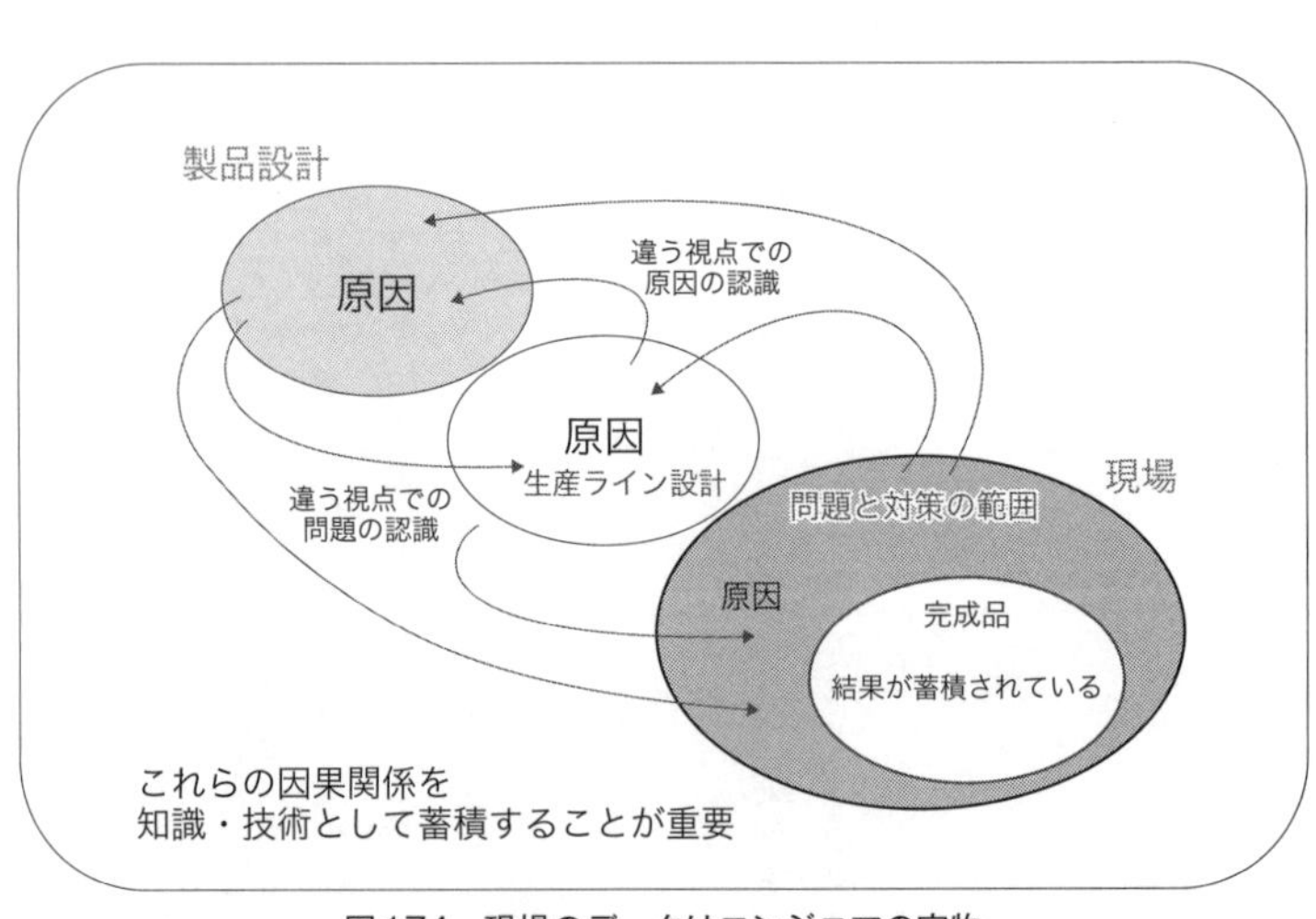

図174　現場のデータはエンジニアの宝物

ては致命的である。改善するには前後を比較し次の課題へと進む必要がある。定量的な把握で、課題を構築し、進歩的な改革が行われていない。

【解説】

現場の問題点は現場で解決されている。しかし、見方を変えると製品設計と生産ライン設計の結果を表している。現場の問題は生産技術の反省点である。完成品は首尾よく完成したもので、生産ラインにとってアウトプットがすべてであるが、計画者にとっては不良がアウトプットとなる。立場が異なる組織が同じ問題を見ると、視点が全く異なる。自らの計画の問題ならばその根本対策を考える。現場には多くの問題が発生する。生産量不足、品質不良、設備故障、部品の欠品、生産性低下、ケガ、在庫、環境問題、健康問題など。どれも1つの組織や仕事のプロセスの解決では片付かない。当事者はこれらのどの問題も、他者や他の理由に求めがちである。しかし、これらはすべて人による計画業務の結果として発生する問題である。すべての問題にはその原因と因果関係がある。そこに技術が関与している。この問題解決には技術と知識の蓄積が必要である。管理者による粘り強い問題解決力が必要である。

9　エンジニアリングICTの3つの機能

エンジニアリングのICT化についてどのような機能を構築したらよいか迷っている方も多い。必要な機能について紹介する。

・ICT化の3つの機能。

【役割と考え方】

①採取機能

博物学に必要な機能と同じでよい。まず、現状のデータを採取する。生産現場のデータを収集する機能である。エンジニアからは現場の実態把握は難しい。生産ラインの現場管理に使われるKPIとその構成要素のデータが定期的に採取される仕組みを作る。この仕組みを生産現場が運用することで、これらのKPIが自然に集められること。このKPIを使って生産現場の仕事の生産性が向上していることが現場として体感できること。

②標準化機能

エンジニアの仕事が標準化できるよう支援する機能を持たせる。そのためには、生産現場のKPIなどが整備され運用できるICTが必要である。この現場のデータを分析しながら、製品の設計構造や生産ラインの設計における考え方が決定できるとよい。この機能では、生産ラインのKPIと生産技術は製品設計構造が関連づいて知識化され、誰でも標準が制定された根拠を検索し理解することができるようにする。

③改善機能

エンジニアリングと現場のデータを比較しながら、生産ライン設計者の意図した目標と生産現場の

ＫＰＩの乖離を認識する。その乖離の原因を細部のＫＰＩや細部のライン設計や製品設計との関連性を理解することで、標準化内容を修正するマネジメント機能を作ることを怠ってはいけない。

【解説】

下図はエンジニアリングシステムの３つの機能を表している。この機能のうちで最初に完成すべきはマニュファクチャリングのＩＣＴ化である。このデータ採取が可能にならないと全体のエンジニアリングシステムのＰＤＣＡは回らない。次に構築するのは標準化システムである。エンジニアリングとは技術の組み合わせである。この標準化システムでは、過去の生産ラインで使われた生産技術を把握することができる。その技術で生産されている製品やその加工工程の工程能力が比較参照できる。このことにより、どのような技術がどのような設計構造化とその工程で実現できる工程能力の分析を行うことができる。最後はマネジメントシステムである。マネジメ

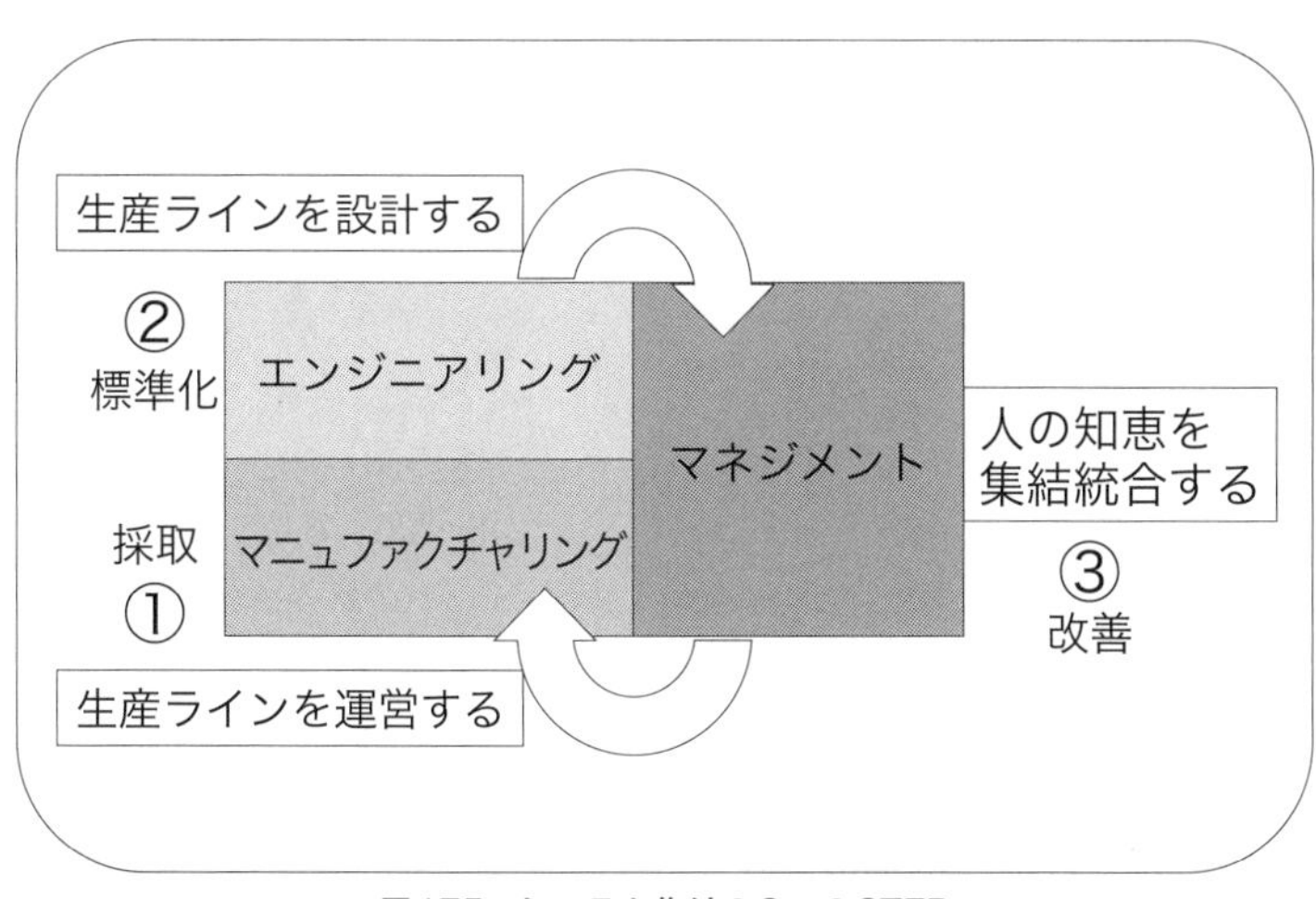

図175　システム作りの3つのSTEP

ントシステムは、使われている生産技術が製品設計構造とどのような関係があるかを、生産ラインの実績データから読み取る。ここに技術のプロセスや考え方の改善を織り込み、関係者の周知徹底を図る機能である。

10　製造業におけるＩＣＴ化の3つの視点

大きく、製造業には3つのＩＣＴ化の視点がある。それは生産プロセスにおけるサプライヤとの関係や、製品開発プロセスにおける製品設計者との関係である。

・品質を中心としたＩＣＴ化の視点について。

【役割と考え方】

①ＩＣＴ化における3つの取り組み

生産現場における基本的な指標の追求を行う。品質、コスト、生産性のバランス調整機能である。この機能はお互いに最適なレベルで運用をする必要があるが、部分的な判断で行われやすくもあり、かつ定量性の精度が不確かなものである。この3つのバランス判断にＩＣＴ化の適用用途がある。品質を中心とした開発プロセスへの適用をしなければならない。品質はエンジニアリングの一気通貫な実現テーマである。製品の品質を確保する手段を製品設計者、生産技術者、製造ラインの関係者がそれぞれの果たすべき役割を担っている。この整合性確保がＩＣＴ化のポイントである。生産プロセスにおいては、同じく品質が工場管理の実現テーマである。製品の品質を確保するためには、内製工程および部品のサプライヤにも品質管理が行われなければならない。不良品の対応や日常の品質管理において、サプライヤの管理とセットメーカ間の管理が、あたかも同じ企業であるかのように運営されなければならない。この情報管理・伝達にＩＣＴ化のポイントがある。

【解説】

現場のＩＣＴ化が品質を対象にすることは目的に一致している。品質は守らなければならない自ら決めた規格であり、商品として世の中に出すための規格でもある。品質を守るために、サプライヤやセットメーカが行う生産段階での品質管理手法と品質レベルは重要である。また、その品質を決定する製品開発での品質設計そのものも重要なエンジニアリン

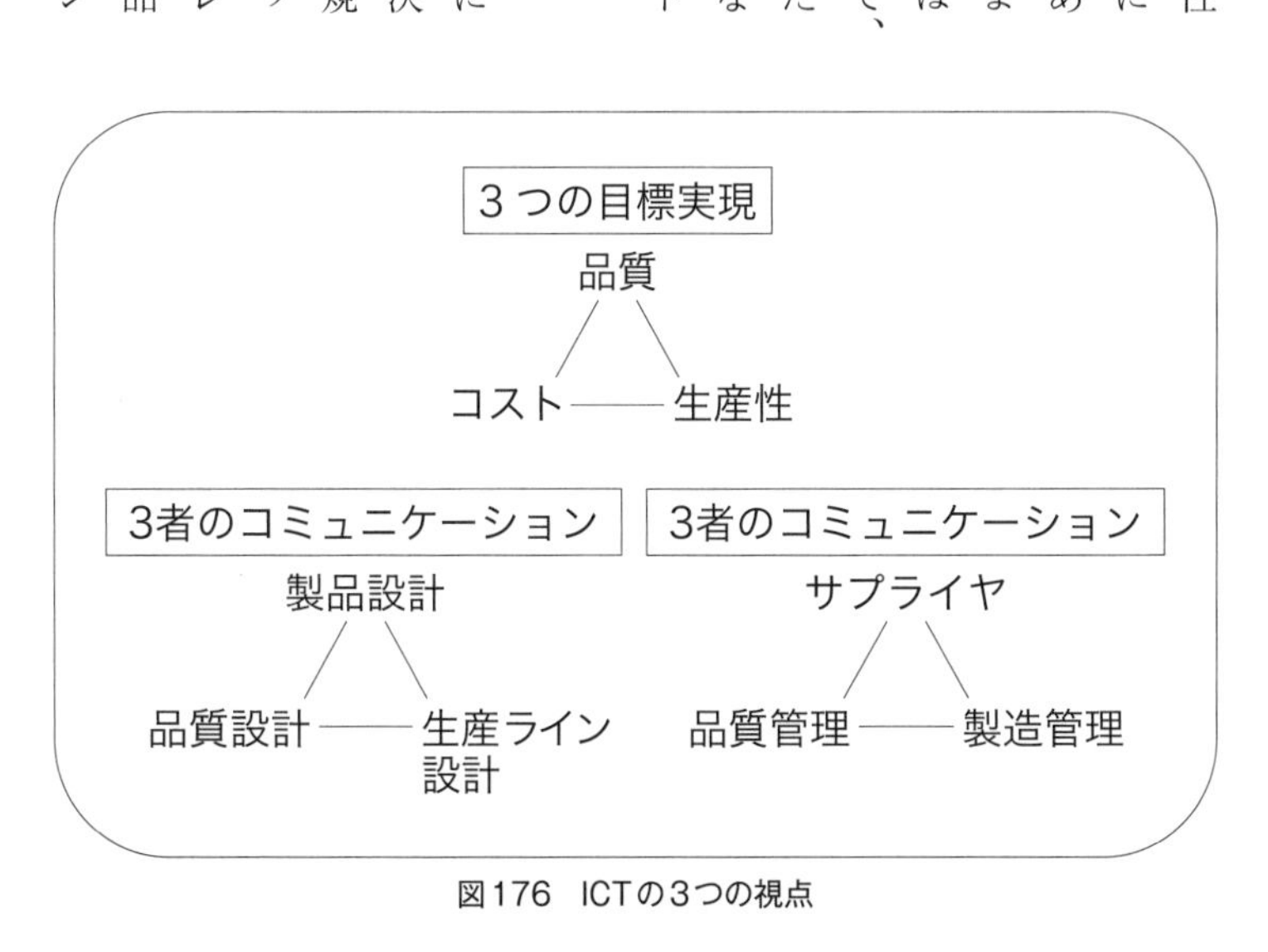

図176　ICTの3つの視点

グである。品質は設計面でコストに関与し、生産面でもコストのファクターとなる。品質とコストのバランスがその企業の技術力である。現場が使わざるを得ない対象からICT化を進めるようにする。データだけでは現場は動かない。動かすためには品質管理の仕組みが必要であり、これにより現場をキックすることができる。たとえば、問題点の総数を管理しているだけの仕事は無駄である。問題点を数えたら、再分類し、何がその原因であるのかを解析し対策する機能を習慣とする。その習慣を崩さないためにICTを構築することも必要である。

11　品質計画管理業務へのICT適用効果

ICTを品質計画・管理へ適用することの効果は、さらに品質設計を高めるPDCAにつなげることが期待できる。発展性のあるシステムを構築すべきである。

- ・紙での品質計画、管理の問題点。
- ・ICT化の先の方向性。

【役割と考え方】

①紙での品質計画、管理の問題点

同じ製品を繰り返し生産している場合は、過去の製品の品質計画を参考にしていることが多い。多くは過去の書類をコピーして、変更箇所のみを修正する。品質管理についても同じであり、やはり過去の管理帳票を修正して活用する。この方法は効率的な方法ではあるけれど、1つ1つの品質規格をその実現方法まで見直して品質計画を行っていない。品質管理も同じく、過去の工程と同じであるから大丈夫であるとの判断で管理を行う。人が育たない仕事のやり方である。

②ＩＣＴ化の先の方向性

品質計画や管理のＩＣＴ化は品質だけではなく、その実現根拠（品質の実データ）と加工機械や工程管理などの多くの工場資産と関与する。なぜ、品質規格が生産ラインで実現できているかを説明できるＩＣＴ化にしていくべきである。ここに技術知識の蓄積が行われる。紙での仕事はその関連性を保持できないために、ばらばらに保管することしかできない。品質の仕事は人の判断に依存しているが、その根拠には正しい判断基準と条件が必要になる。製品

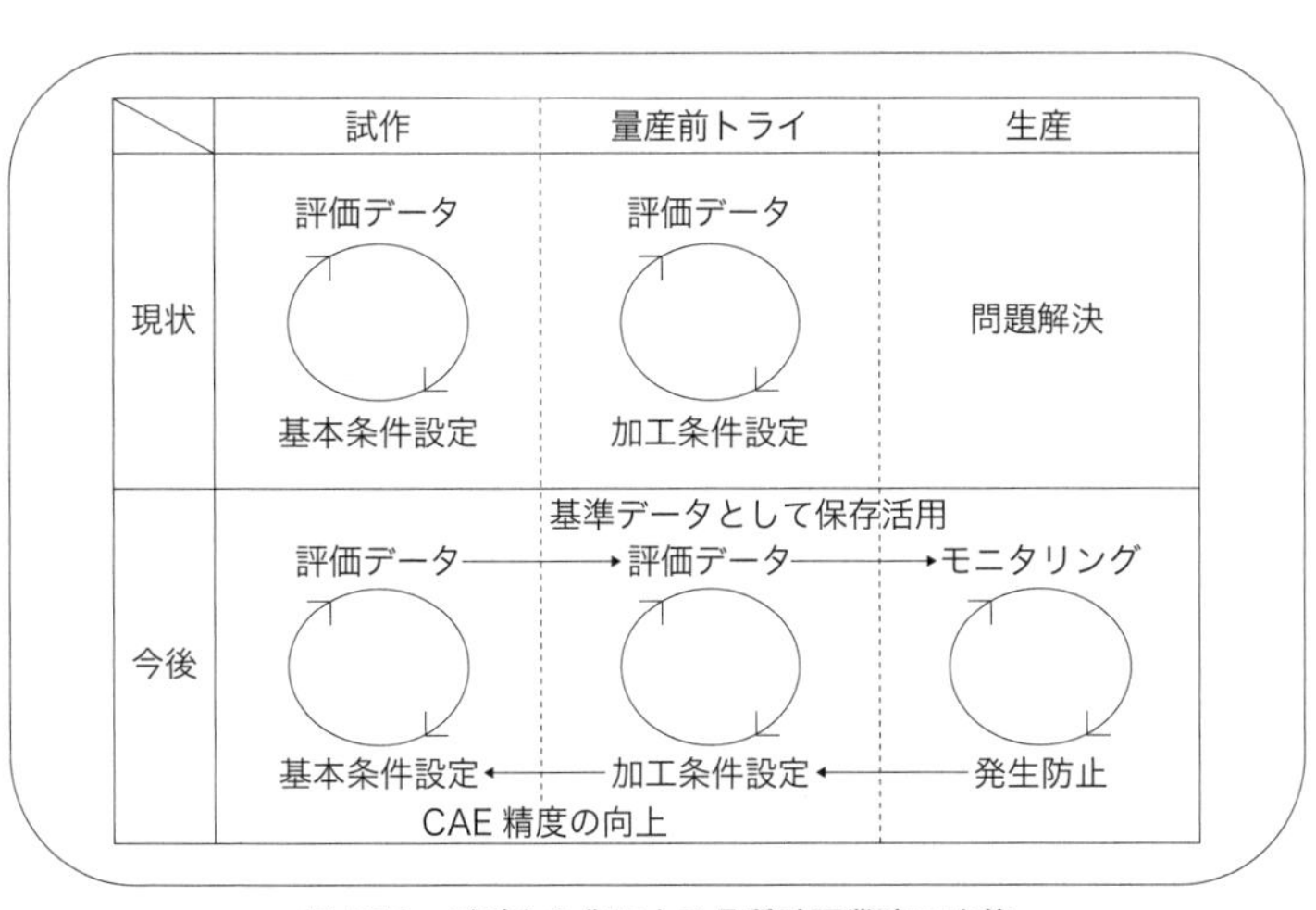

図177　デジタル化による品質計画業務の改革

の部品に対する機能理解、その生産工程のプロセスと役割、実現技術（設備名）とその加工能力、完成品の品質、市場の問題など知識の蓄積を行うべきである。

【解説】

製品の試作段階はこれまでの経験でCAE解析を実施し、実験による評価と関連説明をすることで製品設計の品質確認を行っている。量産前のトライでは、実際の製品を生産し、評価を行って問題の有無を確認する。生産段階になると、単発的に不良品が発生し、その問題解決を行うのがこれまでの仕事である。今後は生産工程の品質をモニタリングすることでそのデータを製品開発段階でのCAEに活用できる。そのために、CAE解析精度が向上し、実験と評価も一致性が高まる。量産前のデータもその品質特性値とセットで加工条件が蓄積されれば、生産段階での異常に気づくことが早くなる。未然防止も可能となる。このように品質の分野にICT化を進めることで、生産も設計もその仕事のやり方を大きく転換できる。

12　現場管理はICTで変化点対策をする

現場では多くの管理が行われている。これらの管理はどの1つをとっても重要である。しかし、この分野でのICT活用が遅れている。これからは現場組織の変化を把握し未然対応する方式が望まれる。

・現場管理への適応用途。
・5M管理への活用。

【役割と考え方】

①現場管理への適応用途

ＩＣＴ化できる現場管理を列挙すると次のようである。人を中心にして、その人が今、何をどこで、どのように行っているかを見える化すると自然にＩＣＴ化で改善が進む。人事管理、安全・セキュリティ管理、生産管理、作業管理、物流管理、設備管理、工具管理、品質管理などに多くの人が関わっている。ここには多くの無駄がある。

②5M管理への活用

現場管理では4M管理といわれる。ここでは5M管理もすべきである（品質では測定方法としての管理をいうが）。ここでのプラスMはマネジメントである。4Mを管理する側の管理監督者がどのような

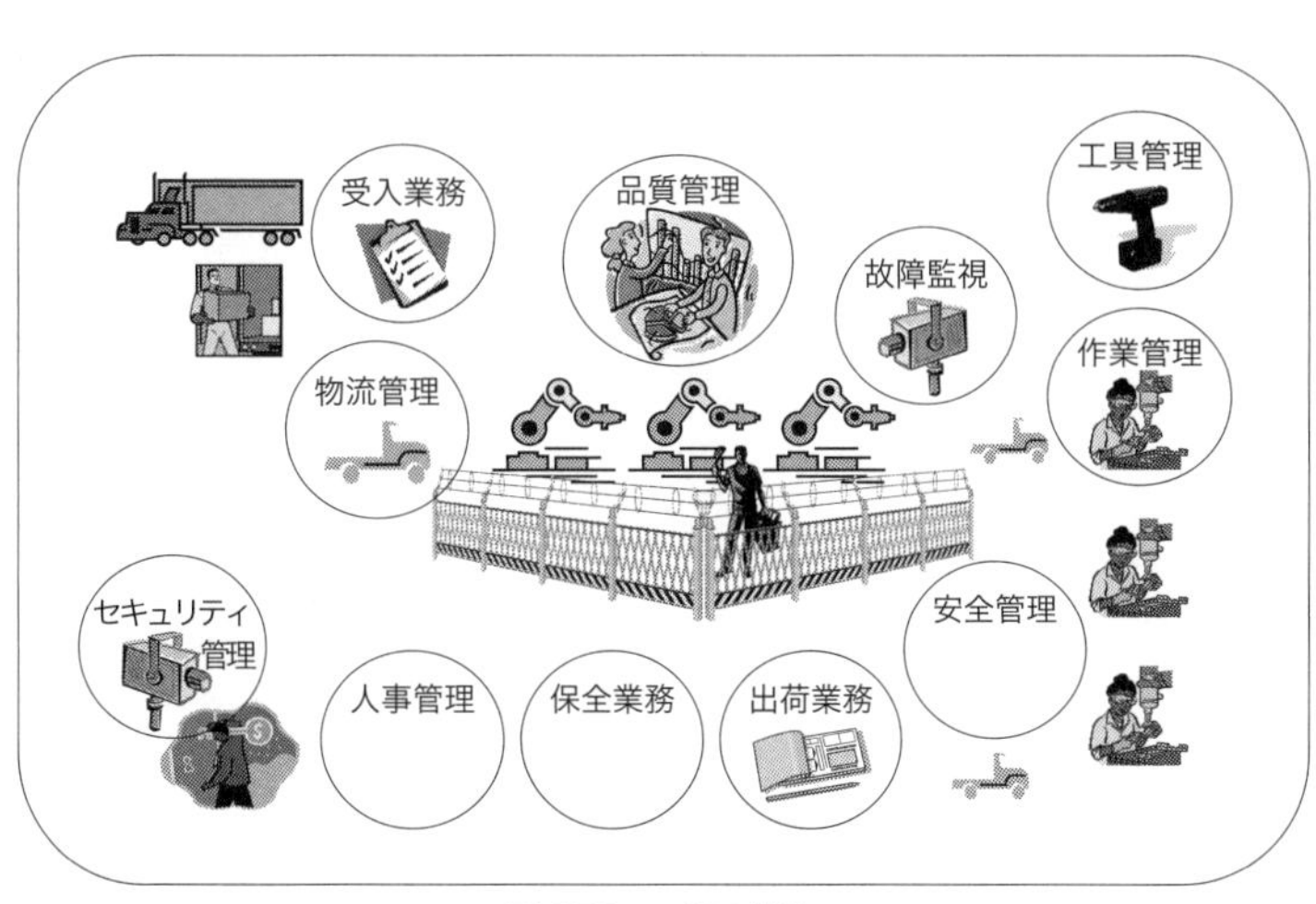

図178　工場の業務

マネジメント手法を使うかがそもそもばらばらである。改善された管理手法をさらに改善していくためにマネジメントそのものも管理の対象とし、マネジメントのＩＣＴ化でよい製品を生産していくことが必要である。５Ｍの変化点をＩＣＴで捉え人のミスをなくすことである。

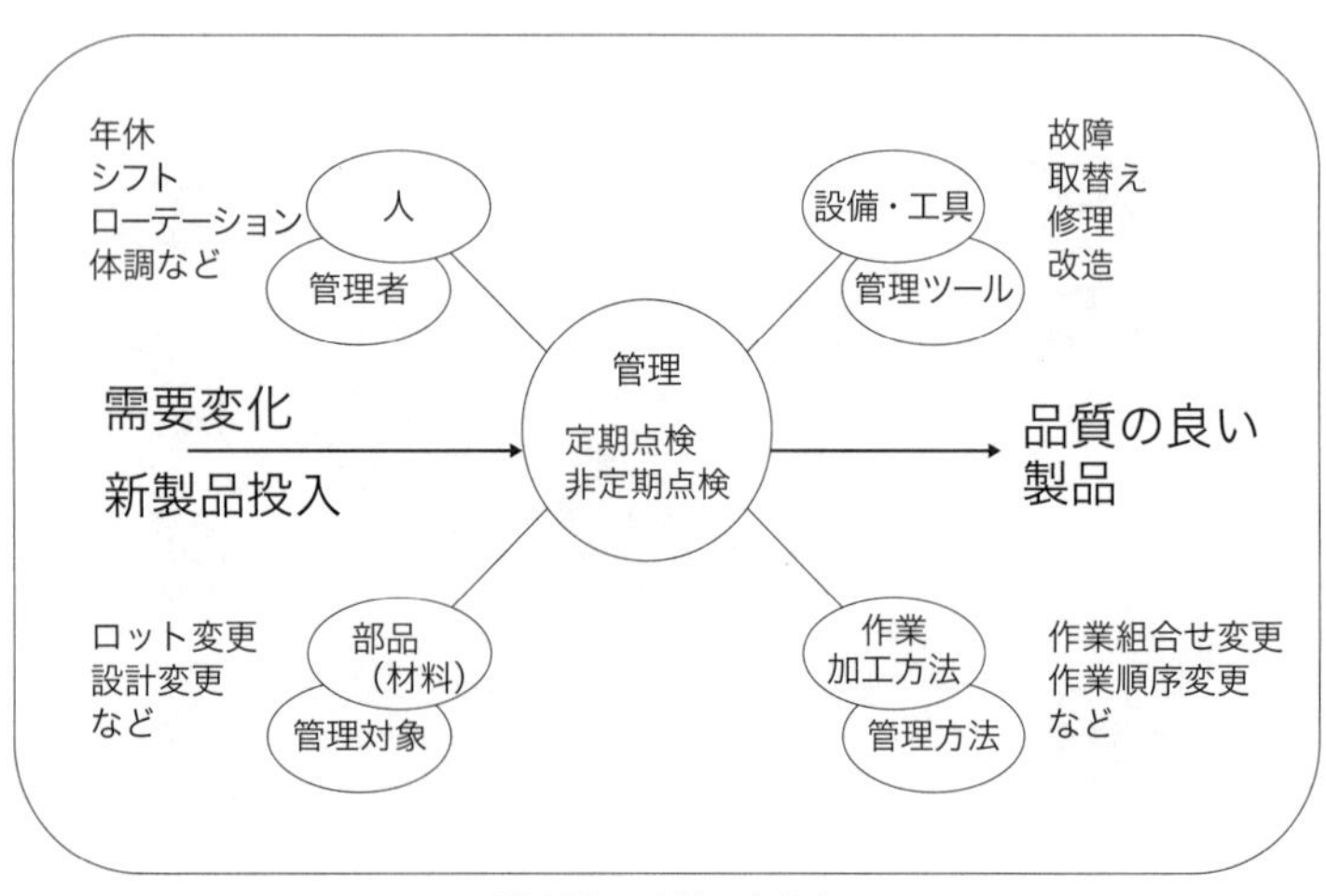

図179　日常の変化点

第5章　エンジニアリングの標準化

1　エンジニアリングの標準化システム

エンジニアリングを自動化することは難しい。そこで、過去の知見などを参照して、確からしい判断に結びつけるナビゲーションシステムを活用すべきである。

・ナビゲーション機能とは。
・標準化支援の機能。

【役割と考え方】

①ナビゲーションシステムとは

製品設計や生産ライン設計の支援のために、過去の事例と標準を参照できるようにしたものである。この中で、自分が解決したい事柄を検索し、標準を採用する思考を支援し、意思決定を迅速化できる。

1つの部品を設計する際に、R指示や公差などを設計のシナリオに基づき選択することで、設計を進めていくこともできる。製品設計は創造的な行為であり、標準シナリオに基づいて自動設計できる対象はあまりない。そのため、部分ごとの設計をその都度支援するナビゲーションシステムが向いている。

② 標準化支援の機能

標準化支援の機能には、

・過去の設計事例が分類されて検索できること。
・設計事例の中から標準として定められたことを表示すること。
・表示されたルールを採用したかどうかをチェックすること。
・チェック結果が蓄積され、標準通りの部分と新しい設計の部分とが区分けされていること。
・新しい設計の部分には、その設計を採用した理由を記録すること。
・設計された3Dモデルには標準が採用されなかった

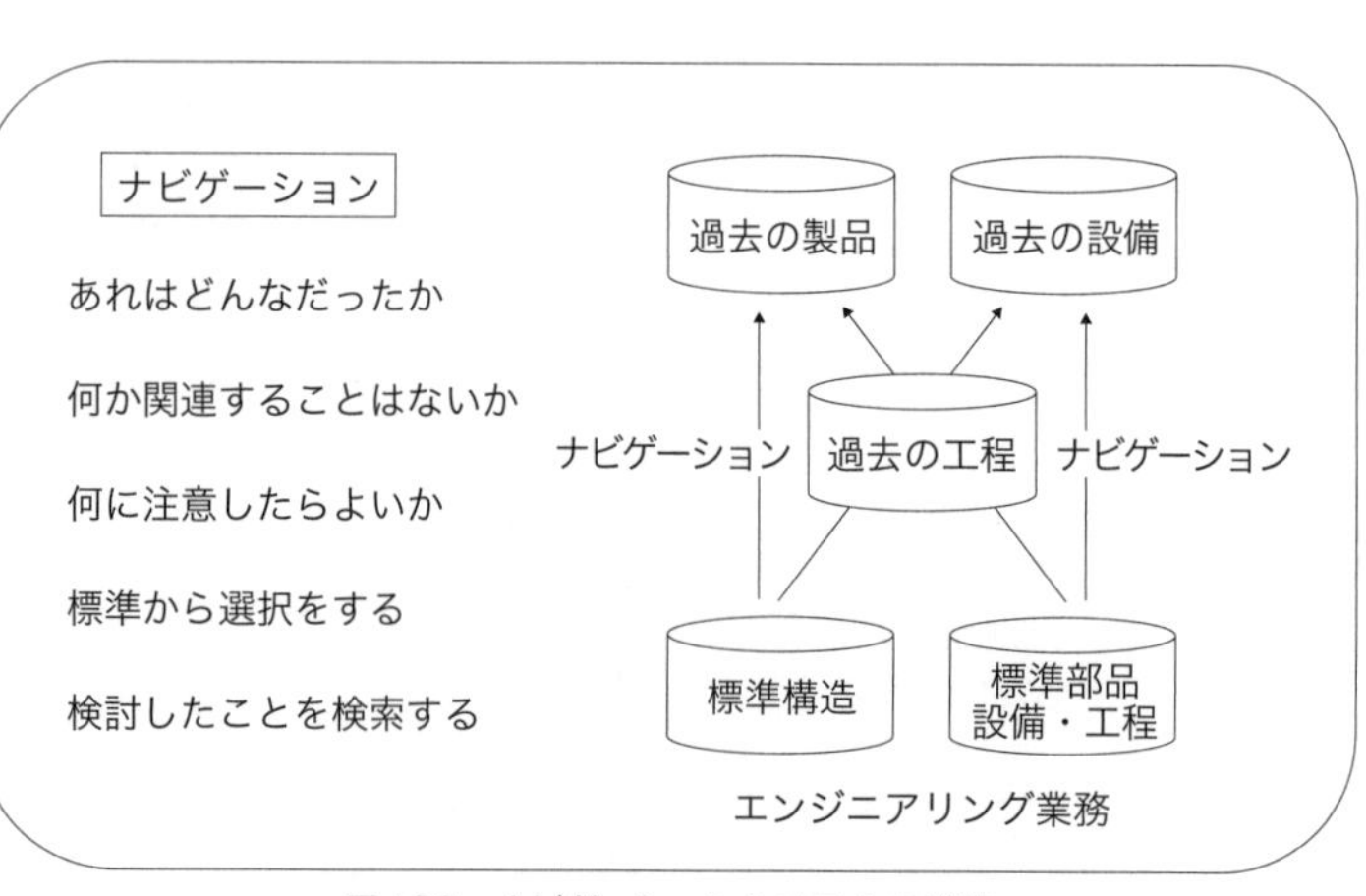

図180　ナビゲーションシステムの機能

設計部分が明示的に表現され、上位者の再確認を促すこと。
・新しく設計した部分は、設計標準化検討の組織にて、事例としての蓄積か既存の標準を修正するか検討すること。
が要求される。

【解説】
前ページの図はエンジニアが設計を進めていくにあたり、その手続きをナビゲーションとして説明したものである。標準がこのナビゲーションシステムの中心である。過去の知見をナビゲーションシステムの活用とともに増加させていき、それとともに、標準化を推進していく。エンジニアリングの判断は絶えず変化していくことを前提にし、判断ロジックをコンピュータの処理に埋め込まないことがポイントである。埋め込むと開発コストが高く、すぐに改造しなくてはならない。

2 エンジニアリングには検索が重要

Google 検索を皆が使うように、企業内にも検索が有効である。なぜ検索が有効であるかその必要性を説明する。

・エンジニアリングの検索の必要性。
・検索システムの構築。

【役割と考え方】

①エンジニアリングの検索の必要性

技術は組み合わせである。人の記憶量には限界がある。ベテランは経験が豊富であるが、その経験の中での知識しか持たない。しかし、世の中には製品が異なると全く違う技術を適用している。これと同じように、企業内においても、エンジニアが全く異なる結論を持っていることも多い。コストや品質など多くの条件を仕入れた方がよい設計ができる。また、同じようなことは全くのリピート設計を採用した方が、設計の生産性も高まる。さらに、同じ設計であれば、品質の実績もあるために安全であり、安心である。

②検索システムの構築

企業内には多くの書類がある。設計企画、実験の

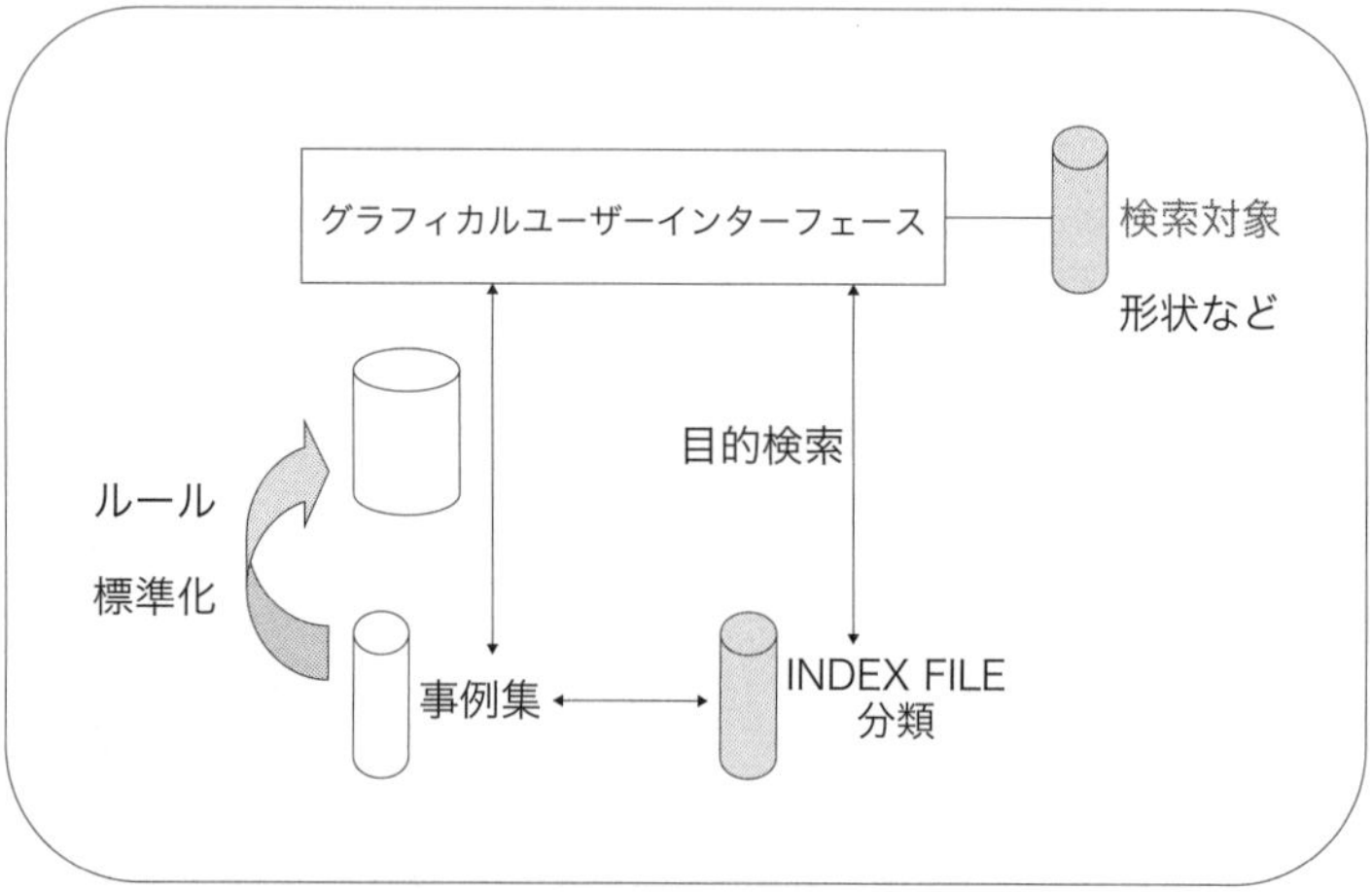

グラフィカルユーザーインターフェース
検索対象
形状など
目的検索
ルール
標準化
事例集
INDEX FILE
分類

図181　技術検索システム

報告書、日程表、品質報告書などである。これらの貴重な書類は、その目的だけでファイルされて埋没している。これらの書類をキーワード検索して容易に見ることができれば、過去の知見の上に立った設計的な判断ができる。過去を調べず、自らのアイデアだけで設計するのは問題を起こしやすい。過去の知見を参照し、標準化するためにも企業内検索システムは有益である。

【解説】

前ページの図は検索システムの概要を示したものである。企業内で作成されたドキュメントなどはインデックスをつけて保存する。保存されたデータは企業内の分類ルール（機能分類）で分類する。設計者の知りたいキーワードを入力すると、過去の事例や関係する標準やドキュメントが検索できる。これらの検索結果を見ながら、設計を進行していく。ナビゲーションシステムとの違いは、ナビゲーションの対象とするものは標準と事例だけである。これは、製品設計だけに着目して整理したものである。これに対し、検索システムは、企業内全体から検索するもので、ナビゲーションシステムに蓄積される事例や標準を作成する前段取り的なシステムである。ナビゲーションは目的以外の追加的な情報を整理した結果だけが集まっているものである。

3　エンジニアリングの標準化組織を作る

情報システムが構築されても、その標準化データを改廃していくことが重要である。そのためには以下を実施することである。

・エンジニアリングをブレークダウンする。
・標準の仕事と標準でない仕事を区分けした組織化。

【役割と考え方】

①エンジニアリングをブレークダウンする

エンジニアリングをプロセス面で細分化する。細分化するにあたり、定型的なことと非定型的なことを意識して行う。たとえば、生産ラインの設計の場合には、過去のレイアウトを集め、生産能力や設備構成などの基本的なデータを収集することは定型的である。そして、同じ生産能力のラインを見つけ、そのラインで生産中の製品と今回生産する製品の差を見つける。この仕事も定型的である。その差を見つけた結果、既存の生産ラインに対して、今回のライン設計のどこをどのように修正するかを考えるのは非定型的な仕事である。

②標準の仕事と標準でない仕事を区分けした組織化

左記のように業務をプロセス面で整理をすると、定型的な業務を集め、標準の仕事を推進する組織を作ることができる。標準推進組織は定型的な業務を行い、そのプロセスと判断はいつも標準に従って機械的に仕事を推進していく。技術的な進歩はないが、過去の知見など、多くの経験的な知識と判断ルールを身につけることができる。一方、非定型的な業務は、標準を知り尽くしたエンジニアで組織化し、新たな課題に対し、創造的な検討を行う。

【解説】

下図は、製品設計の図面を受け取り、生産ラインとしての問題点を検討する仕事をブレークダウンさせたものである。製品設計図はまず、標準推進の図面検討組織に渡される。ここは、生産技術面での生産要件が織り込まれているかを機械的に漏れなくチェックする役割である。そのチェックには、生産要件が蓄積され過去の事例などを持つ標準化支援システムを活用する。その結果、生産要件と異なる新構造の部分が見つかる。この新構造の部分を専門の図面検討組織で技術的な検討を行う。組織を標準的業務とそうでない業務に分けることで、標準改廃が責任をもって実行される。

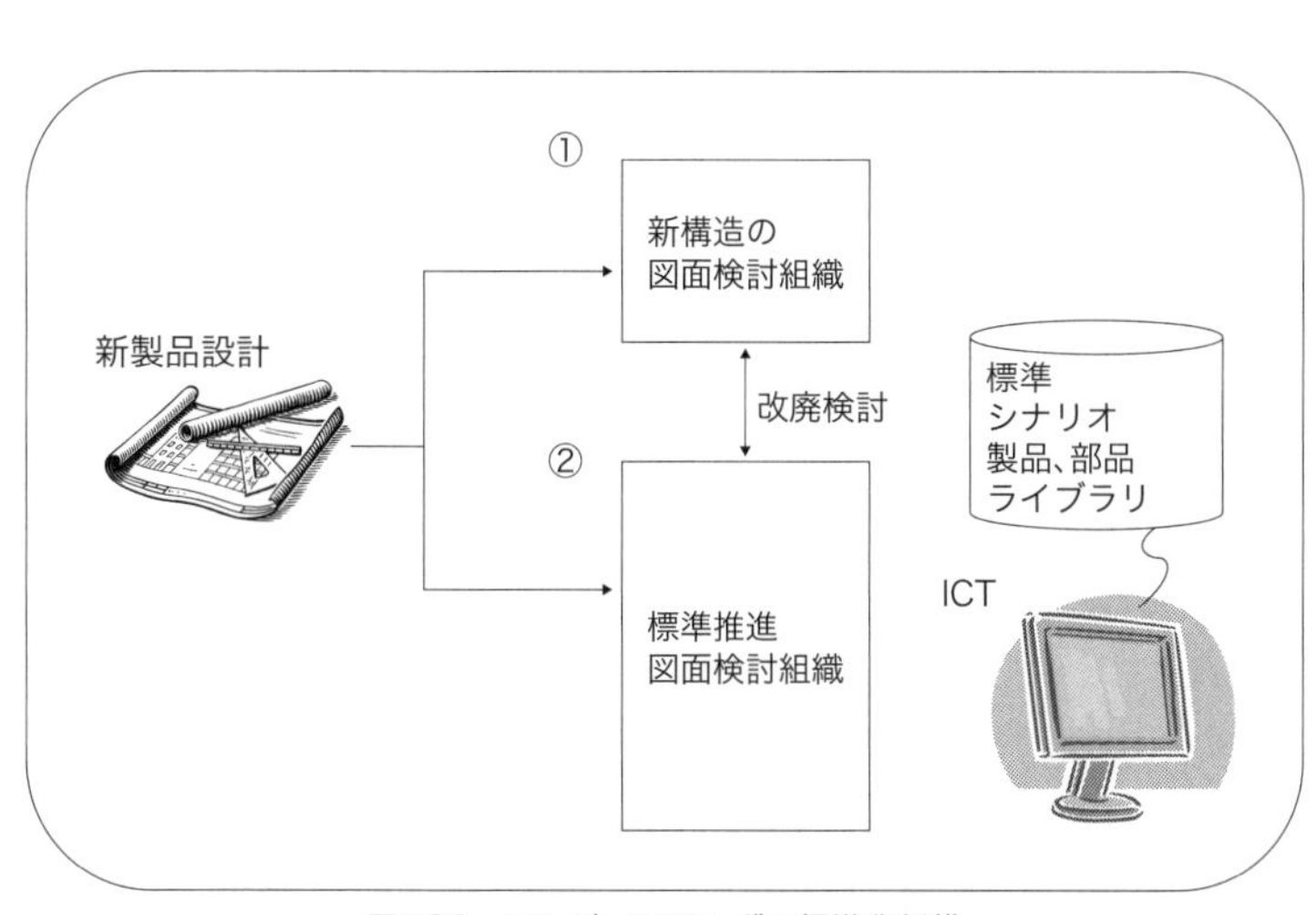

図182　エンジニアリングの標準化組織

るからだ。しかし、3つの役割を持つICTを作ればこの効果は理解しやすい。

4 エンジニアリングICTの3つの役割

エンジニアリングのICT化投資はその効果が分かりにくい。個人の能力依存で行われる業務であるからだ。しかし、3つの役割を持つICTを作ればこの効果は理解しやすい。

- ・製品指向。
- ・知識の共有化。
- ・標準化。

【役割と考え方】

①製品指向は重要である

製品を設計、生産するには多くの組織や生産工程が関与する。しかし、製品全体を意識するのは最終工程である組立ラインである。その前工程は部品を生産するために、製品指向ではなく、自工程の部品指向である。そのために、部品が製品の機能とどのような関係があり、そのために自工程はどのような責任を果たさなければならないかを考えない。そのような工程にも製品を意識させる。生産技術者も設計者も同じく、自分の仕事の完成が目標であり目的である。製品における自部署の役割や自分の役割を明確化しないと、よい製品は生産できない。常に製品の機能から自工程の責任を認識させることが大切である。

②知識の共有化

エンジニアはその知識を皆に伝えきれていない。知識を蓄積し伝達する道具がないからである。身についた知識が組織内に蓄積しなければ技術の進歩は期待できない。知識を組織に記録することを必須としなければならない。

③標準化

知識の蓄積がなければ、標準化の対象も絞ることができず、何をどのような目的で標準化すべきか認識できない。標準化も製品指向で実施すべきである。

【解説】

図では3つの目的を説明している。製品指向は製品の機能別に各工程や組織の仕事を考えることを示している。知識の共有化は製品、工程、品質を製品指向から関係づけをして理由とともに蓄積する方向性を示している。さらに、標準化は製品指向の考え方で整理された製品、工程、品質を個人的ではなく、

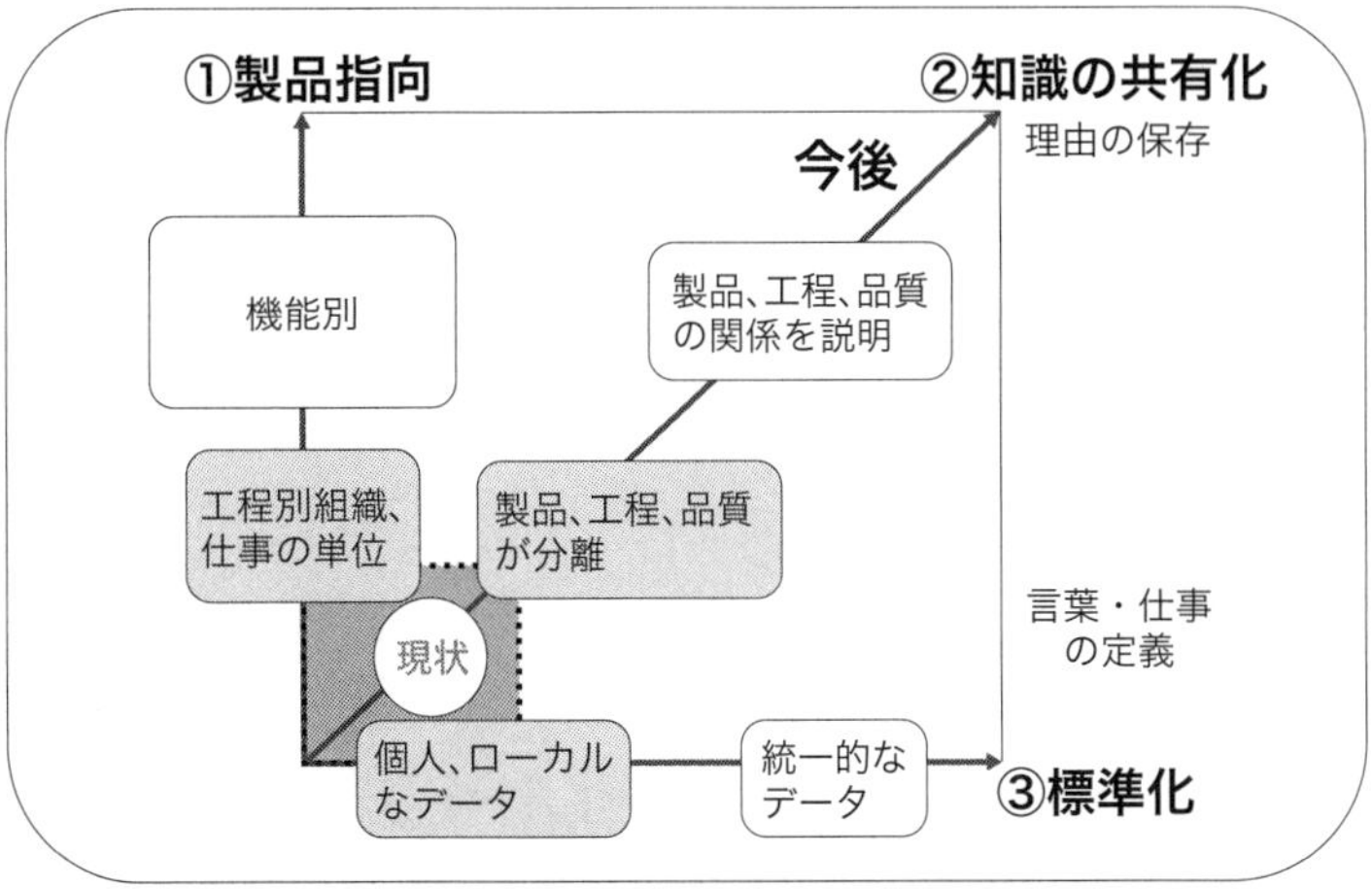

図183　ICT化の目標

統一的な考え方として言葉や仕事の標準化を実現していくことを示している。製造業は図の現状の位置に留まっている。この3つがエンジニアリングのＩＣＴ化を推進する目的である。この3つを一緒に推進できる組織を作ることも重要である。

第6章　ＩＣＴ推進者に必要な思い

1　現場に入り込んでシステム化を推進

製造業の情報システム担当の役割認識を見直す必要がある。今や誰でもシステムを構築することができる。このような現場主体のシステム開発における役割は次の通りである。

・全体データの関連性。
・現場主体のシステム構築。
・現場組織に入ったシステム化企画。

【役割と考え方】

①全体データの関連性

企業内の各組織にはデータベースが存在していることが多い。しかし、そのデータはその意味や精度保証などにおいて個別管理下にある。ダークデータになっている。重複していることもあれば、二重入力を企業全体として行っている可能性も高い。情報システム担当はこのようなデータの全社管理と提供を行う。

②現場主体のシステム構築

システムは分散化されている。それぞれ、仕事は現場がよく分かっている。現場の仕事の質向上とその生産性向上を現場組織単位の重要性認識で実行する。全社システムが優先されることが多いが、そのシステムと部署単位のものとは目的も役割も全く異なる。

③現場組織に入ったシステム化企画

現場の動きを待つのではなく、現場を動かしシステム企画の旗振りをする。もはや、製造業にはシステムだけのプロは通用しない。現場の業務を行いながら、自らの組織の効率化を実行できるシステム知識を持ったエンジニアの育成が必要である。

●ミッション ＜成長＞

世界最先端の情報システム活用による
他者を凌駕するエンジニアリング手法の実現

●ビジョン ＜効率＞

継続的な標準化を推進し、
品質向上と業務の効率化を推進

終わりのない責任がある。

図184　本来のシステム屋の役割

【解説】

製造業は今後、さらに人手不足となる。それでも、企業は成長し続けなければならない。そのためには、成長と効率を実現していく必要がある。製造業の情報システム担当はものづくりのエンジニアリングを通して企業の成長と効率化の役割を担っている。そのためには、情報システム化は必須である。最新の情報システムではなく、情報システムの活用度（効果）を追い求めることが重要である。これには、仕事の整理と標準化を粘り強く実施し、エンジニアリング手法を進化させることである。ビジョンとしては、継続的な標準化を推進し、品質向上と効率化を推進することを掲げなければならない。反対に現場は自身で改革する意気込みを持ち、責任を持ったエンジニアリングシステムを構築し、効果が出るまで改善し続けることである。人や仕事は変化する。柔軟な考え方で小さく生んで大きく育てることができるシステム構築を行うことである。

2 情報システム開発は製造業と同じ

製造業と情報システム構築は似ている。どちらも人に大きく依存している。システムのバグがあるが、これを当たり前と思ってはいけない。

・情報システム開発の問題点。
・失敗しないための方策。

【役割と考え方】

①情報システム開発の問題点

目的を定めるまでの議論が長い。仕様の立案も時間がかかる。次にその実現方法を検討し、設計に着手すると実現が難しい問題が発生し、その都度、仕様の修正が行われる。何かを情報システム化したいとの意識が強すぎるからである。本来なら、現場が何をすべきか分かっていないといけない。それを情報システム担当に企画させようとするから、仕様のミスや勘違いなどが起こるのである。開発においても、バグがあってはいけない。製品製造も同じように人手で行われているのにソフトウエアほどのバグは発生しない。

②失敗しないための方策

現場の仕事を日常的に整理し、エンジニアリングを日々改善する体質に変革させること。情報システム化はいつでもできる。その前に、仕事の整理をし、何が課題かを認識していることが必要だ。日頃から

・労働集約型

・人の能力依存

・作業分担

・俯瞰性、視認性の困難さ

・見えない

・完成しないと機能確認ができない

・品質不完全性

・不具合が潜在

図185　情報システム開発は製造業

どのようになったらエンジニアリングの質と生産性が向上するかをシステムの仕様として、議論する。システムのバグについては、積み木開発を行うことで解消できる。仕事の改善とともに、機能を向上させていくことは無駄な投資とはならない。追加した部分だけをテストすることにより対象を縮小できる。それによるテスト漏れの防止と早期のユーザ活用による生産性向上の方が圧倒的なメリットがある。

【解説】

情報システムの開発は製造業と共通性がある。人の能力に依存していること、各自のプログラムは皆が完成しないと製品として機能問題がないか分からないこと、製品と同じように想定していない問題や不具合を潜在的に持っていることなどだ。生産ラインの品質向上の歴史を振り返れば、ソフトウエアの品質向上も図れるはずである。品質向上の活動が進んでいないことが問題である。どのようにすれば人間のミスを防止できるかを検討できていない。重要なことは標準化である。人が自由にプログラミングすることでミスが出る。できるだけ部品化して、共通化することである。これを妨げているのは、システム開発をユーザの意向に沿って実現しすぎているからである。他のシステムとの共通性を抽象的に捉え共通性を見出すことが必要で、部品化したものは改造しないことである。

3　情報システムで省人化する

情報システムの効果について経営層が理解しにくい点は、実際にどのくらいの生産性が高まったかを定量的につかめていないからである。そのためには左記を考えないといけない。

・人を減らせる情報システム仕様の作成。
・効果を把握する処理の組み込み。

【役割と考え方】

①人を減らせる情報システム仕様の作成

仕様検討会議に参加すると何のために仕様を立案しているかが怪しい議論に遭う。細かい画面設計への注文や、表示の内容についての要望などにおいて、どのくらいの人が減らせるかの説明がされていないことが多い。大きな機能として、何をどのように実現するとエンジニアリングプロセスのどこがカットできるかを考えるべきである。エンジニアリングのプロセスをカットするにはどのような仕組みが必要かを考えると仕様検討の視点が集中し、システム的な仕様でなく、組織間などの仕事の進め方の議論になる。

②効果を把握する処理の組み込み

プロセスをカットする仕様を決めたら、次にその効果を計測できる仕様を織り込む。効果を計測するとは、ユーザが行った処理回数を積算、仕事の流れの中でデータを流用した回数と量を積算するなど、ユーザにも見える方式で効果確認できるようにする。システム導入前に対し、導入後が容易に確実に効果計測できるようになれば、経営層もその効果が分かりやすくなる。仕事を継続改善する際にも、改善前後を定量的に把握していくことは、投資を必要とするシステム開発を行う者の責任である。

【解説】

トヨタ用語を参考に、システム設計への留意点を掲げている。誰が使うか分からないデータの入力をさせない。後工程の活用があって初めてデータ入力の意味がある。コンピュータを導入すると入力が仕事だと間違った認識の社員が増えることに注意する。コンピュータは思考を支援し、自動化しないといけない。データを貯めるだけの仕組みでは、生産性は何も上がらない。いわゆるファイルサーバがそれである。人が削減できるかを常にチェックし、その方策を考える。システムを開発することが目的になっていないかチェックする。システムの開発会社もこのような考えではいけない。注文がユーザから来るのは期待の表れ、ユーザも本気で使っているからである。継続的な仕事の改善にシステム機能開発を継続することは初期の開発よりももっと重要である。

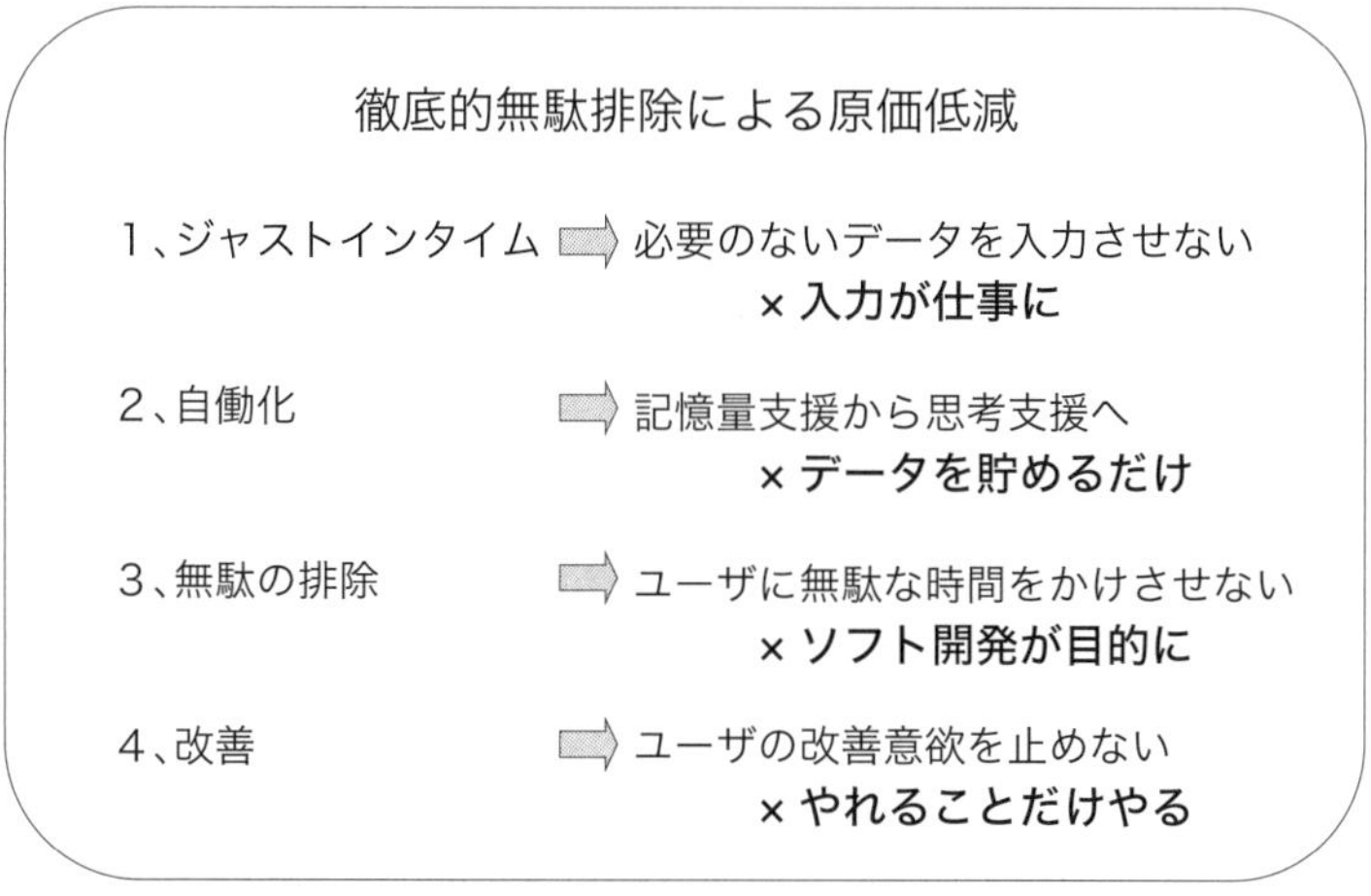

徹底的無駄排除による原価低減

1、ジャストインタイム ⇨ 必要のないデータを入力させない
×入力が仕事に

2、自働化 ⇨ 記憶量支援から思考支援へ
×データを貯めるだけ

3、無駄の排除 ⇨ ユーザに無駄な時間をかけさせない
×ソフト開発が目的に

4、改善 ⇨ ユーザの改善意欲を止めない
×やれることだけやる

図186　TPS的システム設計

4　情報システムの無駄をチェックする

情報システムは無駄な機能になっていないかチェックすべきである。何が無駄なのか繰り返し行われていても、操作が数秒であると無駄の認識が甘くなるものである。

・情報システム導入前後をガントチャートで分析する。
・操作が行われる回数を年間で積算して考える。

【役割と考え方】

①情報システム導入前後をガントチャートで分析する

システムが自動でない場合、ハンドの時間も含めて1つの仕事全体をガントチャートに描き出してみることが大切である。人を減らす目的で計画したチャートとどこが不十分かを調査する。また、システムを導入前のガントチャートとも比較し、生産性がどのレベルかを認識する必要がある。コンピュータ化することで、処理の間の待ち時間が発生する。ハンドで行っている場合は、スピードは遅いものの、待ち時間は発生しない。待ち時間に着目して機能を改善する。

②操作が行われる回数を年間で積算して考える

システムの問題点を伝えるには定量的に把握することが大切である。そのためには、年間でどのくらいの無駄な時間に相当するかなど、単位が大きくないといけない。人を削減することは、少なくとも人・年の単位でないと経済性の検討評価がハッキリしない。中途半端に0・5人減っても、仕方がないのである。ユーザの数も考慮し、会社全体として積算する。自部署で効果が出ても、他部署で人が増えるシステムを構築することは問題である。管理だけのシステム化ほど無駄なものはない。管理者は改善を推進する責任者である。改善できるシステムを構築すべきである。

【解説】

システムにも無駄がある。いったん運用が開始されると、システムは簡単には直せないものである。そのために、仕様作成段階で、機能の実現とは別に無駄な仕様はないかを見直すフェーズを設けるべきである。また、シンプルなシステムを構築するようにする。複雑な処理は、仕事を整理してから開発すればよい。コンピュータから答えが返ってくるまで

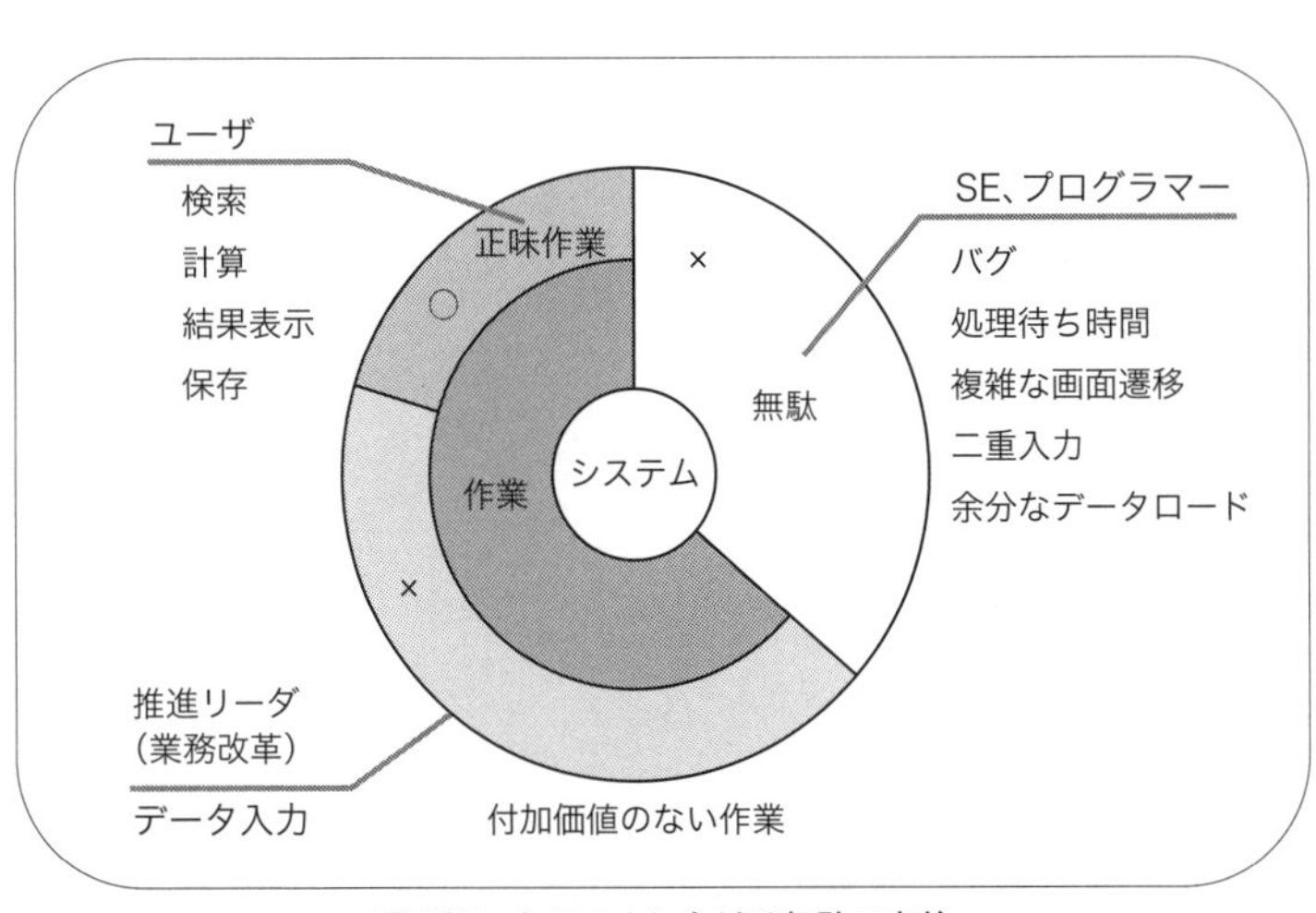

図187　システムにおける無駄の定義

のレスポンス時間はシステム設計の中で検証しておくべきものである。人を減らすことができるかを考えてシステムの仕様と設計を行うことで、アイデアの湧き方も違ってくる。そのための情報システム開発であれば、また、異なる分野のテーマが生まれるものである。

5 情報システムで継続的な改善をする

情報システムの開発は疲労するといわれる。仕様を提示する側も開発する側も言葉だけのやりとりで、そこに現物がないからである。システム仕様を具現化する方法も必要である。

・システム仕様を具現化する。
・システムを生産ラインで作れるようにするには。

【役割と考え方】

①システム仕様を具現化する

システム仕様を具現化するには、ユーザ視点でのツールを考えないといけない。システム設計者の作成するドキュメントでは読み合わせを行っても理解しにくい。細かいところに終始せずに、大きな人員削減の機能について作成することである。その人員削減はなぜ行うことができるかをその仕組みや機能面から説明することが必要である。プロトタイプを作成しユーザに確認を求める方法もあるが、プロトタイプでは人員削減の実機能はつくれないので、十分であるとはいえない。画面遷移を仕事の時間軸で並び替えをしたガントチャートの方が分かりやすい。仕様書には時間軸の流れが欠けている。

②システムを生産ラインで作れるようにするには

システムの品質を確保するには、品質が確保できる設計がなされていなければならない。仕様書も完全に書くことはできない、そしてそこから作成するシステム設計も完全ではない。すべてを最初からプログラミングをすることは人のミスが出る可能性も高い。したがって、製造業の製品と同じく、仕様書もシステム設計もプログラミングも部品化して、それを組み合わせて開発する方針を貫くしかない。そのためには、同じ分野のシステム開発を繰り返し行い、共通仕様を研究することがＩＣＴベンダーには必要である。

・工程計画の進化＝標準化
↓　　　　　　　＋継続的な改善
・ICT＝ものづくりの生産性向上効果必要
↓
ICT 化の体制と進め方

・業務改革委員会を組織
　委員長は取締役でユーザ部門がリーダ
・ICT はとにかく、すぐに使い、開発パートナーと密に連携
・業務を改革する組織、チームが各部に存在する
・一歩ずつ着実に仕事のやり方を改善し工数低減する

仕事の質を高めること＝製品の品質を高めること

図188　まとめ①

【 人間尊重の精神から、ものづくりシステムを設計する 】
（安全で、働きやすく、品質確保できること）

1、人は間違えるものである

・量が多いと間違える・・・・・・・・仕事の対象を減らす
・いつもと違うと間違える・・・・標準化

2、間違わないように製品構造・工程設計・
　　ものづくりシステムを設計する

3、ものづくりシステムを設計するのは生産技術の役割

図189　まとめ②

コラム　大手ゴムメーカの製造部門事例

生産計画通りに生産ができないという相談を受けた。生産管理部門においては、月度生産計画には某有名なソフトウエアが使われていた。しかし、現場は自らの生産日程の月度計画を作成していた。この日程には計画通りに生産ができていないために、その挽回計画を織り込み、少しでも遅れを取り戻すために、修正を加えていた。しかし、それでもこの挽回計画も遅れてしまっていたのである。従来から、毎月20日に挽回計画と生産管理が作成する翌月の生産計画とのすり合わせが行われていたにもかかわらずである。その計画を見ると、月初から計画が守られずに計画と実績が乖離していた。この企業の問題は、当然、在庫管理もよくなかった。多くの種類の材料をロットで購入していた。使いかけのロットは管理がされていなかった。毎日現場の担当が在庫を見に行って、その翌日の計画を修正しているのであった。このような日々の状態は現場だけが残っている在庫量を知っているからであった。現場はものづくりの手間を避けるために、同じ材料を用いる加工を先にまとめて行っているのであった。生産管理の計画とは異なる着手タイミングでものづくりを行っていたのである。また、工程内の品質不良も慢性的に多く発生していた。生産計画通りに物が作れることは、ものづくりの基礎的な体質や能力がなければ、どのような生産管理システムを導入しても解決はできないのである。システム以前に現場のものづくりの工程能力や品質不良の未然防止を行うべきであった。このことにより結果、仕掛在庫をなくし、生産性が改善される。その上で生産計画が意味のある仕事となるのである。この企業の例は、他の企業にもよく見られる事例である。ものづくりが淀みなく行われるには、各工程の品質不良をまずなくす活動が日常管理として行われ、不良が日々減少している現場運営が必要である。このことをおろそかにして、生産性向上、コスト低減を進めても、意味がないのである。どんなに生産性向上やコスト低減を行っても、それは一時的な効果にすぎない。たとえば、手直し工数や材加不などの損失コストや工数も品質不良の陰で発生するのであるからだ。製造のマネージャーが現場で起こる諸問題がどのような因果関係にあるかを掌握せずにいたからであった。

あとがき

本書はトヨタ自動車の退社後に1年間かけて生産技術における業務上の考え方や心をまとめたものがベースになっています。その後、自動車以外の生産コンサルタントに従事して気づいたことは、トヨタ生産方式がいわゆる自動化やジャスト・イン・タイムということだけではないのではないかということでした。この言葉が作られた当時からすでに70年以上が経過していますし、情報技術が革命的に進展した今日では、この言葉の概念を基礎に、さらに進化した方法論を定義しなければならないと考えたことによります。世の中のものづくりの多くの関心事はいまだに在庫削減にあることも知りました。そして、情報技術も在庫管理、生産管理が対象です。しかし、在庫は常に結果です。仕掛在庫もものづくりのプロセスに関わって生まれる結果です。結果の数を数えただけでは、対策は進まないわけで、なぜ、その在庫が生まれてきたかの要因を追求することがトヨタ自動車の社員が保有する教育システムの基礎になっています。在庫は人が作り出しているもので、業務の計画行為の中に何らかの間違いがあるからです。この計画業務には製品の設計、工程を設計する生産技術、部品を調達する調達部、生産計画を立案する生産管理、品質の安定を管理する品質管理などの多くの多岐にわたる関係業務があります。これらの多くの関係部署との関係業務は人による仕事であるために、そこには考え方の違いが存在します。これは部品の仕入先や設備の製造などに関わる関係企業が含まれた大変大規模な複雑性の中での最適化の追求になっています。

本書は、組立の生産技術を中心に人が行う計画業務には多くの考え方がルール化され、その自動車の例を紹介するために執筆したものです。これらのルールは環境の変化（自動車ならば自動運転技術の進展など）によって見直しが行われていかなければなりません。どのように考えて仕事を進めるのかのルールは今日であればＩＣＴにより当然実現されていなければならないことと思います。しかしながら、これが進んでいないのではないかと心配になります。ＩｏＴの進展もうまく進まないのは、このような情報技術を紙や鉛筆のように当たり前にして、業務の仕組みに取り入れることができていないことによるものだと考えています。このような危惧もあり、工程設計とＩＣＴは全く同格にかつ同時に一体のこととして生産技術の仕事の内容として取り入れてきたトヨタ自動車における実際の事柄を記載してあります。皆さんの製品やサービスに置き換えてみることで、意識改革の大きなきっかけとなれば幸いです。

ここに、これまで、多くの指導や経験を与えていただきました諸先輩方々および関係者の皆様には心より感謝を申し上げます。

石井創久

〈著者紹介〉

石井創久（いしい たつひさ）

1979年　トヨタ自動車入社
第三生産技術部　組立技術課
“今後の組立の方向”企画提案
クラウン他フルモデルチェンジの生産ライン計画業務
英国第1工場　組立工場建設プロジェクトリーダ
完結工程定義とオールトヨタ展開
COMPASS（組立工程編成支援システム）開発と世界展開
車両生技部　車両情報管理室　室長
ボディ系エンジニアリングシステムの推進リーダー
品質管理システムの構築
2006年　チャレンジキャリア制度にてトヨタ自動車退社
2007年　株式会社デジタルコラボレーションズ設立
製造業の生産性向上およびIT企画コンサルタント
知識管理システム開発販売（CKWeb）
知識管理関係のビジネスモデル特許取得（50件）
ものづくりテレワークシステム（CKWeb 2）開発販売
2020年　ものづくりノウハウ公開開始
【主な著書】
『トヨタ　生産技術　誰も知らない考え方　プロセスプラニング』株式会社デジタルコラボレーションズ

トヨタの製造現場はなぜ最適なラインをつくれるのか
時代をリードするエンジニアの思考力

2021年2月24日　第1刷発行

著　者　　石井創久
発行人　　久保田貴幸

発行元　　株式会社 幻冬舎メディアコンサルティング
　　　　　〒151-0051　東京都渋谷区千駄ヶ谷4-9-7
　　　　　電話　03-5411-6440(編集)

発売元　　株式会社 幻冬舎
　　　　　〒151-0051　東京都渋谷区千駄ヶ谷4-9-7
　　　　　電話　03-5411-6222(営業)

印刷・製本　中央精版印刷株式会社

装　丁　　三浦文我

検印廃止

Printed in Japan
ISBN 978-4-344-93320-0 C0034
幻冬舎メディアコンサルティングHP
http://www.gentosha-mc.com/